De vlam van de hartstocht

Kathleen Woodiwiss

De vlam van
de hartstocht

2003 – Briljant – Amsterdam

Oorspronkelijke titel: The Wolf and the Dove
Vertaling: Marja Hilsum
Omslagontwerp: Stef Verbraeken

Achtste druk

ISBN 90-225-2981-9

© 1974 by Kathleen E. Woodiwiss
© 1993 voor de Nederlandse taal: De Boekerij bv, Amsterdam

Speciale produktie voor Boek Specials Nederland bv.

Een mythe

In vroeger tijden, toen de druïden door de noordelijke wouden van Engeland zwierven en er hun sabbatten hielden, raakte een jongeman begeesterd door strijd en geweld en oefende de krijgskunsten tot niemand hem overtreffen kon. De jongeman noemde zich "de Wolf" en plunderde het volk. Na verloop van tijd hoorden de goden op de hoge berg tussen de aarde en Walhalla van zijn daden. Wodan, de koning der goden, stuurde een afgezant om de opschepper, die schatting van het volk nam en het lot uitdaagde, te vernietigen. De twee ontmoetten elkaar en trokken hun zwaard en hun strijd woedde veertien dagen door het hele land. De krijgsman was werkelijk groot, want zelfs de afgezant van Wodan kon hem niet verslaan en ging terug naar de berg om te erkennen dat hij gefaald had. Wodan dacht lang en diep na, want er stond geschreven dat wie een afgezant van de goden kon verslaan, het eeuwige leven op aarde zou verwerven. De hemel boven de Wolf trilde van Wodans lach. Toen werd de hemel doorkliefd door donder en bliksem en de jongeman bleef driest staan met getrokken zwaard.

"Dus jij hebt het eeuwige leven gewonnen," brulde Wodan vrolijk. "En je staat voor me met je zwaard klaar voor de strijd, maar dwaasheid is nooit moed geweest en ik kan je hier niet ongestoord laten plunderen. Je zult je onsterfelijkheid hebben, maar alleen zoals het Wodan behaagt."

En met een machtige lach stond hij op en de bliksem sloeg in het zwaard. Langzaam rees een rookwolk op. Waar de jongeling gestaan had, hurkte nu een grote, roodgloeiende ijzeren wolf met een grauw op zijn lippen.

Er wordt verteld dat in een diep dal bij de grens met Schotland op een donkere plek het beeld staat van een ijzeren wolf, bruin van het roest en omslingerd door klimplanten, de poten groen van het mos. Men zegt dat de wolf zich alleen beweegt als er oorlog woedt in het land en dan een krijgsman wordt – driest, sterk, onoverwinlijk en woest.

En nu staken Williams horden het kanaal over en Harold trok op vanuit het noorden en de oorlog naderde ...

1

28 oktober 1066

Het lawaai van de strijd verstomde. Het geschreeuw en gekreun van de gewonden werd tot zwijgen gebracht. Het was stil en de tijd leek stil te staan. De rode herfstmaan scheen op de wazige horizon en in de verte huiverde het gehuil van een jagende wolf door de nacht en legde de griezelige stilte nog vaster over het land. Vlagen mist dreven van het moeras over de verminkte doden. De lage aarden muur was bedekt met verslagenen uit het dorp. Hierachter rees de grote zwarte massa van Darkenwalds burcht op en de enige wachttoren doorboorde de hemel.

In de burcht zat Aislinn op de met biezen belegde vloer voor de zetel van waaruit haar vader, wijlen heer van Darkenwald, zijn goed bestuurd had. Met een ruw touw om haar hals zat ze vastgebonden aan de pols van een donkere Normandiër die in wapenrusting op heer Erlands houten zetel zat. Ragnor de Marte keek naar zijn mannen, die de burcht afzochten naar het kleinste voorwerp van waarde, zware deuren open gooiden, in kisten rommelden en de waardevollere vondsten op een voor hem uitgespreid kleed gooiden. Aislinn zag haar met juwelen bezette dolk en de gouden filigrain gordel die nog maar pas van haar heupen gerukt en tussen de andere schatten uit haar huis op de stapel gegooid was.

Soms ruzieden de mannen over een begeerd stuk, maar werden snel tot zwijgen gebracht door een scherp bevel van de overwinnaar. Meestal werd het voorwerp dan onder gemopper toegevoegd aan de stapel voor hem. Bier werd rijkelijk verzwolgen door de overvallers en vlees, brood en wat er verder eetbaar was, werd verslonden zodra het ontdekt was. De in ijzer geklede ridder van Williams horde die haar vasthield, nam zijn holle stierehoorn en keurde de wijn, onbezorgd door haar vaders bloed dat nog op de maliën op zijn borst en armen kleefde. Als hij nergens anders mee bezig was, trok hij aan het touw waardoor het gemeen in Aislinns keel drong. Elke keer bracht het schuren een trek van pijn op haar gezicht. Hij grinnikte wreed, omdat hij haar enige reactie ontlokt had en dat scheen zijn gemelijke humeur wat te verbeteren. Toch had hij liever gehad dat ze smeekte om genade. Ze bleef waakzaam en haar kalmte ergerde hem. Anderen zouden aan zijn voeten gekropen hebben en om medelijden gesmeekt. Maar dit meisje – ze had iets dat hem een beetje in het nadeel bracht als hij aan het touw trok. Hij wist niet hoe diep haar kalmte zat, maar hij besloot dat hij het op de proef zou stellen voor de nacht om was.

Toen hij en zijn mannen de zware deur open braken, stond zij met haar moeder, vrouwe Maida, in de hal alsof ze met zijn tweeën wilden standhouden tegen het hele Normandische leger. Met zijn bebloede zwaard in zijn hand bleef hij staan, terwijl zijn mannen op zoek gingen naar anderen die bereid waren te vechten, maar toen ze alleen deze twee en de jachthonden vonden, lieten ze hun wapens zakken. Met een paar schoppen en slagen brachten ze de honden tot rust en bonden ze vast, toen wendden ze zich tot de vrouwen die het niet beter ging.

Zijn neef, Vachel de Comte, deed een stap naar het meisje toe om haar voor zichzelf te grijpen. Maar Maida wierp zich voor hem om hem bij haar dochter vandaan te houden. Hij wilde de oudere vrouw opzij duwen, maar haar klauwende vingers vonden zijn korte mes en wilden het uit de schede trekken, maar hij voelde het en gooide haar tegen de grond. Met een kreet viel Aislinn naast haar moeder neer en voor Vachel haar kon opeisen, kwam Ragnor ertussen en trok haar haarband weg, waardoor een massa glanzend koperkleurig haar vrij kwam. De Normandische ridder stak zijn hand erin en trok haar overeind. Hij bracht haar naar een stoel, gooide haar erin en bond haar polsen en enkels aan het houten meubelstuk, zodat ze zich er niet meer mee kon bemoeien. Maida, nog steeds verstomd, werd erheen gesleept en aan haar dochters voeten vastgebonden. Toen voegden de twee ridders zich bij hun mannen, die het dorp plunderden.

Nu zat het meisje verslagen aan zijn voeten. Toch smeekte ze nog niet om genade. Ragnor voelde zich een ogenblik onzeker door haar grote wilskracht.

Maar Ragnor had geen idee hoeveel moeite het haar kostte er kalm uit te zien terwijl ze naar haar moeder keek. Maida bediende de overvallers, met aan elkaar gebonden voeten waardoor ze geen volle stap kon doen. Er hing een eind touw los en de mannen trapten erop. Ze lachten als Maida viel en bij iedere val verbleekte Aislinn, ze onderging liever zelf de straf dan dat ze haar moeder zag lijden. Als Maida met een blad met eten en drinken viel, verdubbelde het plezier en voor ze weer op kon krabbelen, kreeg ze nog een paar schoppen.

Aislinn hield haar adem in toen Maida tegen een dikke soldaat struikelde en een beker bier over hem heen morste. De man greep Maida bij haar arm, dwong haar op haar knieën en schopte haar opzij. Er viel een klein zakje uit haar gordel, maar Maida richtte zich snel op en griste het weer op. Ze wilde het weer op zijn plaats stoppen, maar de dronken soldaat greep haar hand en trok het zakje eruit. Toen Maida haar hand uitstak om het terug te pakken, wekte dat de woede van de man op. Hij sloeg met zijn vuist tegen haar hoofd, waardoor ze omviel en Aislinn boog met een grauw op haar lippen en gloeiende ogen naar voren. Maar de klap scheen de man te amuseren. De schat voor het ogenblik vergeten, volgde hij de wankelende vrouw en sloeg haar weer, toen greep hij haar schouder en begon haar in ernst te slaan.

Met een nijdige kreet kwam Aislinn overeind, maar Ragnor trok hard aan het touw waardoor ze in de biezen viel. Toen ze weer kon ademen met haar bezeerde keel, lag haar moeder bewusteloos en stond haar aanvaller boven haar triomfantelijk met het zakje te zwaaien. Ongeduldig trok de man het open om te zien welke schat het bevatte en toen hij ontdekte dat er alleen maar een paar gedroogde bladeren in zaten, verstrooide hij vloekend de inhoud. Hij smeet het lege zakje weg en schopte tegen de slappe figuur aan zijn voeten. Met een droge snik sloeg Aislinn haar handen tegen haar oren en sloot haar ogen, niet in staat aan te zien hoe haar moeder beledigd werd.

"Genoeg!" brulde Ragnor, ten slotte toegevend toen hij Aislinn zag ineenkrimpen. "Als het oude wijf blijft leven, kan ze ons nog bedienen."

Aislinn staarde hem aan met donkerviolette ogen die gloeiden van haat. Haar lange koperkleurige haar viel in wanorde over haar schouders en hijgende boezem en ze leek een wilde wolvin die haar tegenstander ontmoet. Toch herinnerde ze zich het druipende rode zwaard in Ragnors hand toen hij de hal binnen kwam en zag in gedachten haar vaders bloed op zijn maliënkolder. Ze vocht tegen de angst en het verdriet en zelfbeklag die haar van haar laatste krachten dreigden te beroven en bijna tot onderwerping brachten. Ze slikte de tranen terug bij deze nog nooit eerder ervaren gevoelens en de kwellende wetenschap dat haar vader ongezegend en zonder absolutie dood op de koude aarde lag, en dat ze er niets aan kon doen. Kenden deze Normandiërs zo weinig genade dat ze zelfs nu, nu hun strijd gewonnen was, geen priester konden halen en zorgen voor een behoorlijke begrafenis voor de gevallenen?

Ragnor keek naar het meisje, dat met gesloten ogen en open, trillende lippen zat. Hij zag niets van de strijd die haar verscheurde. Had hij toen doorgezet, dan was misschien zijn verlangen haar te zien ineenkrimpen van angst vervuld, maar zijn gedachten dwaalden af naar de laaggeboren ridder die alles hier zou opeisen.

Tegen de avond waren ze als overwinnaars naar de burcht gegaloppeerd om de overgave van het dorp te eisen. Darkenwald was niet voorbereid op de vijand. Na Williams bloedige overwinning op Harold bij Senlac twee weken eerder, werd er gezegd dat de Normandische hertog met zijn leger naar Canterbury optrok, omdat hij zijn geduld verloren had met de Engelsen die hem, al waren ze verslagen, de kroon weigerden. Darkenwald was opgelucht, want dat was niet in hun richting. Maar ze hadden geen rekening gehouden met de kleine strijdmachten die uitgestuurd waren om de nederzettingen langs Williams flanken in te nemen. Zo kwam het dat het bericht dat de Normandiërs naderden bij velen de moed had doen zinken. Erland, hoewel trouw aan de vroegere koning, wist hoe kwetsbaar zijn goed was en zou zich direct hebben overgegeven, als zijn woede niet opgewekt was.

Van de Normandiërs voelde alleen Ragnor de Marte zich onbehaaglijk toen ze door de akkers, langs de hutten van de boeren naar het grijze stenen huis van de heer reden. Toen ze voor de burcht stilhielden, keek hij om zich heen. Er bewoog niets in of bij de bijgebouwen en alles leek verlaten. De grote ingang, een met ijzer beslagen hard eiken deur, was stevig gesloten. Er kwam geen licht door de dunne huiden voor de benedenramen en de toortsen aan weerszijden van de deur waren niet aangestoken. Binnen was alles stil, maar toen de jonge heraut riep, ging de zware deur langzaam open. Een oude man met wit haar en baard, kwam naar buiten met een zwaard in zijn hand. Hij sloot de deur achter zich en Ragnor hoorde een grendel op zijn plaats vallen, toen keerde de Sakser zich om en keek de overvallers aan. Hij bleef waakzaam staan toen de heraut hem naderde en een perkament ontrolde. Vertrouwend op zijn missie, bleef de jongeman voor de oudere staan en begon te lezen. "Hoort, Erland, heer van Darkenwald. Hertog William van Normandië eist Engeland op volgens zijn soevereine recht..."

De heraut las in het Engels de woorden die Ragnor in het Frans opgesteld had. De donkere ridder had het perkament van heer Wulfgar, een Normandische bastaard, opzij gelegd, want Ragnor vond het meer een vernederend verzoek dan een gerechtigde eis om overgave. Wat waren die Saksers anders dan domme heidenen, wier arrogante verzet zonder genade vertrapt moest worden? Toch wilde Wulfgar ze behandelen als eerbare mannen. Ze waren verslagen, vond Ragnor, nu moesten ze hun meesters maar leren kennen.

Maar Ragnor keek onbehaaglijk naar het rood wordende gezicht van de oude man toen de woorden bleven komen, eisend dat iedere man, vrouw en kind op het plein gebracht werd om als slaaf gebrandmerkt te worden en dat de heer zichzelf en zijn gezin zou overgeven als gijzelaars voor het goede gedrag van zijn mensen.

Ragnor schoof zenuwachtig in zijn zadel en keek om zich heen. Een lichte beweging vestigde zijn aandacht op een bovenraam waar een luik op een kiertje geopend was. Hij kon niet in het donker er achter kijken, maar hij voelde dat daar iemand naar hem keek. Voorzichtig geworden sloeg hij zijn rode wollen mantel over zijn schouder en maakte zijn arm en het gevest van zijn zwaard vrij.

Hij keek weer naar de trotse oude man en zag iets van zijn eigen vader in zijn houding – taai, arrogant, niet bereid iets toe te geven tenzij er meer gewonnen was. Er kwam haat in Ragnor op en hij kneep zijn ogen dicht van afschuw. Het gezicht van de oude Sakser werd nog donkerder terwijl de heraut de schandelijke eisen verder las.

Plotseling streek een kille bries langs Ragnors gezicht en deed de banier boven zijn hoofd wapperen. Zijn neef Vachel achter hem mompelde zacht, nu begon hij de spanning te voelen die Ragnor deed zweten onder zijn leren tuniek. Zijn hand was vochtig toen hij hem op het gevest van zijn zwaard legde.

Plotseling gaf de oude heer een woedende kreet en zwaaide zijn zwaard. Het hoofd van de heraut viel op de grond en het lichaam zakte er overheen. Een ogenblik heerste er verwarring toen de lijfeigenen gewapend met hooivorken en zeisen uit hun schuilplaatsen zwermden. Heer Ragnor schreeuwde een bevel en vervloekte zichzelf dat hij ze bij verrassing had laten nemen. Hij drong zijn paard naar voren terwijl de boeren probeerden hem uit het zadel te trekken. Hij hakte om zich heen, spleet schedels en scheidde handen van uitgestrekte armen. Hij zag heer Erland vechten met drie Normandische soldaten tegelijk en dacht dat Harold nog koning had kunnen zijn als hij deze oude man aan zijn zijde had gehad. Ragnor drong zijn paard door de massa naar de heer van Darkenwald, hij zag hem nu door een roodachtig waas, dat alleen zou optrekken als hij dat oude lichaam onder zijn zwaard zou voelen ineenkrimpen. De boeren probeerden hem naar beneden te trekken, zijn bedoeling voelend. Ze vochten dapper om hun heer te redden, maar verloren zelf het leven. Ze waren geen partij voor de geoefende krijgslieden. Het machtige krijgsros stapte over de gevallenen tot hij ten slotte bleef staan. Heer Erland keek naar het opgeheven zwaard en zijn dood kwam snel toen de Marte het diep in zijn schedel dreef. Toen ze zagen dat hun heer gevallen was, vluchtten de lijfeigenen en het geluid van de strijd maakte plaats voor het gejammer van vrouwen, het geschreeuw van kinderen en het zware bonzen van een boomstam tegen de deur van Darkenwald.

Aan Ragnors voeten keek Aislinn bezorgd naar haar moeder voor een teken van leven en was opgelucht toen Maida zich eindelijk bewoog. Er klonk een zacht gekreun en de vrouw slaagde erin zich op een elleboog op te richten. Ze keek versufd om zich heen. De man die haar geslagen had, kwam weer naar haar toe.

"Haal bier voor me, slavin!" brulde hij, trok haar op en duwde haar naar het vat, maar haar gebonden voeten konden haar niet houden en ze viel weer.

"Bier!" schreeuwde de man en gooide haar zijn hoorn toe.

Maida keek hem niet-begrijpend aan tot hij haar vastgreep en weer naar het vat duwde. Ze worstelde zich overeind, maar de soldaat trapte op het touw waardoor ze struikelde en weer op haar handen en knieën viel. Dat maakte zijn plezier nog groter.

"Kruip, teef! Kruip als een hond," lachte hij en ze moest hem op haar knieën bedienen. Toen ze hem de volle hoorn gaf, riepen andere mannen om haar diensten en al gauw hobbelde ze weer rond, bediende ze samen met twee lijfeigener Hlynn en Ham, die gepakt waren toen ze uit de burcht wilden vluchen.

Maida bediende de Normandiërs maar haar bezeerde lippen begonnen te bewegen. De Saksische woorden drongen tot Aislinn door en met afschuw besefte ze dat haar moeder gemene vervloekingen uitsprak over de zich van niets bewuste mannen. Als maar een van hen Maida begrepen had, zou ze zonder aarzelen aan het zwaard geregen zijn. Aislinn wist dat hun leven afhing van de minste gril. Zelfs haar verloofde was niet veilig. Ze had de Normandiërs horen praten over een bastaard die voor William naar Cregan was gegaan om de overgave van het dorp te eisen. Was Kerwick ook dood, nadat hij bij Hastings zo dapper naast koning Harold gevochten had?

Ragnor keek naar Maida en dacht aan haar eerdere koninklijke houding en rijpe schoonheid. Hij zag geen spoor van die vrouw in het pijnlijk schuifelende, vuile schepsel dat strompelend haar werk deed.

Een kreet trok Aislinns aandacht bij haar moeder vandaan en ze keek om naar het dienstmeisje Hlynn dat heen en weer getrokken werd door twee soldaten die luid ruzie over haar maakten. Het verlegen meisje, dat net vijftien jaar was, had nooit een man gekend en zou nu verkracht worden door deze woestelingen.

Aislinn beet op haar knokkels om niet Hlynns angstige kreten te herhalen. Ze wist maar al te goed dat ook zij al gauw ten prooi zou zijn aan de hartstocht van een man. Ze hoorde de stof scheuren toen Hlynns kleed van haar borsten gescheurd werd. Wrede handen grepen naar het jonge meisje. Aislinn huiverde van afschuw, niet in staat haar ogen af te wenden. Ten slotte versloeg een van de mannen zijn rivaal, tilde de worstelende, gillende Hlynn in zijn armen en liep met haar de deur uit. Wanhopig vroeg Aislinn zich af of het meisje de nacht zou overleven en dacht dat er niet veel kans op was.

Het gewicht op Aislinns schouder werd plotseling ondraaglijk. Haar violette ogen gloeiden van haat toen ze weer naar Ragnor keek. De Normandiër beantwoordde haar uitdaging en een spottende glimlach gleed om zijn lippen. Maar toen haar blik minachtender en vaster werd, verdween zijn grijns. Aislinn voelde zijn greep steviger worden. Niet in staat zich nog langer te beheersen, gilde ze van woede en hief haar hand op om hem op zijn wang te slaan, maar hij greep haar arm en dwong hem achter haar rug tot ze tegen zijn maliënkolder gedrukt was. Zijn hete adem raakte haar wang toen hij om haar hulpeloosheid grinnikte. Ze worstelde toen zijn vrije hand langzaam over haar lichaam gleed en met ruwe wellust de zachte rondingen onder haar kleren bevoelde. Aislinn beefde van haat onder zijn aanraking.

"Smerig zwijn!" siste ze hem toe en had een beetje plezier om zijn geschrokken gezicht bij haar Franse woorden.

"Hé!" Vachel de Comte ging rechtop zitten met gespitste oren. Sinds ze van Saint-Valery uitgevaren waren, had hij geen vrouw kunnen verstaan. "Verdomd, neef, die meid is niet alleen mooi maar ook geleerd. Bah! Jij hebt het geluk de enige meid in dit heidense land te vinden die je aanwijzingen in bed kan begrijpen." Hij grinnikte. "Natuurlijk heeft verkrachting zijn nadelen. Maar nu het meisje je kan verstaan, kun je haar misschien wat meegaander maken. Wat geeft het dat je haar vader gedood hebt?"

Ragnor gaf Vachel een snauw en liet Aislinn weer aan zijn voeten vallen. Hij voelde zich weer een beetje minder superieur, want die meid kende Frans terwijl hij geen notie had van haar taal.

"Stil, vlegel," snauwde hij tegen de jongere man. "Je gepraat verveelt me."

Vachel dacht over Ragnors humeur en glimlachte. "Beste neef, ik denk dat je je zorgen maakt, anders zou je wel weten dat ik een grapje maak. Wat kan Wulfgar zeggen als je hem vertelt dat we aangevallen werden door die vervloekte heidenen? Hertog William zal het je niet kwalijk nemen. Maar voor welke bastaard ben je het bangst? Voor de hertog of voor Wulfgar?"

Aislinn lette goed op toen Ragnors gezicht donker werd van nauw verborgen woede.

"Ik ben voor geen man bang," gromde hij.

"Oh-ho!" lachte Vachel. "Dat zeg je wel dapper, maar meen je het ook? Welke man hier voelt zich niet een beetje onbehaaglijk over wat er gebeurd is? Wulfgar gaf bevel de dorpelingen niet in een gevecht te betrekken, maar we hebben er heel wat gedood die zijn lijfeigenen hadden moeten zijn."

Aislinn luisterde aandachtig. Sommige woorden kende ze niet, maar het meeste kon ze verstaan. Was die Wulfgar over wie ze met zoveel angst spraken, nog erger dan deze verschrikkelijke overvallers? En zou hij de nieuwe heer van Darkenwald zijn?

"De hertog heeft Wulfgar deze dorpen beloofd," zei Vachel. "Maar zonder boeren heeft hij er weinig aan. Ja, Wulfgar zal wel wat te zeggen hebben, en er zal niets onbegrijpelijks aan zijn."

"Die naamloze hond!" spoog Ragnor. "Wat voor recht heeft hij op dit land?"

"Ja, neef. Je hebt gelijk dat je je beledigd voelt. Het is zelfs voor mij moeilijk. De hertog heeft beloofd Wulfgar hier heer te maken, terwijl wij, edelen, niets krijgen. Je vader zal erg teleurgesteld zijn."

Ragnor lachte honend. "De trouw van de ene bastaard aan de andere is niet altijd eerlijk tegenover hen die meer verdienen." Hij nam een glanzende, roodgouden lok van Aislinns schouder en wreef hem tussen zijn vingers. "Ik zweer dat William Wulfgar paus zou maken als hij kon."

Vachel wreef nadenkend zijn kin en fronste. "We kunnen niet zeggen dat Wulfgar helemaal niets verdient, neef. Wie heeft hem ooit verslagen in een tournooi of hem overtroffen in de strijd? Bij Hastings vocht hij voor tien en die Viking was er steeds om zijn rug te dekken. Hij hield stand toen we allemaal dachten dat William dood was. Maar Wulfgar heer maken – aaaah!" Hij stak zijn handen op in afkeer. "Hij zal ongetwijfeld gaan denken dat hij onze gelijke is."

"En heeft hij ooit iets anders gedacht?" schimpte Ragnor.

Vachel keek naar Aislinn toen ze zijn neef een minachtende blik gaf. Vachel dacht dat ze nog geen twintig jaar was, achttien misschien. Hij had haar woeste drift al gezien. Ze zou niet makkelijk tot gehoorzaamheid gebracht worden. Maar een man met oog voor schoonheid zou die fout misschien over het hoofd zien, want hij dacht dat het haar enige was. Haar nieuwe heer, Wulfgar, zou ongetwijfeld tevreden zijn. Haar koperen haar leek te vlammen. Een ongewone kleur voor een Sakser. Maar haar ogen brachten hem volkomen van zijn stuk. In haar woede brandden ze donkerpurper, maar als ze kalm was, waren ze zacht violet als de hei op de heuvels. De lange zwarte wimpers lagen bevend tegen de ivoren huid. Haar jukbeenderen waren mooi en hoog en even zacht rose als de zacht gewelfde mond. De gedachte aan haar lach prikkelde zijn verbeelding, want ze had mooie witte tanden zonder het zwarte bederf waar vele schoonheden aan leden. De kleine, een beetje wippende neus was trots geheven en de koppige trek om haar kaak kon de schoonheid ervan niet verbergen. Ze zou moeilijk te temmen zijn, maar het vooruitzicht leek heel prettig, want hoewel ze lang en slank was, had ze de volle rondingen van een vrouw.

"Aah, neef," besloot Vachel. "Je kunt vannacht maar beter plezier maken met dit juffie, want morgen kan Wulfgar haar wel hebben."

"Die kinkel?" spotte Ragnor. "Wanneer bemoeit die zich met een vrouw? Hij haat ze, dat zweer ik je. Misschien als we een knappe schildknaap voor hem vinden…"

Vachel glimlachte scheef. "Was dat maar waar, neef, dan hadden we hem onder de duim, maar ik vrees dat hij niet zo aangelegd is. Ja, in het openbaar mijdt hij vrouwen als de pest, maar ik geloof dat hij er net zo veel heeft als wij. Ik heb hem een paar juffies zien bekijken. Zo kijkt een man niet naar een vrouw als een lakei hem meer aantrekt. Dat hij zijn verhoudingen geheim weet te houden, trekt de vrouwen alleen maar meer aan. Maar het verbaast me dat de mooie juffies aan Williams hof zich zo voor hem uitsloven. Zijn vervloekte onverschilligheid moet wel erg aantrekkelijk zijn."

"Ik heb niet zoveel meiden over hem zien zwijmelen," antwoordde Ragnor.

Vachel grinnikte. "Nee, neef, dat kan ook niet want je wordt meestal zelf te veel beziggehouden om je zorgen te maken over de juffies die Wulfgar liever hebben."

"Jij merkt meer op dan ik, Vachel, want ik kan nog steeds moeilijk geloven dat een meisje hem zou willen, met al die littekens."

Vachel haalde zijn schouders op. "Wat betekent een littekentje hier en daar? Het bewijst alleen maar dat een man dapper is. Goddank dat Wulfgar niet zo opschept als veel van onze edele vrienden. Ik kan zijn beroerde droogheid bijna beter verdragen dan die vervelende verhalen."

Vachel wenkte dat zijn hoorn opnieuw gevuld moest worden en Maida kwam hem bevend bedienen. Ze wisselde snel een blik met haar dochter voor ze wegglipte en weer begon te mompelen.

"Vrees niet, neef," grijnsde Vachel. "We hebben nog niet verloren. Wat kan het ons schelen dat William Wulfgar een poosje bevoordeelt. Onze familie is van enig belang. Ze zullen deze belediging niet lang tolereren als we het vertellen."

Ragnor gromde. "Mijn vader zal niet al te blij zijn als hij hoort dat ik hier geen land voor de familie gewonnen heb."

"Niet zo bitter, Ragnor, Guy is oud. Omdat hij zijn fortuin gewonnen heeft, denkt hij natuurlijk dat dat voor jou ook makkelijk is."

Ragnor greep zijn hoorn tot zijn vuist wit werd. "Soms, Vachel, geloof ik dat ik hem haat."

Zijn neef haalde zijn schouders op. "Ik ben ook nijdig op mijn vader. Weet je dat hij me gedreigd heeft dat hij me eruit gooit en onterft als ik weer een bastaard maak bij een of andere meid?"

Voor het eerst sinds hij de deur van Darkenwald opengebroken had, lachte Ragnor de Marte. "Je moet toegeven, Vachel, dat je je best doet."

Vachel grinnikte met hem mee. "En jij, neef, bent de pot die de ketel verwijt dat hij zwart ziet."

"Zeker, maar een man moet zijn pretjes hebben." Ragnor keek glimlachend naar het meisje aan zijn voeten. Hij liefkoosde haar wang en in gedachten zag hij haar lichaam tegen het zijne gedrukt. Hij begon ongeduldig te worden en greep haar kleed en trok het van haar schouders toen ze zich verzette. De ogen van de overvallers gingen naar de half ontblote boezem boven het verscheurde kledingstuk. Net als bij Hlynn riepen ze aanmoedigingen en vuile grappen, maar Aislinn gaf niet toe aan haar angst. Ze hield het kledingstuk bij elkaar en in haar ogen gloeide

14

haat en minachting. De mannen werden stil onder haar blik en ze verdronken hun onbehaaglijkheid in grote slokken bier, en mompelden onder elkaar dat deze meid vast een heks was.

Vrouwe Maida klemde een wijnzak tegen haar boezem. Angstig zag ze hoe Ragnor haar dochter liefkoosde. Zijn handen bewogen langzaam over haar huid en onder haar kleren waar geen man zich nog gewaagd had. Aislinn trilde van afkeer en Maida stikte bijna in haar angst en haat.

Maida keek naar de donkere trap naar de slaapkamers. In gedachten zag ze haar dochter al met Ragnor worstelen op het bed dat zij met haar man gedeeld had en waar Aislinn geboren was. Nu kon Maida bijna de kreten van pijn horen die de vreselijke ridder aan haar dochter zou ontlokken. De Normandiër zou geen genade kennen en Aislinn zou er niet om smeken. Haar dochter was even trots en koppig als heer Erland. Voor een ander zou ze misschien smeken, maar nooit voor zichzelf.

Ragnor stond op, trok Aislinn mee en sloeg zijn armen stevig om haar heen. Hij grinnikte toen ze worstelde om vrij te komen en vond een wreed genoegen in de trek van pijn op haar gezicht toen hij haar armen vaster greep.

"Hoe komt het dat je de taal van Frankrijk spreekt?" vroeg hij dringend.

Aislinn keek hem zwijgend aan, haar ogen koud van haat. Ragnor keek naar haar hooghartige gezicht en liet haar los. Hij dacht dat geen enkele marteling het antwoord uit haar kon wringen als ze weigerde het te vertellen. Ze had al eerder gezwegen toen hij haar naam gevraagd had. Haar moeder had hem die snel verteld toen hij het meisje met geweld dreigde. Maar hij had manieren om zelfs het arrogantste juffie te vernederen.

"Ik verzoek je te antwoorden, Aislinn, anders scheur ik je je kleren af en laat iedere man hier zijn gang met je gaan. Dan zul je niet meer zo koninklijk doen, dat zweer ik je."

Met tegenzin gaf Aislinn antwoord. "Een reizende troubadour heeft hier veel tijd doorgebracht toen ik klein was. Voordien zwierf hij van land tot land. Hij kende vier talen. Hij leerde me de uwe omdat hij dat leuk vond."

"Een reizende troubadour die zich amuseert? Wat was de grap? Ik zie er geen," antwoordde hij.

"Men zegt dat uw hertog vanaf zijn jeugd Engeland wilde hebben. Mijn vrolijke troubadour wist dit, want hij speelde vaak voor de hooggeborenen van uw land. Een paar keer plezierde hij zelfs uw hertog, totdat die hem zijn pink afsneed omdat hij zong over een laaggeboren ridder. Mijn troubadour vond het leuk mij uw taal te leren zodat ik, als de ambities van de hertog werkelijkheid werden, jullie het uitschot zou kunnen noemen dat jullie zijn en jullie me konden verstaan."

Ragnors gezicht werd donker maar Vachel grinnikte.

"Waar kan uw galante troubadour nu zijn, damoiselle?" vroeg de jonge Normandiër. "De hertog vindt het nog steeds niet leuk een bastaard genoemd te worden. Misschien verliest de man wel zijn hoofd in plaats van een vinger."

Aislinn antwoordde sarcastisch: "Hij is waar geen sterfelijk man hem kan bereiken, veilig voor uw hertog."

Ragnor fronste. "Je herinnert me aan nare dingen."

Vachel glimlachte. "Neem me niet kwalijk, neef."

Bij het zien van Aislinns schaars bedekte schouders boven haar gescheurde kleed, gingen Ragnors gedachten in een andere richting. Hij greep haar in zijn armen onder een regen van woedende protesten. Hij grinnikte om haar pogingen om te ontsnappen en drukte haar vast tegen zich aan. Grijnzend boog hij zijn hoofd en drukte zijn gloeiende mond op de hare. Plotseling trok hij pijnlijk terug. Een beetje bloed kwam uit zijn onderlip.

"Jij gemene kleine slang!" bracht hij moeilijk uit.

Met een grom gooide Ragnor Aislinn over zijn schouder en ze bleef ademloos hangen door de druk van zijn maliënkolder in haar buik. Hij greep een kaars om zich bij te lichten op de donkere trap en liep naar boven en de kamer van de heer binnen. Hij schopte de deur dicht, zette de kaars weg, liep naar het bed en gooide Aislinn erop. Hij zag een glimp van lange benen toen ze opkrabbelde en van het bed probeerde te springen. Het touw om haar nek hield haar tegen. Glimlachend begon Ragnor het om zijn pols te winden tot ze dicht voor hem knielde met haar gezicht naar hem toe. Hij lachte om haar onbevreesde blik, maakte het touw los van zijn pols en bond het aan een van de stijlen van het bed. Langzaam begon hij zich uit te kleden en liet zijn zwaard, maliënkolder en leren tuniek onverschillig op de grond vallen. Hij liep naar de haard, alleen gekleed in een linnen hemd en een strakke wollen kousbroek. Aislinns angst nam toe en ze rukte heftig aan het touw maar kon de strakke knoop niet losser maken. Hij pookte het vuur op, gooide er nog wat spaanders op en trok zijn hemd en onderbroek uit. Aislinn slikte heftig toen ze zijn lenige, gespierde lichaam zag dat haar niet veel hoop liet dat ze hem kon afhouden. Hij glimlachte bijna vriendelijk toen hij naar haar toe kwam en met zijn knokkels over haar wang streek.

"De bloem van de doornstruik," mompelde hij. "Ja, dat is waar, en je bent van mij. Wulfgar gaf me toestemming een beloning te nemen voor het uitvoeren van zijn bevelen." Hij grinnikte. "Ik kan me geen betere beloning voorstellen. De rest is nauwelijks mijn aandacht waard."

"Verwacht u een beloning voor moord?" siste Aislinn.

Hij haalde zijn schouders op. "Die gekken hadden beter moeten weten dan gewapende ridders aanvallen, en de dood van de afgezant van de hertog besliste het lot van de oude man. We hebben goed werk gedaan voor William. Ik heb een beloning verdiend."

Aislinn huiverde bij zijn onverschilligheid voor de levens die hij genomen had. Ze leunde bij hem vandaan tot het eind van het touw.

Ragnor brulde van het lachen. "Wil mijn kleine duifje van me wegvliegen?" Hij greep het touw en trok haar naar zich toe. "Kom, duifje," vleide hij zacht. "Kom, duifje, deel mijn nest. Ragnor zal lief voor je zijn."

Aislinn verzette zich snikkend tegen het touw. Ten slotte lag ze op haar knieën voor hem. Hij hield de knoop stevig onder haar kin waardoor haar hoofd achterover gedwongen werd en ze naar hem op keek. Hij greep een wijnzak die achter hem op een kist lag.

"Neem een slokje wijn, mijn duifje," vleide hij terwijl hij de drank tussen haar lippen dwong. Aislinn hijgde en slikte toen de brandende vloeistof in. Hij hield de zak tegen haar mond tot ze naar adem snakte. Hij liet haar los, ging op het bed zitten en dronk morsend van de donkerrode wijn. Hij liet de zak zakken en zijn ogen glansden toen hij de vlekken van zijn gezicht en borst veegde. Hij legde de zak weg en greep het touw. Deze keer had Aislinn minder kracht om zich te verzetten en hij trok haar naar zich toe tot hun gezichten vlak bij elkaar waren. Zijn adem, zuur van bier en wijn, deed haar bijna kokhalzen, maar plotseling was zijn hand in de hals van haar kleed en met een snelle beweging trok hij haar kleren af en gooide ze opzij. Hij liet plotseling los en ze struikelde verrast achteruit. Glimlachend ging hij op het bed liggen en nam een lange slok wijn zonder haar met zijn blik los te laten.

"Kom nu bij me, duifje. Vecht niet zo," vleide hij. "Ten slotte heb ik wel wat invloed aan Williams hof en je zou het minder kunnen treffen." Hij keek haar dronken aan. "Je zou onder die pummels beneden gegooid kunnen worden."

Aislinn sperde haar ogen open en trok weer aan de knoop.

"Nee, nee, mijn duifje." Hij stak grijnzend zijn hand uit en trok aan het touw waardoor ze op handen en knieën viel. Zo bleef ze liggen, hijgend van pijn en woede. Met een grauw op haar gezicht en haar lange losse haar leek ze weer op een woest beest dat hurkte om tegen hem te vechten. Zijn bloed klopte in zijn lendenen en zijn verlangen naar haar groeide met iedere beweging.

"Ach, helemaal geen duifje," mompelde hij hees. "Maar een echte wijfjesvos. Als jij niet bij mij komt, moet ik bij jou komen."

Hij stond op en Aislinn hijgde want hij stond onbeschaamd als man voor haar. Ze richtte zich op en ging voorzichtig achteruit. Ze wilde gillen, haar angst uitschreeuwen zoals Hlynn gedaan had. Ze voelde de kreet in haar keel stokken en ze vocht tegen de verstikkende angst van volkomen hopeloosheid. Hij kwam nog steeds naar haar toe met een gemene lach, iedere beweging met zijn blikken verslindend, tot ze niet verder achteruit kon. Haar ledematen waren als loden gewichten en weigerden haar te gehoorzamen. De angst nam toe en verstikte haar tot ze nauwelijks kon ademen. Hij legde een hand tegen haar borst en met een kreet keerde Aislinn zich af, maar hij hield haar tegen tot ze op de op het bed uitgespreide vachten vielen. Ze was onder hem gevangen. De kamer zwom voor haar ogen en zijn stem klonk vreemd gesmoord in haar oor.

"Jij bent van mij, damoiselle." Hij duwde zijn gezicht tegen haar hals en zijn adem leek haar te verschroeien. Zijn mond liefkoosde haar borst toen hij weer mompelde: "Jij bent van mij. Ik ben je meester."

Aislinn kon zich niet bewegen. Ze was in zijn macht en het kon haar niet meer schelen. Zijn gezicht zwom dicht boven het hare, ze zag nog maar vaag. Het gewicht van zijn naakte lichaam drukte haar dieper in de vachten. Het zou gauw voorbij zijn`...

Maida keek naar het verstrengelde paar dat nu stil lag. Ze gooide haar hoofd achterover en lachte. Het gehuil van een hongerige wolf verscheurde de nacht en de twee geluiden vermengden zich. Beneden in de grote zaal werden de stoere overvallers stil. Sommigen bekruisten zich, zoiets hadden ze nog nooit gehoord, en anderen, die aan Wulfgars woede dachten, geloofden dat hij al gekomen was.

2

Aislinn werd wakker doordat ze in de verte haar naam hoorde roepen. Ze kwam langzaam tot bewustzijn en duwde tegen het gewicht over haar boezem. De Normandiër naast haar rolde weg en bevrijdde haar van zijn arm. In zijn slaap zag Ragnor er onschuldig uit, zonder haat en geweld, maar Aislinn keek honend op hem neer, ze haatte hem om wat hij haar aangedaan had, herinnerde zich zijn handen en zijn harde lichaam dat haar neerdrukte op de vachten. Ze schudde verbijsterd haar hoofd en wist dat ze nu bang moest zijn dat ze zijn kind zou krijgen. O, God verhoede dat!

"Aislinn," kwam de stem weer en ze draaide zich om en zag haar moeder handenwringend naast het bed staan.

"We moeten ons haasten. We hebben niet veel tijd." Maida gaf haar dochter een wollen kleed. "We moeten weggaan nu de wacht nog slaapt. Alsjeblieft, dochter, schiet op."

Aislinn hoorde de angst in haar moeders stem, maar zelf had ze geen gevoel meer.

"Als we willen ontsnappen, moeten we ons haasten," zei Maida smekend. "Kom, voor ze wakker worden. Denk eens een keer aan onze veiligheid."

Aislinn kwam moe en bezeerd uit bed en trok het kleed over haar hoofd zonder te letten op de prikkende wollen stof zonder een onderkleed. Bang dat ze de Normandiër zou wekken, keek ze over haar schouder. Maar hij sliep door. O, dacht ze, door zijn overwinning op haar moest hij wel zoete dromen hebben.

Aislinn keerde zich om en gooide ongeduldig de luiken open. In het scherpe licht van de opkomende zon zag ze er bleek en mat uit. Ze begon met haar vingers de knopen uit haar haar te kammen. Maar toen ze aan Ragnors vingers dacht die haar pijn deden en haar dwongen te buigen voor zijn wil, hield ze op. Ze gooide de krullende massa naar voren en liet het los over haar boezem tot haar dijen vallen.

"Nee, moeder," zei ze beslist. "Vandaag vluchten we niet. Niet zolang de doden nog een prooi zijn voor raven en wolven."

Doelbewust liep Aislinn de kamer uit. Maida volgde haar en stapte behoedzaam over de snurkende Normandiërs, die onverschillig in een dronken slaap op de vloer van de zaal lagen.

Aislinn bewoog als een stille schim. Met haar schouder duwde ze de beschadigde deur van Darkenwald open en bleef toen wankelend staan, half stikkend van de stank van de doden. Haar maag schoot omhoog en met pure wilsinspanning slikte ze haar misselijkheid weg. Ze strompelde langs de verwrongen vormen tot ze bij haar vader kwam. Hij lag stijf, zijn schouders tegen de trouwe aarde gedrukt, zijn zwaard in zijn vuist en een minachtende trek om zijn lippen.

Een traan gleed over Aislinns wang. Hij was gestorven zoals hij geleefd had, eervol, en met zijn levensbloed drenkte hij zijn beminde aarde. Ze zou zelfs zijn woede missen.

De vrouwe kwam naast haar en leunde tegen haar aan, hijgend in de dikke lucht. Maida staarde neer op haar man. Haar stem begon als een laag gejammer en eindigde als een schrille kreet.

"Ach, Erland, het is niet eerlijk dat je ons verlaat nu dieven de burcht plunderen en onze eigen dochter een speelbal is voor die geschoren ezel!"

De vrouw viel op haar knieën en greep haar mans maliënkolder alsof ze hem overeind wilde trekken. Haar kracht verdween en ze smeekte wanhopig.

"Wat moet ik doen? Wat moet ik doen?"

Aislinn nam het zwaard uit zijn hand. Ze greep zijn arm en probeerde het lijk naar een zachtere plaats te trekken. Haar moeder greep de andere hand, maar alleen om de grote zegelring van zijn vinger te trekken. Ze keek naar Aislinn op en jammerde:

"Hij is van mij! Van mijn bruidsschat! Kijk, mijn vaders wapen." Ze hield Aislinn de ring voor. "Ik neem hem mee."

Ze schrokken van een stem. De oude vrouw sprong angstig op. Ze liet de hand vallen en rende verrassend lenig naar de bosjes aan de rand van het moeras. Aislinn liet haar vaders arm vallen en keerde zich met een kalmte die haar zelf verbaasde naar deze onbekende dreiging. Haar ogen werden groot bij het zien van de grote krijgsman op een enorme hengst, die de man zo makkelijk droeg of hij een jongen was. De machtige hengst kwam bijna sierlijk tussen de doden door naar haar toe. Aislinn bleef staan, maar voelde de angst toen de reusachtige verschijning naderde. Het voorhoofd van de man was verborgen onder zijn helm, maar van achter de neusbeschermer doorboorden haar staalgrijze ogen. Aislinns moed smolt weg onder zijn blik en ze slikte van angst.

Zijn schild met de afbeelding van een aanvallende zwarte wolf op rood en goud en naar links gebogen, hing aan zijn zadel. Daaraan zag Aislinn dat hij een bastaard was. Als ze niet zo bang was geweest, zou ze hem dat voor de voeten gegooid hebben. Nu hief ze hulpeloos minachtend haar kin en ontmoette zijn blik met van haat gloeiende ogen. Zijn lippen krulden minachtend. Zijn Franse woorden klonken spottend.

"Saksisch zwijn! Is er niets veilig voor je roofzucht?"

Aislinns stem klonk hoger maar even honend toen ze antwoordde: "Wat zegt u, heer ridder? Kunnen de dappere Normandische overvallers ons onze doden niet in vrede laten begraven?"

Ze wees naar het veld met gevallenen.

Hij snoof verachtelijk. "Naar de stank te oordelen, heb je te lang gewacht."

"Niet lang genoeg, zal een van uw metgezellen vinden als hij wakker wordt en ziet dat ik weg ben," snauwde ze. Tegen haar wil blonken tranen in haar ogen toen ze zijn blik beantwoordde.

Hoewel hij zich niet bewoog, leek de man te ontspannen en bekeek haar beter. Een plotselinge bries trok haar wollen kleed strak over haar lichaam en liet hem details zien. Toen gleed zijn blik omhoog en bleef onbeschaamd rusten op haar volle boezem die hijgde van woede. Aislinns wangen kleurden onder zijn goedkeuring. Tot haar woede voelde ze zich als een zenuwachtig melkmeisje dat door haar heer bekeken wordt.

"Wees dankbaar dat je heer Ragnor meer te bieden had dan zij," gromde hij en wees ook naar de doden.

Aislinn stotterde van woede, maar hij zwaaide zich van zijn paard en kwam voor haar staan. Ze werd stil onder zijn harde blik. Hij zette zijn helm af en hield hem onder zijn arm terwijl hij de haken van zijn kap losmaakte en hem naar achteren schoof. Hij glimlachte, nam haar weer op en stak zijn hand uit om een zachte krul van haar borst te pakken.

"Ja, wees maar blij dat je meer te bieden had, damoiselle."

"Ze hebben het beste gegeven dat ze hadden. Had ik maar een zwaard kunnen nemen en evenveel gegeven."

Hij snoof, keerde zich half om en bekeek de slachting met afschuw. Ondanks haar woorden nam Aislinn hem belangstellend op. Hij was groot, minstens twee handen groter dan zij, en zij was niet klein. Zijn bruine haar was gebleekt door de zon en ondanks zijn zware maliënkolder, bewoog hij zich makkelijk en vol zelfvertrouwen. Ze bedacht dat hij in hofkleding menig meisje een zucht zou ontlokken. Zijn ogen stonden ver uit elkaar onder gebogen wenkbrauwen die als hij boos was, zoals nu, zijn gezicht de intense blik gaven van een jagend dier. Zijn mond was breed met dunne maar goed gevormde lippen. Een lang litteken van zijn jukbeen tot zijn kaak werd wit en de spieren eronder trokken toen hij van woede met zijn tanden knarste. Hij keerde zich snel om om haar aan te kijken en Aislinns adem stokte van schrik toen ze in de koude grijze ogen keek. Hij ontblootte sterke witte tanden en gromde diep in zijn keel. Aislinn was verstomd door zijn woeste uiterlijk, als een jachthond op een spoor. Nee, een wolf die wraak ging nemen op een eeuwige vijand. Hij draaide zich om en rende met grote stappen naar de deur van Darkenwald.

Het leek of donder de zaal schudde. Aislinn hoorde hem brullen en de muren weerkaatsten het geluid van opkrabbelende mannen. Haar woede vergetend, luisterde en wachtte ze. Haar moeder kroop naar de hoek van het gebouw en wenkte bevelend dat ze moest komen. Met tegenzin keerde Aislinn naar haar taak, stak haar hand uit om haar vaders arm te nemen en hem weg te slepen. Maar bij een luide kreet keek ze geschrokken op en zag dat Ragnor naakt de deur uit gesmeten werd. Zijn kleren en zwaard volgden en kwamen naast hem in het stof neer.

"Stommeling!" brulde zijn verdrijver die op de stoep kwam staan. "Aan doden heb ik niets!"

Met glanzende ogen keek Aislinn toe en vond het heerlijk Ragnor vernederd overeind te zien krabbelen. Hij greep grauwend naar zijn zwaard en de grijze ogen boven hem flitsten waarschuwend.

"Pas op, Ragnor. Jouw stank kan opstijgen met die van je slachtoffers."

"Wulfgar, jij zoon van Satan!" Ragnor stikte van woede. Roekeloos wenkte hij de ander. "Kom hier zodat ik je aan het zwaard kan rijgen."

"Ik heb nu geen zin om grappen te maken met een naakte, pochende jakhals." Toen hij Aislinns belangstelling opmerkte, wees hij naar haar. "Hoewel de dame je dood wenst, kan ik je helaas nog gebruiken."

Ragnor keek verrast om en zag Aislinn naar hem kijken. Zijn gezicht werd donker van woede en vernedering. Met een gemompelde vloek greep hij zijn onderbroek, trok hem aan en liep naar haar toe.

"Wat moet jij hier?" siste hij. "Waarom heb je de zaal verlaten?"

Aislinn lachte met ogen vol haat. "Omdat ik daar zin in had."

Ragnor keek haar aan en vroeg zich af hoe hij haar opstandigheid kon bedwingen zonder haar schoonheid te bederven. Hij had nog nooit een meisje gezien met de moed van een man.

Hij greep haar pols. "Ga naar binnen en wacht op me. Je zult wel leren dat je van mij bent en me moet gehoorzamen."

Aislinn trok haar arm weg. "Denkt u dat u me bezit omdat u een keer met me naar bed bent geweest?" siste ze. "Oh, heer ridder, u hebt nog veel te leren, want ik zal nooit de uwe zijn. Ik zal u mijn hele leven haten. Mijn vaders bloed herinnert me aan uw daad. Nu smeekt zijn lichaam om begraven te worden en of u wilt of niet, ik zal het doen. U kunt me alleen tegenhouden door ook mijn bloed te vergieten."

Ragnor greep haar weer ruw bij haar armen. Hij voelde dat Wulfgar belangstellend naar ze keek en hij vreesde dat hij die koppige meid niet zo bang kon maken dat ze deed wat hij wilde.

"Anderen zijn beter in staat hem te begraven," gromde Ragnor. "Doe wat ik beveel."

Aislinns kaak werd strak toen ze opkeek in zijn flitsende zwarte ogen. "Nee," hijgde ze. "Ik heb liever dat het door liefhebbende handen gebeurt."

Ze streden een zwijgende strijd. Ragnors hand verstrakte alsof hij haar wilde slaan, toen duwde hij haar opeens weg waardoor ze struikelde en viel. Hij kwam boven haar staan en keek naar haar. Aislinn trok haar kleed over haar dijen en keek koud terug.

"Deze ene keer geef ik toe, damoiselle. Maar stel me niet nog eens op de proef," waarschuwde hij.

"Een echte vriendelijke ridder," tartte ze. Ze wreef haar pols. Haar minachtende blik hield hem een ogenblik vast en ging toen naar de grote krijgsman die op zijn gemak op de stoep stond. Die Normandiër glimlachte spottend.

Aislinn keerde zich snel om en zag zijn waarderende blik niet. Ze pakte haar vaders arm weer en begon te trekken. Beide mannen keken en ten slotte kwam Ragnor haar helpen, maar ze duwde zijn hand weg.

"Maak dat u weg komt!" schreeuwde ze. "Kunt u ons niet even met rust laten? Hij was mijn vader! Laat me hem begraven."

Ragnor liet zijn handen zakken en probeerde niet weer te helpen maar ging zich aankleden.

Aislinn sleepte haar vader naar een boom dicht bij de burcht. Een vogel speelde tussen de takken boven haar hoofd en ze keek naar hem, jaloers op zijn vrijheid. Ze merkte niet dat Wulfgar haar van achteren naderde. Maar toen een zwaar voorwerp aan haar voeten gegooid werd, schrok ze en keek hem aan. Hij wees naar de spade.

"Zelfs liefhebbende handen hebben gereedschap nodig, damoiselle."

"U bent even vriendelijk als uw broeder-Normandiër, heer ridder," zei ze kortaf, toen trok ze een wenkbrauw op. "Of is het nu 'mijn heer'?" Hij boog stijf. "Wat je wilt, damoiselle."

Aislinn hief haar kin. "Mijn vader was hier heer. Ik heb geen zin u heer van Darkenwald te noemen," antwoordde ze dapper.

De Normandische ridder haalde zijn schouders op. "Ik heet Wulfgar."

Omdat ze hem had willen sarren, was Aislinn nu ontevreden. De naam was haar niet onbekend, ze herinnerde zich dat Ragnor en zijn neef de vorige avond met haat over hem gesproken hadden. Misschien zette ze haar leven op het spel door te proberen deze man te tarten.

"Misschien geeft uw hertog dit land aan een ander nadat u het voor hem veroverd hebt," zei ze achteloos. "U bent er nog geen heer en wordt dat misschien wel nooit."

Wulfgar glimlachte. "Je zult wel merken dat William een man van zijn woord is. Dit land is zo goed als van mij, want Engeland zal al gauw van hem zijn. Geef jezelf geen valse hoop, damoiselle, want dat brengt je nergens."

"Wat hebt u me voor hoop gelaten?" vroeg Aislinn bitter. "Wat voor hoop hebt u Engeland gelaten?"

Hij trok spottend zijn wenkbrauwen op. "Geef je zo makkelijk op, chérie? Ik dacht dat ik een beetje hellevuur en vastberadenheid gezien had in het zwaaien van je rok. Heb ik me vergist?"

Aislinns woede vlamde op bij zijn spot. "U lacht me uit, Normandiër."

Hij grinnikte om haar woede. "Ik kan wel zien dat nog nooit een dappere boer je mooie veren in de war gemaakt heeft. Ze waren vast allemaal te verzot op je om je op je plaats te zetten."

"Denkt u dat u daar beter toe in staat bent?" hoonde ze. Ze wees met haar hoofd naar Ragnor die van een afstand naar ze keek. "Hoe wilt u dat doen? Hij heeft pijn gebruikt en mijn lichaam geweld aangedaan. Gaat u dat ook doen?"

Ze keek hem door haar tranen heen woedend aan, maar Wulfgar schudde zijn hoofd. Hij hief haar kin op.

"Nee, ik heb betere manieren om een meid als jij te temmen. Als pijn niet helpt, kan plezier het middel zijn."

Aislinn duwde zijn hand weg. "U hebt te veel vertrouwen, heer Wulfgar, als u denkt dat u me kunt winnen door vriendelijkheid."

"Ik ben nog nooit vriendelijk geweest voor vrouwen," antwoordde hij achteloos en ze huiverde van angst.

Aislinn keek even in zijn ogen, maar las daar niet wat hij bedoelde. Zonder nog een woord nam ze de spade op en begon te graven. Wulfgar keek glimlachend naar haar vreemde bewegingen.

"Je had Ragnor moeten gehoorzamen. Ik betwijfel of je in zijn bed zoveel moeite zou hebben."

Aislinns ogen waren koud van haat. "Denkt u dat we allemaal hoeren zijn die de makkelijkste weg zoeken?" vroeg ze. "Het verbaast u zeker dat ik dit veel liever doe dan me onderwerpen aan ongedierte." Ze keek hem veelbetekenend aan. "Normandiërs – ongedierte. Ik zie geen verschil."

Wulfgar zei langzaam: "Bewaar je oordeel over Normandiërs tot ik met je naar bed ben geweest, damoiselle. Je hebt misschien liever een man dan een opschepper."

Aislinn staarde hem met open mond aan. Hij leek eerder een feit vast te stellen dan een dreigement te uiten en ze voelde dat het nog maar een kwestie van tijd was voor ze het bed zou delen met deze Normandiër. Ze bekeek zijn grote, breedgeschouderde figuur en vroeg zich angstig af of zijn gewicht haar zou verpletteren als hij besloot haar te nemen. Ondanks wat hij zei, zou hij haar waarschijnlijk net zo kneuzen als Ragnor en plezier hebben in haar pijn.

Ze dacht aan de vele huwelijksaanzoeken die ze verworpen had, tot haar vader zijn geduld verloor en Kerwick voor haar koos. Nu was ze niet koninklijk meer, bedacht ze, maar een dienstmeid die gebruikt werd en doorgegeven aan de volgende die haar hebben wilde. Ze huiverde bij die gedachte.

"U mag dan Engeland veroverd hebben, Normandiër, maar ik waarschuw u dat het met mij niet zo makkelijk zal gaan," siste ze.

"Ik verzeker je dat die strijd me beter zal bevallen, meid. Ik zal veel plezier beleven aan mijn overwinning."

Aislinn lachte honend. "Ingebeelde pummel! U denkt dat ik een van uw willoze Normandische hoeren ben die gaat liggen als u dat wilt. U zult wel anders zien."

Hij lachte. "Een van ons zal een lesje krijgen. En ik denk wel dat ik de winnaar zal zijn."

Toen keerde hij zich om en ze keek hem woedend na. Voor het eerst zag Aislinn dat hij hinkte. Was het een wond die hij in de strijd opgelopen had of aangeboren? Wat het ook was, ze hoopte dat het hem veel pijn deed.

Toen ze Ragnors blik voelde, keerde Aislinn zich om en stak woedend in de aarde, beide mannen vervloekend. Terwijl ze werkte, merkte ze dat de mannen verhit waren begonnen te praten.

"Ik had bevel deze plaats voor je te nemen. De Engelse adviseurs van de hertog zeiden dat hier alleen oude en ongeoefende handen het zwaard tegen ons konden opnemen. Hoe konden wij weten dat de oude heer ons zou aanvallen en dat zijn lijfeigenen zouden proberen ons te verslaan? Wat had jij gewild dat we deden, Wulfgar? Blijven staan en sterven zonder ons te verdedigen?"

"Heb je mijn vredesaanbod niet voorgelezen?" vroeg Wulfgar dringend. "De oude man was trots en moest tactvol benaderd worden om geen bloed te laten vloeien. Waarom ben je niet voorzichtiger geweest in plaats van hier als overwinnaar binnen te rijden en zijn huis op te eisen? Mijn God, ben je zo stom dat ik overal bij je moet zijn om je te laten zien hoe je met mensen moet omgaan? Wat heb je tegen hem gezegd?"

Ragnor lachte honend. "Hoe weet je zo zeker dat jouw woorden hem niet kwaad maakten? De oude man viel ons aan ondanks jouw verzoek. Ik heb niets anders gedaan dan de heraut het perkament laten voorlezen dat jij me gegeven had."

"Je liegt!" gromde Wulfgar. "Ik bood hem voorwaarden om te onderhandelen en veiligheid als hij de wapens neerlegde. Hij was niet gek. Hij zou zich overgegeven hebben om zijn gezin te redden."

"Kennelijk heb je je vergist, Wulfgar," spotte Ragnor. "Maar wie kan het tegendeel bewijzen? Mijn mannen kennen deze heidense taal niet. Alleen ik en de heraut hebben het document gezien. Hoe wil je je aanklacht tegen mij bewijzen?"

"Bewijzen is niet nodig," snauwde Wulfgar. "Ik weet dat je deze mannen vermoord hebt."

Ragnor lachte smalend. "Wat is de prijs voor een paar Saksers uit hun ellende helpen? Jij hebt er bij Hastings meer gedood dan die paar boeren hier."

Wulfgars gezicht was van steen. "Omdat men zei dat Cregan sterker was, ging ik dat nemen en dacht dat jij zo verstandig was de oude man over te halen zijn nutteloze strijd op te geven. Ik zie dat ik me vergist heb en het spijt me dat ik je hierheen gestuurd heb. De dood van de oude man betekent niets. Maar het zal moeilijk zijn de boeren te vervangen."

Aislinn miste de grond waar ze naar hakte en viel over de spade. Hijgend van pijn bleef ze liggen en wilde haar woede uitschreeuwen. Voor deze mannen was een enkel leven onbelangrijk, maar voor haar was het een heel dierbaar leven geweest.

Het verhitte gesprek hield op en de aandacht van de mannen keerde naar haar terug. Wulfgar brulde om een lijfeigene. Ham, een flinke jongen van dertien, tuimelde met behulp van een Normandische laars naar buiten.

"Begraaf je heer," beval Wulfgar, maar de jongen begreep hem niet. De Normandiër gaf Aislinn een teken dat ze hem moest zeggen wat hij bedoelde en berustend gaf ze de jongen de spade. Ze keek toe terwijl hij het graf groef en merkte dat de Normandische bastaard de overvallers de zaal uit joeg om de doden weg te slepen.

Aislinn en Ham bonden haar vader in een wolvevacht en legden hem in het graf met zijn zwaard op zijn borst. Toen de laatste schep op hem viel, kwam Maida angstig naar voren en snikte op de berg aarde haar verdriet uit.

"Een priester!" huilde ze. "Het graf moet gezegend worden."

"Ja, moeder," mompelde Aislinn. "Er zal er een gehaald worden."

Dit kleine beetje geruststelling durfde Aislinn Maida bieden, al had ze geen idee hoe ze een priester kon laten komen. Darkenwalds kapel was kort na de dood van zijn priester een paar maanden geleden door brand verwoest. De priester van Cregan had de mensen van Darkenwald bediend. Maar als ze naar hem toe ging, riskeerde ze haar leven, zelfs als ze erin slaagde ongezien weg te komen, wat onwaarschijnlijk was. Haar paard stond in de schuur waar de Normandiërs hun strozakken maakten. Ze wist dat ze Maida niet veel troost kon geven. Maar haar moeder was gevaarlijk dicht bij waanzin en Aislinn was bang dat teleurstelling haar over de rand zou duwen.

Aislinn keek naar Wulfgar. Hij nam de wapenrusting van zijn paard en daardoor wist ze dat hij liever op Darkenwald woonde dan op Cregan. Dat was ook waarschijnlijker, want hoewel er minder mensen woonden, was de burcht groter en beter geschikt voor een leger. Erland had het zo gepland. Grotendeels van steen gebouwd, was het minder kwetsbaar voor branden en aanvallen dan de helemaal van hout gebouwde burcht van Cregan. Ja, Wulfgar zou blijven en door zijn woorden wist Aislinn dat zij zijn verlangens zou dienen. In haar angst om opnieuw door die verschrikkelijke krijgsman opgeëist te worden, viel het haar moeilijk iemand te bemoedigen.

"Vrouwe?" begon Ham.

Ze keerde zich om en zag dat de jongen naar haar keek. Hij had ook opgemerkt hoe haar moeder eraan toe was en zocht nu bij Aislinn leiding bij de omgang met deze mannen wier taal hem in verwarring bracht. Vermoeid haalde Aislinn haar schouders op, wendde zich van hem af en liep langzaam naar Wulfgar toe. De Normandiër keek om zich heen toen ze naderde en hield met zijn werk op. Aarzelend ging Aislinn dichter naar man en dier toe.

Wulfgar streelde de zijden manen terwijl hij naar haar keek. Aislinn haalde diep adem.

"Mijn heer," zei ze stijf. De titel kwam moeilijk, alleen voor haar moeders gezondheid en een christelijke begrafenis voor de mannen van Darkenwald wilde ze even haar trots inslikken. Haar stem werd krachtiger. "Ik zou een klein verzoek willen doen..."

Hij knikte zwijgend, maar ze voelde zijn blik. Ze voelde zijn wantrouwen en wilde hem vervloeken als vreemdeling, indringer in hun leven. Ze had het nooit makkelijk gevonden volgzaam te lijken. Zelfs als haar vader kwaad op haar was, zoals om haar tegenzin om een vrijer te kiezen, bleef ze koppig en wilskrachtig, onbevreesd voor zijn donderende woede waarvoor anderen doodsbang waren. Maar Aislinn wist dat ze als ze haar zin wilde hebben, zijn oude hart kon vermurwen door vriendelijkheid en plooibaarheid. Nu wilde ze dat tegen deze Normandiër gebruiken en ze sprak beheerst.

"Mijn heer, ik vraag een priester. Een kleinigheid – maar voor de mannen die gestorven zijn..."

Wulfgar knikte toestemmend. "Er zal voor gezorgd worden."

Aislinn viel voor hem op haar knieën, zich een ogenblik vernederend. Dat was wel het minste dat ze kon doen om een behoorlijke begrafenis te verzekeren.

Grommend bukte Wulfgar zich en trok haar overeind. Aislinn keek verrast naar hem op.

"Sta rechtop, meid. Ik heb meer eerbied voor je haat," zei hij en liep zonder verder nog een woord de burcht in.

Lijfeigenen van Cregan, goed bewaakt door een paar van Wulfgars mannen, kwamen de doden van Darkenwald begraven. Tot haar verbazing herkende Aislinn Kerwick onder hen toen ze dichterbij kwamen achter een grote Viking te paard. In haar opluchting hem in leven te zien, wilde ze naar hem toe rennen, maar Maida hield haar bij haar kleed vast.

"Ze zullen hem doden – die twee die om je vechten."

Aislinn zag dat dit verstandig was en was haar moeder dankbaar. Ze ontspande en keek tersluiks naar hem. Er waren wat moeilijkheden met de taal toen de bewakers de lijfeigenen probeerden te tonen wat ze moesten doen. Aislinn verbaasde zich over Kerwick want ze had hem Frans geleerd. Ten slotte begrepen de boeren het en begonnen de lichamen klaar te maken voor de begrafenis, behalve Kerwick die als verdoofd bleef staan. Plotseling keerde hij zich om en gaf over. Wulfgars mannen lachten en Aislinn vervloekte ze zwijgend. Haar hart ging naar Kerwick uit, hij had de laatste tijd zoveel oorlog gezien. Toch wenste ze dat hij zich waardig gedroeg tegen de Normandiërs, in plaats van zich te laten uitlachen. Ze keerde zich om en vluchtte naar binnen, beschaamd over hem en anderen die zich lieten vernederen door de vijand. Met gebogen hoofd liep ze recht in Wulfgars armen. Hij had zijn maliënkolder afgelegd en stond in zijn leren tuniek bij Ragnor, Vachel en de Noorman die met Kerwick aangekomen was. Wulfgar hield haar vast.

"Mooie dame, mag ik hopen dat je naar mijn bed verlangt?" spotte hij met opgetrokken wenkbrauwen.

Alleen de Viking lachte, Ragnors gezicht werd donker en hij keek Wulfgar vol jaloezie en haat aan. Aislinn werd woedend. De vernedering was niet meer te dragen. Haar trots brandde en bracht haar tot domme dingen. Gloeiend van woede gaf ze Wulfgar een klap op de wang met het litteken.

De mannen in de kamer hielden hun adem in. Ze verwachtten dat Wulfgar haar tegen de grond zou slaan. Ze wisten hoe hij met vrouwen omging. Hij gaf weinig om ze en soms toonde hij zijn minachting door weg te lopen als er een probeerde een gesprek met hem te beginnen. Nog nooit had een vrouw hem durven slaan. Meisjes waren bang voor zijn woeste buien en vluchtten weg voor zijn koude, meedogenloze blik. Maar dit meisje, dat zoveel te verliezen had, trotseerde hem.

In het ogenblik dat Wulfgar naar haar keek, kwam Aislinn tot bezinning en voelde een prikkeling van angst. Violette ogen ontmoetten grijze. Zij was doodsbang en hij was verbijsterd. Ragnor keek tevreden. Zonder waarschuwing greep Wulfgar haar, trok haar naar zich toe en drukte haar tegen zich aan. Ragnor was lenig en hard geweest, maar hij leek wel van ijzer. Aislinns lippen gingen half open van verbazing en haar hijgen werd gesmoord toen hij zijn mond op de hare drukte. De mannen brulden aanmoedigingen en Ragnor was de enige die het niet beviel. Met een van woede vertrokken gezicht keek hij toe en zette zijn handen in zijn zijden om ze niet uit elkaar te trekken.

De Viking riep: "Ha! Die meid heeft haar meester gevonden!"

Wulfgar legde zijn handen achter Aislinns hoofd, dwong haar gezicht tegen het zijne en bewoog zijn lippen over haar mond. Aislinn voelde zijn hart zwaar bonzen tegen haar borst. Zijn armen lagen genadeloos om haar middel en achter haar hoofd voelde ze zijn handen die zonder moeite haar schedel konden kraken. Maar ergens in de diepten van haar wezen ontbrandde een kleine vonk en wekte in haar geest en lichaam een massa wervelende gevoelens. Ze werd geprikkeld door zijn gevoel, zijn smaak, zijn geur. Ze gloeide van een warme opwinding, en hield op met worstelen. Als vanzelf kropen haar armen omhoog langs zijn rug en het ijs smolt tot een woeste hitte die de zijne evenaarde. Het deed er weinig toe dat hij de vijand was, of dat zijn mannen keken en instemmend brulden. Het leek of ze alleen waren. Kerwicks kussen hadden nooit hartstocht in haar opgewekt, geen begeerte, geen verlangen om de zijne te zijn. Nu gaf ze zich hulpeloos aan deze Normandiër over en beantwoordde zijn kus met een hartstocht waarvan ze nooit had geweten dat ze die bezat.

Wulfgar liet haar abrupt los en tot Aislinns verbijstering scheen hij onbewogen door wat voor haar een schokkende ervaring was geweest Ze voelde zich beschaamd bij het besef van haar zwakheid voor deze Normandiër, die niet voortkwam uit angst maar uit begeerte. Verbijsterd door haar reactie op zijn kus, viel ze hem aan met haar enige overgebleven wapen, haar tong.

"Naamloze Normandische hond! In welke goot heeft uw vader uw moeder gevonden?"

De mannen hielden hun adem in, maar Wulfgar fronste maar even zijn voorhoofd bij deze belediging. Zag ze woede? Misschien zelfs pijn? Och, dat was twijfelachtig. Ze kon niet hopen deze ridder met zijn ijzeren hart te kwetsen.

Wulfgar trok een wenkbrauw op. "Je toont je dankbaarheid wel vreemd, damoiselle," zei hij. "Ben je je verzoek om een priester vergeten?"

Nu het geweld uit haar verdwenen was, voelde Aislinn afschuw over haar domheid. Ze had gezworen dat de graven gezegend zouden worden, maar door haar onnozelheid zouden de doden van Darkenwald eerloos blijven. Ze gaapte hem aan, niet in staat een verzoek te doen of zich te verontschuldigen.

Wulfgar lachte kort. "Vrees niet, damoiselle. Mijn woord is een eed. Je zult je kostbare priester hebben, even zeker als je mijn bed zult delen."

Er klonk gelach, maar Aislinns hart maakte een angstige sprong.

"Nee, Wulfgar!" schreeuwde Ragnor woedend. "Bij alles wat heilig is, dat gebeurt niet. Ben je je eed aan mij vergeten dat ik mijn eigen beloning kon kiezen? Pas op, want ik kies dit meisje als betaling voor het nemen van deze burcht."

Wulfgar keerde zich om en keek de woedende ridder aan. "Zoek je beloning maar buiten waar het begraven wordt, want dat zal je betaling zijn. Als ik geweten had wat er zou gebeuren, had ik een minder stomme ridder gestuurd."

Ragnor wilde naar Wulfgars keel springen, maar Vachel hield hem tegen. Ragnor worstelde, maar zijn neef liet niet los.

"Nee, dat is dwaasheid, neef," siste hij in Ragnors oor. "Met de wolf vechten in zijn eigen leger terwijl zijn soort wacht om ons bloed te proeven. Denk na, man. Heb je je merkteken niet al achtergelaten op die meid? De bastaard zal zich afvragen wiens bastaard ze voortbrengt."

Ragnor ontspande en dacht na. Wulfgars uitdrukking veranderde niet, maar het litteken op zijn wang stak wit af tegen zijn gebronsde huid. De Noorman hoonde de hooggeboren neven.

"Ik zie geen twijfel. Het zaad van de zwakkeling valt niet diep, maar de sterke vindt altijd vruchtbare grond."

Aislinn glimlachte om hun ruzie. Ze vochten onder elkaar. Het zou niet moeilijk zijn hun woede aan te wakkeren zodat ze elkaar doodden. Ze hief haar hoofd weer trots, opgewekt door hun verhitte woorden, en ontdekte dat Wulfgar naar haar keek. Zijn grijze ogen leken in haar binnenste door te dringen, op zoek naar haar geheimen. Een mondhoek ging omhoog in een glimlach.

"Het meisje heeft niets kunnen zeggen," merkte hij op en wendde zich tot Ragnor. "Laat het meisje kiezen. Als jij het bent, De Marte, zal ik dat niet bestrijden. Dan heb je mijn toestemming om haar te nemen."

Aislinns hoop verdween. Wulfgar zou haar zonder strijd afstaan. Haar plan was mislukt.

Ze zag dat Ragnor met openlijke begeerte naar haar keek en zijn donkere ogen beloofden een tedere beloning. Wulfgar wilde niet om haar vechten. Haar gekwetste trots eiste dat ze Ragnor koos en de bastaard versmaadde. Ze zou het heerlijk vinden hem te kwetsen. Maar ze wist dat ze niet aan Ragnor kon toegeven. Ze haatte hem als iets smerigs uit het moeras. En als ze zich kon wreken, hoe weinig dan ook, zou ze dat niet laten.

Haar antwoord werd nog moeilijker toen de Normandische bewakers Kerwick binnen brachten. Tussen deze grote mannen kon Aislinn niet hopen onopgemerkt te blijven. Haar verloofde zag haar direct. Toen ze zijn gekwelde blik voelde, keek ze naar hem en zag wanhoop en ellende. Hij leek een zwijgend beroep op haar te doen, maar ze begreep hem niet en ze betwijfelde of ze eraan kon voldoen. Hij was niet zichtbaar gewond, maar zijn tuniek en broek waren vuil en zijn gouden krullen verward. Hij had altijd meer om boeken gegeven dan om oorlog. Hij leek nu niet op zijn plaats, een zacht man tussen woeste overvallers. Aislinn kon alleen maar medelijden met hem hebben, ze kon niets doen nu de vijand wachtte op haar antwoord.

"Damoiselle," drong Wulfgar aan. "We wachten op wat je wilt." Hij benadrukte het laatste woord en glimlachte tartend. "Wie van ons kies je als je minnaar?"

Ze zag Kerwicks ogen groter worden. Ze voelde zich misselijk onder de wellustige blikken van de mannen die met aandacht stonden te kijken. Maar ze gaf niets om ze. Laat die idioten maar hijgen. En Kerwick moest zijn eigen pijn maar dragen. Als ze maar een woord sprak, zou ze alleen maar zijn trots blootstellen aan de spot van de Normandiërs.

Ze zuchtte berustend. Ze zou de zaak afdoen.

"Dus ik moet kiezen tussen de wolf en de havik, en ik weet dat de havik meer heeft van een raaf in een strik." Ze legde een hand op Wulfgars borst. "Ik kies u. Dus, minnaar, is het uw taak de feeks te temmen." Ze lachte medelijdend. "Wat hebt u nou gewonnen?"

"Een mooi meisje om mijn bed te warmen," antwoordde Wulfgar, en voegde er spottend aan toe: "Heb ik meer gewonnen?"

"Nooit!" siste Aislinn woedend.

Ragnor beheerste zijn woede, zijn gebalde vuisten het enige bewijs van zijn ergernis. Over Aislinns hoofd keek Wulfgar hem aan en sprak zacht.

"Ik heb bevolen dat iedere man zijn deel van de buit moet hebben. Voor je aan je werk gaat, Ragnor, leggen jij en je mannen daar wat jullie voor jezelf genomen hebben." Hij wees naar de buit die ze de vorige avond verzameld hadden. "Hertog William zal eerst zijn deel willen en pas dan krijg je betaling voor je werk."

Ragnor leek op de rand van geweld. Zijn kaak verstrakte en zijn hand ging naar het gevest van zijn zwaard. Ten slotte haalde hij een klein zakje uit zijn wambuis, liep naar de stapel buit en gooide de inhoud er op. Aislinn herkende haar moeders grote ring en een paar gouden dingen van haar vader. Ragnor keek toe terwijl zijn mannen langs hem heen liepen en hun schatten op de stapel gooiden. Toen ze allemaal klaar waren, keerde Ragnor zich om, duwde Kerwick opzij en liep kwaad de zaal uit met Vachel achter zich aan. Toen de grote deur achter ze dicht was, sloeg Ragnor met zijn vuist in zijn hand.

"Ik dood hem," zwoer hij. "Ik scheur hem met mijn blote handen in stukken. Wat ziet dat meisje in hem? Ben ik niet knapper?"

"Beheers je woede," suste Vachel. "Zijn einde komt wel. Die meid wil alleen ruzie tussen ons stichten. Ik zag het in haar ogen. Ze dorst naar het bloed van alle Normandiërs. Pas goed voor haar op, maar weet dat ze van nut kan zijn, want ze geeft niet meer om Wulfgar dan wij."

Ragnor lachte honend. "Ja, en hoe kan dat? Van die bastaard vol littekens kan geen vrouw houden."

Vachels ogen glansden. "We zullen haar de tijd geven de wolf in te palmen met haar schoonheid en als hij dan verzwakt is, stellen we de val op."

"Ja." Ragnor knikte. "En die meid moet het doen. Ik zweer je dat ik onder haar bekoring ben, Vachel. Ik verlang nog steeds naar haar. Ik herinner me haar tegen me aan zoals de natuur haar gemaakt heeft en als er enige afzondering was, zou ik haar neerleggen en haar weer nemen."

"Gauw, neef, gauw zul je haar weer in je bed hebben en dan zal de wolf er niet meer zijn."

"Aan die belofte houd ik je, Vachel," zei Ragnor. "Want ik moet haar hebben, hoe dan ook."

3

De paar mannen van Darkenwald die gevangen waren genomen, werden losgemaakt nadat ze de nacht buiten vastgebonden hadden gezeten. Ze stonden in het rond, nog steeds verdoofd door de nederlaag van de vorige dag. De vrouwen kwamen naar het plein met voedsel en water en zij die hun man vonden, gaven hem te eten en brachten hem naar huis. Andere vrouwen noemden de doden en keken dof toe hoe hun mannen en zonen in de graven gelegd werden. Nog anderen zochten zonder resultaat de gezichten van levenden en doden af, liepen weg en vroegen zich af of ze hun dierbaren nog ooit zouden terugzien.

Aislinn zag het bedroefd aan vanuit de deur van de burcht. De doden werden begraven door de lijfeigenen van Cregan op aanwijzingen van twee van Wulfgars vertrouwde ridders. Aislinn had horen zeggen dat er nog iemand op Cregan gebleven was met een paar gewapende mannen om daar de vrede te bewaren. Haar moeder ging naar het graf onder de eik en legde er een bosje late bloemen op. Ze hurkte en gebaarde en huilde alsof ze tegen Erland sprak.

Aislinns vader was ongeveer vijfenzestig geweest en zijn vrouw was pas vijftig. Hoewel hij veel ouder was, hadden ze van elkaar gehouden. Aislinn had vroeger een oudere broer gehad, maar hij was aan een ziekte gestorven. Dus had zij de hele toewijding van haar ouders gehad en de burcht was vol liefde en tederheid, ver weg van de stroom veroveraars die Engeland overstroomden als vloedgolven. Erland was wijs geweest en had een aantal koningen gediend. Maar nu leek het of de vernieling van de oorlog zou blijven uit wraak voor zijn lange afwezigheid.

Maida stond op en leek verloren toen ze wanhopig om zich heen keek. Ze liep met slepende passen terug naar de burcht. Verscheidene vrouwen kwamen bij haar met hun verdriet en smeekten haar om hulp, zoals ze al jaren gedaan hadden. Ze luisterde een poosje en keek ze versuft aan. Een snik welde op in Aislinns keel toen ze naar haar moeder keek die nu meer van een waanzinnige had dan van een statige dame.

Maida hief haar handen alsof ze het geklaag niet meer kon verdragen en gaf een gil. "Ga weg!" schreeuwde ze. "Ik heb mijn eigen zorgen. Mijn Erland is voor jullie gestorven en jullie ontvangen zijn moordenaars met alleen maar een boze blik. Ja! Jullie laten ze mijn huis binnengaan, mijn dochter verkrachten, mijn schatten stelen – ach!"

Ze trok aan haar haar en de dorpsvrouwen liepen angstig weg. Langzaam liep ze naar de deur en bleef staan toen ze Aislinn zag.

"Laat ze zelf hun kruiden maar zoeken en hun wonden verbinden," mompelde ze. "Ik heb genoeg van hun pijn en hun wonden."

Aislinn keek haar diep bedroefd na. Dit was niet de moeder die ze gekend had. Maida had haar leven lang in het moeras en de bossen naar wortels en bladeren gezocht, ze gedroogd en drankjes en zalfjes gemengd om pijn en ziekten te genezen. Ze had dit Aislinn ook geleerd en ervoor gezorgd dat ook zij de kruiden kende en ze wist te vinden. Nu joeg Maida de mensen weg zonder naar ze te willen luisteren, dus moest Aislinn dat op zich nemen. Ze aanvaardde het als een zegen, dankbaar dat het werk haar gedachten zou afleiden.

Peinzend wreef Aislinn haar handen langs haar wollen kleed. Eerst moest ze zich kleden tegen de spiedende ogen van de Normandiërs en dan aan het werk.

Ze ging naar haar eigen kamer, waste zich en kamde haar haar en trok toen een zacht onderkleed aan met een schoon kleed van mauve wol erover. Ze glimlachte verdrietig toen ze het gladstreek. Geen gordel of zelfs maar een halsketting om het te sieren. De Normandiërs waren niet te overtreffen in hun hebzucht.

Aislinn klopte nog even op haar rok en ging de drankjes halen uit haar moeders kamer, die ze de vorige nacht nog met Ragnor gedeeld had. Ze duwde de zware deur open en bleef verrast staan. Wulfgar zat naakt in haar vaders stoel voor de haard. De Viking knielde aan zijn voeten, gebogen over zijn dij. Beiden keken op toen ze binnen kwam. Wulfgar stond half op uit zijn stoel en greep naar zijn zwaard en Aislinn zag dat hij toch niet naakt was maar een korte lendendoek droeg. Ze merkte ook op dat Sweyns grote stompe vingers rustten op een vieze lap die aan zijn dij kleefde. Hij zakte weer in de stoel en liet het zwaard rusten, dit meisje vond hij geen grote bedreiging.

"Neem me niet kwalijk, heer," zei Aislinn koel. "Ik kwam voor mijn moeders kruiden en wist niet dat u hier was."

"Pak dan wat je kwam halen," zei Wulfgar.

Aislinn ging naar het tafeltje met de kruiden en keerde zich toen om met het blad in haar handen. De mannen waren weer met het verband bezig en ze zag dat de lap vol zat met opgedroogd bloed en dat een gemene rode zwelling onder het verband tevoorschijn kwam.

"Neem je lompe handen weg, Viking," beval ze. "Tenzij je zin hebt om verpleger te spelen voor een bedelaar met één been. Ga opzij."

De Noorman keek haar vragend aan maar ging opzij. Aislinn zette haar blad neer en knielde tussen Wulfgars knieën, ze tilde voorzichtig de randen van de lap op, keek eronder en trok er zachtjes aan. Hij zat vast aan een lange snee in zijn been waar gele vloeistof uit kwam.

"Het zweert," peinsde ze hardop. "U had het weer open moeten maken."

Aislinn liep naar de haard en doopte een linnen doek in de dampende ketel water die boven het vuur hing, en nam hem er toen met een stok weer uit. Met een scheve glimlach liet ze hem over het verband vallen, waardoor Wulfgar half opstond. Hij trok zijn kaak strak en dwong zich te ontspannen. Hij mocht vervloekt zijn als hij die Saksische meid zou laten zien dat het pijn deed. Hij keek naar haar op en in zijn ogen stond twijfel aan haar kunnen, maar ze wees naar zijn been.

"Dat maakt de korst los en trekt de wond uit." Ze lachte kort. "U zorgt beter voor uw paarden dan voor uzelf."

Aislinn liep naar zijn gordel en zwaard en trok het korte mes uit de schede. Sweyn hield haar nauwlettend in het oog en kwam dichterbij met zijn grote strijdbijl, maar ze legde het mes in het vuur. Toen ze opstond, zag ze dat beide mannen zonder veel vertrouwen naar haar keken.

"Zijn de dappere Normandische ridder en de woeste Viking bang voor een eenvoudig Saksisch meisje?" vroeg ze.

"Ik ben niet bang," antwoordde Wulfgar. "Maar je kunst is slecht besteed aan Normandiërs. Waarom verzorg je me?"

Aislinn haalde haar moeders blad en begon een gedroogd blad te verkruimelen in ganzevet. Ze antwoordde terwijl ze het mengsel tot een gele zalf roerde.

"Mijn moeder en ik hebben al lang de zieken in dit dorp genezen. Wees dus niet bang dat ik niet genoeg weet. Als ik u zou verraden, zou Ragnor uw plaats innemen, en velen zouden lijden onder zijn heerschappij, ik zelf niet het minst. Dus zal ik een poosje wachten met mijn wraak."

"Goed." Wulfgar knikte. "Als je op wraak uit was, vrees ik dat Sweyn dat niet aardig zou opvatten. Hij heeft een groot deel van zijn leven verspild met proberen mij iets over vrouwen te leren."

"Die grote bonk!" spotte ze. "Wat kan hij me nog aandoen, behalve een eind maken aan mijn slavernij?"

Wulfgar boog naar voren en zei effen: "Zijn volk heeft lang alle manieren om te doden bestudeerd en wat ze niet weten, kunnen ze heel goed raden."

"Bedreigt u mij, mijn heer?" vroeg Aislinn en hield op met roeren.

"Nee, ik zou je nooit bedreigen. Soms beloof ik, maar ik dreig nooit." Hij keek haar lang aan. "Ik zou je graag een naam willen geven."

"Aislinn, mijn heer. Aislinn, vroeger van Darkenwald."

"Nou, ga je gang, Aislinn, ik ben aan je genade overgeleverd." Hij glimlachte. "Mijn tijd komt gauw genoeg."

Aislinn richtte zich op, geërgerd omdat hij haar herinnerde aan wat er komen zou. Ze zette de kom zalf naast zijn stoel, knielde met haar zij tegen zijn knie om hem stil te houden en voelde de ijzeren hardheid van zijn been tegen haar borst. Ze tilde de natte doek op, trok voorzichtig het verband weg en ontblootte een lange etterende snee van zijn knie tot bijna aan zijn lies.

"Een Engels zwaard?" vroeg ze.

"Een herinnering aan Senlac," zei hij schouderophalend.

"Slecht gericht," zei ze onvriendelijk terwijl ze de wond bekeek. "Hij had me heel wat kunnen besparen."

Wulfgar snoof. "Schiet op. Er is veel dat mijn aandacht vraagt."

Ze knikte, haalde een kom heet water en begon de wond te wassen. Toen hij schoon was, haalde ze het mes uit het vuur en merkte dat Sweyn zijn bijl pakte en dichterbij kwam.

Wulfgar grijnsde. "Zodat je niet in de verleiding komt het richten van de Sakser te verbeteren en je mijn gezelschap in bed te besparen." Hij haalde zijn schouders op. "Sweyns mannelijkheid is zo vaak en zo heftig op de proef gesteld, dat hij de mijne ook wil beschermen."

Aislinn wendde koude violette ogen naar hem. "En u, mijn heer," spotte ze. "Wilt u geen zonen?"

Wulfgar wuifde haar vraag weg. "'t Zou me weinig hinderen als daar geen kans op was. Er zijn tegenwoordig te veel bastaards."

Ze glimlachte scheef. "'t Zou mij ook geen kwaad doen, mijn heer."

Ze trok snel het gloeiende mes langs de wond waardoor het vlees dichtschroeide en het vergiftigde deel verbrandde. Wulfgar gaf geen geluid toen de misselijk makende stank van verbrand vlees de kamer vulde, maar zijn lichaam spande zich en zijn kaak werd strak. Toen wreef Aislinn de zalf in en om de wond. Van een bord op de haard nam ze handenvol oud brood, kneedde er een dikke pap van, legde het op de wond en verbond het geheel met stroken schoon linnen.

Aislinn ging achteruit en bekeek haar werk. "Dit moet drie dagen blijven zitten, dan haal ik het weg. Ik zou tot dan goede nachtrust aanraden."

"Het wordt al beter," mompelde Wulfgar een beetje bleek. "Maar ik moet opstaan, anders gaat het vastzitten en word ik kreupel."

Aislinn verzamelde haar drankjes op het blad en wilde weggaan maar toen ze achter hem langs liep om nieuw linnen te halen, merkte ze een ontstoken schaafplek op aan zijn schouder. Ze raakte de plek aan en Wulfgar keerde zich om en keek haar zo geschrokken aan dat ze moest lachen.

"Dit hoeft niet verbrand te worden, mijn heer. Alleen maar een prikje en een zalf om het te verzachten," zei ze en begon het te verzorgen.

"Mijn oren bedriegen me." Hij fronste. "Ik dacht dat je gezegd had dat je wraak zou wachten."

Er werd op de deur geklopt en Sweyn liet Kerwick binnen met een lading van Wulfgars bezittingen. Aislinn keek op toen haar verloofde binnen kwam, maar keek snel weer naar haar werk om Wulfgar geen wenk te geven. Kerwick bleef staan maar toen hij Aislinns afgewende gezicht zag, verliet hij zwijgend de kamer.

"Mijn teugel!" snoof Wulfgar. "Sweyn, breng hem terug en zorg dat ze de Hun niet naar mijn kamer brengen."

Toen de Noorman weg was, nam Aislinn opnieuw haar blad op om weg te gaan.

"Een ogenblik, damoiselle," vroeg Wulfgar.

Aislinn keerde zich om en keek hoe hij zich uit de stoel hees en voorzichtig het been probeerde. Toen hij zeker was dat het hield, trok hij een hemd over zijn hoofd en ging de luiken open doen. Toen keerde hij zich om en keek de kamer rond.

"Dit zal mijn kamer zijn." Zijn stem klonk op een afstand. "Zorg dat je moeders dingen verwijderd worden en de kamer goed wordt schoongemaakt."

"Zeg me alstublieft, mijn heer," hoonde Aislinn, "waar ik ze moet brengen? In de stal bij de andere Engelse zwijnen?"

"Waar slaap jij?" vroeg hij zonder op haar drift te letten.

"In mijn eigen kamer, als die niet bezet is."

"Breng ze dan daar, Aislinn." Hij keek recht in haar woedende ogen. "Jij zult ze weinig meer nodig hebben."

Aislinn bloosde heet en keerde zich om. Ze hoorde hem rondlopen, in het vuur poken en het deksel van een kist dichtslaan. Plotseling klonk zijn stem luid en nors.

"Wat betekent die man voor je?"

Aislinn draaide zich om en keek hem verbaasd aan.

"Kerwick. Wat betekent hij voor je?" herhaalde hij.

"Niets," kon ze uitbrengen.

"Maar je kent hem en hij kent jou."

Aislinn kreeg haar beheersing terug. "Natuurlijk. Hij is de heer van Cregan en we handelden veel met zijn familie."

"Hij heeft niets meer om te handelen. Hij is geen heer meer." Wulfgar nam haar nauwlettend op. "Hij kwam pas nadat het dorp zich overgegeven had. Toen ik hem verzocht zich over te geven, gooide hij zijn zwaard weg en maakte zich mijn slaaf."

Aislinn antwoordde zacht, nu weer zeker van zichzelf. "Kerwick is meer een geleerde dan een krijgsman. Zijn vader leidde hem op tot ridder en hij heeft met Harold dapper gevochten."

"Hij gaf over bij het zien van een paar doden. Geen Normandiër heeft respect voor hem."

Aislinn sloeg haar ogen neer en verborg haar medelijden met Kerwick. "Hij is een vriendelijk mens en zij waren zijn vrienden. Hij sprak met ze en maakte gedichten over hun werk. Hij heeft te veel dood gezien sinds de Normandiërs in ons land kwamen."

Wulfgar legde zijn handen op zijn rug. Zijn gezicht was in de schaduw en Aislinn zag alleen de grijze ogen.

"En degenen die niet gestorven zijn?" vroeg hij. "Hoeveel zijn er het bos in gevlucht?"

"Ik weet niemand," antwoordde ze en het was maar half een leugen. Ze had een paar de rand van het moeras zien bereiken toen haar vader viel, maar ze wist niet wie, en of ze nog vrij waren.

Wulfgar pakte een lok van haar haar. Die intense ogen lieten haar niet los. Aislinn voelde zich zwak worden en zijn glimlach zei haar dat ze hem niets voorgespeeld had. Hij knikte.

"Je weet niemand?" zei hij sarcastisch. "Geeft niet. Ze zullen al gauw komen om hun meester te dienen, net als jij."

Wulfgars hand viel op haar schouder en trok haar naar hem toe. Het blad rammelde in haar handen.

"Alstublieft –" fluisterde Aislinn hees, bang voor zijn lippen die haar zo opwonden. "Alstublieft."

Hij liefkoosde even haar arm en liet haar los.

"Zorg voor de kamers," beval hij zacht, haar nog steeds vasthoudend met zijn blik. "En zorg voor de mensen even goed als voor mij. Zij zijn ook van mij, en er zijn er maar zo weinig."

Voor de deur kwam Aislinn bijna in botsing met Kerwick maar ze haastte zich langs hem, wetend dat haar blozende gezicht haar zou verraden. Ze vluchtte naar haar eigen kamer en terwijl ze haar bezittingen verzamelde, probeerde ze het trillen van haar handen te beheersen. Ze was woedend dat die Normandiër haar zo van haar stuk bracht.

Aislinn kwam naar buiten en keek moedeloos naar een stuk of twaalf lijfeigenen die het plein op gebracht werden. Met hun gebonden enkels konden ze alleen maar naast de ruiters mee hobbelen. Op zijn grote krijgsros zag Wulfgar er angstaanjagend uit voor de doodsbange mensen. Aislinn beet op haar lip toen een jongen probeerde te ontsnappen en zo snel zijn banden toelieten bij de rest vandaan hupte, maar hij was geen probleem voor Wulfgars hengst. Wulfgar reed achter hem aan, greep hem bij zijn hemd en hees hem voor zich op het zadel. De jongen schreeuwde, kreeg een klap op zijn billen en trok van pijn met zijn gezicht maar zweeg. Wulfgar liet hem tussen de boeren vallen die angstig bij zijn paard vandaan strompelden.

Aislinn zuchtte van opluchting toen ze zag dat er niemand gewond was. Ze deed een stap achteruit toen Wulfgar voor haar afsteeg.

"Heeft u niemand gedood in het bos?" vroeg ze bezorgd.

"Nee, ze vluchtten als echte Saksers," antwoordde hij.

Aislinn keek hem woedend aan toen hij spottend naar haar keek, keerde zich om en ging de burcht binnen.

Er kwam een soort orde over Darkenwald en vergeleken bij de vorige avond aten ze in een bijna rustige sfeer. De Normandiërs hadden zich ingericht en er werd niet geruzied want iedereen wist dat Wulfgar hier heer was.

Aislinn zat op haar moeders plaats als burchtvrouwe en voelde Wulfgars dominerende aanwezigheid naast zich. Hij praatte met Sweyn aan zijn andere zijde en negeerde haar, wat haar verbaasde omdat hij erop gestaan had dat ze met hem at en haar die speciale plaats naast hem gewezen had. Ze had het met tegenzin gedaan. Haar moeder moest restjes zoeken met de andere lijfeigenen en Aislinn vond dat ze Maida's lot hoorde te delen.

"De plaats van een lijfeigene is niet naast de heer," zei ze bijtend toen hij haar verzocht de stoel te nemen.

Wulfgars koude blik doorboorde haar. "Wel als de heer dat beveelt."

Gedurende het maal bleef Kerwick dicht bij Wulfgar, bood eten en wijn aan als een gewone bediende. Aislinn wenste dat hij ergens anders was. Ragnor volgde iedere beweging met zijn donkere ogen. Aislinn voelde zijn haat voor Wulfgar alsof die tastbaar was en het amuseerde haar dat hij zo kwaad was dat de bastaard haar bezat.

Met een blauw oog en een gezwollen kaak bracht Hlynn de Normandiërs bier en schrok als ze tegen haar brulden of een hand uitstaken om haar te liefkozen. Haar kleed was gerepareerd met een stuk koord en de mannen amuseerden zich met een weddenschap over wie dat zou breken. Het angstige meisje dat het niet begreep, liep in menige door de Normandiërs opgezette val.

Maida leek zich geen zorgen te maken over het meisje maar meer belang te stellen in de stukjes eten die naar de honden gegooid werden. Soms zag Aislinn haar een gestolen stukje in haar mond proppen en haar eigen toch al niet grote eetlust werd nog minder doordat haar moeder honger leed.

Hlynns reparatie hield tot het maal bijna afgelopen was, maar de teleurgestelde Ragnor luchtte zijn woede op het arme meisje. Hij greep haar, sneed het koordje door met zijn dolk, drukte zijn wrede mond op haar borst en negeerde haar geworstel.

Aislinns maag kwam omhoog bij de herinnering aan die brandende lippen tegen haar borsten. Ze keek niet op toen hij het meisje de deur uit droeg, maar huiverde onbeheerst. Even later hief ze haar hoofd weer op en zag dat Wulfgar naar haar keek. Zwak greep ze haar wijn en dronk het op.

"De tijd heeft snelle vleugels, Aislinn," zei hij. "Is hij je vijand?"

Ze wilde hem niet aankijken. Ze wist wat hij bedoelde. Net als Ragnor begon het eten hem te vervelen en dacht hij aan andere genoegens.

"Ik herhaal, damoiselle, is de tijd je vijand?"

Ze keerde zich naar hem toe en zag verrast dat hij zo dicht naar haar toe leunde dat zijn adem haar wang raakte. Zijn ogen, nu bijna blauw, drongen diep in de hare.

"Nee," hijgde ze. "Ik geloof het niet."

"Ben je niet bang voor me?" vroeg Wulfgar.

Aislinn schudde dapper haar hoofd. "Ik ben voor geen man bang, alleen voor God."

"Is Hij je vijand?" drong de Normandiër aan.

Ze slikte en keek weg. Waarom liet God deze Normandiërs hun huizen overvallen? Maar het was niet aan haar naar Zijn redenen te vragen.

"Ik denk het niet," antwoordde Aislinn. "Want Hij is mijn enige hoop. Alle anderen laten me in de steek." Ze hief hooghartig haar kin. "Men zegt dat uw hertog een gelovig man is. Als hij dezelfde God heeft als wij, waarom heeft hij dan zovelen van ons gedood om de troon te bemachtigen?"

"Edward en Harold hebben allebei gezworen dat hij van hem zou zijn. Pas toen Harold zich afzonderde met de stervende koning, zag hij zijn kans en maakte bekend dat Edwards laatste woord was dat hij de kroon moest hebben. Er was geen bewijs dat hij loog, maar..." Wulfgar haalde zijn schouders op. "Door geboorte is het Williams kroon."

Aislinn keek hem snel aan. "De kleinzoon van een gewone leerlooier? Een..."

Ze zweeg, zich bewust van wat ze bijna gezegd had.

"Bastaard, damoiselle?" maakte Wulfgar af. Hij glimlachte scheef. "Een ongeluk dat helaas velen van ons overkomt."

Aislinn sloeg haar ogen neer voor zijn doordringende blik.

"Ook bastaards zijn menselijk, Aislinn. Ze hebben dezelfde behoeften en verlangens als andere mannen. Een troon is even aantrekkelijk voor een onwettige zoon als voor een die op de goede manier geboren is, misschien nog meer."

Hij stond op, nam haar arm en trok haar op. Hij trok tartend een wenkbrauw op en zijn ogen glansden toen hij zijn hand om haar middel legde en haar tegen zich aan trok.

"We verlangen zelfs een beetje plezier. Kom, minnares. Ik heb behoefte een feeks te temmen. Ik ben moe van mannen en vechten. Vannacht wil ik een zachtere sport."

Haar ogen gloeiden giftig bij zijn spot maar voor haar mond de aanval kon volgen, klonk er een woedend gebrul door de zaal. Aislinn keek geschrokken om en zag Kerwick naar ze toe komen met een dolk in zijn hand. Haar hart sprong op en ze kon alleen maar verstijfd blijven staan wachten op zijn aanval. Ze wist niet of Kerwick haar of Wulfgar wilde doden. Ze schreeuwde toen Wulfgar haar achter zich duwde en met blote handen Kerwicks aanval afwachtte. Maar Sweyn, die nooit iemand te veel vertrouwde, had goed op de jonge Sakser en zijn belangstelling voor het meisje gelet en handelde nu snel. Hij zwaaide een machtige arm naar Kerwick waardoor de jongeman viel. Met een voet duwde hij het gezicht van de jongere man in de biezen terwijl hij hem de dolk afnam en die kletterend tegen de muur gooide. De Noorman hief zijn strijdbijl om zijn hoofd af te slaan en Aislinn gilde van angst.

"Nee! In godsnaam, nee!"

Sweyn en alle anderen keken naar haar. Aislinn klemde zich snikkend van angst aan Wulfgar vast.

"Nee! Nee! U moet hem geen kwaad doen! Ik smeek u hem te sparen!"

Maida kroop dichterbij en streelde haar dochters rug, jankend van angst. "Eerst je vader vermoord en dan je verloofde. Ze laten je niemand."

Wulfgar keerde zich naar de vrouw en Maida gilde.

"Wat zeg je, oud wijf? Is hij haar verloofde?" vroeg hij.

Maida knikte in doodsangst. "Ja. Ze zouden gauw trouwen."

Wulfgar keek van Aislinn naar de jonge Sakser en gaf het meisje een beschuldigende blik. Toen keerde hij zich naar Sweyn.

"Bind hem vast bij de honden," blafte hij. "Ik zal me morgen met hem bezighouden."

De Viking knikte en sleurde Kerwick overeind waarbij hij hem even van de vloer tilde.

"Wees gerust, kleine Sakser," grinnikte de Noorman. "Vanavond ben je gered door een meid. Je hebt een goede ster die je beschermt."

Aislinn beefde van angst maar ze keek toe toen Kerwick naar de honden toe gesleept werd. In de verwarring zag niemand dat Maida snel Kerwicks dolk tussen haar kleren verstopte.

Aislinn wendde zich tot Wulfgar. "Ik ben u dankbaar," mompelde ze zacht.

Hij gromde. "Oh ja? Nou, straks zullen we zien hoe dankbaar je wel bent. Je werd woedend op me toen ik je verzoek om een priester inwilligde. Je liegt tegen me en beweert dat die melkmuil niets voor je betekent." Hij lachte honend. "Je had me beter zelf kunnen vertellen dat hij je verloofde was dan het oude wijf het nieuws te laten vertellen."

Aislinns woede vlamde weer op. "Ik loog opdat u hem niet zou doden," zei ze verhit. "Dat is toch uw gewoonte?"

Wulfgars grijze ogen werden donker. "Denk je dat ik een dwaas ben, damoiselle, dat ik waardevolle slaven zo makkelijk afmaak? Maar hij zou nu gestorven zijn als het oude wijf me niet verteld had dat hij je verloofde was. Nu kan ik tenminste de reden voor zijn dwaasheid begrijpen."

"U hebt hem nu gespaard, maar wat gebeurt er morgen?" vroeg ze gespannen.

Hij haalde zijn schouders op. "Ja, morgen? Mijn fantasie zal me dan wel te hulp komen. Een dans aan de galg misschien, of iets anders leuks."

Aislinns hart zonk in haar schoenen. Had ze Kerwick nu van een snelle dood gered om hem te zien hangen of martelen voor het plezier van de Normandiërs?

"Wat wil je verhandelen voor zijn leven? Jezelf? Maar dat is niet eerlijk. Ik weet niet waarover ik onderhandel." Wulfgar greep haar pols. "Kom, we zullen zien."

Aislinn probeerde zich los te rukken, maar hij greep haar vaster en hoewel hij haar geen pijn deed, kon ze zich niet losmaken.

"Ben je bang dat je niet goed genoeg bent?" spotte hij. Aislinn verzette zich maar een beetje toen hij haar meetrok de trap op. Hij stuurde de wacht voor de kamerdeur weg, gooide hem wijd open en duwde haar naar binnen. Hij grendelde de deur achter zich, draaide zich om, vouwde zijn armen en leunde glimlachend tegen de muur.

"Ik wacht, damoiselle." Zijn blik mat haar lichaam. "Verlangend."

Aislinn hield zich waardig. "U zult lang moeten wachten, messire," zei ze minachtend. "Ik speel niet voor hoer."

Wulfgar glimlachte. "Ook niet voor die arme Kerwick? Jammer. Morgen zul je wensen dat je het wel gedaan had."

Aislinn keek hem woedend aan. "Wat wilt u van me?"

Hij haalde zijn schouders op. "'t Zou een goed begin zijn om te zien waarover ik onderhandel. We zijn helemaal alleen. Wees maar niet verlegen."

Aislinns ogen schoten vuur. "U bent afschuwelijk!"

Zijn grijns werd breder. "Dat hebben maar weinig vrouwen gezegd, maar je bent niet de eerste."

Aislinn zocht iets dat ze naar hem toe kon gooien.

"Kom nou, Aislinn," vleide hij. "Ik word ongeduldig. Laat eens zien wat je waard bent."

Ze stampte met haar voet. "Nee! Nee! Nee! Ik speel niet voor hoer!"

"Arme Kerwick," zuchtte hij.

"Ik haat u," schreeuwde ze.

Het deed hem niets. "Ik ben ook niet al te gek op jou. Ik verafschuw liegende vrouwen."

"Als u me verafschuwt, waarom dit dan?" vroeg ze.

Wulfgar grinnikte. "Ik hoef niet van je te houden om met je naar bed te gaan. Ik begeer je, dat is genoeg."

"Voor mij niet!" schreeuwde ze woedend.

Wulfgar schudde van het lachen. "Je bent geen maagd meer. Wat maakt een man meer uit?"

Aislinn stotterde van woede. "Ik ben een keer tegen mijn wil genomen. Daarom ben ik nog geen slet."

"Zelfs niet voor Kerwick?" tartte hij.

Aislinn slikte een snik weg en keerde zich om. Ze trilde van woede en angst. Langzaam maakte ze haar kleed los en liet het op de grond vallen. Een traan gleed over haar wang. Het onderkleed viel om haar enkels.

Wulfgar kwam voor haar staan. Zijn brandende ogen gingen langzaam over haar lichaam, iedere zachte, mooie lijn volgend. Aislinn stond trots rechtop, haatte hem maar voelde toch een vreemde opwinding terwijl deze man naar haar keek.

"Ja, je bent mooi," hijgde Wulfgar en liefkoosde een ronde borst. Aislinn staalde zich maar voelde beschaamd een golf van genot onder de warmte van zijn hand. Hij trok een vinger tussen haar borsten door naar haar dunne middel. Ze was inderdaad mooi, met lange ledematen, een slank lichaam met rijpe borsten die gretig reageerden op de liefkozing van een man.

"Vindt u me het leven van een man waard?" vroeg ze ijzig.

"Zeer beslist," antwoordde hij. "Maar dat was nooit de vraag."

Aislinn staarde hem verbaasd aan en hij glimlachte.

"Kerwicks schuld is niet de jouwe. Zijn leven is van hem. Dat schenk ik hem. Ja, hij zal gestraft worden omdat hij veel gewaagd heeft. Maar jij kunt niets doen aan wat ik met hem van plan ben."

Aislinn werd razend en sloeg naar hem, maar Wulfgar greep haar pols en trok haar hard tegen zich aan. Hij grinnikte meedogenloos toen ze worstelde om vrij te komen. Aislinn voelde zijn handen op haar lichaam in zijn poging haar te onderwerpen. Hij glimlachte in haar gloeiende ogen.

"Mijn woeste feeks, je bent wel het leven van een man waard, zelfs als alle koninkrijken ter wereld op het spel stonden."

"Schoft!" riep ze. "Lompe pummel! – Bastaard!"

Zijn greep werd vaster en zijn glimlach verdween. Hij hield haar zo dicht tegen zich aan dat hun lichamen een schenen te worden. Aislinn hijgde van pijn en beet op haar lippen om niet te schreeuwen. Haar dijen drukten tegen de zijne en ze voelde zijn begeerte. Haar hoofd tolde en ze kon alleen maar zacht jammeren in zijn wrede omhelzing.

"Onthoud een ding damoiselle," zei Wulfgar koud. "Ik geef weinig om vrouwen en om een liegende vrouw nog minder. Als je weer tegen me liegt, zul je je nog erger schamen dan nu."

Toen duwde hij haar weg en ze viel op de grond waar ze huiverend en beschaamd bleef liggen. Ze keek op toen ze hem hoorde lopen en zag hem een ketting oprapen die haar vader gebruikt had om de honden te binden. Toen hij ermee naar haar toe kwam, kroop ze van angst in elkaar. Wat voor hel had ze gekozen om aan Ragnor te ontkomen? Ze was er zeker van dat hij haar zou doden. Haar bloed bonsde in haar oren en toen hij zich naar haar toe boog, hijgde ze en schopte naar hem terwijl ze zijn handen probeerde te ontvluchten. Hij liet de ketting vallen en ging achter haar aan.

40

"Nee!" schreeuwde ze en dook onder zijn arm door. Ze vloog naar de deur. Ze probeerde de grendel op te lichten, maar hoewel kreupel was Wulfgar snel en hij was maar een stap achter haar. Aislinn voelde zijn adem in haar nek. Met een kreet rende ze naar de haard. Maar tot haar schrik haakte haar voet in de wolvevacht voor het vuur en ze struikelde. Voor ze haar evenwicht terug had, dook hij op haar en sloeg zijn armen om haar middel. Toen zij vielen, draaide hij zich zo dat hij het grootste gewicht opving, wat hem veel pijn deed aan zijn been. Aislinn had geen tijd om zich af te vragen of hij het zo bedoeld had, ze had het te druk met proberen te ontkomen. Ze zwaaide met haar armen en benen, toen draaide ze zich om voor een aanval van voren. Ze zag haar vergissing in toen hij lachte en haar onder zich tegen de grond drukte.

"Laat me los!" hijgde ze. Ze beefde zo dat haar tanden klapperden, hoewel de hitte van het vuur haar huid bijna schroeide. Ze voelde dat hij naar haar keek, maar hield haar ogen gesloten. "Laat me los! Alstublieft!"

Tot haar verbazing stond hij op en trok haar overeind. Hij keek glimlachend in haar betraande gezicht en streek wat van haar verwarde haar van haar wang. Aislinn vouwde haar armen om haar naaktheid te verbergen en keek dof terug.

Wulfgar lachte, nam haar hand en bracht haar terug naar het bed. Hij pakte de ketting weer en met een droge snik trok Aislinn zich terug, maar hij duwde haar op de grond. Tot haar verbazing bond hij een eind van de ketting aan het bed en het andere om haar enkel. Hij las de verbazing en angst op haar gezicht.

"Ik ben niet van plan je te verliezen zoals Ragnor," spotte hij. "Er zijn geen dappere Saksers meer te begraven, dus betwijfel ik of je zo dicht bij Darkenwald zou blijven als ik je vrijliet om rond te zwerven terwijl ik rust. De ketting is lang en laat je wat vrijheid."

"U bent te goed, mijn heer," antwoordde ze terwijl haar woede weer groter werd dan haar angst. "Ik had geen idee dat u zo zwak was dat u me moet ketenen terwijl u het ergste met me doet."

"Het spaart energie," lachte hij. "En ik zie wel dat ik alle hulp nodig heb die ik kan krijgen om de feeks te temmen."

Hij liep weer naar de haard en begon zich uit te kleden. Aislinn zat naakt op de koude vloer peinzend naar hem te kijken. In zijn ondergoed keek hij in de vlammen en wreef afwezig zijn dij alsof hij de pijn wilde verzachten. Ze merkte op dat hij het gewonde been bijna onmerkbaar ontzag.

Aislinn trok haar knieën onder haar kin en dacht aan de gevechten die hij geleverd moest hebben. Hij had een lang litteken van een zwaard over zijn borst en verscheidene kleinere over zijn hele lichaam. Zijn spieren getuigden van een hard leven en veel tijd doorgebracht met een zwaard en te paard. Het was niet moeilijk te zien waarom ze hem niet had kunnen ontkomen. Hij had een smal middel en een harde, platte buik smalle heupen en lange, goedgevormde benen in de strakke kousbroek.

Bij het flakkerende vuur zag hij er plotseling moe uit en Aislinn voelde bijna hoe uitgeput hij was. Opeens had ze medelijden met deze Normandische vijand die zich kennelijk alleen door wilskracht op de been gehouden had.

Wulfgar zuchtte en strekte zijn spieren. Toen ging hij zitten, trok de onderbroek uit en legde hem bij zijn andere kleren. Aislinns adem stokte in haar keel want bij het zien van zijn naaktheid werd ze weer bang. Ze kroop in elkaar om haar eigen naaktheid te verbergen. Wulfgar bleef staan alsof hij zich herinnerd had dat ze er was en zag de angst in de violette ogen. Hij trok spottend een wenkbrauw op en nam een paar wolvevachten van het bed die hij naar haar toe gooide.

"Goedenacht, minnares," zei hij alleen.

Stomverbaasd en opgelucht keek ze hem aan. Toen bedekte ze zich snel en ging voorzichtig op de harde vloer liggen. Wulfgar blies de kaarsen uit en ging midden in het bed van haar ouders liggen en al gauw vulde zijn zware ademhaling de kamer. Aislinn kroop dieper in het bont en glimlachte tevreden.

4

Aislinn werd wakker door een fikse klap op haar billen. Ze sprong op en zag Wulfgar op het bed zitten grijnzen. Hij gaf haar haar kleren en keek waarderend naar haar borsten en dijen voor ze haar onderkleed over haar hoofd trok.

"Je bent een luie meid," plaagde hij. "Kom, haal water en help me dan aankleden. Ik heb niet zo'n lui leven als jij."

Aislinn wreef woedend haar zere achterste.

"Jij slaapt vast," zei hij.

"Ik neem aan dat u goed geslapen hebt, mijn heer," zei ze. "U lijkt tenminste uitgerust."

Wulfgar glimlachte warm. "Goed genoeg, damoiselle."

"Ik haal water," zei ze en vluchtte de kamer uit.

Maida kwam naar haar toe toen ze een emmer vulde uit de ketel boven het vuur in de zaal.

"Hij grendelt de deuren of zet er een wacht voor," jammerde de oude vrouw. "Hoe kan ik je van hem redden? Dat beest is slecht voor je. Ik heb je gisteravond horen gillen."

"Hij heeft me niet aangeraakt," zei Aislinn een beetje verbaasd. "Ik heb de hele nacht aan het voeteneind van het bed geslapen en hij heeft me niet aangeraakt."

"Welke man doet dat?" vroeg Maida dringend. "Ik zweer je dat het geen genade is. Wacht tot vanavond, dan neemt hij je. Blijf deze keer niet. Vlucht."

"Dat kan niet," antwoordde Aislinn. "Hij ketent me aan het bed."

Maida gilde van afkeer. "Hij behandelt je als een dier."

Aislinn haalde haar schouders op. "Hij slaat me tenminste niet." Toen wreef ze haar billen. "Nou, niet erg."

"Huh, hij vermoordt je als je hem kwaad maakt."

Aislinn schudde haar hoofd en dacht eraan hoe hij haar tegen zich aan gedrukt had. Zelfs in woede deed hij haar geen pijn. "Nee, hij is anders."

"Hoe weet je dat? Zijn mannen vrezen hem."

"Ik ben niet bang voor hem," antwoordde Aislinn trots.

"Je bent gek!" jammerde Maida. "Je zult niets winnen met trots en koppig zijn als je vader."

"Ik moet gaan," mompelde Aislinn. "Hij wacht op het water."

"Ik zal wel een manier vinden om je te helpen."

"Moeder, nee! Ik ben bang om u. Die Sweyn bewaakt hem als een havik. Hij vermoordt u als u iets waagt. En Wulfgar is beter dan die andere jakhalzen."

"Maar Kerwick dan?" siste Maida en keek naar de honden waar hij lag te slapen.

Aislinn haalde haar schouders op. "Daar heeft Ragnor een eind aan gemaakt."

"Dat vindt Kerwick niet. Hij wil je nog steeds."

"Hij moet inzien dat alles anders is dan een week geleden. We zijn niet vrij. We zijn nu allebei van Wulfgar. We hebben alleen de rechten die ons gegeven worden."

Maida lachte honend. "Vreemd, dochter, dat jij dat zegt, jij was altijd zo hooghartig."

"Waar kunnen we nu nog arrogant over zijn, moeder?" vroeg Aislinn vermoeid. "Niets. We moeten zorgen in leven te blijven en elkaar te helpen."

"Jij hebt het beste bloed van Saksen. Ik wil niet dat je het jong van een bastaard krijgt."

Aislinn keek haar moeder woedend aan. "Hebt u liever dat ik een jong produceer voor de moordenaar van mijn vader?"

Maida wrong haar handen. "Mopper niet tegen me, Aislinn. Ik denk alleen aan jou."

"Dat weet ik, moeder," zuchtte Aislinn. "Alstublieft, wacht dan tenminste tot we weten wat voor man Wulfgar is. Hij was boos over de slachting. Misschien is hij eerlijk."

"Een Normandiër?" krijste Maida.

"Ja, moeder. Een Normandiër. Nu moet ik gaan."

Toen Aislinn binnen kwam, was Wulfgar half aangekleed.

"Dat heeft lang geduurd, meisje," gromde hij.

"Vergeef me, mijn heer," mompelde ze. Ze zette de emmer neer en keek hem aan. "Mijn moeder heeft gisteravond voor mijn veiligheid gevreesd en ik heb haar gezegd dat er niets gebeurd is."

"Je moeder? Wie is dat? Ik heb geen burchtvrouwe gezien, maar Ragnor zei dat ze er nog is."

"Het is degene die u oud wijf noemt," zei Aislinn zacht.

"Die," gromde hij. "Ik geloof dat ze mishandeld is."

Aislinn knikte. "Ik ben alles wat ze nog heeft. Ze maakt zich zorgen over me." Ze slikte moeilijk. "Ze praat over wraak."

Wulfgar keek haar oplettend aan. "Probeer je me te waarschuwen? Zal ze proberen me te doden?"

Aislinn sloeg zenuwachtig haar ogen neer. "Ik weet het niet zeker, mijn heer."

"Vertel je me dit omdat je niet wilt dat ze gedood wordt?"

"O, God verhoede!" hijgde Aislinn bevend. "Dat zou ik mezelf nooit vergeven. Ze heeft al genoeg geleden van de Normandiërs. Bovendien zou uw hertog ons allemaal doden als u gedood werd."

Wulfgar glimlachte. "Ik zal op haar letten en Sweyn zeggen op te passen."

"Ik dank u, messire."

"Nou, meisje," zuchtte hij. "Help me verder aankleden. Ik heb nu geen tijd meer om dat water te gebruiken. Maar vanavond wil ik een bad en ik word boos als je dan te lang wegblijft."

De zaal was leeg op Kerwick na toen Aislinn Wulfgar naar beneden volgde. Haar verloofde was nog steeds gebonden maar nu was hij wakker.

Maida zette haastig warm brood, vlees en honingraten voor ze neer toen Wulfgar aan tafel ging zitten en Aislinn de plaats naast zich wees. Kerwick had naar zijn vroegere verloofde gekeken tot Maida het eten bracht. Nu was zijn honger nog belangrijker. Maida wachtte tot Wulfgar zichzelf en Aislinn bediende, nam toen een korst brood, gaf het grootste deel aan Kerwick en hield maar een klein stuk voor zichzelf. Wulfgar keek naar ze en sloeg plotseling met zijn mes op tafel en trok aller aandacht. Aislinn zag woede over zijn gezicht flitsen. Ze vroeg zich af waar hij boos om was, maar brak haar gedachten af toen hij kortaf zei:

"Oud wijf, kom hier."

Maida kromp in elkaar en schuifelde naar de tafel alsof ze verwachtte dat ze weer geslagen zou worden.

"Ga staan, vrouw," beval Wulfgar. "Rechtop, want ik weet dat je dat kunt."

Langzaam richtte Maida zich in haar volle lengte op. Toen ze rechtop stond, leunde Wulfgar naar voren.

"Was jij vrouwe Maida voor je meester gedood werd?"

"Ja, heer." Maida knikte en keek zenuwachtig naar haar dochter die gespannen zat te wachten.

"En was jij," vroeg Wulfgar verder, "hier burchtvrouwe?"

Maida slikte en knikte weer. "Ja, heer."

"Dan, vrouwe, bewijs je me een slechte dienst door je gek te houden. Je kleedt je in lompen en vecht met de honden om eten en klaagt over je lage staat, terwijl als je de moed getoond had van je man, je nu de plaats zou bezetten die je toekomt. Je geeft de mensen een verkeerde indruk van me. Dus beveel ik je je fatsoenlijk te kleden, je te wassen en dit spelletje niet te ver door te voeren. Je krijgt de kamer van je dochter. Schiet nu op."

Toen ze wegliep, at Wulfgar verder. Toen hij opkeek, zag hij dat Aislinn bijna teder naar hem keek.

"Wordt je hart zachter voor me, damoiselle?" Hij lachte om haar boze blik. "Pas op, meisje. Ik zal eerlijk zijn. Na jou komt een ander en dan weer een. Niets kan me aan een vrouw binden. Pas dus op je hart."

"Mijn heer, u overschat uw aantrekkelijkheid," antwoordde ze verontwaardigd. "Alles wat ik voor u voel, is haat. U bent de vijand en ik verafschuw u."

"Werkelijk?" Hij glimlachte. "Zeg me dan eens, damoiselle, kus je de vijand altijd zo warm?"

Aislinn bloosde. "U vergist u, heer. Dat was alleen passief verzet."

Wulfgar glimlachte breder. "Zal ik je weer kussen, damoiselle, om te bewijzen dat ik gelijk heb?"

Aislinn keek nijdig terug. "Een slaaf hoort niet met de heer te redetwisten. Wie ben ik om nee te zeggen als u zich een reactie verbeeldde?"

"Je stelt me teleur, Aislinn," plaagde hij. "Je geeft het te makkelijk op."

"Het is dat, heer, of nog een kus ondergaan of, erger nog, weer een mishandeling zoals gisteravond. Ik vrees dat mijn botten dat niet nog eens kunnen verdragen. Ik geef liever toe."

"Een andere keer, damoiselle."

De grote deur werd opengegooid en Ragnor kwam binnen. Hij boog kort voor Aislinn.

"Goedemorgen mijn duifje. Het schijnt dat de nacht je goed bekomen is."

Aislinn glimlachte bekoorlijk. Dat spelletje kon zij ook spelen.

"Ja, heer ridder. Het is me goed bevallen."

Ze zag zijn verrassing en voelde Wulfgars geamuseerde blik. Op dit ogenblik dacht ze dat ze beide mannen evenveel haatte.

"Het was een koude nacht," merkte Ragnor terloops op en wendde zich naar Wulfgar. "Je moet die Hlynn eens proberen als je genoeg krijgt van doorns en netels in je bed." Hij grijnsde en wreef over zijn kapotte lip. "Ze doet precies wat je beveelt en ik wed dat haar tanden niet half zo scherp zijn."

Wulfgar gromde. "Ik heb liever iets levendigers."

Ragnor haalde zijn schouders op en schonk zich een beker bier in.

"Aaargh." Ragnor schraapte zijn keel en zette de lege hoorn neer. "De boeren zijn aan het werk zoals je bevolen hebt, Wulfgar, en de mannen staan twee aan twee op wacht."

Wulfgar knikte goedkeurend. "Laat patrouilles om het land heen rijden." Nadenkend tellend met zijn mes, vervolgde hij: "Stel groepen van vijf man samen die over drie dagen moeten terugkeren en stuur elke ochtend een nieuwe groep, behalve op de sabbat. Laat iedere groep een andere weg nemen, naar het oosten, het westen, het noorden en het zuiden. Bij elke mijlpaal moet een trompet geblazen worden of een vuur gemaakt bij de vijfde. Dan weten we dat iedere groep zijn rit voltooit en zo niet, dan zijn we gewaarschuwd."

Ragnor gromde. "Je regelt het goed, Wulfgar, alsof je altijd gevonden hebt dat het je toekwam om landheer te worden."

Wulfgar trok een wenkbrauw op maar zei niets en het gesprek ging over op andere dingen. Aislinn keek naar de twee mannen en verbaasde zich over het verschil, want Ragnor was arrogant en eiste onderdanigheid van zijn mannen, maar Wulfgar was kalm en gereserveerd. Hij leidde meer door voorbeeld dan door bevelen en nam eenvoudig aan dat zijn mannen zouden volgen. Hij twijfelde niet aan hun trouw maar scheen te weten dat ze liever hun leven zouden geven dan hem teleurstellen.

Aislinn dacht hier nog steeds over na toen ze opkeek en verrast half opstond, want bovenaan de trap stond haar moeder zoals Aislinn haar altijd gekend had. Maida droeg nu haar eigen kleren, met een sluier over haar haar die ook haar gezwollen gezicht verborg. Ze kwam naar beneden met een natuurlijke gratie en Aislinns hart zwol van vreugde en opluchting.

Door zijn zwijgen gaf Wulfgar zijn goedkeuring, maar Ragnor gaf een kreet en voor iemand hem kon tegenhouden, sprong hij op en greep Maida's haar. De sluier kwam los in zijn hand en met een gil viel Maida op de vloer, de idiote grijns weer op haar gezicht. Het was dubbel wreed voor Aislinn, want in elkaar gekrompen aan Ragnors voeten, jammerend om genade, leek haar geliefde moeder wel een oude heks in gestolen kleren.

Ragnor hief woedend zijn vuist tegen de oude vrouw. "Je waagt het in mooie kleren voor je heren te verschijnen als een vrouw aan het hof. Saksische zeug. Het helpt je niets, want ik zal de wolven aan je magere botten laten kluiven!"

Hij wilde haar grijpen maar Wulfgars vuist sloeg hard op tafel.

"Stop!" beval hij. "Doe de oude geen kwaad want ik heb het haar bevolen."

Ragnor keek de ander aan. "Wulfgar, nu overdrijf je toch! Jij stelt dit oude wijf boven ons! Het is Williams gewoonte de heren die zich tegen ons verzetten en hun gezin opzij te zetten en onze helden die gewonnen hebben ervoor in de plaats te stellen. Jij neemt me mijn beloning af, maar je zet haar voor de Saksische boeren en –"

"Laat je niet misleiden, Ragnor," antwoordde Wulfgar. "Want zelfs jij moet zien dat die stakkers het niet lang zouden verdragen hun vroegere meesteres vernederd te zien. Voor haar zouden ze de wapens weer tegen ons opnemen. Dan kunnen we niet anders dan ze doden tot er alleen oude mannen en baby's over zijn om ons te dienen. Zou jij willen dat wij, soldaten van de hertog, de akkers moesten bewerken en de geiten melken? Of de Saksers een beetje trots laten zodat ze doen wat wij willen tot we het land werkelijk bezitten en het te laat is om tegen ons op te staan? Ik geef ze niets toe, maar ze zullen denken van wel. Tenslotte zullen ze mijn belastingen betalen en ben ik degene die erbij wint. Er is nog nooit een heilige in goud en zijde gestorven. Het is maar een gebaar van mij. Ze blijft hun vrouwe. Ze zullen niet weten dat ze alleen maar mijn doel dient."

Ragnor schudde zijn hoofd. "Wulfgar, ik denk dat als William ooit zou vallen, jij zijn lang verloren broer zou blijken en je een weg zou wurmen naar de kroon. Maar," hij glimlachte giftig, "als je je ooit vergist, bid ik dat ik degene zal zijn die het ziet en die de bijl zwaait om je bastaard hart te scheiden van je lippen die zo bekoorlijk zingen over rechtvaardigheid."

Met een spottende buiging verliet hij de zaal en Aislinn rende naar haar moeder. Ze probeerde de oude vrouw, die nog steeds op de grond lag en niet wist dat haar kweller weg was, te kalmeren. Aislinn legde een arm om haar schouders, trok haar hoofd tegen haar borst en fluisterde zacht tegen haar.

Geschrokken merkte Aislinn dat Wulfgar naast ze was komen staan en naar Maida keek met iets van medelijden.

"Breng haar naar haar kamer en zorg voor haar."

Aislinn hield zich trots bij zijn bevel, maar hij liep al naar de deur. Ze staarde hem na, woedend dat hij hen zo makkelijk voor zijn eigen doel kon gebruiken, richtte toen haar aandacht weer op haar moeder, hielp haar overeind en langzaam de trap op naar haar eigen vroegere kamer. Daar kalmeerde ze haar moeder zo goed ze kon, stopte haar in bed en streelde het met grijs doorstreepte haar tot het jammeren overging in snikken en toen in de onregelmatige ademhaling van onrustige slaap. Stil bracht Aislinn de kamer wat op orde, want het zoeken naar buit had hem rommelig gemaakt.

Aislinn zette de luiken op een kier om de warme bries binnen te laten. Toen hoorde ze een stem dreunen die riep om twintig zweepslagen. Ze leunde uit het raam en hijgde bij wat ze zag. Kerwick, naakt tot zijn middel, was vastgebonden aan het houten rek op het dorpsplein en Wulfgar stond naast hem, met een lang zwaar touw dat voor tweederde uitgevlochten was, met knopen aan het eind van elke streng. Wulfgars arm ging omhoog en kwam neer met een zwiepend geluid en Kerwick sprong op. Een zacht gekreun van de verzamelde dorpelingen en weer rees en daalde Wulfgars arm. Deze keer kreunde Kerwick. Bij de derde slag was hij stil, maar bij de vierde gaf hij een korte kreet. Bij de tiende slag werden de kreten een gegorgel en bij de vijftiende rukte hij alleen maar aan de touwen. Toen de twintigste slag gevallen was, zuchtten de dorpelingen en Aislinn ging bij het raam weg, snikkend en duizelig omdat ze de hele tijd haar adem ingehouden had. Haar snikken ging over in gesmoorde vloeken toen ze de kamer uit rende en worstelde met de zware deur. Zich schuldig voelend, liep ze naar Kerwick, maar hij hing bewusteloos tegen het rek en ze draaide zich met een machteloze woede naar Wulfgar.

"Zo, u haalt deze arme man bij de honden vandaan om uw grillen te luchten op zijn hulpeloze rug!" tierde ze. "Was het niet genoeg dat u zijn land gestolen en hem slaaf gemaakt hebt?"

Wulfgar had de zweep laten vallen en veegde Kerwicks bloed van zijn hand. Met strakke zelfbeheersing zei hij:

"Vrouw, deze dwaas probeerde me te doden temidden van mijn mannen. Ik heb je al verteld dat zijn lot bezegeld was en dat jij er niets mee te maken had."

"Bent u zo hoog, mijn heer," hoonde ze, "dat u wraak neemt op deze man die zijn verloofde voor zijn ogen mishandeld zag worden?"

Wulfgar fronste. Hij kwam dichter naar haar toe en zei: "Hij probeerde mijn hart te doorboren. Dus moest mijn hand hem straffen."

Aislinn hief haar kin en opende haar mond, maar Wulfgar vervolgde: "Kijk naar hen!" Hij wees naar de dorpelingen. "Ze weten nu dat iedere dwaasheid gestraft zal worden. Tart me dus niet me je gepraat over onschuld, Aislinn van Darkenwald, want jij had ook schuld. En omdat jij de waarheid verzweeg, moet je ook maar iets van zijn pijn voelen." Zijn ogen doorboorden haar. "Wees dankbaar dat je rug er geen deel van krijgt. Maar misschien zul je hiervan leren dat mijn hand niet altijd blijft rusten."

Wulfgar wendde zich naar zijn mannen.

"Scheer deze dwaas nu," zei hij. "Laat dan zijn vrienden zijn wonden verzorgen. Ja, scheer ze allemaal! Laat ze dit seizoen de Normandische mode dragen."

Aislinn keek hem verbaasd aan en begreep het pas toen Kerwicks haar geknipt en zijn baard afgeschoren werd. Weer klonk gemompel van de dorpelingen en de mannen probeerden te vluchten maar vonden hun weg versperd door de Normandiërs, en ze werden een voor een gegrepen en terug gesleurd naar het plein waar ze een deel van Kerwicks lot ondergingen. Verlegen voelden ze aan hun rose kin en gekortwiekte lokken en vluchtten beschaamd weg, want ze hadden hun Saksische glorie verloren.

Aislinns woede kwam terug. Ze verliet het plein en ging naar de kamer van de heer waar ze haar moeders schaar opzocht. Ze had haar haar losgemaakt en de schaar opgeheven toen de deur open gegooid werd. Een slag verdoofde haar pols en de schaar viel uit haar vingers. Ze hijgde toen een grote hand haar schouder greep en haar omdraaide.

"Je stelt me flink op de proef, meisje," gromde Wulfgar. "En ik waarschuw je. Voor iedere lok die je afknipt, zal de zweep een keer op je rug vallen!"

Aislinn trilde van angst want ze had niet geweten hoe kwaad hij kon worden. In zijn ijzeren greep voelde ze hoe dwaas haar idee was geweest en ze fluisterde hees:

"Ja, heer. Ik geef toe. Alstublieft, u doet me pijn."

Wulfgars blik werd zachter en zijn armen gleden om haar heen. Hees fluisterde hij:

"Geef me dan alles toe, damoiselle. Geef me dan alles toe."

Een lang ogenblik waren haar lippen gesmoord onder zijn hartstochtelijke kus, en in zijn ruwe omhelzing voelde ze een warme gloed die diep binnen in haar begon.

Zijn lippen lieten los en hij keek haar vreemd aan. Toen gooide hij haar achteruit op het bed. Met lange passen liep hij naar de deur, keerde zich om en keek naar haar, nu afkeurend.

"Vrouwen!" snoof hij en sloeg de deur achter zich dicht.

Aislinn staarde verward naar de deur. Haar hoofd tolde. Hoe kon ze hem zo intens haten en tegelijkertijd genieten van zijn omhelzing? Haar lippen reageerden tegen haar wil op de zijne en haar lichaam gaf zich bijna met vreugde over aan zijn grotere kracht.

Wulfgar beende de zaal uit en blafte een bevel tegen zijn mannen toen Sweyn naar hem toe kwam met zijn maliënkolder en helm.

"Het meisje heeft pit," merkte de Viking op.

"Ja, maar ze zal wel leren," zei Wulfgar kort.

"De mannen wedden over wie getemd zal worden," antwoordde Sweyn. "Sommigen zeggen dat de tanden van de wolf getrokken zullen worden."

Wulfgar keek hem scherp aan. "Zeggen ze dat?"

Sweyn knikte en hielp hem de maliënkolder vastmaken. "Ze begrijpen je haat voor vrouwen niet zoals ik."

Wulfgar lachte en legde een hand op de schouder van zijn vriend. "Laat ze maar wedden als ze dat leuk vinden. Wij weten wel dat een meisje vaak al opgeslokt is voor ze haar hand in de bek van de wolf

49

kan steken."

Wulfgar keek naar de horizon achter het dorp. "Laten we gaan. Ik wil dit beloofde land van me bekijken."

De burcht was stiller met alleen maar de bewakers. Aislinn voelde zich bijna op haar gemak nu er minder mensen naar haar keken. Rustig verzorgde ze de wonden. Wulfgar had zijn mannen gezegd naar haar toe te gaan en ze was hier het grootste deel van de dag mee bezig. Tegen de avond was ze klaar, tot haar grote opluchting want de misselijk makende stank van verbrand vlees en de gapende wonden hadden haar maag doen opspelen. Toch dacht ze aan een ander die haar zorgen nodig had en vroeg zich af waar ze hem heen gebracht hadden. Even later werd die vraag opgelost. Twee lijfeigenen droegen Kerwick naar binnen en legden hem voorzichtig tussen de honden. De honden zwermden jankend om hem heen en Aislinn joeg ze nijdig weg.

"Waarom brengen jullie hem hier?" vroeg ze de boeren. Met hun geknipte haar en geschoren gezichten herkende ze nauwelijks de twee mannen die ze al haar hele leven kende.

"Dat heeft heer Wulfgar gezegd, vrouwe. Zo gauw zijn wonden verzorgd waren en hij bijkwam, moesten we hem hier bij de honden brengen."

"Jullie ogen bedriegen jullie zeker," zei ze nijdig en wees met haar hoofd naar Kerwick die nog steeds bewusteloos was.

"Vrouwe, hij viel onderweg flauw."

Aislinn stuurde ze ongeduldig weg en knielde naast haar verloofde en de tranen kwamen weer tevoorschijn.

"Oh, Kerwick, wat moet je lijden om mij?"

Duidelijk herinnerde Aislinn zich Wulfgars waarschuwing, keek naar wat de Normandiër gedaan had en werd weer bang.

Ham bracht huilend kruiden en water. Met kort geknipt haar zag hij er nog jonger uit. Hij knielde naast haar, gaf haar de spullen en keek bedroefd naar Kerwicks rug. Terwijl Aislinn een geurende zalf roerde, duwde ze een losse krul opzij en zag Hams gezicht. De jongen voelde haar blik en boog zijn hoofd.

"Heer Kerwick was altijd vriendelijk voor me, vrouwe," mompelde hij. "En ik moest hiernaar kijken. Ik kon niets doen om hem te helpen."

Aislinn begon de dikke zalf over Kerwicks gehavende rug te smeren. "Geen Engelsman kon iets doen. Dit was een waarschuwing voor ons allemaal. De volgende die hen aanvalt, zullen ze beslist doden."

Het gezicht van de jongen vertrok van haat. "Dan zullen er twee met hun leven betalen. Degene die uw vader vermoordde en die Wulfgar die u onteerd heeft en heer Kerwick dit aangedaan."

"Haal geen dwaasheid uit," zei Aislinn.

"Wraak zal zoet zijn, vrouwe."

"Nee! Je moet niets proberen!" riep Aislinn verbijsterd. "Mijn vader stierf als een held, in de strijd met zijn zwaard in zijn hand. Hij heeft een aantal van hen meegenomen. Ja, men zal nog over hem zingen lang nadat deze vijand ons land verlaat. En wat Kerwick betreft, dit was het minst erge, want zijn dwaasheid had hem zijn hoofd kunnen kosten. Wulfgar heeft mij niet onteerd, maar die ander, Ragnor. Daar is wel reden voor wraak. Maar luister goed, Ham. Ik moet het doen en bij alles wat heilig is, mijn eer is het bloed van die Normandiër waard." Ze haalde haar schouders op en vervolgde: "Maar we zijn eerlijk verslagen en moeten een poosje toegeven. Je moet niet stilstaan bij gisteren maar naar morgen kijken. Ga nu, Ham, en haal niet deze strepen van dwaasheid op je rug."

De jongen leek iets te willen zeggen maar verliet toen de kamer. Aislinn wendde zich weer naar Kerwick en zag dat hij naar haar keek.

"Dwaasheid? Strepen van dwaasheid?! Ik probeerde jouw eer te redden." Hij wilde zich bewegen maar knipperde met zijn ogen van pijn en gaf het op.

Aislinn schrok van zijn bitterheid en kon geen verdediging vinden.

"Je zoekt je wraak op een vreemde manier. Je gaat bijna blij zijn kamer binnen en zoekt zeker zijn dood door in zijn bed te gaan liggen. Verdomme!" kreunde hij. "Betekent je belofte niets? Je bent van mij! Mijn verloofde!" Hij wilde zich weer bewegen, maar schreeuwde en viel terug.

"Oh, Kerwick," begon Aislinn zacht. "Luister naar me. Wees stil, zeg ik." Ze duwde hem neer. "De zalf zal al gauw de pijn verzachten, maar ik vrees dat er geen geneesmiddel is voor de verwonding die ik in je woorden hoor. Ik werd tegen mijn wil genomen. Luister, en wees niet zo boos. Dit zijn goed bewapende ridders en jij bent nu maar een ongewapende bediende. Opdat je hoofd niet op de aarde rolt, verzoek ik je niets te proberen. Je weet dat hun straf streng is en ik wil niet dat je gedood wordt voor dat beetje eer dat ik nog heb. Onze mensen hebben iemand nodig die voor wat gerechtigheid kan zorgen en ik wil ze niet zonder bemiddelaar laten. Wees voorzichtig. Laat me niet nog een graf moeten graven naast dat van mijn vader. Ik kan geen beloften houden die tegen mijn wil gebroken zijn en ik zal jou er niet aan houden een besmeurde bruid te nemen. Ik doe mijn plicht waar ik die zie. Dat ben ik verplicht aan die arme mensen die mijn vader tot het einde dienden. Als ik hun moeilijkheden een beetje kan verlichten, zal ik het doen. Oordeel me dus niet te hard, Kerwick."

Kerwick snikte. "Ik had je lief! Hoe kun je een andere man je laten vasthouden? Je weet dat ik je begeerde zoals een man de vrouw die hij liefheeft, maar ik mocht alleen van je dromen. Je smeekte me je niet te onteren en als een dwaas gaf ik toe. Nu heb je die ene zo makkelijk als je minnaar gekozen alsof je hem al lang kende. Had ik je maar genomen. Misschien kon ik je dan uit mijn hoofd zetten. Maar nu kan ik me alleen maar afvragen wat voor genot je mijn vijand geeft."

"Ik smeek om vergeving," mompelde Aislinn zacht. "Ik wist niet dat ik je pijn zou doen."

Hij kon haar vriendelijkheid niet verdragen en verborg zijn gezicht in het stro en snikte. Ellendig stond Aislinn op en liep weg, beseffend dat ze niets meer voor hem kon doen. Zo God wilde, kon de tijd misschien meer doen dan zij.

Bij de deur klonk een geluid en Aislinn keek op en zag Wulfgar met gespreide benen, handschoenen in zijn hand, naar haar staan kijken. Ze bloosde onder zijn blik en vroeg zich verward af wat hij gehoord kon hebben, maar ze kalmeerde toen ze zich herinnerde dat de Normandiër hun taal niet verstond.

Ze keerde zich om en rende de trap op en voelde zich pas veilig achter de kamerdeur. Met een snik gooide ze zich op het bed om daar haar ellende uit te huilen. Kerwick kon niet begrijpen waarom ze de Normandische heer genomen had. Hij vond haar een slet die zich aan de bastaard gegeven had om een paar moeilijkheden te ontgaan. Ze huilde harder toen ze aan die Normandiër en zijn gespot dacht.

Hij denkt dat ik hier ben om zijn grillen te dienen, tierde ze in stilte. Maar de wolf heeft nog veel te leren, want hij heeft me nog niet gehad en dat zal hij ook niet zolang ik slimmer ben dan hij. Eerder zal hij merken dat hij getemd is.

Aislinn was zo in gedachten dat ze de deur niet hoorde opengaan en ze schrok toen Wulfgar sprak.

"Ik geloof dat je het kanaal wilt laten overstromen met je tranen."

Ze keerde zich om, sprong van het bed en staarde hem aan. Ze streek haar verwarde haar glad. Haar ogen waren nog rood van tranen maar haar blos van verrassing verborg dit gedeeltelijk.

"Ik heb vele zorgen, heer Wulfgar, maar ze komen voornamelijk door u," hoonde ze. "Mijn vader dood, mijn moeder mishandeld als een slavin, mijn huis geplunderd en mijn eer bruut gestolen. Heb ik dan geen reden voor tranen?"

Wulfgar glimlachte. Hij ging zitten en sloeg achteloos met zijn handschoenen tegen zijn dijen.

"Ik erken de reden voor de tranen, dus vergiet ze maar en vrees geen kwaad van mij. Echt, ik vind dat je tot nu toe sterker bent dan de meeste vrouwen." Hij lachte even. "Ongeluk staat je goed." Hij stond op en liep naar haar toe tot ze naar hem op moest kijken. "Want echt, mijn feeks, je wordt ieder ogenblik mooier." Toen werd zijn gezicht hard. "Maar zelfs een knappe meid moet haar meester kennen." Hij liet zijn handschoenen vallen. "Raap ze op en weet dat je van mij bent. Net als deze handschoenen ben je van mij en van niemand anders."

Aislinns ogen flitsten opstandig. "Ik ben geen slavin," zei ze uit de hoogte, "noch een handschoen die zonder een enkele gedachte opzij gelegd kan worden."

Hij trok een wenkbrauw op en glimlachte spottend. Maar zijn ogen bleven koud.

"Oh nee, damoiselle? Ik zou het kunnen. Ik zou je nu kunnen nemen en dan aan mijn werk gaan zonder nog aan je te denken. Je overschat jezelf want je bent echt een slavin."

"Nee, heer," zei Aislinn zacht maar met een beslistheid die hem schokte. "Een slaaf is over de keus van de dood heen en ziet geen andere weg dan gehoorzaamheid. Ik zal niet aarzelen als ik helemaal geen waarde meer heb."

Wulfgar legde een hand onder haar kin en trok haar naar zich toe. Zijn ogen verzachtten en zijn wenkbrauwen trokken even samen toen hij haar passieve verzet voelde.

"Ja," zei hij zacht. "Je bent niemands slavin, denk ik." Toen trok hij zijn hand terug en keerde zich om. "Maar leg er niet de nadruk op, damoiselle." Hij keek over zijn schouder naar haar. "Opdat ik me niet bedenk en besluit het te bewijzen."

Ze bloosde. "En wat dan, heer?" vroeg ze. "Zal ik gewoon een meisje zijn dat u een poosje pleziert en dan vergeten wordt zoals uw handschoenen? Is nog geen meisje in uw gedachten gebleven?"

Wulfgar lachte zacht. "O, ze hebben gespeeld en hun rokken gespreid. Maar ik heb ze genomen en geen is mij bijgebleven."

Aislinn zag de overwinning nabij en trok haar wenkbrauwen op om zijn onverschilligheid na te doen.

"Zelfs uw moeder niet?" spotte ze en dacht dat ze gewonnen had.

Het volgende ogenblik gilde ze van angst. Zijn gezicht betrok, zijn ogen vonkten. En toen hij beefde van woede, dacht ze dat hij haar zou slaan.

"Nee," snauwde hij. "Het minst van al die edele vrouwen!"

Hij draaide zich om en verliet nijdig de kamer. Aislinn bleef verward staan. Hij was zo plotseling veranderd dat ze er zeker van was dat zijn moeder geen liefde zou vinden bij haar bastaardzoon.

5

Wulfgar stormde de zaal uit en beende over het plein, vertrok zijn gezicht tegen de dalende zon en liet de woede uit zich wegtrekken. Plotseling klonk er een kreet en iemand wees. Wulfgar keek in de aangewezen richting en zag achter een heuvel een zwarte rookwolk opstijgen. Hij brulde een bevel en een paar mannen sprongen tegelijk met Sweyn en Wulfgar op hun paarden.

Even later gingen ze over de top van de heuvel en stormden naar het huisje waar een grote hooiberg en een kleine schuur brandden. Wulfgar werd woedend. Er lagen zeven of acht lichamen, waaronder de twee mannen die hij als bewakers gestuurd had. De rest was in vodden en doorboord door de lange Normandische pijlen. Toen ze de hut naderden veranderde een plekje kleur in een jong meisje, bruut mishandeld en nu dood liggend in de flarden van haar jurk. Een gewonde oude vrouw kroop uit een greppel en viel snikkend naast het meisje. Een stuk of twaalf mannen vluchtten te voet over de akkers, maar Wulfgars blik werd getroffen door zes ridders te paard die in een bosje verdwenen. Hij riep zijn mannen dat ze die in het veld moesten inhalen en begon met Sweyn aan de achtervolging van de ruiters. Toen ze terrein wonnen, trok Wulfgar zijn zwaard en verhief zijn stem in een strijdkreet. Sweyn brulde met hem mee. Twee van de ruiters hielden in en keerden zich om naar hun achtervolgers. Wulfgar draaide om ze heen, maar Sweyn reed recht op ze in, sloeg er een tegen de grond terwijl zijn bijl diep doordrong in de borst van de ander. Met een blik achterom zag Wulfgar dat Sweyn de overlevende wel aankon. Hij richtte zijn aandacht op de vier voor hem. Dezen dachten dat ze in het voordeel waren en hielden in om te vechten. Weer klonk Wulfgars strijdkreet en zijn grote krijgsros wierp zich in volle vaart op de kleinere paarden. Wulfgars zwaard suiste en spleet een man van kruin tot schouders. Door de kracht van de aanval schoot Wulfgar de anderen voorbij. Hij hield de Hun in, draaide hem naar links en zijn zwaard sneed door het schild van een andere man heen tot diep in zijn hals. Met zijn voet schopte hij het lichaam van het zwaard. De derde man hief zijn arm voor een slag en staarde toen met afschuw naar zijn armloze schouder. Een volgende houw maakte een eind aan zijn lijden. De laatste, die gezien had dat zijn kameraden vielen, keerde zich om om te vluchten en werd in zijn rug geraakt.

Sweyn kwam zich in het gevecht mengen, maar Wulfgar veegde het bloed al van zijn zwaard. De Noorman krabde op zijn hoofd bij het zien van de slordige mannen die de wapens van ridders droegen.

"Dieven?" vroeg hij.

Wulfgar knikte. "Ja, en zo te zien hebben ze het slagveld bij Hastings beroofd." Met de punt van zijn schoen keerde hij een schild om waardoor een Engels wapen zichtbaar werd. "De rovers ontzagen zelfs hun eigen soort niet."

De twee krijgers verzamelden de paarden en bonden de lichamen erop. Zo gingen ze terug naar het huisje toen de zon onderging. Daar begroeven ze de doden en markeerden drie graven met kruisen. Elf van de mannen in het veld hadden zich direct overgegeven. Twee hadden hun zwaard geheven en een heel klein plekje grond gewonnen.

Wulfgar gaf de oude vrouw een paard als kleine vergoeding voor het verlies van haar dochter. Verrast over zijn edelmoedigheid nam ze het aan.

De dieven werden aan elkaar gebonden met hun handen op hun rug. De maan kwam al op toen de kleine groep terugging naar Darkenwald.

Wulfgar gaf zijn mannen bevel de dieven op te sluiten en er een wacht bij te zetten. In de deur van de zaal bleef hij staan, keek naar Kerwick die tussen de honden lag te slapen en fronste nadenkend zijn voorhoofd. Hij liep de kamer door en nam een flinke beker bier. Terwijl hij dronk, ging hij bij de verslagen Sakser staan. Het sterke bier verwarmde hem en verminderde de spanning van zijn spieren en terwijl hij naar de jongeman keek, glimlachte hij bedroefd.

"Ik denk dat je dat meisje overschat, mijn Engelse vriend," mompelde hij. "Wat heeft ze je gegeven behalve een kapotte rug?"

Hij keerde zich om, nam nog een hoorn bier en liep de trap op naar de slaapkamer. De kamer werd alleen verlicht door het vuur en een lange kaars. Wulfgar glimlachte toen hij de grote houten teil half vol warm water zag en de dampende ketel boven het vuur. Een schotel vlees, kaas en brood stond te warmen voor de haard. Die Aislinn zou hem tenminste als zijn slavin dienen en kon gehoorzaamheid leren. Zijn ogen rustten even op haar figuur in de grote stoel voor het vuur en het mooie slapende gezicht. Haar haar leek gesmolten koper en haar huid was volmaakt. Haar borsten rezen en daalden zacht en even vergat Wulfgar iedere gedachte aan andere vrouwen. Hij bukte zich en pakte voorzichtig een losse krul van haar wang, legde hem tegen zijn lippen en rook de frisse geur. Hij richtte zich snel op, want hij had niet verwacht dat die geur hem zo zou prikkelen. Zijn zwaard stootte tegen de stoel. Aislinn schrok wakker, maar toen ze hem zag, glimlachte ze dromerig en rekte zich uit.

"Mijn heer."

Het bloed begon te bonzen in Wulfgars slapen. Hij deed een stap terug en nam een flinke slok bier om te proberen zijn hand stil te houden. Hij begon zich uit te kleden en vouwde zijn kleren op. Sweyn zou morgenochtend een jongen sturen om zijn wapenrusting schoon te maken en glanzend te poetsen.

In een linnen hemd en kousbroek, leegde Wulfgar de hoorn en wendde zich naar Aislinn. Ze had zich weer opgekruld in de stoel en keek naar hem met iets van bewondering. Terwijl hij naar haar keek stond ze op en legde een nieuw blok hout op het vuur.

"Waarom slaap je niet, damoiselle?" vroeg hij kort. "Het is al laat. Was er iets dat je van me wilde?"

"Mijn heer vroeg een bad als hij terugkwam en ik heb het water en zijn eten warm gehouden. Het doet er niet toe wat u eerst neemt."

Hij tuurde naar haar. "Was je niet bang toen ik weg was? Vertrouw je de Normandiërs zo?"

Aislinn keek hem aan met haar handen op haar rug. "Ik heb gehoord dat u Ragnor weggestuurd hebt en omdat ik van u ben, blijven uw mannen op een afstand. Ze moeten erg bang voor u zijn."

Wulfgar gromde, haar plagerij negerend. "Ik kan wel een half gebraden zwijn op. Geef me eten, dan kan ik op mijn gemak baden."

Toen ze zich omkeerde om hem te gehoorzamen, viel zijn blik op haar slanke rug. Hij keek naar het sierlijke deinen van haar heupen en herinnerde zich haar zonder kleren. Ze liep dicht langs hem toen ze zijn eten op tafel zette en hij rook weer die zachte lavendelgeur. Zijn overwinning had hem in een goed humeur gebracht, het bier verwarmde hem en nu deden haar nabijheid en die geur zijn bloed sneller stromen. Ze keerde zich om en zag zijn intense blik. Zelfs bij het weinige licht kon hij zien dat ze bloosde. Ze leek te aarzelen en toen hij naar haar toe kwam, deed ze een stap achteruit. Hij ging naast haar staan en keek in haar violette ogen. Hij legde een hand op haar borst en voelde haar hart kloppen.

"Ik kan even zacht zijn als Ragnor," fluisterde hij hees.

"Mijn heer, hij was niet zacht," mompelde ze, verlegen onder zijn aanraking, niet wetend of ze moest vluchten of vechten. Zijn duim ging over de top van haar borst.

"Wat heb je daar, meisje?" plaagde hij. "Het interesseert me."

Aislinns kin ging omhoog. "U hebt dit spel al eerder gespeeld, mijn heer, en wilt me voor de gek houden. Ik kan niets vertellen dat u niet al weet, want u hebt me naakt gezien en weet best wat er onder mijn jurk zit."

"Aaah, je spreekt koud, meisje. Het vuur moet je bloed verwarmen."

"Ik zou liever hebben, mijn heer, dat het uwe afkoelde."

Wulfgar gooide zijn hoofd achterover en lachte luid. "Oh, ik geloof dat ik hier plezier zal hebben, in en uit bed."

Aislinn duwde zijn hand weg. "Eet, mijn heer. Uw eten wordt koud."

"Je praat als een echtgenote en ik moet je nog mijn maîtresse maken," plaagde hij.

"Ik ben opgevoed voor echtgenote," antwoordde Aislinn. "Niet voor minnares. Het ligt me beter."

Wulfgar haalde zijn schouders op. "Beschouw jezelf dan als mijn vrouw als je dat prettig vindt, mijn kleine Aislinn."

"Dat kan ik niet zonder de zegen van een priester," antwoordde ze.

Wulfgar keek nog steeds geamuseerd. "En zou je het dan kunnen, als die paar woorden gesproken waren?"

"Dan wel, mijn heer," zei ze kalm. "Meisjes mogen niet vaak hun echtgenoot uitzoeken. U bent net als iedere andere man, behalve dat u Normandiër bent."

"Maar je hebt gezegd dat je me haat," zei hij spottend.

Aislinn haalde haar schouders op. "Ik heb veel meisjes gekend die de man met wie ze trouwden haatten."

"Oude mannen die door anderen op hun bruid getild moesten worden?" merkte hij op. "Zeg eens eerlijk. Waren het niet oude, afgeleefde mannen die deze meisjes haatten?"

"Dat herinner ik me niet, mijn heer," antwoordde ze achteloos.

Wulfgar grinnikte en pakte een krul van haar borst. "Ik merk wel dat je het je wel herinnert, damoiselle. Een meisje klaagt niet als ze een sterke bruidegom in bed heeft om de winternachten mee door te brengen," mompelde hij. "En jij zou je ook niet vervelen in mijn bed."

Aislinn keek hem plagend aan. "Mijn heer, vraagt u mijn hand?"

Wulfgar trok zijn wenkbrauwen op. "Wat? En die ketting om mijn nek hebben? Nooit!"

Hij stapte weg maar ze keek hem recht aan.

"En uw bastaardzonen?" vroeg ze. "Wat doet u met hen?"

Hij gromde. "Tot nu toe heb ik er geen." Hij glimlachte spottend. "Maar met jou zou het anders kunnen zijn."

Aislinn bloosde van woede. "Dank voor uw waarschuwing," zei ze sarcastisch. Ze had een hekel aan hem omdat hij van haar woede leek te genieten en die scheen te kunnen opwekken wanneer hij wilde.

Hij haalde zijn schouders op. "Misschien ben je onvruchtbaar."

"Oh!" Aislinn stikte van woede. "Dat zou u wel willen. Dan zou u geen bastaards hoeven op te eisen. Maar ook dan is het verkeerd me te nemen zonder dat er beloften uitgesproken zijn."

Hij lachte en ging aan tafel zitten. "En jij, echtgenotelijk meisje, bent zo vasthoudend als een os. Je denkt waarschijnlijk dat je als mijn vrouw, me zachter zou kunnen maken voor je mensen. Jezelf opofferen voor de boeren, een groots gebaar." Hij fronste. "Maar ik geef niet om je edele gedachten."

"De priester is vandaag niet gekomen," zei ze, van onderwerp veranderend toen hij begon te eten. "Hebt u uw belofte hem de graven te laten zegenen, niet vergeten?"

"Nee," antwoordde Wulfgar. "Hij is weg, maar als hij terugkomt naar Cregan, zullen mijn mannen hem hierheen sturen. Over een paar dagen misschien. Heb geduld."

"De mensen hebben Hilda's boerderij zien branden. Dieven waarschijnlijk. Hebt u ze gevangen?"

"Ja." Hij keek haar aan. "Twijfelde je daaraan?"

Ze keek kalm terug. "Nee, heer. Ik heb al ontdekt dat u krijgt wat u wilt." Ze keerde zich om. "Wat gaat u met ze doen?"

"Ze doodden de dochter van de vrouw, en ik heb vier van hen gedood," zei hij. "Mijn mannen ook. De anderen zweren dat ze niet meegedaan hebben aan de moord, hoewel de meesten ongetwijfeld hun beurt gehad hebben met het meisje. Morgenochtend worden ze gekastijd omdat ze daar waren en dan moeten ze werken om de vrouw te betalen voor haar dochter. Daarna worden ze mijn slaven."

Aislinn beefde, niet om de mannen, maar bij de herinnering aan de zweep in de handen van deze Normandiër. "Dat zal vermoeiend voor u worden," mompelde ze.

"Ik doe het niet. De mannen van je dorp zullen de straf geven uit naam van de oude vrouw."

"U hebt vreemde manieren," zei ze verwonderd.

Hij kauwde op een stuk vlees en bleef naar haar kijken. Onrustig onder zijn blik, zocht Aislinn naar een werkje.

"Hebben de dieven gevochten?" vroeg ze zacht. "Gewoonlijk zijn ze laf. Ze hebben al eerder mijn vader lastig gevallen."

"Nee, alleen die Sweyn en ik gevolgd zijn."

Ze keek hem snel aan. "En u bent niet gewond?"

Wulfgar leunde achteruit. "Nee. Alleen dit." Hij keerde zijn handpalmen naar boven en Aislinn schrok toen ze de blaren erop zag. "Handschoenen hebben nut, damoiselle. Het was dom van me ze achter te laten."

"U moet het zwaard goed gebruikt hebben."

"Ja. Mijn leven hing ervan af."

Toen hij opstond en zich begon uit te kleden, keerde Aislinn zich om. Hoewel het altijd de gewoonte was geweest dat de vrouwen van de burcht bezoekers hielpen met baden, had haar vader geweigerd haar te laten helpen en ze wist dat zijn wantrouwen tegen mannen de reden was geweest. "Je bent een knap meisje," had Erland eens gezegd, "en je zou de hartstochten kunnen opwekken van een heilige. Er is geen reden moeilijkheden te veroorzaken als het niet nodig is."

Dus had ze nooit het lichaam van een man gezien, tot Ragnor.

Wulfgar kleedde zich uit tot de korte lendendoek en riep haar toen. Aislinn keek achterom en zag dat hij naar het verband om zijn been wees. Ze pakte de schaar die hij eerder uit haar handen geslagen had, knielde naast hem, knipte het verband door en nam de pap weg. De wond begon al te helen en ze vroeg hem voorzichtig te zijn zodat hij niet weer open ging. Ze nam de lappen weg en hield haar ogen afgewend tot ze hem in de teil hoorde stappen.

"Kom je bij me, damoiselle?"

Aislinn draaide zich geschrokken om en staarde ongelovig naar hem. "Mijn heer?"

Toen lachte hij en ze wist dat hij haar weer plaagde, maar hij bekeek haar en zijn ogen glansden warm.

"Een andere keer, Aislinn – misschien als we elkaar beter kennen," glimlachte hij.

Aislinn bloosde en ging achteruit. In de schaduw kon ze naar hem kijken zonder gezien te worden, hoewel hij een paar keer in haar richting keek.

Tenslotte stapte hij uit de teil. Ze bleef stil zitten, durfde niet naar hem toe te gaan opdat zijn hartstocht niet weer zou opvlammen en zonder zijn kleren zou haar lot snel beslist zijn.

Ze schrok toen hij tegen haar sprak.

"Kom hier, Aislinn."

Ze aarzelde en vroeg zich af wat hij zou doen als ze vluchtte zoals de vorige avond. Ze zag dat hij de deur niet gegrendeld had. Misschien kon ze er op tijd bij komen. Maar ze bedacht zich al gauw. Bevend stond ze op en liep naar hem toe. Ze voelde zich klein en hulpeloos, haar hoofd kwam nauwelijks tot zijn kin, maar ondanks haar angst, keek ze hem uitdagend aan. Hij grijnsde spottend tegen haar.

"Denk je dat ik de ketting vergeten was, vrouwe? Zoveel durf ik je niet te vertrouwen."

Opgelucht bleef ze rustig staan toen hij de ketting om haar enkel bevestigde. Toen grendelde hij de deur, blies de kaars uit en klom in bed en liet haar verward staan. Tenslotte ging ze naar de wolvevachten op de grond. Terwijl hij naar haar keek, gleed ze uit haar kleed, hield haar onderkleed aan en begon haar haar los te maken. Ze kamde peinzend de glanzende lokken, zich verbazend over deze man die haar binnen zijn bereik had en toch niets deed. Toen zag ze dat hij op een elleboog steunde en naar haar keek.

"Tenzij je bereid bent vannacht dit bed met mij te delen, meisje," zei hij hees, "stel ik voor dat je je morgen verzorgt. Ik ben niet zo moe dat ik niet meer weet wat er onder dat linnen zit en het zou me niet veel kunnen schelen dat jij niet wilt."

Aislinn knikte en kroop snel in haar bed en trok de vachten hoog op.

Verscheidene dagen gingen voorbij zonder verdere rampzalige gebeurtenissen, maar Aislinn vergat Wulfgars waarschuwing niet, al werd ze meer als lijfeigene behandeld dan als maîtresse. Ze verstelde zijn kleren, bracht zijn eten en hielp hem aankleden. Overdag leek hij niet aan haar te denken. Hij was bezig met het opstellen van een verdediging voor het geval ze aangevallen werden door rovers of trouwe Saksers. Er kwam bericht van William dat het leger opgehouden werd door ziekte en dat Wulfgar daar moest blijven tot ze weer verder konden trekken. Wulfgar ontving het bericht zwijgend, maar Aislinn dacht dat hij het uitstel bijna prettig vond. Soms keek ze van een afstand naar hem. Hij leek iedere situatie die zich voordeed volkomen de baas. Een dappere maar domme lijfeigene die ze niet wilde toelaten om te zoeken naar wapens, kreeg de keus tussen zijn huis zien afbranden of ze binnen laten. De arme kerel deed snel open toen Wulfgar bevel gaf een toorts aan te steken. Het onderzoek leverde een paar ruwe wapens op. Bij hun ondervraging zei hij tenslotte dat de wapens er al waren voor de komst van de Normandiërs en hij wist van geen samenzwering onder de lijfeigenen tegen de nieuwe heer.

Als de deur gegrendeld was en ze alleen waren, keek Wulfgar naar haar en besefte Aislinn weer dat ze zich op glad ijs waagde. Zijn grijze ogen volgden haar met een intensiteit die haar vingers deed trillen. In haar aparte bed merkte ze dat hij lange tijd wakker lag.

Op een nacht werd ze huiverend wakker, stond op en probeerde naar het vuur te gaan om het wat op te poken, maar de ketting weerhield haar. Ze bleef besluiteloos staan, trillend van de kou met haar armen om zich heen en vroeg zich af hoe ze warm kon worden. Ze draaide zich om toen Wulfgar op de rand van het bed ging zitten. Ze zag maar een schim in het vage licht.

"Heb je het koud?" vroeg hij.

Ze klappertandde. Hij nam een vacht van het bed, kwam naar haar toe en legde hem om haar schouders, toen liep hij naar de haard en gooide spaanders en houtblokken op de gloeiende as. Hij hurkte ervoor tot het hout brandde en kwam weer naar haar toe. Hij maakte haar enkel los en gooide de ketting weg, toen stond hij op en keek in haar ogen.

"Geef je je woord dat je niet weggaat?"

Aislinn knikte. "Waar zou ik naar toe moeten?"

"Dan ben je vrij."

Ze glimlachte dankbaar. "Ik vond het niet prettig geketend te zijn."

"Dat zou ik ook niet," antwoordde hij kort en ging weer naar bed.

Daarna kreeg Aislinn meer vrijheid. Ze kon door het dorp lopen zonder dat er iemand dicht achter haar was. Eerst had het geleken of er niemand zo goed bewaakt werd als zij. Maar toen Ragnor terugkwam en haar op het plein aansprak, ontdekte Aislinn dat ze ook nu niet alleen was. Twee van Wulfgars mannen lieten zich duidelijk zien.

"Hij bewaakt je goed en stuurt mij weg," mopperde Ragnor, om zich heen kijkend. "Hij moet wel bang zijn je te verliezen."

Ze glimlachte. "Of anders, heer Ragnor, kent hij u goed."

Hij fronste. "Je lijkt tevreden. Is je meester een zo goed minnaar? Dat dacht ik niet. Ik dacht dat hij liever knappe jongens had dan mooie vrouwen."

Aislinns ogen vonkten ondeugend. "Maar, heer, u schertst natuurlijk! Ik heb nog nooit een zo grote en sterke man ontmoet." Ze zag zijn gezicht verstrakken en kreeg er plezier in. Ze zei zachter: "Mag ik toegeven dat hij me doet zwijmelen?"

Ragnor keek strak. "Hij is niet knap."

"O?" deed ze vragend. "Ik vind van wel. Maar dat heeft er weinig mee te maken, niet?"

"Je speelt met me," veronderstelde Ragnor.

Ze trok een medelijdend gezicht. "O, heer! Dat is niet waar. Denkt u dat ik lieg? Denkt u dat ik niet iemand kan liefhebben die vriendelijk voor me is en me helemaal in vuur zet met zijn tedere woorden?"

"Dus dat zie je in hem?" vroeg Ragnor. "Ik had het kunnen weten."

Aislinn haalde haar schouders op. "Goed, heer, ik weet dat uw tijd kostbaar is en ik zal u niet vragen uren te luisteren naar waarom een vrouw een man haar eigen ware heer vindt en de vele zeer persoonlijke dingen die ze delen en die de banden tussen hen vormen. Nou, ik kan niet beginnen te vertellen –"

Hoefgekletter verscheurde de stilte in het dorp en ze keerden zich om en zagen Wulfgar en zijn mannen naderen. Wulfgar fronste en bracht zijn paard naast ze tot staan. Hij steeg af en gaf de teugels aan zijn ridder Gowain.

"Je bent vlug terug."

"Ja," antwoordde Ragnor zuur. "Ik ben naar het noorden gereden zoals je bevolen had, maar het had geen zin. De Engelsen zitten achter gesloten deuren. Ik weet niet wat ze daar doen. Misschien ontspannen ze zich zo rijkelijk met hun vrouwen als jij met dit meisje schijnt te doen."

Wulfgar keek naar Aislinn en zag dat ze bloosde.

"Het meisje zegt dat je goed bent," zei Ragnor en keek de bastaard met opgetrokken wenkbrauwen aan.

Wulfgar glimlachte. "O ja?" Hij legde zijn hand achteloos op Aislinns schouder en liefkoosde haar nek, hoewel hij voelde dat ze verstrakte. Hij grijnsde breder. "Zij bevalt mij ook goed."

"Ik zeg dat ze liegt," tierde Ragnor.

Wulfgar grinnikte. "Omdat ze zich tegen jou verzet heeft? Als iedere damoiselle reageert ze sneller op zachtheid."

Ragnor lachte verachtelijk. "Ze lijkt niet erg op een jongen, Wulfgar. Ik vraag me af hoe je haar ervoor kunt aanzien."

Aislinn voelde Wulfgars woede in zijn steviger greep om haar schouder, maar hij verborg zijn drift zorgvuldig.

"Je praat zorgeloos, vriend. Ik wist niet dat je het meisje begeerde ten koste van je leven. Maar ik vergeef je, omdat ze iedere man roekeloos kan maken. Dat zou ik misschien ook zijn als ik in jouw plaats was." Zijn hand gleed naar Aislinns middel en hij trok haar tegen zich aan. "Je kunt beter Hlynn opzoeken. Op bevel van de hertog vertrek je morgen om je bij hem te voegen. Dan zul je erg weinig tijd hebben voor vrouwen."

Hij wendde zich van Ragnor af en trok Aislinn mee naar de burcht. Toen ze binnenkwamen, keek Kerwick op van zijn plaats bij de honden en zijn gezicht werd donker van woede en jaloezie toen hij zag dat de Normandiër Aislinn liefkoosde voor hij haar losliet. Zo gespannen keek Kerwick naar Wulfgars hand, dat hij Aislinns woedende blik naar de Normandiër en diens spottende glimlach niet zag. Aislinn draaide zich om, rende de trap op en riep naar Hlynn dat ze water voor haar moest halen. Wulfgar keek haar na tot ze de deur achter zich dicht sloeg en wendde zich toen naar Kerwick.

"Kleine Sakser, als je mijn taal kende, zou ik je geluk wensen met je goede smaak. Maar jij en de Marte zijn dwaas om het meisje zo te begeren. Je zult al gauw leren, zoals ik gedaan heb, vrouwen niet te vertrouwen." Hij nam een hoorn bier en hief hem alsof hij de geketende man toedronk. "Vrouwen. Gebruik ze. Liefkoos ze. Verlaat ze. Maar heb ze nooit lief, vriend. Ik heb deze les al jong geleerd."

Wulfgar liep naar de haard en dronk zijn bier. Toen keerde hij zich om en ging de trap op. Maar de slaapkamer was leeg. Woedend vroeg hij zich af welk spelletje ze nu met hem speelde. Hij kon begrijpen dat ze zich op Ragnor wilde wreken, maar hij mocht vervloekt zijn als hij zichzelf tot voorwerp van haar wraakzucht liet maken. Nijdig liep hij naar de kamer die hij haar moeder had gegeven en gooide de deur open. Aislinn sloeg geschrokken haar armen over haar naakte borsten en Hlynn sprong op en liet bijna de emmer water vallen die ze in het bad van haar vrouwe goot. Het meisje ging angstig achteruit toen Wulfgar naast de teil ging staan en op Aislinn neerkeek.

"Hebt u bezwaar, mijn heer?" vroeg ze verontwaardigd.

Hij glimlachte en ze bloosde onder zijn blik. "Nee, damoiselle, ik heb geen bezwaar."

Aislinn leunde achteruit en spatte water op hem. Ze haatte zijn achteloosheid omdat ze er zeker van was dat die hen in de ogen van het meisje tot minnaars stempelde.

Wulfgar wees naar Hlynn. "Ik geloof dat Ragnor haar zoekt."

"Ik heb haar nodig," antwoordde Aislinn kort en wees op haar bad. "Zoals u ziet."

"Vreemd," spotte Wulfgar. "Ik dacht dat je 's ochtends baadde als ik weg ben."

"Gewoonlijk wel," antwoordde Aislinn. "Maar ik voelde me zo mishandeld dat ik behoefte had aan een extra bad."

Wulfgar grinnikte en wreef zijn nek. "Zeg eens, damoiselle, is het omdat je de gedachten aan de Marte met een ander niet kunt verdragen, dat je het meisje bij je houdt?"

Aislinn keek hem moordlustig aan. "De Marte mag iedere Normandische slet nemen die hij wil, maar Hlynn is niet gewend aan de ruwe behandeling van jullie vreemdelingen. Hij doet haar pijn en als u enig medelijden had, zou u haar niet aan hem geven."

"Ik argumenteer niet met vrouwen." Wulfgar haalde zijn schouders op en pakte een losgeraakte koperen haarlok.

"Dat weet ik," snauwde Aislinn. "U probeert me te vernederen voor mijn verloofde door me te liefkozen. Als hij vrij was, zou u niet zo achteloos zijn."

Hij lachte en ging op de rand van de teil zitten. "Zal ik hem losmaken, damoiselle? Maar ik geloof dat de kleine Sakser veel meer om jou geeft dan jij om hem."

Hij keek naar Hlynn die zo ver mogelijk bij hem vandaan stond. Hij vroeg ongeduldig aan Aislinn:

"Moet ze zo bang kijken? Zeg haar dat ik haar meesteres in mijn bed wil, niet haar."

Aislinn keek naar het bevende meisje. "Mijn heer wil je geen kwaad doen, Hlynn," zei ze in het Engels. "Misschien kan hij zelfs overgehaald worden je te beschermen. Wees niet bang."

Het meisje ging op de grond zitten, nog steeds op haar hoede voor de grote Normandiër, maar nu toch met een beetje hoop dat haar vrouwe haar kon redden.

"Wat heb je haar gezegd?" vroeg Wulfgar.

Aislinn stond op, wikkelde zich in een linnen doek en voelde Wulfgars blik op haar. Ze ging naast hem staan.

"Ik heb gezegd dat u haar geen kwaad zult doen," antwoordde Aislinn. "Dat heeft u me gezegd."

"Als ik je taal kende, kon ik er zeker van zijn dat je me niet voor de gek houdt."

"Een man zet zichzelf voor gek. Een ander kan dat moeilijk als hij het niet toestaat."

"Je bent wijs zowel als mooi," mompelde Wulfgar. Hij ging liefkozend met een vinger langs haar arm en Aislinn keek hem smekend aan. Ze stond zo dicht bij hem dat haar dij zijn been raakte dat hij op de teil gezet had. Het was of een schok van hartstocht door ze heen ging. Aislinn voelde zich zwak en onzeker in zijn nabijheid. Wulfgars reactie was meer lichamelijk en zijn adem stokte. Hij balde zijn vuisten in een poging haar nabijheid te verdragen zonder haar in zijn armen te nemen en het bonzen in zijn lendenen te stillen. Hij wist dat Hlynn naar ze keek en was verbaasd dat hij zo op een meisje kon reageren terwijl er iemand bij was. Hij was dankbaar voor zijn maliënkolder maar zijn zelfbeheersing leed onder de vochtige doek die Aislinn om zich heen geslagen had. Met moeite had hij zich verzet tegen zijn begeerte toen hij haar in het bad zag. Maar haar nabijheid met alleen het natte linnen om haar heen, maakte het nog moeilijker. Zijn hartstocht was bijna sterker dan zijn ijzeren wil.

"Mijn heer," mompelde Aislinn zacht, "u hebt gezegd dat we maar slaven zijn. U hebt het recht Hlynn te geven aan wie u wilt, maar ik smeek u genadig voor haar te zijn. Ze heeft altijd goed gediend en wil dat nog doen, maar niet als hoer voor uw mannen. Zorg dat ze u niet gaat haten zowel als de mannen die haar nemen. Heb alstublieft medelijden. Ze verdient zulke wreedheid niet."

Wulfgar fronste. "Onderhandel je weer voor een leven, Aislinn? Ben je bereid mijn bed te delen zodat dit meisje zich niet aan Ragnor hoeft te geven?"

Aislinn haalde diep adem. "Nee, Wulfgar. Ik smeek alleen maar."

Wulfgar keek haar aan. "Je vraagt veel, maar wilt niets terug geven. Je bent bij me gekomen voor die Kerwick en nu voor dit meisje. Wanneer kom je voor jezelf?"

"Staat mijn leven op het spel, heer?" vroeg ze.

"En als dat zo was?" drong hij aan.

"Ik geloof dat ik zelfs daarvoor niet voor hoer zou kunnen spelen," antwoordde ze zacht.

"Zou je gewillig komen als je me liefhad?" vroeg hij met zijn ogen diep in de hare.

"Als ik u liefhad?" herhaalde ze. "Mijn liefde is alles wat ik nog uit vrije wil kan geven. De man die ik liefhad zou me niet hoeven smeken zijn bruid te zijn of hem alle rechten daarvan te geven. Ragnor nam wat ik voor mijn verloofde bewaarde, maar mijn liefde is nog van mij."

"Had je Kerwick lief?"

Ze schudde haar hoofd en antwoordde eerlijk: "Nee, ik heb geen man liefgehad."

"En ik geen vrouw," antwoordde hij. "Maar ik heb ze begeerd."

"Ik begeer geen man," zei ze zacht.

Hij streelde haar wang en haar keel. Hij voelde dat ze beefde en glimlachte met een spoor van spot.

"Ik geloof dat je droomt als een maagd, damoiselle."

Ze keek snel naar zijn gezicht en zag dat hij lachte. Ze hief trots haar kin en wilde boos antwoorden, maar hij legde een vinger op haar lippen.

"Hlynn moet je bedienen tot Ragnor morgen vertrekt. Hij zal al gauw een ander vinden. En tenzij jij dat wilt zijn, verzoek ik je dicht in mijn buurt te blijven. Ragnor wil eigenlijk jou, en daarin verschilt hij niet van zijn mannen, of de mijne. Mijn mannen blijven op een afstand, maar de zijne misschien niet."

Aislinn glimlachte. "Ik ben me volkomen bewust, mijn heer, van de voordelen van dicht bij u te slapen, al is het niet met u." .

Wulfgar grijnsde ondeugend en liep naar de deur. "Die voordelen zul je al gauw ook kennen, vrouwe. Reken daar maar op."

Aan tafel zat Aislinn op haar gewone plaats naast Wulfgar maar zag dat Ragnor naast haar zat. Hij verlustigde zijn ogen aan haar hoog opgestoken haar. Haar romige huid glansde en haar ogen straalden. Toen ze zich omdraaide om een vraag van Wulfgar te beantwoorden, keek Ragnor naar haar slanke figuur in groen fluweel en naar het zachte plekje in haar nek waar haar haar omhoog gestoken was. Hij voelde een diepe honger die hij niet kon stillen en voelde zich bedrogen, beroofd van zijn prijs door de hebzucht en wellust van de bastaard. Hij boog naar haar toe.

"Hij stuurt mij naar William," mopperde hij. "Maar hij zal me niet altijd bij je vandaan kunnen houden." Hij streelde zacht haar mouw. "Ik kan je meer geven dan hij. Mijn familie is belangrijk. Kom met me mee, je zult er geen spijt van hebben."

Aislinn duwde met afkeer zijn hand weg. "Darkenwald is mijn thuis. Ik wil niets anders."

Ragnor keek haar aan. "Behoor je dan aan de man die deze burcht bezit?"

"Hij is van Wulfgar en ik ben de zijne," antwoordde ze koud en wendde zich naar Wulfgar, terwijl Ragnor over haar antwoord nadacht.

Na het eten verliet Wulfgar de zaal en Aislinn ging naar de slaapkamer zoals hij haar gezegd had. Maar ze rekende er niet op dat Ragnor voor de deur op haar wachtte. Hij stapte uit de schaduw en ze bleef geschrokken staan. Hij glimlachte vol vertrouwen en greep haar bij haar armen.

"Wulfgar is onvoorzichtig met je, Aislinn," mompelde hij hees.

"Hij dacht niet dat u uw verstand verloren had," antwoordde ze ijzig en probeerde zich los te rukken.

Ragnors hand ging over haar borst naar haar heup.

"Ik had nooit gedacht dat de herinnering aan een meisje me zo kon vervolgen," zei hij hees.

"U wilt me alleen maar omdat Wulfgar me opgeëist heeft," antwoordde ze koud, tegen zijn borst duwend. "Laat me los! Zoek een ander meisje en laat mij met rust."

"Niemand bevalt me zo goed als jij," fluisterde hij hartstochtelijk. Hij duwde de kamerdeur open. "Wulfgar talmt bij zijn paarden en zijn mannen, de dwaas, en Vachel heeft beloofd op te letten of hij terugkomt. Hij zal op de deur kloppen om te waarschuwen als de bastaard komt. Dus kom, mijn duifje, we hebben geen tijd te verliezen."

Aislinn worstelde nu in ernst, maar Ragnor greep haar polsen voor ze hem kon krabben en trok haar armen op haar rug.

"Eerlijk, feeks, je bent levendiger dan dat eenvoudige meisje dat Wulfgar me wilde geven." Hij grinnikte toen hij aan hem dacht. "Hij zal merken dat ik geen genoegen neem met minder dan wat ik hebben wil."

Ragnor trok haar in zijn armen en schopte de deur achter zich dicht. "Kruipend ongedierte! Adder uit de Hades!" tierde Aislinn worstelend. "Ik sterf voordat ik me weer aan u onderwerp!"

"Moeilijk, mijn duifje, tenzij je jezelf kunt bevelen onmiddellijk te sterven. Rustig nu, dan zal ik lief voor je zijn."

"Nooit!" krijste Aislinn.

"Dan maar op jouw manier," antwoordde hij.

Hij gooide haar op het bed en viel op haar voor ze weg kon rollen. Aislinn vocht als een wild dier. Ze bewoog zich onder hem in een poging te ontsnappen en haar handen volgden de zijne om haar kleren terug te trekken die hij wegtrok. Als ze het maar uithield tot Wulfgar kwam – maar ze wist niet wanneer hij zou komen en ze verloor snel haar worsteling om het beetje waardigheid dat ze nog had te bewaren. Ragnor scheurde haar kleed. Ze voelde zijn natte mond op haar borsten en huiverde van afschuw.

"Als je met dat zwijn Wulfgar naar bed kunt gaan," mompelde hij hees, "vind je misschien echt genot met een meer ervaren minnaar."

"Onhandige boer," hijgde ze, "u bent een slappe jongeling vergeleken met hem."

Plotseling schrokken ze van een luid gekraak. Het leek of de muren van de kamer trilden. Ragnor rolde opzij en keek met open mond naar de oorzaak van het geluid. Aislinn worstelde overeind en zag Wulfgar in de deuropening staan. Aan zijn voeten lag Vachel te kreunen. Met een achteloosheid die Ragnor niet op zijn gemak stelde, zette Wulfgar zijn voet op Vachels borst. Hij keek eerst naar Aislinn, de schade opnemend terwijl ze haastig haar kleren over haar boezem trok, en toen naar haar aanvaller, wiens bleekheid wel gerechtvaardigd was.

"Ik heb geen zin om een man te doden om een vrouw," zei Wulfgar. "Maar jij, heer de Marte, put mijn geduld gevaarlijk uit. Wat van mij is, houd ik, en ik sta niemand toe mijn bezit te betwisten. Het is goed dat Sweyn me kwam vertellen dat hij iets raars opgemerkt had en dat Vachel voor mijn kamer rondhing. Als je verder gegaan was, had je de zonsopgang niet gehaald."

Wulfgar wenkte achter zich en Sweyn kwam te voorschijn. Er kwam een grijns op Aislinns gezicht toen de grote Viking de hooggeboren Normandiër bij haar vandaan sleurde. Ragnor worstelde en vervloekte de Noorman en zijn heer, en Wulfgar glimlachte.

"Gooi dit karkas in een stal," zei hij Sweyn en wees toen naar Vachel. "Kom dan deze hier halen. Daar kunnen ze nadenken over het gevaar van zich vergrijpen aan mijn bezit."

Toen ze weg waren, sloot Wulfgar de deur en wendde zich naar Aislinn. Ze glimlachte dankbaar, maar toen hij naar haar toe kwam, gleed ze snel van het bed.

"Heer Ragnor zal beslist wraak zoeken na deze vernedering," grijnsde ze. "Zonder hem iets te doen, hebt u zijn trots een gevoelige klap gegeven. Ik had niet kunnen hopen op zo'n wraak."

Wulfgar keek naar haar toen ze hem voorbij liep, zorgvuldig de flarden van haar jurk bij elkaar houdend.

"En het zal je wel plezier doen, Aislinn, dat wij om je vechten. Ik vraag me af wie van ons je liever kwijt bent? Ik bedreig je zielerust meer dan hij."

Aislinn glimlachte tegen hem. "Mijn heer, denkt u dat ik een dwaas ben? Ik durf geen stap te doen zonder de zekerheid dat u mij beschermt. Ik weet wel dat ik nog niet betaald heb, en daar ben ik dankbaar voor, maar ik blijf hopen dat u een dergelijke betaling niet eist van een dame met wie u niet getrouwd bent."

Hij snoof. "Ik ben nooit galant, Aislinn, en zeker niet tegen vrouwen. Je kunt erop rekenen dat je zult betalen, en goed ook."

Ze bleef glimlachen en haar ogen straalden. "Ik geloof, mijn heer, dat blaffende honden niet bijten."

Hij trok een wenkbrauw op. "Denk je dat, damoiselle? Dan zul je op een dag wensen dat je me maar geloofd had."

Toen blies hij de kaarsen uit en kleedde zich uit en liet zich op het bed vallen. In de schaduw van de kamer klonk zijn stem streng en ruw.

"Morgenochtend zul je een dolk dragen om je te beschermen. Misschien zal dat anderen ontmoedigen."

Met een glimlach nestelde Aislinn zich in haar vachten en droomde over hoe het licht speelde op zijn gebronsde huid en de bewegingen van zijn spieren in zijn rug.

6

Aislinn hoorde de volgende ochtend maar weinig over Ragnors vertrek. Er werd gezegd dat hij snel vertrokken was, boos en zwijgend. Aislinn grijnsde toen ze het hoorde en ging vrolijk aan haar werk. Het vertrouwde gewicht van haar gordel om haar heupen en haar dolk vergrootten haar zelfvertrouwen. Wulfgar had haar de gordel gegeven toen ze zich aankleedde en had op zijn gewone manier haar dank weggeveegd met een spot die haar woedend maakte.

Laat in de middag zat Aislinn met haar moeder bij het graf van haar vader en zag een man door het bos lopen. Ze keek naar hem omdat er iets vreemds aan hem was en besefte plotseling dat hij lang haar en een baard had. Ze gaf een kreet van verrassing maar verborg haar verbazing voor haar moeder, die opkeek bij het geluid. Ze glimlachte geruststellend en schudde haar hoofd en Maida keek weer droevig naar de berg aarde en jammerde zacht.

Aislinn keek om zich heen of een Normandiër de man ook gezien had, maar niemand bewoog. Ze stond beheerst op en liep op haar gemak naar de achterkant van het huis. Toen ze er zeker van was dat niemand naar haar keek of haar volgde, rende ze naar de rand van het moeras en toen naar waar ze de man gezien had, zonder te letten op de takken die in haar mantel haakten terwijl ze door het bos rende. Ze kreeg de man in het oog en herkende Thomas, de ridder en vazal van haar vader. Opgelucht riep ze hem aan, want ze had gedacht dat hij dood was. Hij bleef even staan en liep haar toen tegemoet.

"Vrouwe, ik dacht dat ik Darkenwald nooit terug zou zien," zei hij met tranen in zijn ogen. "Hoe is het met uw vader? Goed, hoop ik. Ik werd gewond bij Stamford Bridge en kon niet met het leger naar het zuiden naar William." Zijn gezicht werd bedroefd. "Het is een slechte tijd voor Engeland. Het is verloren."

"Ze zijn hier, Thomas," mompelde ze. "Erland is dood."

Zijn gezicht betrok. "Oh, vrouwe, dat is slecht nieuws."

"We moeten je verbergen."

Hij keek geschrokken naar de burcht, zijn hand op zijn zwaard, pas nu haar woorden begrijpend. Hij zag de vijand op het plein.

Aislinn legde een hand op zijn arm. "Ga naar Hilda en verberg je daar. Haar man is met Erland gedood en haar dochter vermoord door dieven. Ze zal blij zijn met je gezelschap. Ik kom eten brengen als ik zeker ben dat niemand me volgt."

Hij knikte en liep weg. Aislinn keek hem na tot hij uit het gezicht was en ging toen terug naar de burcht. Met Hlynns hulp verzamelde ze brood, kaas en vlees en verborg het onder haar mantel. In haar haast liep ze langs Kerwick, die haar mantel greep waardoor ze bijna het eten liet vallen.

"Waar ga je zo haastig naar toe?" vroeg hij. "Wacht je minnaar op je?"

"Oh, Kerwick," riep ze ongeduldig. "Niet nu! Thomas is terug. Ik ga naar hem toe."

"Zeg me wanneer je minnaar me losmaakt." Hij wees op zijn ketenen. "Ik word hier suf van. Ik zou graag iets anders te doen hebben dan de honden van me af houden. Die maken ze eerder los dan mij." Hij wees naar de honden die door de zaal zwierven en vroeg wanhopig: "Wat moet ik doen om vrij te komen?"

"Ik zal vanavond met Wulfgar spreken," antwoordde ze.

"Wat zul je hem beloven dat je hem niet al gegeven hebt?" vroeg hij bitter.

Ze zuchtte. "Je bent jaloers."

Woedend trok Kerwick haar op zijn schoot, waardoor de bundel viel. Hij drukte zijn mond hard op de hare en scheurde aan de stof over haar boezem.

"Oh, Kerwick, nee!" hijgde Aislinn, zich losrukkend. Ze duwde tegen zijn borst. "Niet jij ook!"

"Waarom de bastaard wel en ik niet?" Zijn gezicht was vertrokken van begeerte en hij streelde ruw haar borsten. "Ik heb het recht, hij niet!"

"Nee! Nee!" Ze duwde woedend tegen zijn handen. "Geen priester heeft onze band bezegeld! Ik behoor niemand toe. Jou niet! Ragnor niet! Zelfs Wulfgar niet! Alleen mezelf!"

"Waarom kruip je dan volgzaam in het bed van die Normandiër?" siste hij. "Je zit met hem te eten en kijkt alleen naar hem. Hij kijkt je even aan en je struikelt over je woorden."

"Dat is niet waar!" riep ze.

"Jij denkt dat ik het niet merk, terwijl ik niets anders te doen heb?" raasde hij. "Mijn Heer, je verlangt naar hem als een verhongerde naar eten! Waarom?! Hij is de vijand en ik ben je verloofde! Waarom geef je mij niet dezelfde gunst? Ik heb ook behoefte aan je lichaam. Al die maanden ben ik kuis gebleven voor jou. Mijn geduld is op!"

"Wil je me dan hier bij de honden nemen?" vroeg ze woedend. "Geef je zo weinig om me dat je je moet bevredigen zoals je bedgenoten – de honden?! Zonder rekening te houden met hun teef?! Zo behandelt Wulfgar me tenminste niet!"

Hij schudde haar. "Geef je dan toe dat je hem liever hebt dan mij?"

"Ja!" gooide ze eruit terwijl tranen van woede te voorschijn kwamen. "Hij doet me geen pijn! Laat me nu los voor hij komt."

Hij vloekte en duwde haar weg. Terwijl hij vastgebonden zat zonder andere afleiding, had hij haar met Wulfgar gezien en zich haar genegenheid voelen ontglippen. Ze was koel en op een afstand, tot Wulfgar binnenkwam en dan begon ze te stralen. Het was dubbel hard voor hem, haar verloofde, dat hij dat nooit had kunnen bereiken. En die ridder waardeerde het niet, maar sprak over zijn minachting voor vrouwen in een taal waarvan hij dacht dat hij niet verstaan werd. Die man had hem zonder enige moeite zijn liefde ontstolen. Maar, beloofde Kerwick zichzelf, als er een kans was haar terug te winnen, zou hij haar van die wolf afnemen.

Spijtig greep hij haar hand, waarop ze achteruit ging en hem argwanend aankeek.

"Je hebt gelijk, Aislinn. Ik ben jaloers. Vergeef me, mijn liefste."

"Ik zal zorgen dat Wulfgar je losmaakt," zei ze zacht en verliet hem, haar mantel strak trekkend over de flarden van haar kleren en het bundeltje eten. Ze had geen tijd om zich te verkleden voor Wulfgar terugkwam.

Hilda wachtte al bij de deur en liet haar snel binnen.

"Gaat het goed met hem?" vroeg Aislinn en keek naar Thomas die met gebogen hoofd voor de haard zat.

"Ja, alleen zijn hart moet helen, vrouwe, net als het mijne," antwoordde Hilda. "Ik zal voor hem zorgen."

Aislinn gaf haar het eten. "Als iemand dit vlees ziet, zeg dan dat ik het gestolen heb. Ik wil niet dat jij ervoor gestraft wordt."

"Het geeft niet of ze mij doden," antwoordde de oude vrouw. "Mijn leven is bijna voorbij en het uwe begint pas."

"Wulfgar zal me niet doden," zei Aislinn. "Nou, kan Thomas zich ergens verbergen als ze komen zoeken? Ze mogen hem hier niet vinden."

"Vrees niet, vrouwe. We zullen wel een plaats vinden."

"Dan moet ik gaan." Aislinn keerde zich naar de deur. "Als ik kan, zal ik weer eten brengen."

Ze wilde naar buiten stappen toen ze Hilda geschrokken hoorde roepen.

"De Normandiërs!"

Aislinn keek angstig op. Wulfgar stond voor de deur met twee van zijn mannen. Aislinn verstijfde toen hij haar aankeek. Hij wilde het huisje binnen gaan, maar ze versperde hem de weg. Met een grom van minachting duwde hij haar opzij.

"Nee! Hij heeft niets gedaan!" riep ze, zich wanhopig aan Wulfgars arm vastklemmend. "Laat hem met rust!"

Wulfgar keek naar de handen die zijn mouw vasthielden en zei waarschuwend: "Je gaat te ver, Aislinn van Darkenwald. Dit gaat jou niet aan."

Aislinn keek angstig naar Thomas die klaar stond voor de strijd. Moest er nu nog een Sakser vallen onder een Normandisch zwaard? Ze werd koud en wist dat ze haar best moest doen om geweld te voorkomen.

Ze keek smekend naar Wulfgar. "Mijn heer, Thomas is een dapper krijgsman. Moet zijn bloed vergoten worden nu de strijd voorbij is, omdat hij eerlijk vocht voor een koning aan wie hij en mijn vader trouw verschuldigd waren? Oh, seigneur, wees genadig. Ik zal de handschoenen oprapen en uw slavin zijn."

Wulfgar keek strak. "Je handelt met wat al van mij is. Laat me los en bemoei je er niet mee."

"Alstublieft, mijn heer," fluisterde ze met tranen in haar ogen.

Zonder een woord maakte Wulfgar haar vingers los en duwde haar opzij, en liep naar Thomas.

"Heet jij Thomas?" vroeg hij.

Thomas keek Aislinn verbaasd aan.

"Mijn heer, hij kent uw taal niet," legde ze uit.

"Zeg hem dat hij zijn zwaard neerlegt en met ons meegaat," beval Wulfgar.

Toen ze het vertaalde, keek de vazal behoedzaam naar de drie mannen.

"Vrouwe, zullen ze me doden?"

Ze keek onzeker naar Wulfgar. Als hij vier gewapende dieven kon doden, zou hij weinig moeite hebben met een vermoeide, hongerige Sakser. Ze kon alleen maar vertrouwen op Wulfgars genade.

"Nee," antwoordde ze. "Ik denk het niet. De nieuwe heer van Darkenwald behandelt de mensen eerlijk."

Thomas keerde aarzelend zijn zwaard om, legde het op zijn handpalmen en bood het Wulfgar aan. De Normandiër nam het aan en liep naar de deur, greep Aislinns arm en leidde haar voor zich uit terwijl zijn mannen met Thomas volgden. Buiten keek Aislinn verward naar Wulfgar. Zijn gezicht toonde geen gevoelens en hij keek niet naar haar. Ze durfde hem niets te vragen. Hij liep zo snel dat ze hem moeilijk bijhield en vaak struikelde. Zijn hand sloot steviger om haar arm om haar te steunen. Toen struikelde ze weer en liet haar mantel los om haar val te breken. Hij trok haar overeind en zag het verscheurde kledingstuk. Zijn ogen werden groot van verbazing, vernauwden toen en gingen naar haar dolk en dan naar haar gezicht. Zijn blik drong door in haar gedachten, tot ze er zeker van was dat hij de waarheid wist. Ze hield haar adem in, tot hij de mantel dichter om haar schouders trok en haar arm weer nam.

Ze bleven zwijgen tot ze in de zaal waren en hij haar losliet. Toen hij zijn aandacht op Thomas richtte, ging ze de trap op om zich te verkleden.

"Nee!" brulde hij en wees naar haar.

Aislinn schrok en keek moedeloos naar Kerwick. Op zijn gezicht las ze haar eigen angst voor Wulfgars doordringende blik. Maida jammerde angstig en wrong haar handen. Langzaam en waardig keerde Aislinn zich om en liep naar hem toe.

"Mijn heer?" vroeg ze zacht. "Wat wenst u?"

Hij antwoordde koud: "Ik wens dat je me vereert met je aanwezigheid tot ik zeg dat je kunt gaan. Ga ergens zitten."

Ze knikte en ging op een bank bij de tafel zitten. Wulfgar wees naar Kerwick.

"Maak hem los en breng hem hier!"

Kerwick werd bleek en kroop weg van de Normandiërs die hem wilden pakken. Hij verloor en stond even later tegenover Wulfgar. Toen hij in elkaar kromp onder Wulfgars harde blik, grinnikte Sweyn.

"De kleine Sakser trilt van angst. Wat heeft hij gedaan dat hij zo beeft?"

"Niets!" schreeuwde Kerwick. "Laat me los!"
Hij beet op zijn lippen toen Sweyn lachte.
"Ah, dus je spreekt onze taal wel. Wulfgar had gelijk.."
"Wat wilt u van me?" vroeg Kerwick en keek naar Aislinn.
Wulfgar glimlachte. "Thomas kent onze taal niet. Je moet me helpen."
Aislinn zuchtte van opluchting, maar Wulfgar deed niets zonder bedoeling. Waarom vroeg hij haar niet te vertalen, hij wist toch dat ze dat kon? Bezorgd nam ze Wulfgar op. Hij sprak op zijn gemak, keek meer naar Kerwick dan naar Thomas.

"Zeg deze man dit: Hij kan een slaaf zijn en bij de dieven vastgebonden worden, of hij kan zijn vroegere plaats terugkrijgen, op drie voorwaarden. Hij moet zijn wapens neerleggen en ze niet weer opnemen tenzij ik het beveel. Hij moet zijn haar knippen en zijn gezicht scheren zoals wij, en hij moet vandaag nog trouw zweren aan hertog William."

Toen dit voor Thomas herhaald werd, kwam Wulfgar bij Aislinn en leunde met zijn dij op de tafel. Aislinn lette niet op hem maar op het gesprek van Kerwick en Thomas. Thomas' grootste zorg scheen te zijn het verlies van zijn prachtige blonde haar, maar hij stemde toe en knikte heftig toen Kerwick zijn rug ontblootte en hem die toonde.

Geschrokken merkte Aislinn dat haar mantel open gevallen was. Naar Wulfgar kijkend, zag ze haar angst bewaarheid, want zijn blik rustte hongerig op haar naakte borsten. Ze bloosde en trok haar mantel om zich heen, toen hij zijn hand op haar schouder legde. Hij streelde langzaam haar sleutelbeen, langs haar kin en hals tot de zwelling van haar borst. Verward merkte Aislinn dat het gesprek opgehouden was en zag Kerwick woest naar ze staren, met gebalde vuisten vechtend om zelfbeheersing. Plotseling begreep ze Wulfgars bedoeling en begon te praten, maar zijn hand sloot om haar schouder en toen ze opkeek in zijn ogen, voelde ze dat ze zich er niet mee moest bemoeien.

"Ik geloof dat je treuzelt, Kerwick." Hij bleef naar haar kijken. "Schiet op."

Kerwick begon haperend en zijn stem werd steeds zachter.

"Luider, Sakser. Je praat onduidelijk. Ik wil horen hoe mijn woorden in het Engels klinken."

"Ik kan niet," riep Kerwick plotseling en schudde zijn hoofd.

"En waarom niet?" vroeg Wulfgar bijna vriendelijk. "Ik ben je heer. Hoor je me niet te gehoorzamen?"

Kerwick wees naar Aislinn. "Laat haar dan met rust! U hebt niet het recht haar te liefkozen! Ze is van mij!"

Meteen veranderde Wulfgars houding. Zijn zwaard vloog uit de schede en met één lange pas was hij bij de haard. Daar bracht hij met beide handen het zwaard omlaag en spleet een groot houtblok. Toen stak hij de punt in de zware houten bank. Hij liep naar Kerwick die, hoewel nog boos, bleek was en probeerde er uitdagend uit te zien. Wulfgar stond met gespreide benen en gevouwen armen.

"Bij God, Sakser," donderde hij. "Je stelt mijn geduld behoorlijk op de proef. Je bent geen heer meer, maar een gewone lijfeigene. Met je beledigende hartstocht beschadig je wat van mij is!" Hij wees naar de angstige Aislinn en vervolgde: "Jullie spreken allebei goed Frans, maar zij geeft me ook nog plezier en jij beslist niet! Hoewel ik mijn werk niet kan doen met een vrouw achter me aan, is jouw leven verreweg het minst waard. Begin hier niet weer over, als je nog een dag langer wilt leven." Zachter voegde hij eraan toe: "Begrijp je me?"

Kerwick boog zijn hoofd. "Ja, heer." Toen richtte hij zich op en keek Wulfgar recht aan, terwijl een traan over zijn wang gleed. "Maar het zal moeilijk zijn want, ziet u, ik had haar lief."

Wulfgar voelde iets van eerbied en een beetje medelijden opkomen voor deze magere Sakser. Hij kon medelijden hebben met elke man die bezeten was van een vrouw, hoewel hij niet begreep dat ze zich zo ver lieten brengen door een meisje.

"Dan beschouw ik de zaak als afgedaan," zei Wulfgar vlak. "Je wordt niet meer geketend, tenzij je het zelf uitlokt. Zorg nu dat deze man geschoren wordt en breng hem dan terug om de eed af te leggen."

Toen Kerwick en Thomas de zaal uit gingen, liep Wulfgar naar de trap. Hij was de eerste treden al op toen hij naar Aislinn keek en op haar bleef staan wachten. Ze draaide zich om en keek hem aan.

"Je ziet er verward uit, damoiselle," plaagde hij en werd toen ernstig. "De mannen van het dorp mogen naar huis komen. De winter komt en iedereen zal nodig zijn om de honger van de deur te houden. Dus als je er nog meer vindt, verberg ze dan niet maar breng ze bij mij. Ga je nu verkleden, zodat we kunnen eten. Ik hoop dat je nog kleren hebt om dat vod te vervangen. Het is wel duidelijk dat ik, als je weer aangevallen wordt door een wellustige man, in mijn beurs zal moeten tasten om je aan te kleden. Misschien, damoiselle, ga je me wel meer kosten dan je waard bent. Ik hoop dat ik mijn geld niet zal hoeven delen met een kleermaker, want het is moeilijk verdiend en ik kan het beter gebruiken."

Hooghartig stond Aislinn op. Met alle waardigheid die ze kon opbrengen liep ze hem voorbij en ging hem voor naar de kamer. Hij sloot de deur achter zich, trok zijn zware maliënkolder uit en legde hem op zijn plaats. Aislinn stond besluiteloos naar hem te kijken. Toen hij zich naar de haard keerde om zich te warmen, wist ze dat ze geen afzondering kon verwachten en er het beste van moest maken. Ze draaide zich om, liet de mantel vallen en trok de gescheurde kleren uit. Door een klein geluid van Wulfgar trok ze het onderkleed tegen haar borst. Ze keek om en haar adem stokte in haar keel, want hij stond naar haar te kijken met een hartstocht die hij niet probeerde te verbergen. Aislinn voelde zich niet verlegen. Eigenlijk voelde ze een aangenaam tintelende warmte. Met moeite hief ze haar kin en vroeg koel:

"Behaagt mijn heer zichzelf of wil hij dat ik hem behaag? Geef alstublieft antwoord voor ik me aankleed, zodat u geen afstand hoeft te doen van een kostbaar muntstuk voor mijn kleren."

Zijn ogen gingen naar haar gezicht en de hartstocht verdween. Hij fronste en liep zwijgend de kamer uit.

Winterse wolken verdonkerden de dageraad en een spetterende regen werd een stortbui die de aarde doorweekte en gordijnen van water van net dak deed stromen. Aislinn rekte zich tevreden op haar vachten en kroop dieper in het warme bont, opende een oog en zocht de bron van het licht dat haar gewekt had, en vroeg zich af of Wulfgar in de vroege ochtend de luiken geopend had. Ze keek even naar de regen, genoot van het rustgevende geruis, toen zag ze een schaduw langs het raam en ze stond op toen ze zag dat Wulfgar al gekleed was. Hij droeg een tuniek en een leren broek en scheen niets te geven om de kilte.

"Mijn heer, vergeef me. Ik wist niet dat u vroeg wilde opstaan. Ik zal eten halen."

"Nee." Hij schudde zijn hoofd. "Ik heb niets dringends te doen. Ik ben wakker geworden van de regen."

Ze liep naar het raam en ging naast hem staan. Haar haar viel in losse krullen om haar heen. Hij nam een zware lok van haar borst toen ze naar hem opkeek.

"U kwam laat naar bed, mijn heer. Waren er moeilijkheden?"

Hij keek in haar ogen. "Ik ben niet bij een meisje gekropen, als je dat bedoelt."

Blozend leunde ze uit het raam om de regen in haar handen te vangen. Ze bracht het naar haar mond, giechelde vrolijk toen er iets op haar boezem lekte en haar lichte onderkleed nat maakte. Ze huiverde even bij het koude water.

Even keek ze naar het landschap, zich zeer bewust van zijn aanwezigheid naast haar. Zijn nabijheid bracht een vreemde, prettige vonk die haar zenuwen prikkelde.

"Mijn heer," begon ze langzaam zonder naar hem te kijken, "u hebt gezegd dat u mijn dankbaarheid niet wilt, maar toch ben ik erg dankbaar voor uw genade voor Kerwick. Hij is niet dom. Ik kan me niet voorstellen waarom hij zo dwaas gedaan heeft. Eigenlijk, mijn heer, is hij heel knap."

"Tot hij versuft raakte door het verraad van een meisje," mompelde hij peinzend.

Aislinn keek hem aan, geschrokken door zijn ruwe woorden. Ze bloosde van woede toen ze in zijn ogen keek. "Ik ben Kerwick altijd trouw geweest. Tot die keus me afgenomen werd door uw man."

"Ik vraag me af, damoiselle, of je trouw gebleven zou zijn als Ragnor niet met je naar bed was gegaan."

Ze keek hem recht aan. "Kerwick was de keus van mijn vader en ik zou die keus geëerbiedigd hebben tot ik stierf. Ik ben geen wispelturig meisje dat zich het hof laat maken door iedere bok die in de buurt komt."

Hij bekeek haar zwijgend en ze sloeg haar ogen vragend naar hem op.

"Maar zeg eens, heer, waarom bent u zo bang voor vrouwen en hun ontrouw?" Hij fronste donker. "Waarom heeft u een hekel aan vrouwen en haat u haar die u het leven gegeven heeft? Wat heeft ze gedaan?"

Het litteken op Wulfgars wang werd bleek en het kostte hem moeite haar niet te slaan, maar hij zag geen angst in haar ogen. Hij draaide zich om en liep nijdig naar het bed. Lange tijd bleef hij zwijgend staan. Tenslotte zei hij over zijn schouder:

"Ja, ze gaf me het leven maar weinig anders. Zij haatte mij het eerst.

Ze had geen liefde voor een kleine jongen die ernaar smachtte, en toen de jongen zich wendde tot een vader die dat wilde zijn, vernielde ze dat ook. Ze verwierpen me als iets smerigs!"

Aislinns hart ging uit naar een kleine jongen die smeekte om genegenheid. Ze wilde naar Wulfgar toegaan en zijn hoofd tegen haar borst trekken en de bezorgde frons van zijn voorhoofd strelen. Nog nooit had ze zo'n tederheid gevoeld voor een man en ze wist niet wat ze met haar gevoelens aan moest.

Ze liep naar Wulfgar toe en legde haar hand op zijn arm en keek hem verontschuldigend aan. "Mijn tong is scherp en verwondt snel. Dat is een fout waar ik vaak op gewezen word. Ik vraag vergeving. Zulke droeve herinneringen moeten begraven blijven."

Wulfgar streelde haar wang. "Ik vertrouw vrouwen niet." Hij glimlachte stijf. "Dat is een fout waar ik vaak op gewezen word."

Aislinns ogen hielden hem vast. "Er kan altijd een eerste keer zijn, mijn heer. We zullen zien."

7

Wulfgar probeerde met zijn duim het scherp van het zwaard dat glansde in het licht van het vuur, toen bukte hij zich om de kerven eruit te wetten. Aan het voeteneind van het bed zat Aislinn zijn hemd te verstellen. Ze droeg alleen een wit onderkleed. Met haar haar los over haar schouders leek ze op een wilde Vikingbruid van vroeger. Misschien stroomde wat bloed van deze zeevaarders door haar aderen, want doordat ze met deze halfnaakte man opgesloten was voor de nacht, klopte haar pols sneller. Ze beet de laatste draad door en dacht dat ze, als ze dat wilde Vikingmeisje was, nu naar hem toe kon gaan en die glanzende rug liefkozen, die machtige armen strelen...

Ze grinnikte toen ze zich zijn reactie voorstelde. Wulfgar keek verwonderd naar haar en Aislinn begon snel het hemd op te vouwen en legde haar naald en schaar weg. Wulfgar vloekte en stak zijn duim op om haar een kleine snee te tonen waar een druppel bloed uit opwelde.

"Je humor verwondt me," plaagde hij. "Amuseert het je zo me te zien?"

"Nee, heer." Toen bloosde ze want haar snelle ontkenning verried haar. Ze was verbaasd over zichzelf, want het leek of ze van zijn gezelschap genoot en het zelfs zocht. Was het waar wat Kerwick zei? Was ze meer verliefd dan wraakgierig?

Wulfgar ging weer aan zijn werk en zij begon een ander kledingstuk te verstellen. Een klopje op de deur verstoorde de huiselijke rust en op Wulfgars antwoord kwam Maida binnen, knikte tegen de heer en ging naast Aislinn zitten.

"Hoe was je dag, kind?" vroeg de moeder. "Ik heb je niet gezien want ik was bezig in het dorp."

Wulfgar snoof spottend en boog zich over zijn zwaard. Aislinn trok echter vragend haar wenkbrauwen op, want ze wist dat haar moeder zich weinig meer met de mensen en hun ziekten bemoeide, maar het grootste deel van de dag besteedde aan plannen maken voor wraak op de Normandiërs.

Toen ze zag dat Wulfgars aandacht ergens anders was, dempte Maida haar stem en sprak Saksisch. "Laat hij je geen ogenblik onbewaakt? De hele dag heb ik geprobeerd met je te praten, maar er is altijd een Normandiër in de buurt."

Aislinn beduidde Maida te zwijgen en keek angstig naar Wulfgar, maar de oude vrouw schudde haar hoofd en zei nijdig:

"Die stomme ezel kent onze taal niet en zou ons waarschijnlijk niet begrijpen als hij dat wel deed."

Aislinn haalde haar schouders op en de oude vrouw vervolgde gespannen:

"Aislinn, let niet op de Normandiër, maar luister goed. Kerwick en ik hebben een manier gevonden om te ontsnappen en ik smeek je mee te gaan als de maan ondergaat." Ze negeerde haar dochters geschrokken blik en nam haar hand. "We vluchten naar het noorden dat nog vrij is en waar we familie hebben. We kunnen daar blijven tot er een nieuw leger gevormd is en dan ons huis bevrijden van deze vandalen."

"Moeder, doe dat alsjeblieft niet," pleitte Aislinn, proberend haar stem kalm te houden. "Er zijn te veel Normandiërs en ze bewaken het land. Ze vinden ons direct. En wat zullen ze Kerwick doen als ze hem pakken? Ze zullen hem beslist harder straffen."

"Ik moet," siste Maida, en vervolgde kalmer: "Ik kan niet verdragen dat dit land, dat eens van mij was, nu beheerst wordt door Normandiërs, en dat deze hier" – ze wees met haar hoofd naar Wulfgar – "het genoegen heeft 'mijn heer, mijn heer' van me te horen."

"Nee, moeder, 't is dwaasheid," redeneerde Aislinn. "Als u zo graag wilt, ga dan, maar ik kan niet want onze mensen dragen het juk van de Normandische hertog en deze heer" – ze keek naar Wulfgar – "heeft tenminste wat medelijden met ons."

Maida zag haar dochters ogen zacht worden en hoonde: "Aaiieey, dat mijn eigen kind haar hart zet op een Normandische bastaard en haar eigen familie verlaat om bij hem te zijn!!"

"Ja, moeder, misschien bastaard en zeker Normandiër, maar een man zoals ik nog nooit gezien heb."

Haar moeder snoof. "Hij vrijt je goed, merk ik."

Aislinn schudde haar hoofd. "Nee, moeder, nog nooit. We zitten nu op mijn bed en verder ben ik niet gegaan, hoewel ik me soms afvraag hoe het met hem zou zijn."

Ze wenkte tegen haar moeder en ze praatten verder in het Frans. Wulfgar stond op, stak zijn zwaard in de schede en verliet zonder naar ze te kijken de kamer en beiden zwegen tot ze hem de trap af hoorden gaan. Aislinn pleitte nu in ernst tegen haar moeder om haar zinloze plannen op te geven en zich meer te bemoeien met de moeilijkheden van de dorpelingen en niet te proberen ze over te halen wraak te nemen, wat alleen maar kon uitlopen op de zweep of het blok van de beul.

Even later kwam Wulfgar terug, zijn kousbroek ophijsend alsof hij alleen maar voldaan had aan de roep van de natuur. Hij greep zijn schild en begon het te poetsen.

Maida stond op, streelde Aislinns wang, zei adieu en glipte de kamer uit. Aislinn zat diep in gedachten en was bezorgd, tot ze opkeek en zag dat Wulfgar glimlachend naar haar keek. Ze verbaasde zich over hem, want hij knikte en ging weer aan zijn werk, maar het leek of hij ergens op wachtte.

Toen kwam het. Maida gilde in de zaal en er klonk gekletter en geschuifel en dan stilte. Aislinns ogen werden groot van schrik, ze gooide haar naaiwerk opzij en rende naar de trap die uitkeek op de zaal. Daar bleef ze verbijsterd staan. Eerst zag ze Kerwick met een prop in zijn mond geketend bij de honden. Zijn ogen vlamden van woede maar hij verspilde geen kracht meer aan worstelen. Maida hing hulpeloos in Sweyns grote armen met haar voeten van de vloer. Ze was weer in lompen gekleed en er lag een grote bundel op de biezen. Aislinn keek woedend om toen Wulfgar achter haar zei:

"Waarom probeer je mijn huis en tafel te verlaten? Haat je je huis zo erg? Vind je misschien de noordelijke moerassen aantrekkelijker?"

Drie paar ogen wendden zich naar hem en twee monden vielen open toen ze beseften dat hij onberispelijk Engels gesproken had. Aislinns wangen gloeiden bij de gedachte aan wat hij gehoord had. Ze dacht terug aan alle keren dat ze in zijn aanwezigheid gesproken had en er zeker van geweest was dat hij haar niet kon verstaan, en ze schaamde zich.

Wulfgar liep haar voorbij, de trap af, naar Maida toe. Hij wees op haar gescheurde, vuile kleren.

"Oud wijf, heb ik je niet gezegd dat als je er weer zo uit zou zien, ik je zou behandelen zoals je verdient? Sweyn, bind dit oude wijf bij de honden, en maak de armen van die kerel los voor ze hem opeten."

"Nee!" krijste Aislinn. Ze vloog de trap af en ging voor Wulfgar staan. "Dat kunt u haar niet aandoen!"

Wulfgar negeerde haar en wenkte tegen Sweyn en de Noorman deed wat hem gezegd was. Toen ging Wulfgar voor het gebonden paar staan en sprak bijna als een strenge vader tegen stoute kinderen.

"Jullie zullen vannacht wel warmte bij elkaar vinden. Denk nog maar eens goed na over vanavond, en onthou dit: vergeleken bij mij weten jullie niet veel, want ik ben gewend aan hoven en koningen en politici en ken de ernst van het slagveld. Goedenacht – zo mogelijk."

Hij krabbelde een grote hond achter zijn oor, wendde zich toen naar Aislinn, nam zwijgend haar arm en bracht haar naar de trap, waar hij even nadenkend bleef staan.

"O, Sweyn." Hij keerde zich om. "Laat de honden morgenochtend los en kijk of deze twee zich als goede slaven kunnen gedragen. Ze kunnen hun vrijheid hebben als ze beloven niet meer zo dwaas te doen."

Kerwick keek Wulfgar moordlustig aan en Maida vloekte gesmoord. Hij haalde zijn schouders op en glimlachte.

"Morgen zullen jullie je wel anders voelen."

Zonder verdere omhaal ging hij naar zijn kamer, zijn vingers stevig om Aislinns arm. Een hond jankte toen Maida's voet zijn ribben raakte.

Wulfgar had de deur gesloten en draaide zich om toen ze op zijn wang sloeg.

"U bindt mijn moeder bij de honden!" schreeuwde ze. "Dan moet u mij naast haar binden!"

Aislinn haalde haar arm uit om weer te slaan, maar werd gevangen in een ijzeren greep. Dat verergerde haar woede nog en ze schopte tegen zijn scheen, en hij liet los toen zijn gezicht vertrok en hij naar zijn been greep.

"Hou op, feeks!" brulde hij. "Pas op!"

"U hield ons voor de gek!" krijste ze en zocht iets om naar hem toe te gooien. Een beker kletterde tegen de deur achter hem toen hij opzij dook.

"Aislinn!" waarschuwde hij, maar ze zocht al iets anders.

"Aaah, ik haat u!" krijste ze en smeet. Ze wachtte niet om te zien dat hij ook hiervoor wegdook, maar zocht alweer verder. Met twee stappen was Wulfgar bij haar, sloeg zijn armen om haar heen en drukte de hare tegen haar zijden.

"Je bent niet woedend om je moeder!" brulde hij. "Je weet dat ze de zweep had kunnen voelen. Je moet toegeven dat dit minder erg is."

Aislinn worstelde om los te komen. "U hebt niet het recht haar te vernederen."

"Het is *jouw* trots die gekrenkt is en daarom wil je wraak."

"U bent niet eerlijk tegen me geweest!" Ze probeerde op zijn voet te trappen.

Wulfgar sloeg zijn armen om haar dijen om haar benen stil te houden en tilde haar op.

"Als ik niet eerlijk was geweest, meisje, dan had je nu mijn bed wel gedeeld."

Daar was geen antwoord op en ze kon alleen maar worstelen. Hij zette haar ruw in een stoel.

"Blijf nu zitten tot je bekoelt, mijn mooie feeks. Ik ben niet van plan die honden aan je te laten knabbelen."

"Ik blijf niet hier met u!" schreeuwde ze en sprong op.

"Je hoeft je geen zorgen te maken," spotte hij glimlachend. "Ik ben niet van plan gebruik te maken van je bereidheid."

Ze vloog naar hem toe en wilde hem weer slaan, maar hij greep haar armen. Ze hief een voet om op de zijne te trappen en hij liet onmiddellijk los toen haar knie tussen zijn dijen raakte. Wulfgar kreunde en struikelde achteruit op het bed terwijl Aislinn zich verbaasd afvroeg wat hem zo'n pijn gedaan had, maar ze sprong op hem om de aanval voort te zetten. Met een arm probeerde Wulfgar haar af te houden, maar haar nagels maakten diepe schrammen over zijn borst.

"Bloeddorstige feeks!" hijgde hij. "'t Is tijd dat ik je een lesje leer."

Hij greep haar pols en trok haar over zijn knieën, maar voor zijn hand kon neerkomen, wurmde Aislinn zich los en gleed op de vloer. Vastbesloten deze welverdiende straf te geven, probeerde Wulfgar haar terug te trekken en Aislinn schrok toen zijn hand haar naakte heup raakte. Het losse onderkleed zat om haar middel gedraaid en haar onderlichaam was naakt. Nu vocht ze om hem te ontsnappen en haar woede maakte plaats voor angst.

Ze probeerde zich los te trekken, maar hij hield stevig vast en trok haar naar zich toe. Haar lange haar draaide om ze heen en belemmerde haar bewegingen, maar haar tanden vonden zijn hand. Wulfgar gromde van pijn en liet haar arm los, maar toen ze wegleed, stak hij zijn vingers in de hals van haar onderkleed. Het kledingstuk scheurde van onder tot boven toen ze zich oprichtte.

Aislinn staarde angstig naar haar naaktheid terwijl zijn ogen haar gul-

78

zig opnamen. Haar huid glansde als bleek goud in het licht van het vuur. Zijn lang onderdrukte honger vlamde hoog op.

Hij sloeg zijn armen om haar heen en het volgende ogenblik lag ze op haar rug op het bed. Wulfgars ogen ontmoetten de hare en Aislinn zag dat het wachten voorbij was.

"Nee!" schreeuwde ze en zwaaide met een arm, maar hij greep haar handen en dwong ze onder haar en duwde zijn knie tussen haar dijen. Haar gewicht lag op haar armen en ze hijgde van pijn. Ze begon hem te vervloeken maar hij drukte zijn mond op de hare. Hij kuste hartstochtelijk haar oogleden, haar wang, haar oor, mompelde onverstaanbare woorden en Aislinn besefte welk vuur ze in hem opwekte. Angstig bewoog ze zich en voelde zijn dij tussen haar lendenen. Het maakte hem nog hartstochtelijker. Hij liet haar handen los. Ze kon zich niet bewegen in de warboel van haar haar, onderkleed en beddegoed. Hij trok zijn kleren uit en Aislinn hijgde toen hij zich tegen haar aan drukte. Hij duwde haar schouders op het bed en bevrijdde haar handen, maar hield ze nog tegen haar zijden. Aislinn wurmde en vocht maar het vergrootte alleen maar zijn begeerte. Zijn mond ging naar haar borsten en zijn lippen schroeiden haar tot ze een gevoel had of ze in brand stond. Een vreemde warmte begon binnen in haar en haar pols versnelde. Zijn mond kwam weer op de hare en ze ontdekte dat ze zich aan hem vastklemde en zich liet meeslepen door zijn verterende hartstocht. Ze hijgde, half van verbazing, half van pijn, toen ze een brandende pijn tussen haar dijen voelde. Ze worstelde woest en probeerde hem weg te duwen. Maar hij schonk geen aandacht aan haar protesten. Hij hield haar handen vast en ze kon zich niet verdedigen toen hij deed wat hij wilde. Tenslotte was de hartstocht verbruikt en Aislinn snikte tot hij zich terugtrok. Woedend gooide ze zich in een hoek van het bed, scheurde het onherstelbare onderkleed af en graaide dek over zich heen. Snikkend van woede vervloekte ze hem.

Wulfgar grinnikte om haar woede. "Ik had het niet verwacht, maar ik moet toegeven dat je de levendigste bent die ik in lang gehad heb."

Gesmoorde gillen bewezen dat zijn woorden aankwamen.

Wulfgar lachte weer en ging met zijn vingers over de vier schrammen op zijn borst. "Vier repen vlees voor een stoeipartij met een feeks! Ha, maar 't was het waard en ik zou het met plezier opnieuw betalen."

"Kruipend ongedierte!" hijgde Aislinn. "Probeer het en ik neem uw zwaard en rek uw navel uit tot uw kin!!"

Hij gooide zijn hoofd achterover en lachte hard. Aislinns ogen vernauwden van woede. Hij kroop bij haar onder de vachten en glimlachte.

"Misschien is dit een troost voor je, Aislinn. Dit bed is zachter dan de vloer."

Hij grinnikte, keerde zich om en viel meteen in slaap. Aislinn lag wakker naast hem, luisterde naar zijn diepe ademhaling en dacht na over zijn woorden.

Al vergeten? Ja, hij had gezegd dat hij het kon, maar kon zij het? Kon ze de enige man vergeten die zelfs nu ze boos was, haar gedachten kwelde? Ze kon hem haten, verafschuwen, maar vergeten? Ze betwijfelde het. Hij zat in haar bloed en ze zou niet rusten voor hij ook altijd aan haar moest denken. De heks spelen of de engel, ze zou haar zin hebben! Was ze niet de dochter van de trotse Erland?

Toen sliep Aislinn rustig in en midden in de nacht werd ze soezerig wakker doordat Wulfgar haar liefkoosde. Ze deed alsof ze sliep en liet hem zijn gang gaan, maar golven van genot tintelden door haar zenuwen. Hij streek met zijn lippen langs haar nek. Aislinn huiverde en sloot haar ogen van verrukking. Zijn hand gleed over haar buik en hijgend rolde Aislinn zich om, maar haar haar zat onder hem en ze kon niet ontsnappen. Ze richtte zich op een elleboog op en keek naar hem. Zijn ogen glansden bij het licht van het vuur.

"Ik lig tussen jou en het zwaard, chérie. Je moet over me heen om het te pakken."

Hij greep haar armen en trok haar over zijn borst en dwong haar hoofd omlaag tot haar mond de zijne raakte. Haar lippen trilden onder zijn kussen en ze probeerde zich af te wenden, maar hij rolde met haar om en drukte haar in de kussens.

Aislinn opende langzaam haar ogen en zag de zonnestraal die tussen de luiken doordrong. Kleine stofjes glansden in het licht. Lui herinnerde ze zich dat ze als kind geprobeerd had die stofjes te vangen terwijl haar ouders in het bed lachten. Plotseling werd ze helemaal wakker bij de herinnering aan de afgelopen uren en wie nu haar ouders' bed met haar deelde. Hoewel ze elkaar niet raakten, voelde ze Wulfgars warmte en aan zijn ademhaling hoorde ze dat hij sliep. Voorzichtig ging ze zitten en probeerde uit bed te gaan, maar ze kon niet omdat zijn hand in haar haar lag. Op haar lip bijtend trok Aislinn zich voorzichtig los. Ze schrok toen hij zich bewoog, maar opgelucht zag ze dat hij niet wakker werd.

Aislinn keek op hem neer. Zijn slapende gezicht had een jongensachtige charme die haar vertederde. Ze verbaasde zich over de harteloze moeder die hem weggejaagd had. Aislinn glimlachte wrang. Hoe dapper had ze besloten deze Normandiër te gebruiken om de vijand onderling te verdelen. In plaats daarvan zat zij in een val tussen haar volk en deze man. Wulfgar had het beter gespeeld dan zij. Had hij haar niet meer dan eens gebruikt om Kerwick kwaad te maken, de Sakser uitgedaagd door haar te liefkozen waar hij bij was?

O Heer, dat ze het slachtoffer moest worden van een man die haar altijd te slim af was. Zij, Aislinn, die even goed kon paardrijden en even snel denken als een man. Haar vader had gezegd dat zij beter was dan de jongens van haar leeftijd. Ze had een helder verstand, had Erland gepocht, en was slimmer dan alle jongens die ridder probeerden te worden. Lachend had hij verklaard dat ze een halve jongen was. Ze zag eruit als een echte verleidster, terwijl ze een goed verstand had.

Aislinn lachte bijna hardop, want op het ogenblik vond ze zichzelf niet erg verstandig. Ze had Wulfgar willen haten en hem laten zien dat hij voor haar gewoon een Normandiër was die ze verachtte. Maar in de loop van de tijd was ze zijn gezelschap steeds prettiger gaan vinden. Nu was ze tot haar verdere vernedering zijn maîtresse geworden.

De ironie van het woord stak haar. Trotse, ongenaakbare Aislinn gereed op de wenken van een Normandiër.

Het kostte moeite niet bij Wulfgar vandaan te glippen, want plotseling verlangde ze heftig van hem te vluchten. Ze klom langzaam uit bed, huiverde in een koude tochtvlaag en klemde haar tanden op elkaar zodat ze niet konden klapperen. Haar onderkleed lag in flarden op de grond en ze durfde haar koffer niet te openen voor een schoon. Ze trok haar wollen onderkleed over haar hoofd en huiverde toen de ruwe stof over haar huid schuurde.

Ze trok zachte leren laarzen aan en sloeg een wolvevacht om haar schouders voor ze de kamer uit ging. Toen ze door de zaal liep, zag Aislinn dat de honden wakker waren, maar Maida en Kerwick lagen nog opgerold in een hoek. Als ze wakker waren, lieten ze dat niet merken.

Aislinn opende de deur en glipte naar buiten. Het was een heldere ochtend. Toen ze het plein overstak, zag Aislinn Sweyn met een groep mannen in de verte oefenen met de paarden. Ze wilde geen gezelschap en ging in de tegenovergestelde richting naar het moeras, waar ze een geheime plek kende.

In het bed bewoog Wulfgar zich, hij voelde nog half Aislinns heupen tegen zijn lendenen toen ze met hem vocht. Hij stak een hand naar haar uit maar voelde alleen het lege kussen. Met een vloek schoot hij overeind en keek de kamer door.

"Verdomme, ze is weg!" Zijn gedachten maalden. "Kerwick! Maida! Vervloekt, die twee met hun plannen! Ik draai ze hun nek om!"

Hij sprong uit bed en rende naakt naar de trap. Daar zag hij dat ze nog geketend waren. Maar waar kon die meid naar toe zijn?

Maida bewoog en hij ging snel terug naar de slaapkamer. Hij gooide spaanders op de gloeiende as en blies tot ze vlamden. Toen gooide hij er een klein houtblok op en zocht zijn kleren op. Bij het zoeken gooide hij haar onderkleed op het bed, zonder te letten op de schade die hij aangericht had.

Een gedachte schoot door zijn hoofd. Heer, ze is alleen weg.

Hij kleedde zich snel aan. Bezorgdheid begon aan hem te knagen, want ze was hulpeloos en als ze een roversbende tegen zou komen... Hij dacht aan Hilda's dochter. Hij greep zijn zwaard en mantel en rende naar de stallen. Hij gooide de teugels over het hoofd van de grote roodschimmel die hem door zovele gevechten gedragen had, greep de manen en sprong op zijn rug. Hij leidde het dier naar buiten en zag Sweyn en de mannen die terugkwamen van hun oefeningen. Op zijn korte vraag zeiden ze dat geen van hen het meisje die ochtend gezien had. Wulfgar stuurde zijn paard in een wijde boog om de burcht op zoek naar een spoor van Aislinn.

"Aaah, daar is het," zuchtte hij tevreden. Een vaag pad waar haar voeten de dauw van het gras geveegd hadden. "Maar waar gaat het heen?" Hij keek op. "Mon Dieu! Recht het moeras in!" De enige weg waar hij te paard niet snel kon volgen.

Hij leidde het paard langs het spoor op de grond. Angst en twijfel begonnen weer aan hem te knagen. Ze kon zich vergist hebben en lag nu misschien te worstelen in een borrelend zwart moeras. Of, in een verwarde bui kon ze zich zelfs in een diep gat gegooid hebben. Dringend drukte hij zijn hielen in de flanken van het paard en zette hem tot grotere spoed aan.

Aislinn had een eindje gelopen langs het pad dat ze zo vaak gegaan was op zoek naar kruiden en wortels voor haar moeder. Zonder moeite vond ze de heldere stroom met de hellende oevers. Er hingen nog lichte mistflarden tussen de bomen. Ze voelde behoefte zich te wassen. Wulfgars zweet plakte nog aan haar en ze rook zijn geur die haar deed denken aan de afgelopen nacht.

Ze gooide haar kleren over een struik en waadde huiverend de koude poel in. Het koude water reinigde haar en deed haar bloed sneller stromen. Boven haar straalde de zon en verdreef de laatste slierten mist uit het bos. Water rimpelde over rotsen bij de oever, het geluid bracht haar tot rust en ze genoot van de kalmte. De nachtmerrie van haar vaders dood, haar moeders vernedering en Darkenwalds val in handen van de vijand leken ver weg. Hier was alles onbedorven door de oorlogen van mensen. Ze kon zich bijna weer onschuldig voelen, zonder Wulfgar. Wulfgar! Ze herinnerde zich alles van hem, zijn knappe profiel, zijn lange vingers die de kracht hadden om te doden, maar toch zacht konden zijn en genot geven. Ze huiverde bij de herinnering aan zijn omhelzing en haar rust verdween. Met een zucht waadde ze het water uit. Het water kwam nog tot haar heupen toen ze opkeek en Wulfgar op de oever zag, kalm naar haar kijkend. Maar in zijn ogen zag ze een vreemde emotie. Was het opluchting? Of, waarschijnlijker, begeerte bij haar naaktheid? Een kille bries streek langs haar natte lichaam en ze kon een rilling niet onderdrukken.

"Mon seigneur," smeekte ze, "het is koud en ik heb mijn kleren op de oever gelaten. Als u zou willen…"

Hij leek haar niet te horen. Hij dwong zijn paard het water in tot hij naast haar stond. Even keek hij naar haar en toen zette hij haar druipend nat voor zich. Hij legde zijn zware mantel om haar schouders en stopte de randen onder zijn knieën. Huiverend kroop Aislinn dicht tegen hem aan. Ze voelde de warmte van het dier onder zich en de kou begon weg te trekken.

"Dacht u dat ik u verlaten had?" waagde ze zacht.

Hij antwoordde met een onduidelijk gegrom, keerde zijn paard en drukte zijn hielen tegen zijn zijden.

"Maar u bent me achterna gekomen." Ze legde haar hoofd tegen zijn schouder zodat ze hem aan kon kijken en glimlachte. "Misschien moet ik me vereerd voelen dat u me zich herinnert na zoveel anderen."

Toen hij haar bedoeling begreep, gaf hij haar een boze blik.

"De anderen waren maar voorbijgaande dingen, maar jij bent mijn slavin," gromde hij. "En je zou nu toch moeten weten dat ik goed op mijn bezit pas."

Hij wist dat zijn woorden doel getroffen hadden, want ze verstijfde, en toen ze weer sprak, klonk er woede in haar stem.

"En wat voor nut heb ik voor u?" vroeg ze. "Ik kan de aarde niet bewerken of de zwijnen hoeden. Ik zou, helaas nog geen hout kunnen hakken om de kleinste hut te verwarmen, en tot gisteravond kon ik niet meer voor u doen dan kleren verstellen of een kleine wond verzorgen."

Hij grinnikte en zuchtte diep. "Aaah, maar gisteravond! Je houdt grote beloften in voor nog meer prettige nachten. Wees verzekerd, chérie, dat ik een waardige taak voor je in gedachten heb, die bij je talenten past."

"Als uw minnares?" snauwde ze en keek hem weer aan. "De hoer van een bastaard?" Ze lachte bitter. "Zo word ik genoemd. Moet ik dat dan maar waar maken?"

Ze slikte een snik weg en hij wist niets te zeggen en ze reden zwijgend naar de burcht. Aislinn wilde direct van het paard springen, maar ze bleef hulpeloos hangen in de mantel die nog steeds onder Wulfgars knieën gestopt was. Toen ze boos werd, lachte Wulfgar en liet een knie los, waardoor ze tussen de hoeven van het paard viel. Het goed afgerichte dier bleef bewegingloos staan, want maar de kleinste aanraking van die grote hoeven zou haar verwond hebben. Aislinn krabbelde onhandig op en balde haar vuisten van woede. Wulfgar lachte hard. Tenslotte gooide hij haar de mantel toe.

"Hier, kleed je aan, chérie, je zult nog kou vatten."

Aislinn kon niets anders doen dan de mantel om zich heen slaan, maar ze keek tersluiks om zich heen of iemand haar gezien had. Ze kalmeerde een beetje toen ze zag dan niemand er getuige van was geweest.

Ze gooide haar hoofd achterover en zonder te wachten tot Wulfgar afsteeg, draaide ze zich om en liep naar de achterdeur. Ze bleef staan, want Wulfgars mannen waren in de zaal en onder hen herkende ze er een paar als Ragnors huurlingen. Ze hoorde Ragnors stem die de Normandiërs nieuws vertelde van hertog William.

"Hij zal al gauw weer kunnen rijden en hij zal deze belediging niet voorbij laten gaan. Ze hebben een ander gekozen, maar die Engelsen zullen wel leren dat William niet geweigerd kan worden. Hij zal ze genadeloos vertrappen en hij *zal* koning zijn."

De mannen spraken er onderling over. Aislinn kon niet meer horen wat Ragnor zei en achter de brede schouders en de helmen kon ze hem niet zien.

Plotseling zwaaide de deur open en stond Wulfgar achter haar. Hij keek verrast om zich heen en toen de deur dicht ging, keerden de mannen zich om en maakten een weg voor ze vrij naar de trap. Wulfgar legde zijn hand bemoedigend in Aislinns rug en duwde haar vooruit. Ze zag de mannen kijken naar haar vochtige haar en blote voeten en wist dat ze wel moesten denken dat Wulfgar en zij een afspraakje hadden gehad in het bos.

Aislinn zag nu Ragnor op de eerste tree van de trap staan. Sweyn stond hoger en Maida hurkte naast hem. Toen Wulfgar en Aislinn naar voren kwamen, keerde Ragnor zich om. Zijn donkere ogen gingen over Aislinns figuur, de blote voeten en het natte haar. Toen hun blikken elkaar ontmoetten, leek het of hij iets wilde zeggen. Maar toen wendde hij zich af, want iedere belediging zou te goed begrepen zijn door de mannen die er getuige van waren geweest dat ze Wulfgar boven hem verkozen had. Hij ging verder met zijn toespraak en hoewel hij tegen de mannen sprak, keek hij Wulfgar aan.

"En ik geloof dat het wel bekend is dat een sterke hand het best regeert en dat een overwonnen heiden het best werkt als hij er vaak aan herinnerd wordt dat hij overwonnen is." Hij zweeg en wachtte op Wulfgars reactie. Er kwam alleen een glimlach. "Deze pummels moeten leren dat wij meer weten dan zij. De zachte hand laat de teugels rusten, maar de ijzeren hand leidt het paard waar hij wil."

Ragnor vouwde zijn armen over zijn borst alsof hij Wulfgar uitdaagde. De mannen wachtten op de botsing, maar Wulfgar zei zacht:

"Heer de Marte, moet ik u nog eens zeggen dat mijn mannen soldaten zijn. Wilt u dat zij het land bewerken en de boeren aan galgen hangen?"

Er kwam beroering in de zaal en een monnik met een rood gezicht baande zich een weg naar voren.

"Dat is goed," hijgde hij. "Wees genadig voor uw naasten van Brittanië. Er is al genoeg bloed vergoten. Lieve Heer," riep hij en vouwde zijn handen als in gebed. "Bewaar hen allen." "Ja, mijn zoon, 't is goed het werk van de duivel ongedaan te maken."

Ragnor wendde zich driftig naar de man Gods. "Saksische monnik, je zult binnenkort zelf aan je eind komen als je verder kletst."

De arme priester werd bleek en deed een stap terug, en Ragnor keerde zich weer naar Wulfgar.

"Dus de dappere bastaard is nu de Engelse voorvechter," hoonde hij. "Je beschermt deze Saksische zwijnen en vertroetelt de Engelse teef of ze de zuster van de hertog was."

Wulfgar haalde ontspannen zijn schouders op. "Dit zijn mijn lijfeigenen en door mij te dienen, dienen ze hertog William. Wil je er een doden en in zijn plaats de honden en de zwijnen voeren en 's avonds de ganzen loslaten?" Hij trok vragend een wenkbrauw op. "Of wil je misschien de plaats innemen van een van hen die je al gedood hebt? Ik zou dat niet vragen van een Normandiër, maar ik ben vastbesloten aan dit vermoeide land een tiende voor William te ontwringen."

Ragnors blik rustte even op Aislinn en werd warm van slecht verborgen begeerte. Toen glimlachte hij tegen Wulfgar en zei zacht, zodat alleen de dichtstbijzijnden hem hoorden:

"Mijn familie dient mij goed, Wulfgar. En de jouwe?"

Ragnors glimlach verdween bij Wulfgars antwoord.

"Mijn zwaard, mijn maliënkolder, mijn paard en die Viking zijn mijn familie en ze hebben me trouwer gediend dan jij kunt dromen."

Even was Ragnor in de war, toen keek hij weer naar Aislinn. "En zij, Wulfgar? Zul je de bastaard opeisen die zij draagt, of hij nu van mij is of van jou? En hoe kun je weten wiens jong hij is?"

Wulfgars donkere frons verzekerde Ragnor dat hij doel getroffen had en zijn lippen krulden spottend.

"Wat is je familie dan – je zwaard, je maliënkolder en het jong van die meid?" Hij lachte en legde een hand om Aislinns kin. "Wij zouden een knappe zoon hebben, mijn lief, moedig en vurig. Jammer dat de bastaard je niet zal trouwen. Hij haat vrouwen, weet je."

Nijdig sloeg Aislinn zijn hand weg en keek Wulfgar aan.
"U bent niet beter dan hij," zei ze zacht. "Als ik verstandig was geweest, had ik me tot het uiterste tegen u verzet. U amuseert zich ten koste van mij."

Wulfgar wreef zijn borst. "Ik geloof, Aislinn, dat dat uiterste wel juist is. Niemand weet beter dan ik, chérie, dat je alleen toegegeven hebt omdat ik sterker was."

Wulfgar greep haar pols voor ze hem kon slaan, toen trok hij haar naar zich toe tot hun lippen elkaar bijna raakten. Zijn ogen glimlachten in de hare.

"Moet ik het hardop roepen?" fluisterde hij. "Dat je je al overgegeven hebt, maar toch nog hoopt te winnen?"

"Mijn heer!" Aislinn probeerde hem af te leiden, want ze voelde dat niet alleen Ragnor naar ze keek. "De priester!"

Tussen het aanmoedigend geroep van de mannen klonk een bezorgde stem.

"Ahem! Mijn heer – heer Wulfgar. We hebben elkaar nog niet ontmoet, ik ben Broeder Dunley. U hebt me hier gevraagd." Toen Wulfgar hem aankeek, ging hij verder: "Ik ben gekomen om de graven te zegenen, maar het is duidelijk dat er nog iets nodig is. Gods zaken worden in dit goede dorp niet goed gediend. Ik geloof dat vele meisjes misbruikt zijn, en zelfs een paar getrouwden. Dat is droevig, mijn heer, de kerk kan zulke dingen niet toelaten en eist genoegdoening voor hen die genomen zijn. Het lijkt me verstandig een flinke som geld aan te bieden aan de echtgenoten en verloofden van hen die huwelijksbeloften gegeven hadden."

Wulfgar trok een wenkbrauw op en glimlachte half tegen de man die verder aandrong:

"En dan, mijn heer, verzoek ik de mannen de nog niet verloofden ten huwelijk te nemen –"

"Stop, vader," onderbrak Wulfgar. "Ik geloof dat geld aanbieden aan de vrijers van hen die tegen hun wil genomen zijn, de meisjes zou verlagen tot hoeren, en welke man verkoopt de eer van zijn vrouw? Een flinke som, jawel, terwijl heel Engeland zere dijen heeft. Dat zou de rijkste koning straatarm maken. En ik ben maar een arme ridder, ik kan dat niet betalen, al zou ik het een goed idee vinden. En wat betreft een huwelijk, zij zijn soldaten." Hij wees naar de mannen. "Ze zijn goed in de strijd, maar niet het soort dat een meisje verlangt. Ze zouden allemaal bij de volgende oproep ten strijde gaan en sommigen zouden vallen en het meisje achterlaten met haar kinderen en geen andere manier om ze te voeden dan zich aan te bieden op straat, waardoor het weer hetzelfde wordt. Nee, goede priester, laat het zoals het is. Er zal te zijner tijd iets goeds komen. Het kwaad is al gedaan en kan moeilijk ongedaan worden gemaakt."

"Maar, mijn heer." De priester wilde niet toegeven. "En uzelf? U hebt nu land en kent de hertog. U wilt toch dit arme meisje niet laten lijden voor wat haar schuld niet was? U bent door uw ridder.eed verplicht het zwakkere geslacht te beschermen. Kan ik erop rekenen dat u haar tenminste tot vrouw zult nemen?"

Wulfgar fronste toen Ragnor brulde van het lachen.

"Nee, vader, ook dat niet," zei hij. "Mijn ridderschap verplicht me daar niet toe. En ik ben natuurlijk een bastaard en kan haar niet vragen de smaad en ruwe grappen te ondergaan." Hij keek scherp naar Ragnor. "Ik heb gemerkt dat de diepste wonden toegebracht worden door de scherpe tong van dezelfde sekse die zo trots is op haar tere gevoelens en moederliefde. Ik heb geen zwakke plek voor vrouwen en probeer niet ze meer toe te geven dan ze verdienen. Nee, berisp me niet, want hierin ben ik hard."

Hij keerde zich om, maar de priester sprak verder.

"Heer Wulfgar, als u haar niet wilt trouwen, laat haar dan vrij. Haar verloofde wil haar nog hebben."

Hij wees naar Kerwick en zag dat de jongere man bedroefd naar het meisje keek.

"Nee! Geen sprake van!" brulde Wulfgar en keek de priester weer aan. Met moeite beheerste hij zich.

"Ik ben hier heer en meester. Alles is van mij. Maak geen misbruik van mijn goede wil. Ga voor uw graven zorgen, zoals ik u gevraagd heb, maar laat de andere dingen aan mij over."

De goede broeder wist wanneer hij moest ophouden. Hij mompelde een gebed, maakte een kruisteken en ging weg, met de mannen achter zich aan. Aislinn durfde niets te zeggen en zelfs Ragnor was vreemd onderworpen. Sweyn zweeg als altijd.

8

Toen de graven gezegend waren, ging Aislinn naar de slaapkamer. Daar vond ze Wulfgar die humeurig uit het raam keek. In zijn hand hield hij het pakje dat Ragnor hem gegeven had toen de priester de gebeden sprak. Sweyn stond voor de haard en schopte lui in de losse as. Ze keken op toen ze binnen kwam en met een gemompeld excuus wilde Aislinn weer weg gaan, maar Wulfgar schudde zijn hoofd.

"Nee, dat hoeft niet. Kom binnen. We zijn klaar."

Aarzelend kwam Aislinn binnen en sloot de deur. Ze bloosde toen beide mannen naar haar keken en keerde zich af toen Wulfgar tegen Sweyn sprak.

"Ik laat het aan jou over."

"Ja, heer," antwoordde Sweyn. "Ik zal het goed bewaken."

"Dan kan ik gerust zijn."

"Het zal vreemd zijn, Wulfgar, na al die jaren... We hebben altijd goed gestreden samen."

"Ja, maar het is mijn plicht en ik moet zeker zijn dat de zaak in goede handen is. Ik hoop dat het niet voor lang is."

"Het zijn koppige lui, die Engelsen."

Wulfgar zuchtte. "Ja, maar de hertog nog meer."

Sweyn knikte instemmend en ging weg. Aislinn ging verder met het oprapen van de stukken van de beker die ze de vorige avond tegen de deur gegooid had. Ze zocht haar gescheurde onderkleed dat ze hoopte nog te kunnen herstellen, want ze had niet veel kleren over. Maar ze kon het niet vinden.

"Mijn heer," zei ze verward, "heeft u vanochtend mijn onderkleed gezien? Ik weet dat het hier was."

"Ik heb het op het bed gelegd," antwoordde hij.

Aislinn wist dat het nutteloos was weer te zoeken. Ze haalde haar schouders op en gooide de kussens opzij.

"Het is nergens, seigneur."

"Misschien heeft Hlynn het weggenomen," zei hij zonder veel belangstelling.

"Nee, ze komt hier niet zonder uw toestemming. Ze is bang voor u."

"Het zal wel te voorschijn komen," zei hij een beetje geërgerd. "Denk er niet meer aan."

"Ik heb er niet veel," klaagde Aislinn. "En geen geld om linnen te kopen. Wol is ruw tegen de huid zonder onderkleed. En u hebt al gezegd dat u geen kleren voor me zult kopen."

"Hou op met je geklets, meid. Je klinkt als al die zeuren die om geld vragen."

Aislinns kin trilde en ze keerde zich om om die voor haar zo vreemde zwakheid te verbergen. Huilen om een gescheurd onderkleed terwijl heel Engeland verwoest was. Maar huilde ze om haar onderkleed of om zichzelf? Zij, de sterke en wilskrachtige, vernederd door een man die vrouwen haatte en haar nu vergeleek met de onsmakelijke sloeries die het leger volgden.

Aislinn slikte haar tranen terug. "Mijn heer, ik vraag u niets. Ik probeer alleen te houden wat van mij is, net als u."

Ze ging zwijgend verder met het opruimen van de kamer. Toen ze tenslotte naar Wulfgar keek, zag ze dat hij peinzend naar haar keek.

"Monseigneur?" mompelde ze, "word ik veroordeeld voor een monsterachtige daad waarvan ik me niet bewust ben? Echt, ik heb u niet gevraagd kleren voor me te kopen. Maar u kijkt naar me alsof u me wilt laten tuchtigen. Haat u me zo erg, mijn heer?"

"Je haten?" snoof Wulfgar. "Waarom zou ik je haten, damoiselle, terwijl je bent wat elke man begeert?"

Ze dacht over hun gesprek van even tevoren en kon geen reden vinden waarom hij zo grimmig keek. Toen herinnerde ze zich met een schok wat Ragnor gezegd had.

"Denkt u dat ik misschien het kind van een ander draag, heer?" vroeg ze driest en zag zijn ogen donker worden. "Het moet moeilijk voor u zijn dat ik misschien uw kind al draag en u er nooit zeker van zult zijn dat het van u is."

Geërgerd gromde hij: "Hou je mond."

"Nee, heer." Ze schudde koppig haar hoofd. "Ik wil nu de waarheid weten. Wat, als ik zwanger ben? Zult u dan de beloften met mij uitspreken om een onschuldige uw lot te besparen?"

"Nee. Je hebt mijn antwoord aan de priester gehoord," zei Wulfgar.

Ze slikte. "Ik zou nog een ding willen weten, als u zo goed wilt zijn," bracht ze uit. "Hoe weet u dat u niet al een kleine bastaard verwekt hebt? Waren uw vrouwen onvruchtbaar, zoals u gehoopt hebt dat ik zou zijn?" Ze zag zijn frons en kende het antwoord. Ze wilde tegelijk lachen en huilen. "U zou liever hebben dat ik zo was als uw andere vrouwen, hè?" Ze ging voor hem staan en keek naar hem op. Haar kaak was strak van de moeite die ze deed om kalm te lijken. "Ik hoop van harte dat ik onvruchtbaar ben, want ik geloof niet dat ik uw kind wil hebben."

Hij knipperde met zijn ogen en bleef koppig zwijgen, tot een gedachte bij hem opkwam. Hij trok haar naar zich toe en keek dreigend.

"Of je het wilt of niet, Aislinn, denk niet dat je je eer kunt redden door jezelf op te offeren. Ik heb gehoord over vrouwen die een eind aan hun leven maakten omdat ze hun schande niet konden verdragen. Maar dat is dwaas."

"Dwaas?" Aislinn glimlachte zacht. "Ik vind het waardig."

Wulfgar schudde haar tot haar tanden klapperden.

"Ik zweer je, meid, ik zou je aan me vast laten ketenen om zeker te zijn dat je niets dwaas doet."

Aislinn rukte zich los en keek hem met tranen in haar ogen aan.
"Vrees niet, edele heer. Ik stel mijn leven op prijs. Als ik zwanger ben,
zal ik het kind krijgen, of u het opeist of niet."

Hij keek opgelucht. "Goed, ik wil je dood niet op mijn geweten hebben."

"Ja, wie zou dan uw hoer zijn?" antwoordde ze bitter.

"Aislinn," waarschuwde hij, "pas op je woorden. Ik ben het moe erdoor geprikt te worden."

"Echt, mijn heer? Ik dacht niet dat zo'n angstwekkende ridder bang
zou zijn voor de tong van een meisje."

"Je verwondt met de jouwe," zei hij.

"Ik smeek om vergeving, heer." Ze veinsde nederigheid. "Lijdt mijn
heer er erg onder?"

"Mijn heer!" deed hij na, haar hoon negerend. "Ik heb je mijn naam
gezegd. Heb je er iets tegen die te gebruiken?"

Aislinn hief trots haar kin. "Ik ben uw slavin. Wilt u dat een slavin
zo vertrouwelijk met u is?"

"Ik beveel het je, Aislinn." Hij boog als voor een koningin.

Ze knikte. "Zoals je beveelt – Wulfgar."

Hij kwam naar haar toe en greep haar schouders. Hij keek haar doordringend aan.

"Jij kiest een slavin te zijn, maar ik wil het anders. Nu ik mijn zaad
gegeven heb, zal ik er het beste van maken."

Zijn mond kwam hard op de hare en smoorde boze woorden in een
hongerige kus. Aislinn worstelde tegen haar verwarring toen ze probeerde
los te komen, maar hij hield haar zo vast dat ze zich niet kon bewegen.
Zijn lippen lieten de hare los en drukten heet tegen haar hals. Aislinn
voelde zijn dijen tegen de hare en merkte dat ze zich overgaf. Wanhopig
probeerde ze zich te beheersen.

"Mijn hee – Wulfgar! Je doet me pijn!" hijgde ze. Hij kuste heftig
haar gezicht en hals. Toen zijn lippen de hare weer vonden, kreunde
ze en rukte zich los. "Laat me los," eiste ze, meer boos op zichzelf dan
op hem, omdat ze haar begeerte niet kon onderdrukken. "Laat me los,
zeg ik."

"Nee," mompelde hij. Haar adem stokte toen zijn mond haar borst
raakte en ze zijn hete adem door haar kleren heen voelde. Hij tilde haar
op. Onder haar protesten droeg hij haar naar het bed en begon haar
uit te kleden. Hij spreidde haar haar over de vachten en kleedde zich
uit.

"'t Is niet fatsoenlijk!" hijgde Aislin preuts. Ze bloosde, want in het
daglicht leken ze nog naakter. Ze zag hem voor het eerst goed, een krijger
met een bronzen huid die uit een heidens verhaal gestapt kon zijn, een
prachtig wezen dat je moest proberen te temmen om hem altijd bij je
te houden. Ze riep: "De zon schijnt!"

Wulfgar grinnikte en viel naast haar op het bed. "Dat heeft er weinig
mee te maken." Hij glimlachte. "Dan zijn er geen geheimen meer tussen
ons."

Aislinns wangen gloeiden. Wulfgar streelde bewonderend haar lichaam en ze trilde bij zijn liefkozing.

Hij was niet te stoppen, Aislinn voelde het in zijn gretige handen. Maar zij was even vastbesloten passief te blijven. Hij nam haar op zijn gemak en pas achteraf toonde hij haar zijn ongenoegen. Hij lag op zijn zij met gefronst voorhoofd. Aislinn durfde niet glimlachen van triomf, maar keek terug met een koelheid die haar gebrek aan reactie weerspiegelde.

"Ik geloof, chérie," mompelde hij, "dat je je niet tegen mij verzet maar tegen jezelf. En ik denk dat het zover komt dat ik je maar hoef aan te raken en je smeekt om mijn gunsten."

Aislinn gaf geen teken dat ze hem gehoord had, maar bleef naar hem kijken. Hij zuchtte, stond op en pakte zijn kleren. Toen hij bewonderend naar haar benen keek, ging Aislinn zitten en trok een vacht om zich heen. Ze keek hem nors aan, en hij haalde zijn schouders op en begon zich aan te kleden. Toen gaf hij haar haar kleren. Ze keek naar de deur alsof ze hem vroeg weg te gaan, maar hij schudde zijn hoofd en glimlachte.

"Nee, ik ga niet – nog niet. Je zult aan me moeten wennen, mijn mooie Aislinn, want ik laat me mijn pleziertjes niet ontnemen door jouw preutsheid."

Aislinn keek hem kwaad aan en stond op. Ze liep hem voorbij naar de haard en merkte niet dat er weer een vonk van hartstocht in zijn ogen kwam. Voor de haard keek ze hem aan en zag even zijn verbazing over zijn eigen emoties.

Plotseling werd er buiten geroepen dat vreemdelingen Darkenwald naderden, en Wulfgar leek wel opgelucht door de onderbreking. Hij gordde zijn zwaard aan en haastte zich de kamer uit. Denkend dat er misschien nog meer van Erlands mannen terugkwamen, kleedde Aislinn zich snel aan. Haar haar gooide ze onverschillig naar achteren. Ze rende de trap af en ontmoette Ragnor. Hij versperde haar de weg en toen ze probeerde langs hem heen te lopen, hield hij haar tegen. Ze keek hem vernietigend aan.

"Moet ik om hulp roepen of laat u me door?" vroeg ze onzeker. Ze zag Wulfgar buiten staan wachten op de vreemdelingen. "Heeft Wulfgar u niet gewaarschuwd me met rust te laten en bent u niet in verlegenheid gebracht toen u me de laatste keer lastig viel?"

"Op een dag zal ik hem daarvoor vermoorden," mompelde hij, toen haalde hij glimlachend zijn schouders op en pakte een lok van haar haar. "Ik riskeer dood en schande om bij je te zijn, mijn kleine Saksische, zoals je ziet."

Aislinn trok aan haar haar, maar hij liet niet los.

"En als u uw zin kreeg, zou ik zeker aan een galg komen als u genoeg van me had," antwoordde ze sarcastisch.

Hij grinnikte. "Nooit, duifje. Zo ruw zou ik nooit met je zijn."

"Ik ben Saksische," zei ze. "Waarom niet?"

"Omdat je toevallig heel mooi bent." Hij legde de lok tegen haar borst. "Ik zie dat hij zich goed amuseert. Je bloost nog."

Weer probeerde Aislinn hem voorbij te komen, maar hij greep haar arm.

"Haast je niet," mompelde hij.

"Laat me los!" eiste Aislinn woedend.

"Wil je me niet een vriendelijk woord meegeven?"

Ze trok vràgend haar wenkbrauwen op. "Gaat u weg? Wanneer?"

"Kijk niet zo verlangend, mijn duifje. Je doet me pijn."

"In uw afwezigheid is er minder kans op verkrachting," antwoordde ze bits. "Maar, waarom bemoeit u zich met mij? Zijn er geen vrouwen waar u naar toe gaat?"

Hij boog zich naar haar toe en fluisterde alsof hij een geheim vertelde: "Allemaal doorns. Ik wil de roos."

Hij drukte een kus op haar lippen voor ze kon wegtrekken en lachte om haar drift. Hij stapte opzij en legde zijn hand op zijn borst.

"Ik zal die kus altijd bewaren, mijn liefje."

Hooghartig liep Aislinn naar de deur en keek naar de gesloten kar en de ridder die naderde. De kar stopte bij een van Wulfgars mannen achter de burcht en op een woord van de inzittende, wees de man naar Wulfgar. De vreemde stoet ging verder en Aislinn zag een magere jonge vrouw met vlassig haar in de kar. Het paard was oud en kreupel en had littekens van vele gevechten, maar zou met betere verzorging een edel dier zijn geweest. De ridder droeg een versleten, ouderwetse maliënkolder. De man zelf was bijna even groot als Wulfgar. Zijn paard had ook betere dagen gekend en hij zat onder het stof. De vrouw liet de kar voor Wulfgar stoppen en bekeek de burcht.

"Het is je goed gegaan, Wulfgar." Ze stond op en zonder op zijn hulp te wachten, klom ze van de kar en kwam naar hem toe. Ze wees naar de kar en de ridder. "Veel beter dan ons."

Aislinn voelde onmiddellijk vijandigheid en angst bij de vertrouwelijkheid van de vrouw. Ze zag de koele schoonheid van de fijne, aristocratische trekken en de onberispelijke ivoren huid. De vrouw was ouder dan zij, misschien tegen de dertig, en had een trotse houding. Aislinns hart beefde toen ze zich afvroeg welk recht deze vrouw op Wulfgar had.

De oude ridder kwam nader en begroette Wulfgar als een heer. Wulfgar beantwoordde het gebaar en de twee bekeken elkaar even. De ruiter stak zijn lans in de grond en nam zijn helm af, en Aislinn zag dat zijn witte haar lang was op de Saksische manier, maar zijn wangen waren bleek waar kort geleden een baard afgeschoren was.

Ze was verbaasd over deze gewapende Saksische ridder op Darkenwald. De man had ook iets bekends, hoewel zijn gezicht vreemd was en zijn schild geen wapen droeg.

Wulfgars stem had een vreemde klank, alsof hij een innerlijke strijd streed, dacht Aislinn.

"Het onderkomen is niet rijk, mijn heer, maar u bent welkom."

De oude man bleef in het zadel alsof hij het welkom afwees. "Nee, Wulfgar, we zoeken geen onderdak voor veertien dagen." Hij keek recht voor zich uit en zijn stem was hees, alsof de woorden hem zwaar vielen. "Ik ben van mijn land gezet door jouw Normandiërs. De Saksers geloven half dat ik een verrader ben, want ik heb niet aan Harolds zijde gevochten.

Mijn huishouden is klein geworden, maar toch kan ik ze niet onderhouden, want ik heb nog maar weinig bezittingen. Daarom kom ik jou smeken om onderdak."

Wulfgar verschoof een voet en keek naar de man die nog steeds stijf en trots zat. Toen zei hij vast:

"Het blijft zo, heer, u bent welkom."

De oude man knikte en sloot zijn ogen alsof hij kracht verzamelde voor nog een beproeving. Hij legde zijn hand onder zijn rechterknie, vertrok zijn gezicht van pijn en probeerde zijn been over de zadelknop te tillen. Wulfgar kwam naar voren om hem te helpen, maar werd weg gewuifd. Met grote moeite lukte het de ridder, maar hij kreunde toen zijn been de flank van het paard raakte. Nu kwam Sweyn naar voren, negeerde het gebaar dat hem wegstuurde, en tilde hem van zijn paard. De oude man glimlachte tegen de Viking en legde een vuist tegen zijn borst, waar hij ruw geschud werd.

"Sweyn. Beste Sweyn." De man knikte. "Je bent niet veranderd."

"Een beetje ouder, mijn heer," antwoordde de Viking.

"Ja," zuchtte de vreemdeling, "en ik ook."

De vrouw wendde zich naar Wulfgar. "We hebben erge dorst. De weg was stoffig. Mogen we iets drinken?"

Wulfgar knikte. "Binnen."

Voor de tweede keer die dag werd Aislinn zich bewust van haar slordige uiterlijk toen de vrouw en de man naar haar keken. Haar verwarde haar en blote voeten onder haar haastig aangetrokken kleren waren duidelijk. Blozend streek Aislinn haar jurk glad onder de vragende blik van de vrouw. Sweyn keek toegeeflijk naar zijn heer, want men kon zich niet vergissen in haar veranderde uiterlijk. De blonde vrouw kwam onderaan de stoep en keek nieuwsgierig naar Aislinn op. Ragnor kwam naast Aislinn staan en de vrouw fronste haar voorhoofd, want het leek of hij met Aislinn pronkte. Ze keek naar Aislinns trotse houding en wendde zich naar Wulfgar voor een verklaring, maar zag dat hij naar het meisje toe liep. Ze keek verbaasd toen hij haar bij de hand nam en naar zich toe trok. Even keek Wulfgar de vrouw spottend aan.

"Dit is damoiselle Aislinn, de dochter van de vroegere heer van deze burcht. Aislinn, mijn halfzuster Gwyneth," zei hij. Hij voelde Aislinns verbazing en wendde zich naar de oude man. "Heer Bolsgar van Callenham, haar vader."

"Heer?" herhaalde Bolsgar. "Nee, Wulfgar. De tijden zijn veranderd. Jij bent nu heer, en ik maar een ridder zonder wapen."

"Ik heb altijd aan u gedacht als heer van Callenham en dat is moeilijk te veranderen," antwoordde Wulfgar. "U moet me maar toegeven."

Aislinn glimlachte tegen de oude man die bezorgd van Wulfgar naar haar keek. "Het oude Darkenwald was altijd vereerd als er gasten kwamen. U zou toen verwelkomd zijn zoals heer Wulfgar nu doet."

Ragnor kwam naar voren om zich voor te stellen en boog diep over Gwyneths hand. Bij de aanraking van zijn warme lippen, verdween de kou die ze gevoeld had toen ze hem voor het eerst zag. Ze glimlachte toen hij zich oprichtte en Ragnor voelde een nieuwe verovering nabij.

Hij wendde zich grijnzend naar Wulfgar.

"Je hebt ons niet verteld dat je hier familie had, mijn heer. Daar zal William wel belangstelling voor hebben."

"Je hoeft je niet met het verhaal naar hem toe te haasten, heer de Marte. Het is geen nieuws voor hem," verzekerde Wulfgar de ridder.

Wulfgar duwde de deur verder open en liep de stoep weer af naar Bolsgar. Hij legde de arm van de oude man om zijn schouders en bracht hem samen met Sweyn de zaal in. Aislinn zette snel een grote stoel voor de haard en liet eten en wijn brengen voor de vermoeide reizigers. Ze zette een kruk voor de stoel en de twee mannen hielpen de oude man op zijn plaats. De Sakser vertrok zijn gezicht van pijn toen Wulfgar voorzichtig zijn been op de kruk legde en leunde toen met een diepe zucht achteruit in de stoel. Kerwick kwam dichterbij toen Aislinn naast Bolsgar knielde en probeerde de leren beenbekleding los te maken. Het been was gezwollen. Ze probeerde het leer met haar dolk door te snijden, maar merkte dat hem dit nog meer pijn deed. Wulfgar knielde naast haar, haalde zijn mes uit de schede en sneed de banden met één haal door. De oude man wuifde Aislinn weg toen ze ze weg wilde trekken.

'Wulfgar, haal dit meisje hier weg. 't Is geen prettig gezicht."

Aislinn schudde haar hoofd. "Nee, ik laat me niet wegsturen, heer Bolsgar. Ik heb een sterke maag en" – ze keek Wulfgar aan – "ik word koppig genoemd; u moet het me toestaan."

Wulfgar keek geamuseerd. "Dat is ze echt."

Aislinn fronste. Gwyneth was dichterbij gekomen en keek naar ze terwijl Maida haar en haar vader eten en drinken bracht.

"Hoe is het om bij de overwinnaars te horen, Wulfgar?" vroeg Gwyneth.

Bolsgar keek haar scherp aan. "Hou je tong in bedwang, dochter."

Wulfgar haalde zijn schouders op en boog zich met Aislinn over het been van de oude man. "Beter, denk ik, dan bij de verslagenen."

Ieder antwoord werd tot zwijgen gebracht toen de banden weggetrokken waren van de gezwollen, ontstoken wond. Gwyneth hijgde en keerde zich om en liet Ragnor helpen haar bord en roemer naar de tafel te brengen, waar hij hoffelijk met haar praatte.

Er steeg een stank op uit de vuile beenbekleding van de oude man en zelfs Aislinn slikte. Wulfgar legde een hand op haar schouder, maar ze schudde haar hoofd.

"Zeg me wat er gebeuren moet," drong Wulfgar aan, ziende hoe bleek ze was.

"Nee," antwoordde ze zacht. "Ik doe het."

Ze pakte een houten emmer en wendde zich tot Kerwick. "Het moeras – ken je die plek?" Toen hij knikte, gaf ze hem de emmer. "Maak deze vol met de zwartste modder."

Hij haastte zich weg en voor de verandering vroeg niemand wat hij van plan was.

Wulfgar fronste tegen zijn stiefvader. "Hoe bent u hieraan gekomen, heer?" vroeg hij. "Was het door een Normandiër?"

"Nee," zuchtte de ander. "Ik zou trots zijn als het zo was, maar 't was geen vijand – maar ikzelf. Mijn paard struikelde en viel op mijn been voor ik eraf kon springen. Een scherpe steen ging door mijn beenstuk en het vlees en het wordt steeds erger, wat ik er ook aan doe."

"Heeft u niemand gevraagd het te verzorgen?" vroeg Aislinn verbaasd. "Dat had meteen moeten gebeuren."

"Er was niemand om het aan te vragen."

Aislinn keek naar Gwyneth maar sprak de vraag niet uit. Ze dacht aan de keren dat zij haar vaders wonden verzorgd had en verbaasde zich over deze zuster van Wulfgar.

Aislinn nam snel de leiding. "Wulfgar, breng de ketel water van de haard. Moeder, haal schoon linnen, en Sweyn, leg strozakken voor het vuur."

Bolsgar glimlachte toen hij zag dat zelfs de ridder zich haastte te doen wat ze zei. Zelf liep het meisje de zaal door en verzamelde handenvol spinnewebben uit de hoeken, zonder te letten op mogelijke bewoners. Nu hielpen Wulfgar en Sweyn hem uit zijn maliënkolder en legden hem op het bed. Aislinn kwam terug toen hij makkelijk lag met zijn rug tegen een stapel vachten. Ze schoof haar hand onder zijn enkel en tilde zijn been op en stopte een geitehuid onder het gewonde lichaamsdeel om het te steunen. Ze draaide het been voorzichtig tot de wond boven was en de stank van de wond deed haar bijna kokhalzen. Ze scheurde een stuk linnen doormidden, maar keek de oude man toen bezorgd aan.

"'t Zal pijn doen, mijn heer," waarschuwde ze. "Maar het moet gebeuren."

Hij glimlachte en wees dat ze moest doorgaan. "Ik heb uw zachte handen gevoeld, vrouwe Aislinn," zei hij. "Ik geloof niet dat u me zoveel pijn kunt doen dat ik het niet kan uithouden."

Ze schonk heet water in een houten kom, maakte het linnen nat en begon de etter weg te wassen. Aislinn keek weer op toen zijn voet beefde. Hij glimlachte nog steeds, maar zijn voorhoofd was bezweet en hij hield de matras stevig vast.

Voorzichtig waste ze, tot Kerwick hijgend een emmer zwarte, slijmerige modder naast haar zette. Ze pakte een schaal, gooide er een handvol van de stinkende modder in en mengde het met de spinnewebben tot een dikke pap. Dit smeerde ze in en om de wond. Toen doopte ze lappen in het hete water en wikkelde ze stevig om het been, trok het geitevel er omheen en stopte het eronder tot het alles stevig op zijn plaats hield. Ze ging achteruit zitten en veegde haar handen af terwijl ze naar Bolsgar keek.

"U moet het niet bewegen, heer," zei ze. Toen glimlachte ze en stond op. "Tenzij u graag een houten been zou hebben." Ze keek op naar Wulfgar. "Misschien wil heer Bolsgar wel wat koud bier."

De oude man glimlachte dankbaar en toen de hoorn leeg was, sloot hij zijn ogen en even later sliep hij.

Ragnor ging met Wulfgar en Sweyn de zaal uit en nadat ze Gwyneth een kamer gewezen had, zocht Aislinn haar eigen kamer op. Ze stond naast het bed, keek naar de verkreukelde vachten en voelde bijna weer de warmte van Wulfgars lichaam. Ze keerde zich om en liep naar het raam, denkend aan Gwyneths blik en wat de vrouw wel gedacht moest hebben. Gwyneth had steeds naar ze gekeken en alleen haar blik afgewend als Ragnor tegen haar sprak. Wat zou Gwyneth vanavond denken als ze naast Wulfgar moest zitten en later met hem naar de slaapkamer ging? O, hij zou vast niet met zijn maîtresse pronken. Maar toch had hij bij de deur achteloos haar hand genomen zonder zich aan Gwyneth te storen. Andere mannen zouden zich onbehaaglijk hebben gevoeld als ze hun maîtresse aan hun familie voorstelden. Aislinn bloosde bij de gedachte hoe ze eruit gezien had. Ze schudde haar hoofd en legde haar handen tegen haar oren als om een stem buiten te sluiten die schreeuwde:

"Hoer! Hoer!"

Ze kalmeerde en keek uit het raam naar de Normandiërs die in de verte voor de strijd oefenden, maar wendde zich weer af bij de gedachte dat veel landgenoten door hen gedood waren.

Ze ging de kamer opruimen en zich opknappen. Ze vlocht gele linten in haar haar, trok een zachtgeel onderkleed aan en een kleed van bleekgoud met borduursel langs de wijde mouwen. Ze deed haar gordel van fijne metalen schakels om haar heupen en stak haar kleine, met juwelen bezette dolk in de schede, het symbool dat ze meer was dan een slavin. Ze zette een dun zijden kapje op haar hoofd. Sinds Wulfgars komst had ze niet zoveel aandacht besteed aan haar kleding en ze vroeg zich af of hij het zou opmerken. Kerwick zou er misschien over nadenken, en Maida zeker, want dit was haar beste jurk, die ze bewaard had voor haar huwelijk.

Het was al donker toen ze naar de zaal ging. De tafels stonden al klaar, maar de mannen waren nog niet terug. Gwyneth liep de zaal op en neer en Aislinn merkte op dat ze haar haar gewassen had, maar nog steeds dezelfde kleren droeg. Het leek onverstandig dat ze zelf haar mooiste jurk aangetrokken had en ze wenste dat ze niet zo aan Wulfgar gedacht had dat ze zo'n fout kon maken. Maar nu was het te laat.

Gwyneth draaide zich om toen Aislinn de trap af kwam en bekeek haar van de kleine slippers tot het zijden kapje.

"Nou, ik zie dat de Normandiërs je je kleren hebben laten houden," zei ze een beetje giftig. "Maar ja, ik heb ze mijn gunsten niet gegeven."

Aislinn bleef staan, haar wangen gloeiend van woede. Ze slikte een scherpe vraag in hoe Gwyneth zo gelukkig was geweest een van de weinige Engelse vrouwen te zijn die niet door de Normandiërs verkracht waren. Ze hadden haar zeker geëerd als Wulfgars zuster, maar, vroeg Aislinn zich af, wat gaf haar het recht de onteerden belachelijk te maken? Strak beheerst liep ze naar de haard waar de oude man nog sliep. Een poosje stond ze naar hem te kijken en liet medelijden met deze oude Saksische ridder Gwyneths scherpe woorden wegvagen. Toen Ham binnen kwam, keerde ze zich om.

"Meesteres, het eten kan opgediend worden. Wat moeten we doen?"

Aislinn glimlachte. "Arme Ham, je bent niet gewend aan de ongeregelde uren van de Normandiërs. Mijn vaders regelmaat heeft je verwend."

Gwyneth kwam bij hen en zei: "Deze Normandiërs moeten een lesje hebben. Laat zij maar koud eten, ik heb het mijne liever warm. Dien nu op."

Aislinn keek naar Gwyneth en zei met een kalmte die ze niet echt voelde: "Het is hier de gewoonte, vrouwe Gwyneth, op de heer te wachten als hij niet anders gezegd heeft. Ik wil mijn heer niet ergeren met mijn haast."

Gwyneth wilde antwoorden maar Ham liep weg, Aislinns gezag niet betwistend. Gwyneth fronste tegen het jongere meisje.

"Deze lijfeigenen moeten wat eerbied leren."

"Ze hebben altijd goed gediend," antwoordde Aislinn verdedigend.

Het geluid van naderende paarden klonk en Aislinn ging de deur open doen. Ze wachtte toen Wulfgar voor de stoep afsteeg. Hij kwam naar haar toe toen zijn mannen de paarden wegbrachten, en liet zijn blik over haar heen gaan. Hij mompelde:

"Je doet me eer aan, chérie. Ik had niet gedacht dat je nog mooier kon zijn."

Aislinn bloosde bij zijn compliment, wetend dat Gwyneth luisterde en naar ze keek. Wulfgar boog zich om haar mond te kussen, maar Aislinn ging verward achteruit en wees naar de andere vrouw.

"Uw zuster heeft erge honger, mijn heer," zei ze snel. "Blijven uw mannen nog lang weg?"

Hij trok een wenkbrauw op. "Mijn heer?! Vergeet je zo snel, Aislinn?"

Ze keek hem smekend aan. "Je bent zo lang weggebleven," zei ze om hem af te leiden. "We vroegen ons af of we alleen moesten eten."

Wulfgar gromde en ging zich warmen, voorzichtig lopend toen hij zag dat de oude man doorsliep. Hij stond met zijn rug naar het vuur met zijn benen gespreid en zijn handen op zijn rug en volgde Aislinn met zijn blik toen ze naar de deur van de kleine kookkamer liep en aanwijzingen gaf om het eten op te dienen. Ze kwam terug en voelde de zwijgende afkeuring in zijn blik.

Toen Bolsgar zich bewoog, knielde Aislinn en legde haar hand tegen zijn voorhoofd. Hij was warm, besliste ze, maar niet te warm. Ze gaf hem water en toen ging hij met een tevreden zucht weer liggen. Hij keek om zich heen, eerst naar zijn dochter die bij ze gekomen was en toen naar Wulfgar die zwijgend stond te kijken. Hij keerde zich om, schopte zacht in de haard en keek ergens in de verte.

"U hebt me niet over mijn moeder verteld, heer. Gaat het haar goed?"

De oude man wachtte even met antwoorden. "Vorig jaar december is ze gestorven."

"Ik had het niet gehoord," mompelde Wulfgar. Hij dacht aan de laatste keer dat hij haar gezien had, ze leek veel op Gwyneth. Hij had zonder moeite zijn zuster herkend, want het leek nog maar een paar uur geleden dat ze hem zwijgend nakeek toen hij met Sweyn wegreed.

"We hebben Robert in Normandië bericht gestuurd van haar dood," zei Bolsgar.

"Ik heb haar broer in geen tien jaar gezien, antwoordde Wulfgar zacht, de nare herinnering aan zijn moeder wegduwend. "Robert heeft me altijd als een ongewenste last beschouwd."

"Hij werd goed betaald om voor je te zorgen. Daar had hij blij om moeten zijn."

Wulfgar snoof honend. "Ja, hij kon er genoeg bier voor kopen, zodat hij kon rondvertellen dat zijn zuster een Sakser aan de haak geslagen had en dat zijn neef een bastaard was. Hij scheen het leuk te vinden dat niemand mij zijn zoon noemde."

"Je bent grootgebracht als een echte zoon. Je bent ridder geworden," zei de oude man.

Wulfgar zuchtte. "Ja, Robert maakte me zijn schildknaap en zorgde dat ik opgeleid werd, maar pas nadat Sweyn hem dreigend aan zijn verplichtingen herinnerd had."

De oude man knikte. "Robert was lichtzinnig. Ik had het kunnen verwachten, denk ik. 't Is goed dat ik Sweyn met je mee gestuurd heb."

Wulfgars gezicht was gespannen. "Haatte u me zo dat u me niet kon zien?"

Aislinns hart ging naar Wulfgar uit, hij had er nog nooit zo ellendig uit gezien. Ze zag dat zijn ogen glansden van tranen, maar ze kwamen niet en het edele gezicht was uitdrukkingloos.

"Een poosje haatte ik je toen ik de waarheid gehoord had," probeerde Bolsgar uit te leggen. "Het deed me veel verdriet dat ik niet de vader was van een zoon als jij. Ik dacht dat je mijn eerstgeborene was en was trots op je. Voor jou verwaarloosde ik mijn andere zoon. Jij reed sneller dan ieder ander en scheen het geheim van het leven in je bloed te hebben. Ik had niet veel plezier in de zwakke, tere jongen die na je kwam. Jij was mijn leven en ik hield meer van je dan van mezelf."

"Tot mijn moeder u vertelde dat ik niet van u was, maar van een Normandiër die ze niet wilde noemen," zei Wulfgar bitter.

"Ze wilde iets goedmaken. Ik hield meer van de bastaardzoon van een ander dan van mijn eigen kinderen en ze wilde niet dat die te kort gedaan werden. Ze was bereid voor hen de schande op zich te nemen. Ik kon haar daarvoor niet veroordelen. Nee, door mijn woede verstootte ik jou. Jij, die mijn schaduw was, mijn vreugde – maar geen zoon van mij. Ik wendde me naar mijn eigen zoon en hij werd sterk en snel, en stierf toen jong. Had ik maar in zijn plaats kunnen sterven. Maar ik ben overgebleven met de zorg voor een meisje met een even scherpe tong als haar moeder." De oude Sakser zweeg en keek peinzend in de vlammen.

Aislinn vond het onrechtvaardig en had sympathie voor de jongen die eerst door zijn moeder en toen door zijn vader verworpen was. Ze wilde de man aanraken en zijn pijn verzachten. Hij leek zo kwetsbaar en ze had hem altijd sterk gezien, en ze vroeg zich af of zijn hart ooit bereikt kon worden.

"We stuurden je naar je moeders land, niet wetend dat je zo zou terugkomen," zei Bolsgar hees. "Wist je dat je broer gestorven is op de heuvel van Senlac?"

Wulfgar keek hard in het oude gezicht. Gwyneth kwam met vlammende ogen naar ze toe.

"Ja, de Normandische dieven doodden hem. Ze doodden mijn broer!"

97

Wulfgar keek haar met opgetrokken wenkbrauwen aan. "Normandische dieven? Je bedoelt mij natuurlijk."

Ze hief haar kin. "Dat schijnt je te ergeren, Wulfgar."

Hij glimlachte bijna vriendelijk. "Wees voorzichtig, zuster. Verslagenen moeten altijd de overwinnaar behagen. Je zou er goed aan doen, vrouwe, een paar wenken van mijn Aislinn aan te nemen." Hij ging naast haar stoel staan en keek op haar neer. "Zij speelt de overwonnene zo goed" – hij speelde met een zware koperen lok – "dat ik me soms afvraag of ik eigenlijk wel gewonnen heb."

Aislinn glimlachte maar alleen Wulfgar merkte het op. Langzaam streelde hij haar wang.

"Ja, zuster, je zou er goed aan doen het meisje je les te laten geven."

Gwyneth kwam bevend van woede een stap naar hem toe. Wulfgar keek haar spottend aan toen haar lippen verstrakten en haar ogen vernauwden.

"Wil je nog iets zeggen, Gwyneth?" vroeg hij.

"Ja," siste ze. "Ja, broer, ik wou dat jij gestorven was in plaats van Falsworth." Ze negeerde Bolsgars smeken om te zwijgen. "Ik haat je en verafschuw het dat we jouw liefdadigheid moeten vragen om deze moeilijke tijden te overleven." Ze keerde zich naar Aislinn, die verbaasd was over de haat van de vrouw. "Je houdt ons deze meid voor als een voorbeeld. Kijk hoe ze zich kleedt. Niet bepaald als een tragische Engelse vrouw, hè?"

"Wees dankbaar dat ik nog leef, zuster!" zei Wulfgar kort. "Want je had op de koude aarde moeten slapen als ik je hier geen onderdak had kunnen geven."

"Wat?" onderbrak een stem en Ragnor verscheen in de deur. "Al zo gauw een familieruzie? Tss. Tss." Hij keek even bewonderend naar Aislinns slanke figuur in de gouden jurk, voor hij snel Gwyneths handen in de zijne nam en ze tegen zijn borst trok. "Aaah, lieve Gwyneth, heeft de woeste Wulfgar zijn tanden laten zien? Vergeef hem alstublieft, vrouwe. Of geef me toestemming hem voor u onder handen te nemen, want ik kan niet verdragen dat uw schoonheid beledigd wordt."

Gwyneth glimlachte stijf. "Een broer maakt eerder aanmerkingen op zijn zuster dan een vreemdeling."

"Zelfs als ik uw minnaar was," mompelde Ragnor hees en boog zich over haar hand, "zou ik nooit aanmerkingen op u maken."

Gwyneth trok zich blozend terug. "U overschat uzelf, heer ridder, als u denkt dat we ooit minnaars zouden kunnen zijn."

Ragnor glimlachte. "Mag ik hopen, damoiselle?"

Zenuwachtig keek Gwyneth naar Wulfgar. Die nam Aislinns hand, trok haar overeind en wees zijn zuster de hoofdtafel.

"Laten we in een vriendelijker stemming gaan eten, Gwyneth, want van nu af zullen we elkaar veel zien."

Gwyneth keerde zich om en stond Ragnor toe haar naar de tafel te leiden. Toen ze ging zitten, boog hij zich naar haar toe.

"U zet mijn hart in vlammen. Wat moet ik doen om uw gunst te winnen? Ik zal voor eeuwig uw slaaf zijn."

"Heer de Marte, u spreekt driest," stamelde Gwyneth blozend. "U vergeet dat de Normandiërs mijn echte broer gedood hebben en ik weinig om ze geef."

Ragnor ging naast haar zitten. "Maar, damoiselle, u verwijt toch niet alle Normandiërs de dood van uw broer. We waren door een eed verplicht te doen wat William beval. Als u iemand moet haten, haat dan de hertog, maar ik smeek u, damoiselle, niet mij."

"Mijn moeder was een Normandische," fluisterde Gwyneth. "Ik haatte haar niet."

"En u mag mij niet haten," smeekte Ragnor.

"Dat doe ik niet," fluisterde ze.

Ragnor grijnsde en greep haar hand. "Vrouwe, u hebt me erg gelukkig gemaakt."

In haar verwarring keek Gwyneth naar Wulfgar die Aislinn in haar stoel hielp. Ze glimlachte liefjes.

"Je hebt ons niet verteld dat je getrouwd bent, broer." .

Wulfgar schudde zijn hoofd. "Getrouwd? Nee. Waarom?"

Gwyneth keek naar Aislinn en haar bleke ogen schitterden.

"Dan is Aislinn niet echt familie. Ik dacht dat ze een geëerde bruid was, zoals je haar behandelt."

Ragnor lachte gesmoord. Hij dronk Aislinn terloops toe toen ze koud naar hem keek, toen keek hij naar Gwyneth en fluisterde haar iets toe waar ze vrolijk om lachte.

Aislinn vouwde haar handen in haar schoot, boos omdat ze lachten. Ze had geen eetlust meer en wilde dat ze ergens anders was.

Wulfgar keek een poosje naar haar en zei toen: "Het gebraden zwijn smaakt erg goed, Aislinn. Wil je het niet proberen?"

"Ik heb geen trek," mompelde ze.

"Je wordt mager als je niet eet," berispte hij, van zijn vlees proevend. "En ik vind benige vrouwen niet zo aantrekkelijk als mollige. Jij bent zacht, al ben je niet zo flink als je moet zijn. Eet, het is goed voor je."

"Ik ben sterk genoeg," antwoordde Aislinn.

Hij trok een wenkbrauw op. "Echt? Dat had ik niet gedacht, met dat zwakke spel een paar uur geleden." Hij wreef zijn borst en grijnsde. "Verdomd, ik geloof dat ik liever de feeks had dan die slappe van toen. Zeg eens, chérie, woont er niet nog een vrouw in je mooie lichaam die tussen die twee in zit, niet zo'n erge feeks maar wel levendiger dan de andere?"

Aislinns wangen gloeiden. "Mijn heer, uw zuster! Ze verbaast zich nu al over ons. Zou het niet beter zijn minder vertrouwelijk te zijn?"

"Wat, en je in het donker naar mijn kamer laten sluipen als niemand je kan zien?" Hij lachte. "Ik zou niet geduldig kunnen wachten."

"U schertst maar ik ben ernstig," berispte ze hem. "Uw familie vermoedt dat we minnaars zijn. Wilt u dat ze weten dat ik uw maîtresse ben?"

Hij grijnsde. "Zal ik het nu bekend maken of straks?"

"O! U bent onmogelijk!" zei Aislinn nijdig en zo hard dat het Gwyneths aandacht trok. Toen ze zich weer naar Ragnor wendde, boog Aislinn dichter naar Wulfgar toe.

"Kan het u niet schelen wat uw familie denkt?" vroeg ze.

Wulfgar gromde. "Familie? Die heb ik niet. Je hebt mijn zuster horen zeggen dat ze me haat. Dat wist ik al, en ik ben haar geen verklaring schuldig voor de manier waarop ik leef. Jij bent van mij en ik verstoot je niet omdat er familie gekomen is."

"En u wilt ook niet met me trouwen," zei Aislinn zacht.

Wulfgar haalde zijn schouders op. "Zo ben ik. Ik bezit je. Dat is genoeg."

Hij keek weg en zette zich schrap voor haar reactie. Toen er geen kwam, keek hij haar weer aan en zag grote violette poelen die haar gedachten verborgen. Een glimlach lag om haar lippen.

"Ja, Wulfgar, ik ben je slavin," fluisterde ze. "En als dat genoeg is voor jou, is het dat ook voor mij."

Wulfgar verbaasde zich over haar antwoord, maar Gwyneth onderbrak zijn gedachten.

"Wulfgar, je bent toch zeker niet van plan al die Normandiërs de hele winter te voeden?" Ze wees naar de mannen. "We zullen verhongeren als je het probeert."

Wulfgar keek naar de ongeveer twintig man die hongerig aten van Darkenwalds kostbare voorraad.

"Er zijn er meer, maar die houden wacht. Ze beschermen de burcht tegen rovers. Ze beschermen mijn mensen – en jou. Betwist ze niet weer hun eten."

Gwyneth stond boos op. Nog zo'n koppige man als haar vader. Had niemand genoeg verstand om voor zijn eigendom te zorgen?

Even later stond Aislinn op, excuseerde zich bij Wulfgar en ging voor Bolsgar zorgen. Ze maakte de doeken om zijn been weer nat en zei Kerwick dat hij het vuur aan moest houden zodat de oude man geen kou vatte, en dat hij 's nachts op hem moest letten. Als hij slechter werd, moest ze direct geroepen worden.

Kerwick vroeg: "Zal ik Maida wekken om je te halen?"

Aislinn zuchtte. "Ik geloof dat ik geen geheimen heb. Zelfs de ruwste hoer kan een geheime zonde hebben. Maar ik?" Ze lachte. "Iedereen weet wat ik doe. Wat geeft het of je zelf komt?"

"Had je afzondering verwacht als je minnaar over mannen regeert?" vroeg hij scherp. De spieren in zijn wangen spanden zich. "Moet ik dat tussen jou en hem zien als een huwelijk? Wat verwacht je van me?"

Aislinn schudde haar hoofd en spreidde haar handen. "Kerwick, jij en ik kunnen nooit terug naar voordat de Normandiërs kwamen. Er is niets meer tussen ons. Vergeet dat ik je verloofde was."

"Er staat niets tussen ons, Aislinn," zei hij bitter, "alleen een man."

Ze haalde haar schouders op. "Een man dan, maar hij wil me nog steeds niet laten gaan."

"Je charme houdt hem vast," viel Kerwick uit. Hij wees op haar jurk. "En nu kleed je je om hem te verleiden. Als je je niet wast en geen zoete geuren gebruikt, zal hij een ander zoeken. Maar daar ben je te ijdel voor."

Ondanks haar pogingen het niet te doen, lachte Aislinn. Kerwick werd rood. Hij keek zenuwachtig naar Wulfgar en zag dat de Normandiër fronste.

"Aislinn," zei Kerwick tussen zijn tanden, "hou op met die waanzin! Wil je dat ik weer geslagen word?"

Ze probeerde zich te beheersen maar begon te giechelen. "Het spijt me, Kerwick," hijgde ze. "Ik ben bezeten."

"Je lacht me uit," gromde hij. "Je verafschuwt mijn vuile kleren. Je wilt dat ik eruit zie als je Normandische minnaar. Zo trots op zijn figuur dat hij rondstapt als een haan. Mijn kleren zijn van me af gescheurd. Wat zou je willen dat ik droeg?"

Aislinn legde haar hand op zijn arm. "Het zijn niet je eenvoudige kleren, Kerwick, maar dat je je niet wast."

Hij duwde haar hand weg. "Je minnaar kijkt en ik verlang niet naar de scherpe tanden van de honden of de zweep. Je kunt maar beter naar hem toe gaan."

Ze knikte en legde een deken over Bolsgar heen. De oude man keek haar aan toen ze zich over hem heen boog en glimlachte vermoeid.

"U bent erg vriendelijk voor me, vrouwe Aislinn. Uw lieflijkheid en uw zachte hand hebben me goed gedaan."

"De koorts verzwakt uw geest, heer ridder." Toch glimlachte ze.

Hij streek even met zijn lippen over haar hand, ging toen met een zucht liggen en sloot zijn ogen. Aislinn stond op en zonder nog naar Kerwick te kijken, liep ze naar Wulfgar. De Normandiër volgde haar met zijn blik tot ze achter zijn stoel bleef staan. Daar kon ze naar hem kijken zonder dat hij haar kon zien. Hij was nu ontspannen na het eten en zijn halfzuster overlaadde hem met vragen over zijn bezittingen en zijn positie bij William. Ze klaagde dat hij veel te goed was voor de lijfeigenen, want die waren ruw en hadden behoefte aan stevige leiding. Bij deze laatste opmerking keek Wulfgar naar Ragnor die achteruit leunde in zijn stoel, schijnbaar tevreden met zichzelf en Gwyneths gesprek.

"Ik ben blij dat je zo snel een oordeel kunt vellen, Gwyneth," antwoordde Wulfgar, maar zijn sarcasme ontging haar.

"Je zult wel merken dat ik erg snel begrijp, broer," zei ze, met een glimlach naar Aislinn kijkend.

Wulfgar haalde zijn schouders op en stak een hand naar achteren om het meisje naar zich toe te trekken. "Ik heb niets te verbergen. De manier waarop ik leef en mijn bezittingen leid, is algemeen bekend."

Tot Gwyneths ergernis speelde hij afwezig met Aislinns vingers en streelde haar arm. De tevreden glimlach verdween van Ragnors gezicht en hij vulde zijn beker. Gwyneth begon te stotteren van woede en Aislinn vroeg zich af of Wulfgar weer met ze speelde. Wulfgar stond op, legde een arm om Aislinns schouder en sprak schertsend tegen de jonge ridder Gowain, die nogal gepocht had over zijn zwaardoefening die middag.

"Het is niet je talent dat je op de been houdt, jongen," grijnsde Wulfgar, "maar je bekoorlijke gezicht. De mannen denken dat ze een lief meisje gevonden hebben, en durven haar geen kwaad te doen."

Er werd gelachen toen Gowain bloosde, maar glimlachte. Wulfgar streek zacht over Aislinns arm terwijl hij grappen maakte met de mannen, en in haar verwarring zag ze niet dat Gwyneth woedend naar haar keek.

Haar blik werd nog boosaardiger toen Wulfgar even later met het meisje de trap op liep, met zijn hand om haar middel.

"Wat ziet hij in die slet?" vroeg Gwyneth, mokkend als een verwend kind dat genegeerd is.

Ragnor keek weg van de slanke figuur op de trap en dronk nijdig zijn beker leeg. Maar toen hij zich naar Gwyneth boog, glimlachte hij charmant.

"Ik zou het niet weten, vrouwe, want ik zie alleen u. Aaah, ik wilde dat ik u in mijn armen had. Ik zou de vreugden van het paradijs kennen."

Gwyneth lachte zacht. "Heer de Marte, u geeft me reden te vrezen voor mijn deugd. Ik ben nog nooit zo driest het hof gemaakt."

"Ik heb niet veel tijd," gaf Ragnor schelms toe. "Ik moet morgenochtend naar William vertrekken." Hij grijnsde bij haar kennelijke teleurstelling. "Maar vrees niet, lieve vrouwe, ik kom terug, al is het op mijn sterfbed."

"Uw sterfbed?" riep Gwyneth angstig. "Maar waar gaat u heen? Moet ik vrezen voor uw veiligheid?"

"Er is inderdaad gevaar. De Engelsen zijn niet dol op ons Normandiers. Ze zouden een ander in Williams plaats kunnen kiezen. We moeten ze overtuigen dat hij de beste is."

"U vecht voor de hertog terwijl mijn broer zich amuseert met die slet. Hij is eerloos."

Ragnor haalde zijn schouders op. "Ze maakt alleen maar dat hij gelukkig vertrekt."

"Gaat Wulfgar met u mee?" vroeg Gwyneth verrast.

"Nee, later. Helaas, mijn lot kan snel beslist zijn en het kan niemand schelen."

"Het kan mij schelen," bekende Gwyneth.

Ragnor trok haar hand tegen zijn borst. "Oh, lief, dat zijn zoete woorden. Voel hoe mijn hart bonst van verlangen naar jou. Kom met me naar buiten en laat me mijn mantel voor ons spreiden. Ik zweer dat ik je niet zal aanraken, laat me je alleen een poosje vasthouden voor ik ga."

Gwyneth bloosde heet. "U bent erg overtuigend, heer ridder."

Zijn hand sloot zich vaster om de hare. "Damoiselle, je bent te mooi om te weerstaan. Zeg dat je komt. Geef me een klein bewijs van je gunst mee."

"Ik moest het niet doen," zei Gwyneth zwak.

"Niemand zal het ooit weten. Je vader slaapt. Je broer amuseert zich. Zeg dat je komt, lief."

Ze knikte instemmend.

"Je zult er geen spijt van krijgen," mompelde Ragnor hees. "Ik ga eerst een plaats zoeken en kom je dan tegemoet. Draal niet, smeek ik."

Hij drukte zijn lippen hartstochtelijk op haar hand, waardoor golven van opwinding door haar heen gingen, en haastte zich toen weg.

Wulfgar leunde vermoeid tegen de deur en zag dankbaar het dampende bad dat op hem wachtte.

"Je leidt dit huishouden alsof je ervoor geboren was," zei hij en keek naar Aislinn die door de kamer liep terwijl hij zich uitkleedde.

Ze glimlachte een beetje ondeugend tegen hem. "Dat heeft mijn moeder me al vroeg geleerd."

Wulfgar gromde. "Goed, je zult een goede slavin worden."

"Ja, mijn heer? Mijn vader heeft eens gezegd dat ik een ongetemde natuur heb."

"En ik geloof dat hij gelijk had," antwoordde Wulfgar en leunde met een zucht achteruit in de teil. "Maar het bevalt me zo."

"Aaah," antwoordde ze. "Ben je er dan tevreden mee bastaardzonen voort te brengen?"

"Je hebt nog niet bewezen dat je in staat bent een bastaard te baren, chérie."

"De tijd is nog niet rijp, mijn heer." Ze grinnikte zacht en trok met haar rug naar hem toe haar kleed uit. "Hoop niet te vroeg. De meeste vrouwen zijn vruchtbaar. Je hebt gewoon geluk gehad tot nu toe."

"Geen geluk – ik was voorzichtig," verbeterde hij. "Ik heb er een gewoonte van gemaakt het de dame te vragen voor ik toegaf."

"Je hebt het mij niet gevraagd," zei ze.

Hij haalde zijn schouders op. "Ik nam aan dat je het niet wist, en dat doe je niet. Dat is het nadeel van maagden."

Aislinn bloosde heet. "Heb je dan nooit een maagd gehad, monseigneur?"

"Zo wilde ik het."

"Bedoel je dat je, als je er een begeerd had, haar had kunnen hebben?" vroeg Aislinn voorzichtig.

"Vrouwen zijn niet erg kieskeurig. Ik had er veel kunnen hebben."

"O," hijgde Aislinn. "Wat ben je zelfverzekerd! En ik ben alleen maar een van je vele hoeren!"

Hij keek haar scheef aan en wreef lui met een spons over zijn borst. "Laten we zeggen, chérie, dat je tot nu toe de belangwekkendste bent."

"Misschien omdat ik niet zo oud ben als je andere vrouwen," snauwde ze. Ze liep nijdig naar de teil, ging onbeschaamd voor hem staan en wees op haar borsten, haar middel, haar hcupen. "Misschien hangen mijn borsten niet zo en zijn mijn benen niet zo krom. Ik heb nog een slank middel en geen onderkinnen. Iets moet je toch verleid hebben mij te nemen zonder je gebruikelijke voorzorgen."

Met glanzende ogen trok Wulfgar haar in zijn bad. Aislinn gilde en probeerde los te komen.

"Mijn onderkleed!" snikte ze, de natte stof van zich af houdend. "Het was mijn mooiste en jij hebt het bedorven."

Wulfgar glimlachte. Hij hield zijn gezicht dicht bij het hare en glimlachte in haar vlammende ogen.

"Je hoofd zou opzwellen van verbeelding als ik toegaf dat jij verreweg de mooiste bent, of dat je iedere man zijn overtuigingen zou doen vergeten. Echt, je zou ijdel worden als ik zei dat je de mooiste vrouw bent die ik ooit heb gezien." Hij verstevigde zijn greep toen ze woedend tegen hem worstelde. "Je zou zelfs kunnen gaan denken dat ik nooit een andere vrouw zou willen omdat ik jou de begeerlijkste vond. Je zou iets voor me kunnen gaan voelen en je zou huilen en je aan me vastklampen als ik een ander kies. Ik wil geen banden die moeilijk te verbreken zijn." En hij voegde er waarschuwend aan toe: "Word niet verliefd op me, Aislinn, of je zult gekwetst worden."

Aislinns ogen glansden van tranen toen ze hem woedend aankeek. "Maak je geen zorgen. Je bent de laatste man in de hele christenheid op wie ik verliefd zou worden."

Wulfgar glimlachte. "Goed."

"Als je vrouwen veracht zoals je zegt, waarom waarschuw je me dan? Waarschuw je alle vrouwen met wie je iets hebt?"

Wulfgar liet haar los en leunde achteruit. "Nee, jij bent de eerste, maar jij bent jonger dan de rest, en teerder."

Aislinn glimlachte peinzend, leunde met haar arm tegen zijn borst en keek in zijn ogen.

"Maar ik ben toch een vrouw, monseigneur. Waarom ben je vriende- lijker tegen mij dan tegen de anderen? Je moet wel iets meer voor mij voelen dan je voor hen deed." Ze lachte ondeugend en volgde met haar vinger het litteken op zijn wang. "Pas op, mijn heer, word niet verliefd op me."

Hij zette haar uit de teil. "Ik heb geen vrouw lief en zal dat nooit," zei hij vlak. "Voor het ogenblik vind ik je onderhoudend, dat is alles."

"En na mij, mijn heer, wie dan?"

Wulfgar haalde zijn schouders op. "Wie ik maar aardig vind."

Aislinn liep naar een donkere hoek van de kamer en legde haar handen over haar oren. Ze beefde van ingehouden woede en wist dat hij haar nooit een voordeel zou toestaan. Hij sprak over zijn minachting voor vrouwen, gaf haar niet het minste vertrouwen in haar betrekking met hem, liet haar nooit dicht bij de man binnen de schelp komen. Hij hoonde vrouwen en keek met kalm plezier naar hun reacties, plaagde ze tot ze braken of van hem weg vluchtten. Maar hij was nog niet echt tot haar doorgedrongen, dacht Aislinn. Er woedde werkelijk een strijd tussen ze. Terwijl hij haar achteloos waarschuwde niet verliefd op hem te worden, zocht zij een zwakke plek in zijn wapenrusting van haat.

Huiverend trok ze haar natte onderkleed uit, gleed in zijn bed en trok de vachten over zich heen. Toen hij even later bij haar kwam, deed ze of ze sliep, met haar rug naar hem toe. Hoewel ze hem niet kon zien, voelde ze dat hij naar haar keek en vroeg zich glimlachend af wat hij zou doen. Het duurde niet lang voor ze het wist. Hij greep haar schouder, draaide haar op haar rug en boog zich over haar heen.

"Damoiselle, je slaapt niet," plaagde hij.

"Zou het wat geven?" vroeg ze met een spoor van spot.

Hij schudde zijn hoofd en bracht zijn mond naar de hare. "Nee."

Gwyneth stapte de maanverlichte open plek op en schrok toen een hand zich om haar schouder sloot. Ze draaide zich om, denkend aan de ruwe mannen in de zaal, en werd bang. Toen ze Ragnors glimlachende gezicht zag, lachte ze opgelucht.

"Je bent gekomen," zei hij.

"Ja, heer ridder. Ik ben hier."

Ragnor tilde haar in zijn armen en droeg haar een eindje het bos in. Gwyneths hart bonsde. Ze giechelde zenuwachtig, legde haar armen om zijn nek en voelde zich klein en hulpeloos in zijn sterke omhelzing.

"Je laat me mijn verstand vergeten," fluisterde ze. "Het is moeilijk te geloven dat we elkaar pas vanochtend ontmoet hebben."

Ragnor trok zijn hand onder haar knieën vandaan en liet haar benen langs de zijne glijden tot haar tenen de grond raakten.

"Hebben we elkaar vandaag pas ontmoet?" vroeg hij hees en drukte haar mager lichaam tegen zich aan. "Het lijkt wel eeuwen geleden dat ik je in de zaal achterliet."

Gwyneths hoofd tolde. "O, het waren maar jaren, mijn lieveling."

Hij drukte koortsachtig zijn mond op de hare en ze klemden zich hartstochtelijk aan elkaar vast. Ragnor maakte haar kleren los en liet ze aan haar voeten vallen en duwde haar zachtjes op zijn mantel. Hij keek naar haar lichaam dat zilverig glansde in het maanlicht. Hij streelde haar kleine borsten en dacht zinloos aan een vollere boezem en krullende koperen lokken. In gedachten zag hij Wulfgar bezit nemen van die volmaaktheid. Ragnor schudde geërgerd zijn hoofd en Gwyneth gilde van schrik.

"Wat is er? Komt er iemand?" vroeg ze, zijn mantel om zich heen trekkend.

Hij hield haar tegen. "Nee. Er is niets. Het komt door de maan. Ik dacht dat daar iets bewoog, maar ik vergiste me."

Gwyneth ontspande weer, liet haar hand onder zijn tuniek glijden en streelde zijn borst.

"Ik ben in het nadeel, heer ridder," hijgde ze. "Ik ben erg nieuwsgierig."

Ragnor glimlachte en trok zijn kleren uit.

"Dat is beter," mompelde Gwyneth. "Wat ben je knap, mijn liefste. Je bent donker als de warme aarde en sterk als een eik. Ik had niet gedacht dat mannen mooi konden zijn, maar ik heb me vergist."

Haar handen bewogen driest over hem heen en wekten hete hartstocht op.

"Wees lief voor me," fluisterde ze en ging liggen. Haar bleke ogen schitterden als sterren, tot Ragnor zich over haar heen boog, toen gingen ze dicht.

In de verte huilde een wolf toen Ragnor tenslotte rechtop ging zitten en met zijn armen om zijn knieën naar het vaag verlichte raam van de kamer van de heer keek. De schaduw van een man verscheen in het vierkant. Het silhouet boog een arm en Ragnor grijnsde en hoopte dat de oefeningen van die dag Wulfgars genot bedorven hadden, maar hij wist wel beter, want zijn eigen vermoeidheid had hem weinig gehinderd. De zwarte vorm keerde zich naar wat Ragnor wist dat het bed was. Hij kon bijna het stralende haar op de kussens zien en het volmaakte, slapende gezicht.

Hoe intens verlangde hij naar wraak. Soms voelde hij het bijna in zijn greep, maar toch was het even onbereikbaar als het meisje dat in het bed van de heer sliep. De gedachte aan haar liet hem niet met rust, achtervolgde hem dag en nacht en hij zou niet tevreden zijn voor ze hem toebehoorde. Hij glimlachte omdat hij zich op Wulfgar zou wreken door haar te nemen. Zelfs als Wulfgar geen genegenheid voor haar voelde, zou zijn trots erdoor gekwetst zijn.

"Waar denk je aan?" mompelde Gwyneth en streelde zijn borst.

Ragnor nam haar weer in zijn armen. "Ik dacht hoe gelukkig je me gemaakt hebt. Nu kan ik naar William gaan met jouw lieve herinnering." Hij trok haar koude lichaam dichter tegen zich aan. "Tril je van de kou, ma chérie, of van de heftigheid van onze liefde?"

Gwyneth legde haar dunne armen om zijn nek. "Allebei, mijn lieve, liefste hart. Allebei."

9

De eerste zonnestralen deden de berijpte bomen schitteren als zeldzame juwelen. Ragnor klopte aan de kamer van de heer en duwde de deur open. Met het instinct van een krijgsman voor gevaar, rolde Wulfgar om en greep zijn zwaard dat op de vloer lag. Voor de deur open was, stond hij klaar om een vijand te ontmoeten. De man die maar even geleden vredig geslapen had naast een meisje, was nu volkomen waakzaam en in staat iedere aanval af te slaan.

"O, ben jij het," gromde Wulfgar en ging op het bed zitten.

Aislinn werd langzamer wakker, richtte zich op en keek slaperig naar Wulfgar, zonder dat ze Ragnor bij de deur zag staan. De kleine vacht die ze vasthield onthulde meer dan hij bedekte en Ragnor staarde naar haar. Zijn blik volgend, zag Wulfgar waar hij naar keek en hief zijn zwaard.

"We hebben een vroege bezoeker, chérie," zei hij en ze schrok en bedekte zich snel.

"Waarom kom je op dit uur naar mijn kamer, Ragnor?" vroeg hij en stond op om het zwaard in de schede te steken.

Ragnor boog spottend voor de naakte man.

"Vergeving, mijn heer, ik wilde alleen afscheid nemen van Darkenwald en vragen of je nog iets van me verlangt voor ik ga. Misschien heb je een boodschap voor de hertog."

"Nee, niets," antwoordde Wulfgar.

Ragnor knikte en keerde zich om, bleef toen staan en keek ze weer aan. Hij glimlachte.

"Je moet 's avonds voorzichtig zijn in het bos. Er zwerven wolven rond. Ik heb ze dichtbij gehoord."

Wulfgar trok een wenkbrauw op en vroeg zich af wie de ridder gezelschap gehouden had. "Zoals jij rondgaat, Ragnor, zul je beslist binnenkort de bevolking van Darkenwald uitbreiden."

Ragnor grinnikte. "Ja, en de mooie vrouwe Aislinn zal de eerste zijn."

Een kleine beker raakte zijn oor en brak tegen de deur achter hem. Ragnor keek naar Aislinn die geknield op het bed zat met een vacht tegen zich aan. Hij wreef zijn oor en grijnsde bewonderend.

"Mijn duifje, ik ben verbaasd door je hartstocht. Ben je zo gekweld om mijn liefde van gisteravond? Ik verzeker je dat ik niet aan je jaloezie gedacht heb."

"Aaah!" krijste Aislinn, zoekend naar nog iets om te gooien. Toen ze niets vond, sprong ze van het bed. Ze liep naar Wulfgar die geamuseerd stond te kijken en greep naar zijn zwaard, maar het was te zwaar.

"Waarom sta je daar te lachen om zijn spot?" vroeg ze Wulfgar. Ze stampvoette van woede. "Laat hem eerbied tonen voor je gezag."

Wulfgar haalde glimlachend zijn schouders op. "Hij speelt als een kind. Als het ernst wordt, dood ik hem."

Ragnors grijns verdween. "Ik ben tot je beschikking, Wulfgar." Hij glimlachte stijf. "Te allen tijde."

Hij verliet de kamer en Aislinn staarde even peinzend naar de dichte deur voor ze tenslotte zei:

"Monseigneur, ik geloof dat hij je als een bedreiging ziet."

"Vergis je niet, chérie," zei Wulfgar kort. "Hij komt uit een van de rijkste families van Normandië. Hij haat me, ja, maar dat is omdat hij vindt dat alleen volbloed mannen titels mogen hebben." Hij lachte. "En natuurlijk wil hij jou."

Aislinn keek hem aan. "Ragnor wil me alleen maar omdat ik van jou ben."

Wulfgar grinnikte en trok haar naar zich toe. "Ik kan me niet voorstellen dat hij zo kwaad zou zijn als ik hem Hlynn afgenomen had."

Zijn armen gleden onder haar en tilden haar tegen zijn borst.

"Mijn heer," protesteerde Aislinn worstelend. "'t Is ochtend. U moet aan uw werk."

"Later," zei hij hees en voorkwam verdere protesten met een heftige kus die Aislinn zwak maakte. Hij was sterker en ze zou de ellende alleen maar verlengen als ze tegen hem vocht.

Gwyneth rende vrolijk de trap af, verliefd op de hele wereld. Ze had net Ragnor weg zien rijden en haar hart ging met hem mee. In de zaal zaten de mannen te eten. Ze keken niet naar haar, ze maakten grappen en lachten. Bolsgar sliep nog voor de haard en Gwyneth zocht een bekend gezicht, maar zag alleen Ham en de jongeman met wie Aislinn de vorige avond gepraat en gelachen had. Ze bedienden de mannen en schenen haar niet op te merken, maar toen ze aan de tafel van de heer ging zitten, bracht Ham haar eten.

"Waar is mijn broer?" vroeg ze. "Die mannen lijken me lui. Geeft hij ze niets te doen?"

"Ja, vrouwe. Ze wachten op hem. Hij is nog in zijn kamer."

"Zijn luiheid is besmettelijk," zei ze honend.

"Hij staat altijd vroeg op. Ik weet niet wat hem ophoudt."

Gwyneth leunde achteruit. "Die Saksische meid natuurlijk."

Ham werd rood van woede en opende zijn mond om antwoord te geven en sloot hem toen weer. Hij draaide zich om en liep naar de kookkamer.

Gwyneth prikte afwezig in haar eten, half luisterend naar de mannen, half peinzend over de vorige avond. Toen de ridders Gowain en Beaufonte binnen kwamen, riepen de Normandiërs een groet en wenkten ze.

"Moest jij vanochtend niet naar Cregan?" vroeg Gowain aan Milbourne, de oudste ridder.

"Ja, jongen, maar ik geloof dat Wulfgar in zijn kamer blijft," antwoordde Milbourne grinnikend. Hij rolde met zijn ogen en knipte met zijn vingers en zijn kameraden brulden van het lachen.

Gowain grijnsde. "Misschien moeten we gaan kijken of hij niet met een afgesneden keel op zijn bed ligt. Zoals Ragnor rondrende en hem vervloekte voor hij vertrok, leek het me dat ze weer ruzie hadden."

De oudere ridder haalde zijn schouders op. "Zeker weer over dat meisje. Zijn bloed kookt sinds hij met haar naar bed is geweest."

Gwyneth schrok op, duizelend van verwarring. Haar adem stokte alsof ze een klap had gekregen en ze dacht dat ze de pijn niet kon verdragen.

"Ja," glimlachte Gowain. "En 't valt ook niet mee het meisje van Wulfgar af te nemen als die haar wil houden. Maar ik zou graag om haar vechten, als ik Ragnor was."

"Aaah, jongen, ze is warmbloedig," lachte de oudere. "'t Is beter dat je haar overlaat aan een man met ervaring."

Het gesprek hield abrupt op toen er boven een deur dichtsloeg. Wulfgar kwam de trap af, zijn zwaard omgordend. Hij groette zijn zuster, die hem koud aankeek.

"Ik hoop dat je goed geslapen hebt, Gwyneth."

Hij liep zonder op antwoord te wachten naar zijn mannen.

"Dus jullie denken dat jullie kunnen treuzelen omdat ik het doe. Nou, we zullen zien of jullie er beter door zijn." Hij brak een stuk brood af, nam een stuk vlees en liep naar de deur, waar hij zich glimlachend omkeerde.

"Wat wachten jullie? Ik ga naar Cregan. En jullie?"

Ze liepen achter hem aan naar buiten, wetend dat ze een zware dag te wachten stond. Ze haastten zich om hem in te halen. Wulfgar zat al in het zadel toen ze snel opstegen. Hij keerde zijn grote paard, gooide de rest van het brood naar Sweyn die lachend stond te kijken, en gaf de Hun de sporen in de richting van Cregan.

Gwyneth stond langzaam op, ze voelde zich misselijk en ging voorzichtig naar boven. Voor de kamer van de heer bleef ze staan, stak een trillende hand uit naar de deurknop, maar trok terug alsof hij gloeiend was. Haar grauwe gezicht was scherp en hard en haar bleke ogen leken door het hout te dringen naar de vredig slapende figuur aan de andere kant. Ze voelde een haat die groter was dan haar minachting voor Wulfgar, en ze zwoer dat de Saksische meid haar woede zou voelen.

Voorzichtig, alsof ze bang was dat een klein geluid de ander zou wekken, liep Gwyneth langzaam naar haar eigen kleine kamer.

Toen Aislinn wakker werd, kleedde ze zich aan en ging naar de zaal, waar ze hoorde dat Wulfgar naar Cregan was. Sweyn had het bevel gekregen over de burcht en probeerde te bemiddelen in een ruzie tussen twee jonge vrouwen over een ivoren kam die een van hen van een Normandische soldaat gekregen had. Aislinn ging op de stoep staan en luisterde geamuseerd naar Sweyns pogingen het tweetal te verzoenen. De ene bezwoer dat ze hem gevonden had, de ander zei dat haar vriendin hem gestolen had. Al kon hij heel goed met mannen omgaan, de Viking was niet in staat deze ruzie te beslechten.

Aislinn trok spottend een wenkbrauw op. "Nou, Sweyn, je kunt toch hun haar afknippen op de Normandische manier, dan hebben ze weinig aan de kam."

De vrouwen keerden zich geschrokken naar haar om. Toen Sweyn plotseling grijnsde, gaf de ene snel de kam op en verdwenen ze allebei een andere kant uit.

"Ah, Sweyn, je bent dus toch menselijk," glimlachte Aislinn. "Ik had het niet gedacht. In verwarring gebracht door vrouwen. Tss. Tss."

"Verdomde meiden," gromde hij en beende hoofdschuddend naar binnen.

Bolsgars gezondheid was beter dan de vorige dag, toen zijn gezicht een wasachtige kleur had gehad. Nu glansde zijn huid weer als brons en 's middags verorberde hij een flink maal. Aislinn vernieuwde de pap op zijn been, brak voorzichtig de modder weg en trok lange repen ontstoken vlees mee. De wond begon al dicht te gaan en het vlees eromheen had een gezonde tint.

Laat in de middag kwam Gwyneth beneden en vroeg Aislinn:

"Heb je een paard? Ik wil het land zien dat Wulfgar gewonnen heeft."

Aislinn knikte. "Een snelle Barbarijse merrie, maar ze is erg vurig. Ik zou niet aanraden..."

"Als jij haar kunt berijden, denk ik dat ik weinig moeite met haar zal hebben," antwoordde Gwyneth koud.

Aislinn zocht naar woorden. "Ik ben er zeker van dat je goed rijdt, Gwyneth, maar ik ben toch bang dat Cleome..."

Ze werd door een moordlustige blik tot zwijgen gebracht. Aislinn vouwde haar handen en ging rustig opzij. Gwyneth beval het paard te zadelen en voor een geleide te zorgen. Toen de merrie gebracht werd, probeerde Aislinn nog eens te waarschuwen de teugels strak te houden, maar kreeg weer een gloeiende blik. Aislinn knipperde met haar ogen toen Gwyneth de zweep over Cleomes flanken legde en de merrie voor haar geleide uit sprong. Aislinn keek ze na en voelde zich onbehaaglijk toen ze in de richting van Cregan verdwenen. Niet de bestemming maakte haar bezorgd, maar de omgeving van de weg. De paden waren goed, maar als je er van afdwaalde, belaagden vele dalen en geulen de onvoorzichtige ruiter.

Angstig probeerde Aislinn de tijd door te komen met kleine werkjes. Maar het grootste deel van de middag moest ze Maida's klachten aanhoren over Gwyneths gebrek aan hoffelijkheid. Aislinn luisterde zo lang ze kon en ging toen naar haar kamer. Ze kon niet met Wulfgar over zijn verwante spreken, want hij haatte vrouwen al genoeg zonder verdere bevestiging dat ze zijn minachting verdienden. Hij zou haar misschien te kritisch over Gwyneth vinden en niet willen luisteren. Maar toch had zijn zuster zich in tijd van een ochtend doen voelen. Ze had in Maida's jurkenkoffer naar kleren voor zichzelf gezocht en was boos geworden toen al Maida's jurken te klein bleken. Gwyneth was wel mager, maar even lang als Aislinn. Kort nadat ze bevolen had dat haar eten op haar kamer gebracht moest worden, had Gwyneth Hlynn geslagen en haar aan het huilen gemaakt over iets onbenulligs. Ze verontschuldigde zich door te zeggen dat Hlynn haar bevelen te langzaam uitvoerde. En nu zwierf Gwyneth rond met Aislinns geliefde paard.

Ze zwierf inderdaad rond want Gwyneth wist niet waar ze heen ging. Ze was driftig en uit haar humeur. Als ze die jonge Saksische meid die de gastvrijheid van haar broer genoot, alleen maar zag, ergerde ze zich al. Maar de ruwe onthulling dat haar minnaar de vrouw eerst gehad had, maakte het onmogelijk dat ze ooit bevriend zouden zijn. En alsof dat niet genoeg was, pronkte Wulfgar openlijk met de slet alsof ze een achtenswaardig meisje was, terwijl ze in feite Wulfgars hoer was, een gevangen slavin. Die teef had het lef deze merrie de hare te noemen. Welk recht had een slavin om een paard te bezitten? Zelf had ze niets, zelfs geen behoorlijke jurk voor als Ragnor terugkwam, al haar bezittingen waren door de Normandiërs gestolen. Maar Wulfgar liet Aislinn haar mooie kleren houden. Die met juwelen bezette dolk was behoorlijk wat waard.

Gwyneth gaf Cleome weer de zweep en dreef haar in een dolle galop. De twee begeleiders volgden langzamer. Gewend aan de stevige hand van haar meesteres, vond de merrie geen leiding in de losse teugels. Ze koos haar eigen weg over het pad en lette niet op de bevelen van de berijdster. Het gevolg was dat Gwyneth nog driftiger werd, ze rukte aan de teugels en het paard vloog het pad af de dichte bossen in. Gwyneth sloeg het paard tot het tenslotte haar hoofd opgooide en met lange passen door de struiken stormde. Gwyneth werd bang toen ze besefte wat ze begonnen was, maar de merrie vloog verder. Gwyneth hoorde roepen dat ze moest stoppen, maar de merrie lette niet op het trekken aan de teugels. Het woest geworden dier ging steeds sneller. Gwyneth was nu echt bang. Er lag een smalle kloof voor haar, maar het paard rende of er een woest monster op haar hielen zat en sprong de kloof in. Gwyneth gilde en wierp zich uit het zadel, terwijl de merrie met een misselijk makend gekraak door de struiken naar de rotsachtige bodem van het ravijn viel. De twee begeleiders kwamen bij haar en brachten hun paarden tot staan. Gwyneth stond op, haar woede verre van bedaard, ze vergat haar angst en haar eigen dwaasheid.

"Hersenloos beest!" raasde ze. "Stomme hit! Op een goed pad stap je netjes, maar in het bos ren je als een opgejaagd hert!"

Ze veegde bladeren van haar jurk en probeerde haar haar te ordenen. Ze keek woedend naar het paard dat van pijn kreunde op de bodem van de geul en deed niets om haar te helpen. Een van de begeleiders steeg af en liep naar de rand. Hij draaide zich met een vertrokken gezicht om.

"Vrouwe, ik vrees dat uw paard erg gewond is."

Maar Gwyneth gooide haar hoofd achterover. "Aaah, die stomme hit, kon zo'n groot gat niet zien! Hele opruiming dat ze gewond is!"

Er klonk gekraak in de struiken. Wulfgar kwam tevoorschijn, gevolgd door zijn mannen. Hij bracht zijn grote rode paard tot staan naast Gwyneth en haar geleide en fronste.

"Wat gebeurt hier?" vroeg hij. "Wat doe jij hier? We hoorden gillen."

De begeleider te paard wees naar de kloof en Wulfgar liep ernaartoe. Hij fronste toen hij Aislinns merrie zag. Hij was vaak blijven staan om het mooie dier te strelen en een handvol haver te geven. Hij keerde zich naar Gwyneth.

"Jij, beste zuster, berijdt een paard waarvoor ik je geen toestemming gegeven heb?"

Gwyneth haalde haar schouders op. "Het paard van een slavin, wat geeft dat? Aislinn heeft er nu weinig aan, haar werk is in jouw kamer."

Wulfgars gezicht verstrakte en het kostte hem moeite niet te schreeuwen. "Jij hebt een goed paard geslacht met je vervloekte zorgeloosheid!"

"De merrie had een slecht humeur," antwoordde Gwyneth effen. "Ik had dood kunnen zijn."

Wulfgar slikte een scherp antwoord in. "Wie heeft je toestemming gegeven het paard te nemen?"

"Ik hoef geen toestemming te hebben van een slavin," antwoordde ze uit de hoogte. "'t Was Aislinns paard, dus kon ik het gebruiken."

Wulfgar balde zijn vuisten. "Als Aislinn een slavin is, is wat ze bezit, van mij," gromde hij. "Want alles hier is van mij. Je zult mijn paarden of mijn slaven niet misbruiken."

"Ik werd mishandeld!" snauwde Gwyneth razend. "Kijk naar me! Dat beest had me kunnen doden en niemand heeft me gewaarschuwd. Aislinn had me kunnen tegenhouden maar ik geloof dat ze me dood wilde hebben. Geen woord heeft ze gezegd."

Wulfgar fronste dreigend.

"Echt, Wulfgar, wat zie je in die halfwijze meid?" vroeg Gwyneth. "Ik dacht dat je wel wat beters gewend was aan Williams hof. Ze is een intrigerende, stiekeme kleine teef en ze zal tenslotte jouw hoofd zowel als het mijne hebben."

Wulfgar keerde zich naar zijn mannen. Met een armgebaar beval hij ze op weg te gaan.

"Wulfgar!" riep Gwyneth stampvoetend. "Je kunt tenminste een van je ridders laten afstijgen en me een paard geven voor de terugweg."

Hij keek haar ijzig aan en zei toen tegen de begeleider te paard:

"Neem haar achter je, Gard. Misschien zal ze dan de waarde van een goed paard leren kennen."

Hij keek weer naar Gwyneth, die koud terug keek.

"Nee, beste zuster, ik kan tenminste afmaken wat jij zo zorgeloos begonnen bent."

Hij beet de woorden af alsof ze een vieze smaak hadden en sprong van de Hun. Hij bond de teugels aan een struik en daalde de steile helling af tot hij naast Cleome stond. Hij greep de onderkaak van de merrie en trok haar hoofd omhoog tot hij in haar grote, zachte ogen keek. Cleome worstelde dapper, maar met twee snelle halen van zijn dolk sneed Wulfgar de kloppende aderen in haar hals door en legde toen zacht haar hoofd weer neer. Bedroefd ging hij naar zijn eigen paard terug. Langzaam hielden de geluiden in de geul op tot het bos weer stil was.

Wulfgar keerde de Hun en haalde de groep in. Op scherpe toon beval hij Gwyneths andere begeleider Cleomes tuig te gaan halen. Ze reden zwijgend verder naar Darkenwald, waar een kreet van de uitkijk hun nadering aankondigde.

Wulfgar zag Aislinns blauwe kleed toen ze naar de deur kwam en dacht weer aan Gwyneths woorden. Welk web van tevredenheid had de Saksische om hem geweven, dat hij zich op zijn gemak kon voelen met zijn rug naar haar toe? Zou hij op een dag die kleine dolk tussen zijn ribben krijgen? Ze had gezegd dat ze veiliger was als hij leefde, en dat was waar, maar later? Zou ze hem in de toekomst kunnen missen en zou zij dan de executie uitvoeren? Heer, hij kon geen enkele vrouw vertrouwen! Zijn gezicht werd strak toen hij eraan dacht hoe hij van haar gezelschap genoot. Ze zou moeilijk te vervangen zijn. Hij was gek als hij zich door zijn zuster liet overhalen haar te verstoten. Een bekoorlijker bedgenote bestond er niet. Zolang hij haar niet vertrouwde, kon hij zich met haar vermaken zonder gevolgen. Hij glimlachte bijna weer, maar dacht aan de merrie en dat hij het Aislinn moest vertellen. Gemelijk dacht hij weer aan Gwyneth. Nog een vrouw wier onnozelheid hij moest verdragen, maar deze gaf hem geen plezier.

Aislinn wachtte zwijgend. Sweyn stond naast haar. Ze bloosde toen ze Wulfgars blik ontmoette en dacht aan zijn hartstochtelijke liefkozingen van die ochtend, maar hij fronste en blafte over zijn schouder een bevel tegen zijn mannen. Driftig bracht hij de Hun tot staan, steeg af en gooide de teugels naar Gowain. Hij liep Aislinn voorbij.

Aislinn keek verward naar de mannen die de paarden wegbrachten, maar ze vermeden haar blik en niemand sprak. Ze keerde zich verbaasd om en zag Gwyneth achter een van de mannen die haar begeleid hadden. Aislinn was nog verbaasder en zocht de kleine merrie tussen de grote Normandische paarden, maar ze zag Cleome niet. Ze keek weer naar Gwyneth, die afsteeg en haar rok gladstreek. Plotseling angstig, staarde Aislinn naar de vuile strepen op de jurk van de ander. Gwyneth keek haar koud aan en leek haar uit te dagen iets te vragen. Een kreet van angst inslikkend, keerde Aislinn zich om en volgde Wulfgar. Hij zat aan tafel met een beker bier. Hij keek haar aan toen ze voor hem kwam staan.

"Heb je Cleome op Cregan gelaten?" vroeg ze zacht, bijna tegen beter weten in.

Hij zuchtte diep. "Nee. Ze heeft haar voorbenen gebroken en ik moest de pijn wegnemen. Ze is dood, Aislinn."

"Cleome?" Aislinn snikte half. "Maar hoe dan? Ze kent de wegen goed."

Een snijdende stem klonk achter haar. "Hah! Die stomme hit dook in een gat en gooide me van zich af. Ja, ze had me kunnen doden. Je hebt me niet gewaarschuwd dat ze gemeen was, Aislinn."

"Gemeen?" herhaalde Aislinn verward. "Cleome was niet gemeen. Ze was een fijn dier. Er was geen sneller paard dan zij."

"Hah! Je kunt het mijn begeleiders vragen. Ze hebben haar gezien en kunnen zweren dat ik de waarheid zeg. Wat wilde je bereiken met mijn dood?"

Aislinn schudde haar hoofd, volkomen verbijsterd. Ze voelde Wulfgars blik. Het was of hij, door zijn zwijgen, haar ook ondervroeg. Ze probeerde te lachen.

"Je maakt wrede grappen, Gwyneth. Je hebt mijn paard vermoord."

"*Jouw* paard!" schimpte Gwyneth. "Jij eist een paard op? Een gewone slavin?" Ze glimlachte. "Je bedoelt mijn broers paard, hè?"

"Nee!" schreeuwde Aislinn. "Cleome was van mij! Mijn vader heeft me haar gegeven!" Ze keek woedend naar broer en zuster. "Ze was alles wat ik…"

De rest verdween in snikken. Wulfgar stond op en legde troostend een hand op haar arm, maar ze rukte zich nijdig los. Ze ging de trap op toen Gwyneths stem klonk.

"Wacht! Je gaat niet weg voor het je gezegd wordt!"

Zelfs Wulfgar was van zijn stuk gebracht en keek vragend naar zijn zuster. Ze wendde zich naar hem.

"Ik ben je zuster en die onnozele teef is maar een slavin!" raasde ze. "Ik loop op blote voeten en in lompen en jij geeft die Engelse hoer de mooiste jurken! Vind je het eerlijk dat je familie zo lijdt terwijl slaven je gastvrijheid genieten? Je houdt haar mijn vader en mij voor of ze een medaille voor moed is die je gewonnen hebt, en wij moeten restjes eten, terwijl die teef naast je zit waar je haar op je gemak kunt liefkozen!"

Gwyneth zag Wulfgars frons niet. Aislinn was op haar bevel blijven staan en zelfs in haar woede merkte ze de opkomende storm in zijn gezicht op.

Bolsgar worstelde zich overeind. "Gwyneth! Gwyneth. Luister!" beval hij. "Je mag niet zo tegen Wulfgar spreken. Hij is een ridder van William en ze hebben dit land veroverd. Al ben ik niet in het gevecht verslagen, ik heb geen land meer. We zijn hier komen smeken om zijn genade. Je mag zijn vriendelijkheid niet misbruiken, dat zeg ik je als je vader."

"Mijn vader, jawel!" Gwyneth wees met haar zweep naar zijn blanke schild. "Was u mijn vader toen u mijn broer de dood in stuurde? Was u mijn vader toen mijn moeder stierf? Was u mijn vader toen u me door half Engeland sleepte naar deze smerige hut omdat we de Normandiërs hoorden praten over de bastaard Wulfgar? Vandaag werd ik gewond. Kiest u de zijde van een slavin tegen uw dochter of zult u voor één keer *mijn* vader zijn?"

Ze wilde nog meer zeggen, maar Wulfgars stem bracht haar tot zwijgen.

"Hou op met je geklets, mens!"

Gwyneth draaide zich om en ontmoette zijn harde, doordringende ogen.

"Bemoei je met je eigen zaken!" beval hij boos en deed een stap naar voren. "Pas goed op, zuster. Je hebt me een bastaard genoemd. Dat ben ik, maar het was niet mijn keus. En je klaagt dat je lieve moeder gestorven is. Wat zou dat? Ik denk dat ze uit eigen wil stierf. Mijn broer, dappere ridder van Harold, stierf op het slagveld. Niemand heeft hem gestuurd. 't Was zijn eed, zijn eer die hem daar bracht. Hij stierf als een man voor de zaak die hij verkoos. Maar ik, zuster? Welke keus had ik? Jij! Jouw broer! Mijn moeder! Jouw vader! Jullie brachten me hiertoe. Jullie stuurden me weg zodat ik jullie goede naam niet kon besmeuren en jullie in verlegenheid brengen. Ik was jong en wist van geen verkeerd bloed, ik kende maar één vader."

Hij wendde zich tot Bolsgar.

"En u, mijn heer, zegt dat mijn moeder probeerde iets goed te maken?" Hij lachte koud. "Ik zeg dat ze boosaardig wraak zocht, want wie leed er onder? Zij? Maar weinig. Mijn zuster?" Hij wees naar haar. "Helemaal niet, want zij was mijn moeders lieveling. Mijn broer? Nooit, want hij werd uw lieveling. U? Diep, denk ik, want u en ik waren echt vader en zoon. Maar u stuurde mij naar die fatterige zot die uw geld aannam en mij maar weinig gaf."

Hij keek weer koud naar Gwyneth.

"Vertel me niet weer wat ik mijn familie schuldig ben. Je neemt zonder klagen wat je gegeven wordt, want ik voel me niet verplicht. Je hebt kritiek op mijn plezier." Hij wees naar Aislinn. "Dat gaat je ook niet aan en ik zal haar hebben of het je bevalt of niet. Wees voorzichtig met de woorden hoer en bastaard, want ik heb er niets tegen een vrouw te slaan. Ik ben al vaak in de verleiding geweest en zou het best kunnen doen. Wees dus gewaarschuwd. De merrie die je zonder mijn toestemming genomen hebt, is dood en ze was een fijn paard. Jij zegt dat ze een slecht humeur had, ik zeg dat ze alleen een beetje schuw was omdat Aislinn sinds mijn komst niet heeft mogen rijden. Ik denk dat dit haar dood en bijna de jouwe veroorzaakt heeft. Daar zullen we het bij laten en ik wil geen beschuldigingen zonder bewijs meer horen. Verder stel ik je voor je te troosten met een kleinere garderobe dan je misschien gewend was. Ik heb geduld noch zin je gezeur aan te horen. Als je je slecht behandeld voelt, praat dan eens met de vrouwen van Engeland over wat die geleden hebben."

Hij negeerde Gwyneths woedende blik en liep naar het midden van de zaal, waar hij haar weer aankeek.

"Ik moet morgen weg, op bevel van de hertog," zei hij, en Aislinn schrok. "Ik weet niet hoe lang ik wegblijf, maar ik hoop dat je, als ik terugkom, erkend hebt dat ik hier meester ben en dit huis en mijn leven zal leiden zoals ik wil. Sweyn blijft hier en je zult hem de nodige eerbied tonen. Ik zal geld voor jullie achterlaten, niet omdat jij dat eist, maar omdat ik dat al van plan was. Ik heb gauw genoeg van vrouwengeklets en ik verzoek je mijn geduld niet verder op de proef te stellen. Je kunt gaan, beste zuster."

Hij wachtte tot ze zwijgend de trap op rende en de deur van haar kamer achter zich dichtsloeg. Aislinn keek hem met betraande ogen aan en Wulfgar las er angst in. Even bleven ze elkaar aankijken, toen draaide ze zich om. Trots rechtop liep ze langzaam de trap op.

Wulfgar voelde de blik van zijn stiefvader en keerde zich naar de oudere ridder, een terechtwijzing verwachtend. Maar er lag een zweem van een glimlach om Bolsgars lippen. Hij knikte en leunde toen achteruit zodat hij in het vuur kon kijken. Wulfgar keek verder naar Sweyn die in de deur stond. Het gezicht van de Noorman was uitdrukkingloos, maar de twee vrienden kenden elkaars gedachten. Na een ogenblik keerde Sweyn zich om en ging naar buiten.

Met zijn helm en schild ging Wulfgar de trap op. Hij wist dat Aislinn zich het verlies van haar paard erg aantrok. Hij dacht dat hij haar drift wel aankon, maar haar verdriet? Grotere kracht zou de pijn om de dood van de merrie niet verminderen. Hij verweet zichzelf het meest wat er gebeurd was. Hij had het met een enkel woord kunnen voorkomen, maar hij had aan andere dingen gedacht.

Hij ging zijn kamer binnen en deed de deur zacht achter zich dicht. Aislinn stond bij het raam met haar hoofd tegen het luik. Tranen gleden over haar wangen. Hij keek een poosje naar haar en legde toen even zorgzaam als altijd zijn wapenrusting weg.

Hij dacht dat hij vrij was en geen vrouw nodig had die zijn gedachten in de war maakte. Hij had een hard leven. Er was geen plaats in voor een echtgenote en daar had hij ook nooit naar verlangd. Nu voelde hij zich in de war. Hij wist niet hoe hij een verdrietig meisje moest aanpakken en zijn spijt moest uitdrukken. Hij had dat nooit gemoeten of gewild. Zijn affaires met vrouwen waren kort en oppervlakkig geweest, zelden meer dan een of twee nachten. Hij nam vrouwen om zijn behoefte te bevredigen. Als ze hem begonnen te vervelen, verliet hij ze gewoon. Hun genegenheid of gevoelens waren niet belangrijk. Toch voelde hij met Aislinn mee, want hij was zelf bedroefd geweest om het verlies van een geliefd paard.

Alsof een instinct hem leidde, ging hij naar haar toe en nam haar in zijn armen. Teder streek hij vochtig haar van haar wang en kuste haar tranen weg tot ze haar mond ophief naar de zijne. Haar reactie verraste hem. Sinds hij haar voor het eerst genomen had, had ze zijn toenadering geduld zoals iedere slavin van haar meester en leek ze te verlangen dat het voorbij was. Maar tegen zijn kussen verzette ze zich alsof ze bang was hem een overwinning te gunnen. Nu, in haar verdriet, ontving ze zijn kus bijna gretig. Hij vergat de verbazing over haar reactie en droeg haar, nu zacht en gewillig, naar zijn bed.

Een dunne straal maanlicht kroop tussen de gesloten luiken de kamer binnen waar Aislinn warm en veilig sliep in de armen van haar ridder. Maar Wulfgar keek naar de lichtstraal, denkend over de voorbije ogenblikken, niet in staat zijn verwarde gedachten te ordenen.

Aislinn werd wakker toen het eerste grijze licht van de ochtend zijn weg zocht door de luiken. Ze genoot van Wulfgars warmte en zijn schouder onder haar hoofd.

Ah, mijn fijne heer, dacht ze en streek met een vinger langs zijn ribben. Je bent van mij en ik denk dat jij dat binnenkort ook weet.

Ze glimlachte, dromend over de afgelopen nacht en genietend van deze stille ogenblikken. Ze richtte zich op een elleboog op en keek beter naar haar heer, en voelde plotseling zijn armen om zich heen. Verrast hijgde en worstelde ze. Zijn ogen gingen open en hij glimlachte.

"Ma chérie, verlang je zo naar me dat je me wekt uit een gezonde slaap?"

Blozend probeerde Aislinn zich los te trekken, maar hij hield vast.

"Je bent verwaand," beschuldigde ze.

"Ja, Aislinn?" vroeg hij met schitterende ogen. "Ik geloof dat je een zacht plekje voor me hebt, mijn kleine feeks."

Zijn plagerij ergerde haar. "Niet waar," antwoordde ze bits. "Zou een Saksische een Normandiër kiezen?"

"Aaah," zuchtte hij, haar woorden negerend. "Het zal moeilijk zijn onderweg zo'n aardig meisje te vinden, en een die wat genegenheid voor me voelt, nooit."

"O, ingebeelde hansworst," riep ze. Hij trok haar dichter tegen zich aan en glimlachte.

"Kon ik je maar meenemen, Aislinn. Dan zou ik me niet vervelen. Maar helaas, ik vrees dat je de mars niet zou kunnen verdragen en ik wil zo'n schat niet riskeren."

Zijn hand gleed achter haar hoofd en hij dwong haar lippen naar de zijne. Hij kuste haar lang en hartstochtelijk. Weer voelde Aislinn zich zwak worden. Wulfgar rolde zich met haar om, maar nu had hij geen kracht nodig. Haar hand gleed om zijn nek en bewees haar zwakheid. Het vuur in haar aderen maakte dat ze hem wilde bevredigen. Hetzelfde intense verlangen van een paar uur geleden kwam terug, toen haar lichaam bijna vanzelf gretig op het zijne gereageerd had. Maar toen hij weggegaan was, had ze nog naar zijn liefkozingen verlangd en een onverklaarbare teleurstelling gevoeld.

Schaamte over haar gedrag en de gedachte aan zijn spot bekoelden haar hartstocht. Hij gebruikte haar en hoonde haar dan omdat ze iets voor hem voelde. Was er geen tederheid in hem? Hoe kon ze koud en op een afstand zijn als zijn kussen haar al opwonden? Werd ze echt verliefd op hem?

Die gedachte ontnuchterde haar. Ze ging rechtop zitten zodat hij haar losliet en rolde van hem weg.

"Wat voor de duivel?" riep hij en stak zijn hand uit om haar terug te trekken. "Kom hier, meisje."

"Nee!" krijste Aislinn en sprong van het bed. "Je lacht me uit en zoekt dan je genot! Nou, zoek dat maar bij een wijf van een of andere hoerenbaas."

"Aislinn!" blafte hij en kwam achter haar aan. Ze gilde en sprong over het bed.

"Je gaat tegen mijn volk vechten en verwacht dat ik je mijn goede wensen meegeef! De hemel beware me!"

Ze was erg aantrekkelijk, haar lichaam glansde goud in het vroege licht. Hij keek even naar haar voor hij om het bed heen liep. Ze keek tartend terug, zich bewust van zijn naaktheid, zijn hartstocht, zijn kracht, maar toch vastbesloten dit kleine beetje trots te redden.

Hij glimlachte. "Ach, chérie, je maakt het me moeilijk te vertrekken, maar ik moet. Ik ben een ridder van William." Hij kwam naar haar toe en ze keek wantrouwig naar hem, klaar om weer over het bed te springen als hij haar wilde grijpen. "Wil je dat ik mijn plicht verwaarloos?"

"Je plicht heeft te veel Engelse levens gekost. Wanneer houdt het op?"

Hij haalde zijn schouders op. "Als Engeland voor William gebogen heeft."

Snel stak hij zijn hand uit, greep haar arm en trok haar naar zich toe. Ze worstelde heftig maar vergeefs, want zijn armen lagen stevig om haar heen. Hij grinnikte om haar verzet en met een teleurgesteld gekreun hield Aislinn op en bleef star staan, beseffend dat ze anders alleen zijn hartstocht nòg maar vergrootte.

"Zie je, Aislinn, het is wat de heer beveelt en niet wat zijn slavin wenst."

Aislinn maakte een woedend geluid onder zijn kus en wilde niet toegeven aan haar opwinding. Na een lang ogenblik trok hij zich terug en zag de spot in haar ogen.

"Deze keer, Wulfgar, mijn Normandische ridder," hijgde ze, haar violette ogen glanzend met een warmte die hij in haar lippen niet vond, "is het wat de slavin wil…"

Hij liet haar los en ze danste weg en maakte een revérence voor hem. Haar ogen vlogen over hem heen en zagen dat zijn begeerte niet bekoeld was.

"Denk aan uw kleren, heer. Deze dagen verkillen zelfs de krachtigste man."

Ze trok een vacht om zich heen en keek hem ondeugend aan. Met een zacht lachje liep ze naar de haard en legde kleine blokken op de nog warme as. Ze blies er op, maar ging snel achteruit toen de as opvloog, en wreef in haar ogen. Wulfgar grinnikte. Ze trok een gezicht en hing de ketel water aan de haak, terwijl hij zich begon aan te kleden.

Toen het water dampte, haalde ze zijn mes uit zijn gordel en begon het te slijpen op de haardsteen. Hij trok verbaasd zijn wenkbrauwen op.

"Mijn huid is veel teerder dan de jouwe, Wulfgar," legde ze uit. "De stoppels op je kin doen me pijn en omdat ik mijn mensen heb zien scheren, geloof ik dat ik het jou wel kan doen."

Wulfgar keek naar haar dolk die op haar kleed lag en herinnerde zich wat hij de vorige dag gedacht had. Was zijn dood nu gewenst, nu hij tegen haar volk ging vechten? Zou hij haar zeggen dat hij niet nodeloos levens verspilde? Hemel, hij moest de waarheid nu weten. Hij knikte.

"Misschien heb jij een zachte hand, Aislinn," antwoordde hij. Hij nam een linnen doek en doopte hem in de ketel. Hij wrong hem uit, schudde hem om hem af te koelen en legde hem over zijn gezicht.

"Ah, Wulfgar, wat een verleidelijke houding," plaagde Aislinn. "Als een maand geleden een Normandische keel bloot voor me had gelegen…"

Ze kwam naast hem staan. Wulfgar nam de doek weg en hun ogen ontmoetten elkaar. Ze grijnsde ondeugend en zei achteloos:

"Ah, als ik niet zo bang was voor mijn volgende meester, zou de verleiding veel groter zijn."

Het gevolg was een flinke klap op haar billen, waarop ze een gilletje gaf. Ze ging langzaam met het scherpe mes over zijn wangen tot die weer glad waren. Hij wreef over zijn gezicht en verbaasde zich dat ze hem niet een keer gesneden had.

"Een betere bediende kon een ridder niet hebben." Hij trok haar op zijn schoot. Zijn ogen keken diep in de hare en hij fluisterde hees: "Denk eraan dat je van mij bent, Aislinn, en ik je niet wil delen."

"Waardeert u me dan toch, mijn heer?" mompelde ze, met haar vinger het litteken op zijn wang volgend.

Hij gaf geen antwoord, maar zei: "Denk eraan."

Hij trok haar tegen zich aan en kuste haar hongerig, en deze keer voelde hij de warmte en hartstocht waartoe hij haar in staat wist.

10

Het was koud en een harde wind joeg de regen naar binnen door elke
kier in het huis. Vlagen koude wind drongen onder de buitendeuren
door en brachten de vrieslucht in de zaal. Aislinn kroop dichter·in haar
wollen sjaal, pakte een korst brood om aan te knabbelen en liep naar
het vuur waar Sweyn en Bolsgar zaten. Ze ging op een krukje naast
Bolsgar zitten. Na Wulfgars vertrek was ze op de oude ridder gesteld
geraakt, want hij deed haar aan haar vader denken. Hij maakte Gwyneths
drift beter te verdragen. Hij was vriendelijk en vol begrip, wat zijn dochter
niet was.

Aislinn vroeg vaak zijn raad over de burcht of de lijfeigenen en wist
dat zijn raad gebaseerd was op ervaring. Sweyn kwam ook vaak zijn
mening vragen en bleef met hem genieten van een hoorn wijn en herinneringen ophalen aan de tijd dat Wulfgar nog als een eigen zoon beschouwd
werd. Dan zat Aislinn aandachtig te luisteren als ze met genegenheid
over de jongen praatten en zijn deugden prezen. Ze spraken trots, zodat
iemand zich kon afvragen of niet beiden deelden in het vaderschap van
de jongen.

Soms vertelde Sweyn over zijn avonturen met Wulfgar en hun leven
als huurling. Dan luisterde Bolsgar gretig. Al jong had Wulfgar het huis
van de Sward verlaten en hij en Sweyn hadden in hun onderhoud voorzien
als huursoldaten. Hun reputatie groeide tot hun diensten goed betaald
werden, en ze hadden altijd werk. In deze tijd had de hertog over Wulfgar
gehoord en het paar naar Frankrijk geroepen. De ridder en de edelman
werden direct vrienden toen Wulfgar zonder omhaal verklaarde dat hij
een bastaard was en alleen voor geld zijn trouw gaf. Gegrepen door
zijn openhartigheid, drong William er bij hem op aan hem trouw te
zweren. Het werd snel beslist, want de hertog was overtuigend en iemand
voor wie Wulfgar eerbied kon hebben. Nu, op zijn drieëndertigste, was
Wulfgar al verscheidene jaren bij de hertog.

Aislinn keek naar de Noorman en de oude ridder en dacht dat als
Gwyneth er geweest was, ze hem berispt zou hebben omdat ze tijd verspil-
den. Op haar korst kauwend, peinsde Aislinn over Wulfgars zuster. Ze
was zo anders dan haar broer en haar vader. Wulfgar was nauwelijks
de heuvel over, toen Gwyneth begon te regeren. Ze behandelde de lijfeigenen als verachtelijke wezens die alleen haar moesten dienen. Ze haalde
ze steeds van hun werk en stuurde ze om een onbenullige boodschap.
Het maakte haar razend als de boeren Aislinn of Sweyn toestemming
vroegen voor wat ze ze opdroeg. Ze had ook het bevel genomen over

de provisiekamer en deelde voedsel uit of zij het betaalde. Ze paste het vlees af en schold als er iets aan het been bleef. Ze rekende niet op de lijfeigenen die wachtten op restjes van de tafel. Het werd een spel voor Bolsgar en Sweyn grote stukken naar de boeren te gooien. Toen ze dit opmerkte, voer Gwyneth uit over hun verspilling.

De rust werd plotseling verbroken door een doordringende gil. Aislinn schrok toen haar moeder de trap af kwam vliegen, opgewonden haar armen zwaaiend en alle duivels uit de hel oproepend over deze dochter van Satan. Aislinn staarde verbaasd naar Maida, half overtuigd dat ze haar verstand verloren had. Gwyneth verscheen bovenaan de trap en keek met een zelfvoldane glimlach naar Maida die achter haar dochter kroop. Aislinn keek Gwyneth aan, die op haar gemak naar beneden kwam.

"Ik heb je moeder betrapt toen ze van me stal," viel Gwyneth uit. "Niet alleen moeten we in één huis wonen met lijfeigenen, maar ook nog met dieven. Wulfgar zal hiervan horen. Reken daar maar op."

"Leugens! Ze liegt!" snerpte Maida. Ze stak smekend haar handen uit naar Aislinn. "Mijn spinne-eieren! Mijn bloedzuigers! Ze waren van mij! Ik heb ze van de joden gekocht. Nu zijn ze allemaal weg." Ze keek kwaad naar Gwyneth. "Ik ben alleen maar naar haar kamer gegaan om ze te zoeken."

"Leugens!" hijgde Gwyneth verontwaardigd. "Ik betrap haar in mijn kamer en word zelf een dief genoemd? Ze is gek!"

"Mijn moeder heeft veel geleden van Ragnor en zijn mannen," legde Aislinn uit. "Die dingen helpen bij pijn. Ze hechtte er grote waarde aan."

"Ik heb ze weggegooid." Gwyneth richtte zich trots op. "Ja, ik heb ze weggegooid. Laat ze haar speelgoed buiten houden. Ik wil het niet meer in mijn kamer hebben."

"Gwyneth!" snauwde Bolsgar. "Je hebt het recht niet zo op te treden. Je bent hier gast en moet je gedragen zoals Wulfgar wil."

"Het recht niet!" raasde Gwyneth. "Ik ben hier de enige verwant van de heer. Wie betwist mijn rechten?" Haar bleekblauwe ogen flitsten uitdagend. "Ik zal voor Wulfgars bezittingen zorgen terwijl hij weg is."

Bolsgar snoof honend. "Zoals je voor de mijne zorgt? Je deelt eten uit alsof het van jou is. Wulfgar laat geld achter en jij geeft er maar iets van uit en houdt de rest. Je hebt nooit voor iemand anders gezorgd dan voor jezelf, zover ik weet."

"Ik red het alleen maar veilig uit uw gulle hand," antwoordde zijn dochter scherp. "U zou het net zo verkwisten als ons goud. Wapens! Mannen! Paarden! Wat heeft u eraan gehad? Als u iets had bewaard, hadden we niet hoeven bedelen om onderdak."

De oude man gromde. "Als ik niet opgescheept had gezeten met twee vrouwen die van alles het beste eisten, had ik misschien meer mannen met je broer mee kunnen sturen en zaten we nu niet hier."

"Ja, geef mijn arme moeder en mij de schuld. We moesten nog bedelen om een nieuwe jurk. Kijk naar mijn kleed en zie hoe goed u voor ons gezorgd hebt. Maar nu ben ik hier en Wulfgars enige verwant. Ik eis de rechten van het bloed en ik zal zorgen dat die Saksers geen misbruik maken van zijn edelmoedigheid."

"Er zijn geen rechten van bloed," mengde Sweyn zich dapper in de strijd. "Toen hij weggestuurd werd, noemde uw moeder hem ook niet haar zoon. Dus ontkende ze dat hij familie heeft."

"Zwijg, kruiperige lakei!" grauwde Gwyneth tegen de Viking. "Je poetst Wulfgars wapens en bewaakt de deur als hij slaapt. Je hebt hier niets te zeggen. Die vrouw houdt haar ongedierte buiten!"

"Aiai!" jammerde Maida. "Zelfs hier in mijn eigen burcht ben ik niet veilig voor dieven."

"Jouw burcht!" schimpte Gwyneth. "William heeft je eruit gezet."

Aislinn werd driftig. "Op Wulfgars bevel wonen we hier."

Gwyneths woede wilde niet bedaren. "Jullie zijn lijfeigenen! Het laagste soort! Jullie kunnen geen bezittingen hebben!" Ze stak een vinger uit naar Maida. "Jij, snuffelend oud wijf, loopt hier rond alsof je nog steeds de vrouwe bent, maar je bent maar een slavin. Ik wil het niet."

"Nee! Wulfgar wil dat ze hier woont," riep Aislinn woedend om deze zinloze aanval op haar moeder. "Je broer heeft zelfs Ragnor tegengehouden toen die schurk haar eruit wilde zetten."

De andere vrouw trok minachtend met haar lippen. "Geef een volbloed Normandische ridder niet je Saksische namen!" Ze wendde zich weer naar Maida. "Bij welk recht eis je hier een plaats op? Omdat je dochter met de heer slaapt?" Ze lachte honend. "Denk je dat dat je Normandische rechten geeft, oud wijf? Wat zeg je als hij terugkomt met een bruid en je kostbare dochter aan zijn mannen geeft? Wat voor recht heb je dan? De moeder van een hoer?! Je kunt hier beter maar niet blijven. Ja! Verdwijn! Zoek een hut voor je mager lichaam, en verdwijn. Haal die smerige dingen uit je kamer en maak dat je wegkomt! Schiet op!"

"Nee!" schreeuwde Aislinn. "'t Gebeurt niet! Wulfgar heeft haar die kamer gegeven. Betwist je zijn bevel?"

"Ik betwist niets," spoog Gwyneth. "Ik zorg alleen voor zijn goed."

"Aislinn?" fluisterde haar moeder zacht en trok aan haar jurk. "Ik zal gaan. Ik ga mijn dingen halen. Het is nu nog maar weinig."

Er stonden tranen in Maida's ogen. Toen Aislinn wilde spreken, schudde de oude vrouw haar hoofd en liep verslagen naar boven. Aislinn keek woedend naar Gwyneth en de ander lachte honend.

"Soms, Gwyneth," bracht Bolsgar uit, "maak je me doodziek."

Zijn dochter gloeide van triomf. "Ik begrijp niet dat u haar vertrek betreurt, vader. Het oude wijf heeft deze aal lang genoeg bedorven met haar lompen en zielige gezicht."

Hij wendde zich af en keek in het vuur. Sweyn deed een poosje hetzelfde, stond toen op en ging naar buiten. Aislinn bleef kijken tot Gwyneth in Wulfgars stoel ging zitten en begon te prikken in een bord schapevlees dat Hlynn neergezet had.

Maida kwam de trap af met een voddige vacht om zich heen en een kleine bundel in haar armen. Ze bleef in de deur staan en keek smekend naar haar dochter. Aislinn trok haar sjaal om zich heen en volgde haar moeder naar buiten. Ze huiverden in de noordenwind en de ijskoude mist.

"Waar moet ik nu naar toe, Aislinn?" huilde Maida. "Moeten we niet weggaan voor Wulfgar terugkomt?"

"Nee." Aislinn schudde haar hoofd. Het was moeilijk kalm te klinken terwijl ze Gwyneth te lijf wilde gaan. "Nee, moeder. Als we weggaan, hebben de mensen niemand meer om ze te helpen. Ik kan ze niet aan Gwyneths genade overlaten. En er is oorlog. Het is geen tijd voor twee vrouwen om rond te zwerven."

"Wulfgar zal ons eruit gooien als hij terugkomt met een bruid," hield Maida aan. "En dan zijn we niet beter af dan als we nu gaan."

Aislinn keek in de verte en dacht aan de nachten in Wulfgars armen. Ze kon bijna zijn liefkozende handen weer voelen, prikkelend tot het leek of al haar zenuwen om hem schreeuwden. Haar ogen werden dromerig. Alleen de gedachte aan hem zette haar al in vuur en vlam. Maar hij? Was hij toen echt de hare geweest, of zou hij haar verstoten voor een ander als hij terugkwam? Ze zag even Wulfgar met een meisje in zijn armen en haar opwinding ging over in een vlaag van drift. Zoveel mannen hadden haar begeerd en haar vader om haar hand gesmeekt, en nu was ze de minnares van een man die vrouwen haatte en wantrouwde. Ze lachte bijna hardop. Wat een ironie dat ze zo trots geweest was, en nu de slavin was van die vreemde Normandiër die beweerde dat hij haar even makkelijk kon vergeten als een handschoen. Maar toch waren die handschoenen nodig gebleken. Aislinn bedaarde toen ze daaraan dacht. Ze glimlachte en kreeg weer vertrouwen. Zou hij haar zo makkelijk vergeten, zelfs als hij terugkwam met een of andere slet? Spookte ze door zijn hoofd als hij door het hare? Hij had genoten van die laatste nacht samen. Zelfs in haar onervarenheid wist ze dat, dus moest hij aan haar denken en als vrij man terugkomen.

Ze ging naar een huisje dat leeg gekomen was door de dood van een vader en zoon die met Erland tegen Ragnor gevochten hadden. Maar Maida kromp in elkaar toen Aislinn haar het huisje in wilde brengen.

"Geesten! Ik ben bang voor geesten!" riep ze. "Wat zullen ze me aandoen als niemand me beschermt? Ze zullen me kwaad doen! Dat weet ik!"

"Nee," suste Aislinn haar moeder. "Hier woonden vrienden. Die komen niet terug om Erlands weduwe kwaad te doen."

"Denk je van niet?" jammerde Maida. Met een plotseling kinderlijk vertrouwen volgde ze Aislinn. Het sombere huisje stond buiten het dorp dicht bij het moeras. Aislinn duwde de gammele deur open en kokhalsde van de stoffige, bedorven lucht.

"Kijk, moeder." Ze wees naar binnen. "Het is stevig en hoeft alleen maar schoongemaakt te worden."

Het was donker binnen en Aislinn had moeite haar eigen twijfel te onderdrukken en opgewekt te lijken. Over de twee kleine ramen waren dunne huiden gespannen, die minder licht dan wind doorlieten en bij iedere stap wervelde stof van de aarden, dun met biezen belegde vloer. In de ene muur zat een ruwe open haard en tegen de andere stond een stevig houten bed met een slappe, rottende matras. Naast een stenen tafel bij de haard stond één ruwe stoel en hier liet Maida zich verslagen in vallen en begon zacht te jammeren.

Aislinn was even bang als ze wist dat haar moeder was. Vermoeid leunde ze met haar schouder tegen de deurpost. Ze wist hoe moeilijk het zou zijn van Gwyneth te eisen dat haar moeder haar kamer terugkreeg. Het leek of Gwyneth bezeten was door een duivel van ijdelheid en jaloezie die haar geen voldoening wilde laten vinden in vriendelijkheid.

Aislinn rolde zuchtend haar lange mouwen op, toen ze zag dat zij van deze vuile hut een geschikte woonplaats zou moeten maken. Ze vond een vuursteen en staal op een plank boven de haard en al gauw verlichtten en verwarmden flakkerende vlammen de kamer. Ze trok smerig linnen van de haken waar de ongelukkige mannen het opgehangen hadden en gooide rottende flarden wol en leer op de gulzige vlammen, waar ze snel verdwenen, ongetwijfeld samen met een massa ongedierte. Ze trok haar neus op voor de smerige stank van de matras die ze van het bed trok. Eten, dat achtergelaten was toen de waarschuwing dat de Normandiërs kwamen klonk, zat als een keiharde massa vastgekoekt in de kommen. Terwijl Aislinn eraan schraapte, dacht ze aan Gerford en zijn zoon. De meeste gezinnen aten hun vlees uit bootjes van oud brood, maar deze twee waren in staat geweest gebruiksvoorwerpen voor zichzelf te maken. Ze zouden erg gemist worden op Darkenwald, want ze hadden gereedschap, tafelgoed en andere nuttige dingen gemaakt. Nu zou haar moeder genieten van deze kleine luxe, al had ze niet de andere gemakken waar ze aan gewend was.

Terwijl Aislinn werkte zat Maida te neuriën en heen en weer te wiegen. Ze leek zich nergens van bewust. Zelfs toen Aislinn schrok toen de deur openging, bewoog ze niet. Kerwick en Ham stonden in de deur met hun armen vol dekens en vachten.

"We dachten dat ze die misschien zou kunnen gebruiken," zei Kerwick. "We hebben ze uit haar kamer gehaald toen Gwyneth ons opdroeg die voor haar schoon te maken. Als je moeder een dief is, zijn wij het ook."

Aislinn wenkte ze naar binnen en sloot de deur. "Ja, we zullen dieven genoemd worden, want ik wil niet dat ze kou en honger lijdt."

Kerwick keek naar het armoedige interieur. "Thomas maakt tenten en strozakken voor de Normandiërs. Ik zal zien of hij wat matten over heeft."

"Zou je hem ook willen vragen nieuwe scharnieren aan de deur te komen maken?" vroeg Aislinn. "Ik vrees dat die het kleinste dier niet buiten kan houden."

Kerwick keek haar aan. "Wil jij hier bij je moeder slapen?" Dat is niet verstandig, Aislinn. Je hebt meer te vrezen van Ragnor en andere Normandiërs dan van een stom beest. De mannen zullen je moeder geen kwaad doen want ze denken dat ze gek is, maar jou…"

Aislinn keek naar Ham die verse biezen op de vloer spreidde. "Je weet zeker niet dat Sweyn 's avonds zijn strozak voor mijn deur legt. Net als zijn heer heeft hij weinig vertrouwen in vrouwen. Hij zou het niet toestaan."

Kerwick zuchtte opgelucht. "Goed. Ik zou niet kunnen slapen als ik wist dat jij hier was, en Wulfgar zou me ophangen als ik probeerde je te beschermen, want daar zou hij het ergste van denken."

"Ja," mompelde Aislinn. "Hij verwachtte verraad van vrouwen."

Kerwicks blikken bleven even op haar rusten, toen zuchtte hij ongelukkig. "Ik moet gaan, voor de Viking te horen krijgt dat ik hier ben. Ik wil niet dat Wulfgar zich onnodig zorgen maakt over deze ontmoeting."

Het tweetal ging weg en Aislinn ging verder met schoonmaken. Midden in de middag kwam Thomas lachend het huisje binnen en legde een zwaar linnen matras neer. Ze legde hem op het bed en trok haar wenkbrauwen op bij de geur van gedroogde klaver en gras.

"Ja, vrouwe," grinnikte de vroegere vazal, "ik heb de vulling uit de schuur gehaald en een Normandische hit zal vanavond honger hebben."

Aislinn giechelde en legde vachten en dekens op de matras tot ze een warm bed voor haar moeder gemaakt had. Thomas repareerde de deur met brede stroken geölied leer als scharnieren en zorgde dat hij goed sloot en van binnen gegrendeld kon worden.

Het werd al avond toen Aislinn tevreden was over de inrichting. Haar moeder had gegeten en sliep toen Aislinn haar verliet om zelf te gaan eten. Ze had erge honger want ze had alleen 's ochtends die korst brood gegeten.

Ham was patrijzen aan het schoonmaken die Kerwick die middag gedood had, maar hield op toen ze binnenkwam. Gwyneth zat voor de haard met haar naaldwerk en Bolsgar sneed aan een tak. "Vrouwe," glimlachte de jongen. "Ik heb eten voor u bewaard. Ik zal het halen."

Gwyneth keek op. "Laatkomers moeten wachten tot de volgende maaltijd." zei ze bevelend. "Op tijd zijn is een deugd, Aislinn. Dat moet je maar leren."

Aislinn keerde haar de rug toe en zei tegen Ham: "Ik heb erge honger, Ham. Breng het eten maar."

Ham knikte en haastte zich weg en Aislinn ging naar haar gewone plaats en keek Gwyneth rustig aan.

Gwyneth lachte honend. "Je bent mijn broers vrouw niet. Je verbeeldt je misschien iets omdat je zijn hoer bent, maar je bent maar een slavin, dus gedraag je niet of je iets meer bent."

Voor Aislinn antwoord kon geven, trok Ham aan haar arm. Hij zette genoeg eten voor twee mensen voor haar neer. Aislinn twijfelde niet aan zijn trouw, want hierdoor kon hij Gwyneths boosaardige aandacht op zich vestigen. Ze glimlachte dankbaar.

"Vreemd, dat zoveel Saksische vrouwen ten prooi vielen aan de Normandiërs, en jij niet, Gwyneth," zei Aislinn en nam langzaam het mager figuur van de ander op. "Maar misschien ook weer niet zó vreemd."

Aislinn begon te eten, de nu woedende vrouw negerend. Bolsgar grinnikte en Gwyneth vloog overeind. Razend van woede schreeuwde ze tegen haar vader.

"Natuurlijk kiest u de zijde van die Saksische zwijnen tegen uw eigen familie. Hertog William moest jullie allemaal in de goot gooien waar jullie horen."

Woedend rende ze de trap op en smeet de deur van haar nieuw verworven kamer, die Maida die ochtend verlaten had, achter zich dicht.

De nachten werden lang en de korte dagen waren koud en winters. Bomen staken kale takken omhoog en zuchtten pijnlijk als de noordenwind over de heide woei. Als de wind ging liggen, kwam er mist uit het moeras en er lag ijs langs de poelen. Regen veranderde in natte sneeuwvlokjes die bleven liggen en veranderden de paden in enkeldiepe, ijskoude modderpoelen. De mensen droegen vachten van beer, wolf en vos over hun gewone kleren. In de zaal rook het naar vers wild en de leerlooierij stonk. Aislinn verzekerde zich ervan dat het behaaglijk was in Maida's kleine hut. Ze had nog meer vachten gebracht en Kerwick bracht dagelijks hout voor de haard. Het werd gewoonte dat Aislinn dagelijks haar moeder verzorgde en op de terugweg de zieken van het dorp verpleegde. Ondanks haar dochters aandacht, werd Maida steeds meer teruggetrokken. Aislinn hoorde verhalen dat Maida tot laat in de avond neuriede, en soms praatte alsof lang gestorven vrienden uit haar jeugd haar antwoordden, of zelfs alsof haar man bij haar woonde. Gwyneth dikte de verhalen aan en als ze Maida zag en dacht dat Aislinn niet in de buurt was, zinspeelde ze op spoken in het huisje. Ze gaf alles door aan Maida, maar verdraaide de woorden zodat het leek of de dorpelingen de oude vrouw haatten. Maida werd nog meer terneergeslagen en steeds minder in staat de werkelijkheid te zien. De oude vrouw brouwde geheimzinnige dranken en beweerde dat die de Normandiërs uit Engeland zouden verdrijven. Aislinn vond het nutteloos te proberen haar te laten zien dat haar pogingen zinloos waren.

Het was een koude, stormachtige dag met woelende grijze wolken en afwisselende ijzige regen en natte sneeuw. Ham keerde zijn rug naar de wind en was dankbaar voor de warme vachten die het goede jachtseizoen opgeleverd had. Die waren nu warm om zijn armen en benen gebonden met stroken herteleer en een tuniek van wolfsbont hield hem lekker warm. Onder de vacht droeg hij de geneeskrachtige kruiden waarvoor Aislinn hem naar haar moeder gestuurd had. Hij had zich gehaast, maar bleef nu even staan om op adem te komen in de beschutting van een huisje.

"Hé! Jij daar! Ham!"

Hij keerde zich om en zag Gwyneth in de deur van de burcht staan.

"Kom hier! Snel!" Ze wenkte bevelend en hij ging direct naar haar toe.

"Haal hout voor mijn kamer," beval ze toen hij onderaan de stoep stond. "Het vuur brandt laag en deze helse steenhoop is onaards koud."

"Ik vraag vergeving, vrouwe." Ham boog beleefd. "Maar ik heb een dringende boodschap voor mijn meesteres. Als die klaar is, haal ik hout voor u."

Gwyneths ogen werden koud, want ze dacht dat hij brutaal was. "Stomme kinkel," hoonde ze. "Jij kletst over een of andere onbenullige boodschap, terwijl ik bevries! Je gaat nu."

"Maar vrouwe Aislinn heeft me gezegd –"

"Maar vrouwe Aislinn," snauwde Gwyneth, "is alleen maar heer Wulfgars hoer. Als zijn zuster ben ik hier meesteres en ik beveel je nu hout te halen!"

Ham fronste bezorgd maar hij twijfelde nog steeds niet aan zijn plicht. "Vrouwe Aislinn wacht," antwoordde hij koppig. "Ik haal straks hout voor u."

"Armzalige bedelaar." Woede vervormde Gwyneths stem. "Ik zal je huid centimeter voor centimeter af laten stropen."

Twee van Wulfgars mannen waren naderbij gekomen en Gwyneth probeerde ze voor haar doel te krijgen.

"Grijp deze jammerende pummel en bind hem aan het rek. Ik wil dat hij gegeseld wordt tot zijn botten te zien zijn."

Ham verbleekte en de mannen schenen niet te weten of ze moesten gehoorzamen. Ze wisten dat deze vrouw Wulfgars zuster was, maar betwijfelden of hun heer zo'n zware straf voor zo'n kleinigheid zou goedkeuren. Ze hadden Wulfgars gezag nooit betwist. Ze wisten dat hij verstandig en rechtvaardig was. Moesten ze nu zonder vragen zijn zusters bevelen opvolgen zoals de zijne?

Hun aarzeling maakte Gwyneth nog razender. Ze wees naar de angstige bediende.

"In Wulfgars naam en omdat ik zijn enige verwante ben, zullen jullie me gehoorzamen! Grijp hem en haal de zwaarste zweep."

De mannen wisten dat Wulfgar gewoonlijk zelf over de Saksers oordeelde. Hij had nog geen echte titel, was eigenlijk een oorlogsheer, dus eiste de militaire orde dat Sweyn het bevel had in zijn afwezigheid, maar omdat de Viking er niet was, kon geen van beiden de moed vinden Gwyneths bevelen te weigeren. Dus kwamen ze met grote tegenzin naar voren om de jongen te grijpen.

Aislinn tilde het kleine meisje op haar schoot en hield haar rechtop. Het kleintje ademde piepend tussen twee hoestaanvallen. Ze zou de kamferbladeren, die Ham was gaan halen, koken tot een scherpe stoom die het kind verlichting zou brengen. Maar waar bleef Ham? Aislinn verbaasde zich over zijn wegblijven. In gedachten ging ze de weg na en wist dat hij meer dan genoeg tijd had gehad. Hij was een goede jongen die snel gehoorzaamde, en ze werd bezorgd over hem. Als hij nodeloos ergens talmde terwijl dit kind worstelde om adem, zwoer Aislinn, zou ze hem aan zijn oren terugslepen.

Het kind ademde iets makkelijker en Aislinn gaf het aan de moeder en pakte zich warm in om te gaan kijken waar Ham bleef. Ze deed de deur achter zich dicht en zag twee Normandiërs de protesterende Ham naar het rek slepen. Even later vonden de mannen hun weg versperd door een kleine figuur met wijd gespreide benen en gekruiste armen. Lange lokken waaiden als een vurige banier om haar hoofd. Violette ogen gloeiden.

"Wat betekent dit?" eiste Aislinn. "Waarom proberen jullie deze jongen, die een boodschap voor mij deed, aan dat rek te binden?"

De voorste antwoordde zwak. "Vrouwe Gwyneth beveelt het omdat hij niet wilde doen wat ze zei."

Aislinn stampvoette. "Laat hem los, stomkop!" riep ze. "Laat hem direct los of, bij heer Wulfgars zwaard, ik zal jullie allebei in het graf brengen voor de maand om is!"

"Wacht!" sneed Gwyneths stem. "Jij hebt niets te zeggen, Aislinn."

"Zo, Gwyneth." Aislinns stem klonk helder in de razende wind. "Jij hebt Wulfgars gezag op je genomen. En probeer je hem te beroven van een nuttige lijfeigene?"

"Nuttig?" spoog Gwyneth. "Die luilak was me opzettelijk ongehoorzaam."

"Vreemd," kaatste Aislinn terug. "Ik heb geen problemen met hem. Misschien maak je hem in de war. Hij is niet gewend aan het klapperen van een kauw."

Gwyneth stikte van woede. "Kauw! Hoer van een bastaard! Onnozele Saksische slet! Hoe durf je iets over mijn gedrag te zeggen! In Wulfgars afwezigheid ben ik hier vrouwe en dat zal niemand betwisten."

"Niemand betwijfelt wat je wilt zijn, Gwyneth. Of je het bent, moet aan Wulfgar gevraagd worden."

"Het hoeft niet gevraagd te worden! Ik ben zijn zuster en jij bent geen familie van hem."

Aislinn hief trots haar kin. "Nee, geen familie van hem! Toch ken. ik hem beter dan jij. Hij oordeelt rechtvaardig, niet woedend zoals jij, want hij kent de waarde van vriendelijkheid voor de lijfeigenen."

Gwyneth snoof minachtend. "Ik begrijp niet hoe je bij de ren naar zijn bed nog tijd had zijn gedachten te leren kennen." Haar ogen vernauwden tot bleke spleetjes. "Of denk je dat je hem naar je hand kunt zetten?"

"Als ik dat kon," antwoordde Aislinn, "dan verdiende hij niet beter. Maar ik geloof niet dat Wulfgar zich dat laat doen."

"Bah! Een hoer die probeert een man te laten doen wat zij wil en hem betovert met het zwaaien van haar heupen, zodat hij niet weet dat hij geleid wordt." Gwyneth keek Aislinn bevend van woede aan. Ze dacht eraan hoe Wulfgar dit Saksische meisje liefkoosde op de ochtend van zijn vertrek, en dat Ragnor dat misschien ook gedaan had. "Mannen! Ze jagen altijd op de mollige hoer en negeren de slanke, nette dame die het verkeerd vindt haar sexe zo bot te tonen."

"Ho! Op welk slank figuur beroem jij je?" grinnikte Aislinn. "Nou, jij kunt een wilgetak met knoppen nog benijden."

"Hoer!" kraste de ander. "Men zegt dat een vrouw rond en mollig wordt door de aanraking van een man, en jij moet er veel gekend hebben."

Aislinn haalde haar schouders op. "Als dat zo is, beste Gwyneth, heb jij geen andere aanraking gekend dan die van je moeder."

Gwyneth werd rood en wist geen antwoord. "Genoeg! Ik word je eindeloze getwist beu en heb geen zin om hier te blijven." Ze wendde zich tot de Normandiërs die niet durfden te lachen. "Breng de lijfeigene daar en maak zijn rug bloot. We zullen zien of hij in de toekomst niet beter naar een dame luistert."

"Nee!" schreeuwde Aislinn. Ze wendde zich naar de Normandiërs en pleitte: "Er ligt daar een kind met koorts en ik heb kruiden nodig om haar te helpen." Ze keek naar Ham. "Hij heeft niets misdaan, want hij heeft de kruiden die ik hem gevraagd heb te halen. Laat ons eerst voor dat kind zorgen, en als Wulfgar terugkomt, zal ik hem de zaak voorleggen en zijn oordeel vragen."

Gwyneth zag de onzekerheid van de mannen. "Nee! Dat heeft geen zin! Hij moet nu gestraft worden."

Aislinn zei teleurgesteld: "Wil je dat het kind sterft?"

"Ik geef geen zier om een Saksisch jong," hoonde Gwyneth. "Die brutale lijfeigene zal zijn loon hebben, en verzet je niet verder tegen mijn wil, slet. Ja, ik beveel je te blijven kijken, zodat je mijn bevelen niet meer betwist."

"Je hebt het recht niet om te bevelen," schreeuwde Aislinn.

Gwyneth werd paars. "Jij betwist mijn rechten, hoer, maar als Wulfgars enige verwante, moet ik spreken in zijn afwezigheid. Jij bent maar zijn slavin. Je zegt dat ik hier niets te zeggen heb? Nou, jij hebt geen rechten, en zou moeten voelen wat het betekent ongehoorzaam te zijn." Haar ogen schitterden bij de gedachten aan de littekens van de zweep op Aislinns zachte huid. "Ja, jij moet ook gehoorzaamheid leren." Ze wees naar haar. "Grijp haar! Bind haar naast de koppige blaag!"

Ham, die veel van de Normandiërs geleerd had, verstond de Franse woorden en worstelde heftig met de mannen.

"Nee! Laat haar met rust!"

De mannen gaapten de woedende vrouw stomverbaasd aan. Het tuchtigen van een Saksisch meisje was op zich niets, maar als dat meisje van Wulfgar was, was het iets heel anders. Ze zouden er streng voor gestraft worden. Wulfgars zuster mocht dan roekeloos zijn, zij waren het niet.

"Grijp haar!" krijste Gwyneth ongeduldig.

Ham rukte zich los en vluchtte toen een Normandiër naar voren stapte om het meisje weg te leiden, niet om haar kwaad te doen. De man legde een hand op haar schouder, maar Aislinn begreep hem verkeerd en draaide zich woest om, waardoor hij haar mantel in zijn hand hield.

"Voorzichtig met de kleren, sufferd!" snauwde Gwyneth. "En trek haar jurk uit. Ik heb hem nodig."

"Zo, heb je hem nodig?" hijgde Aislinn. Met trillende vingers trok ze haar jurk uit en voor Gwyneth haar kon tegenhouden, trapte ze hem in de modder. Ze stond nu alleen in een dun onderkleed in de bijtende wind, maar in haar woede merkte ze de kou nauwelijks op. "Dan, Gwyneth, moet je hem nemen zoals hij is."

De schrille stem van de vrouw sneed als een mes. "Begin te slaan en hou niet op voor ze vijftig zweepslagen gehad heeft." Toen lachte ze honend. "Mijn broer zal je niet erg verleidelijk vinden als hij je weer ziet."

Maar Gwyneths bevel werd niet uitgevoerd. De ene man schudde zijn hoofd, liet de zweep vallen en ging achteruit. De ander volgde.

"Nee, dat doen we niet. Vrouwe Aislinn heeft onze wonden verzorgd en dat zullen we niet zo terugbetalen."

"Bange vlegels!" tierde Gwyneth. Ze greep de zweep. "Ik zal jullie laten zien hoe je welverdiende straf geeft."

Met een woede die voortkwam uit gloeiende haat, hief Gwyneth haar arm en de zweep beet door Aislinns dunne kleding in haar zachte heup.

Aislinn kronkelde van pijn en tranen glinsterden in haar ogen.

"Stop!"

Ze draaiden zich om en zagen een woedende Sweyn. Ham stond naast hem en iedereen begreep dat hij de Viking gehaald had. Maar bedwelmd door haar macht vergat Gwyneth alle voorzichtigheid, maar toen ze de zweep weer ophief, werd hij uit haar hand gerukt. Gwyneth draaide zich razend om en zag dat Sweyn zijn voet op het eind van de zweep gezet had.

"Ik zei stop!" brulde hij.

"Nee!" Gwyneth snikte half en krijste half. "De teef moet gegeseld worden."

De Viking liep naar de magere vrouw toe en keek in haar flitsende ogen.

"Luister goed, vrouwe Gwyneth, want ik vrees dat uw leven afhangt van de aandacht die u aan mijn woorden schenkt. Heer Wulfgar beval mij dit meisje te bewaken in zijn afwezigheid, en dat betekent tegen vrouwen zowel als mannen. Ze behoort hem toe en hij zal niet dulden dat u haar slaat. Tenzij hij anders zegt, bescherm ik dit meisje, en tot nu toe heb ik niet van hem gehoord dat hij me daarvan ontheft. Wulfgar zou u breken als het meisje verminkt werd. Daarom breng ik haar in veiligheid, ter wille van u zowel als haar. Vrede zij met u, vrouwe Gwyneth, maar de wensen van mijn heer gaan voor die van een ander."

Toen liep hij, zonder haar gelegenheid te geven iets te zeggen, naar Aislinn. Hij nam haar mantel van de Normandiër af en legde hem om haar heen. Aislinns ogen stonden vol tranen van dankbaarheid. Ze legde een hand op zijn arm en de Viking gromde, verlegen bij deze vriendelijkheid van een vrouw. Aislinn zei niets maar nam Hams arm en nam hem mee naar de hut waar het kleine meisje nog steeds naar adem hijgde.

Aislinn kroop dichter bij het vuur. Het was of ze eindelijk wakker werd uit een helse nachtmerrie. Ze was dankbaar dat het kleine meisje vooruit ging. De koorts was weg en over een paar dagen zou ze weer helemaal beter zijn. Maar na de eerste wrede slag met de zweep had ze aan niets anders gedacht dan aan Wulfgar die de hulpeloze Kerwick strafte; toen had ze zichzelf gezien, aan het rek gebonden en Wulfgars arm opgeheven in haat. Ze rilde toen dat beeld terugkwam. Ze dwong zich naar Ham en Kerwick te kijken, die van stroken leer een teugel vlochten voor een van de Normandiërs. Maar ze kon haar verlangen in Wulfgars sterke armen gerustgesteld te worden, niet vergeten. Nog nooit had ze zo sterk verlangd naar de aanraking van zijn handen en zijn lippen op de hare en het besef dat ze meer was dan alleen een meisje met wie hij een poosje gespeeld had. Als ze haar ogen sloot, kon ze hem bijna zien, glimlachend en met zachte, warme ogen zoals na hun liefdesspel.

O Heer, ze liet haar gevoelens haar verstand overheersen. Het was niet zeker dat hij bij zijn terugkomst nog zo zou denken als toen hij vertrok. Zoals Gwyneth gezegd had, hij kon wel terugkomen met een vrouw, en waar zou zij dan blijven? Bij zijn mannen?

Aislinn huiverde van angst. Hij had gezegd dat hij vrouwen haatte.

Zou hij zich op haar willen wreken omdat zij ook een vrouw was? Het kon hem misschien niet schelen hoeveel pijn hij haar deed. En als ze zwanger was? Hij zou haar alleen maar meer haten, want hij zou nooit kunnen weten of het van hem was of van Ragnor.

Angstige gedachten verdreven haar vertrouwen en de verrukking van dat ogenblik voor zijn vertrek toen ze elkaar vastgehouden hadden en hij haar teder gekust had. Toen was ze zeker geweest dat hij om haar gaf, al was het maar een beetje. Maar had ze zichzelf weer bedrogen? Waren het allemaal leugens? Zijn kussen? Zijn heftige omhelzingen? Leugens om haar te beroven van haar verstand?

Ze stond met een zucht op. Wat moest ze doen? Weggaan, om haar laatste beetje trots te redden?

Kerwick keek op van zijn werk. Haar vingers tokkelden op de snaren van een crwt, die niet aangeraakt was sinds de komst van de Normandiers. De vreemde akkoorden verbraken de stilte van de zaal.

Hij dacht terug aan vele maanden geleden toen haar vader toestemming had gegeven voor hun huwelijk. Kerwick was erg blij geweest, meer dan zij, wist hij, want haar vader had hem eens verteld dat ze, als ze bezorgd was, doelloos op de crwt tokkelde, zoals ze die avond gedaan had. Ze had het instrument nooit leren bespelen, ze had liever dat het bespeeld werd door een ridder of troubadour die erbij zong. Het was een griezelig geluid dat hij nu hoorde, alsof haar ziel het uitschreeuwde om verlichting.

Hij ging naast haar staan en nam haar hand. Aislinn keek hem met trillende lippen aan en zuchtte.

"Oh, Kerwick, ik ben zo moe van die strijd met Gwyneth. Wat moet ik doen? Mijn plaats als hoer van de heer opgeven en Gwyneth haar gang laten gaan? Als ik wegging, zou ze misschien wat vriendelijker zijn voor de lijfeigenen."

"Ze zou alleen maar erger worden als ze de vrije hand had," antwoordde hij. "Jij bent de enige die haar kan tegenhouden. Haar vader merkt haar wreedheid niet erg op. Sweyn heeft het te druk met de burcht en Wulfgars mannen om te zien hoe ze in werkelijkheid is. En ik," hij lachte, "ben maar een lijfeigene."

"Maar hoe kan ik haar in bedwang houden?" hield Aislinn aan. "Ik ben alleen maar speelgoed van een Normandiër."

Kerwick boog naar haar toe. "Wulfgar heeft jou zijn bescherming gegeven. Ze zal je geen kwaad doen. Na vandaag weten Wulfgars mannen dat. En Gwyneth weet het ook. Jij bent veilig voor haar. Wil je de lijfeigenen overlaten aan haar grillen, als alleen jij ze kunt helpen?"

"Je wilt me niet laten weglopen van mijn verplichtingen, hè, Kerwick?" vroeg ze zuur.

"Nee, niet meer dan jij het mij zou willen."

Aislinn lachte plotseling. "O, Kerwick, wat ben je wraakgierig."

Hij glimlachte, maar zei ernstig: "Ja, een versmade verloofde is niet edelmoedig."

Aislinn keek hem van opzij aan. "Je wonden zijn snel geheeld, hè, Kerwick? Ik zie geen littekens."

"Welke wonden bedoel je, vrouwe? Die van mijn hart? Nee, ik verberg

131

ze alleen maar goed, ze doen me nog pijn." Hij keek in haar ogen. "Je bent nog steeds mooi, Aislinn, al behoor je een andere man toe."

Aislinn werd zenuwachtig en wilde weggaan, maar hij hield haar hand vast.

"Nee, wees niet bang, Aislinn. Ik wilde je niet kwetsen. Ik probeer alleen excuus te maken."

"Excuus?" herhaalde ze.

"Ja. Ik was zelfzuchtig, want ik verlangde erg naar je en wilde je niet opgeven. Ik smeek je mij mijn overdreven eisen te vergeven."

Aislinn kuste zijn wang. "We zijn altijd vrienden, lieve Kerwick."

Bij een honend lachje gingen ze uit elkaar en zagen Gwyneth de trap af komen.

Gwyneth bleef onderaan de trap staan. Grinnikend keek ze het tweetal aan.

"Mijn broer zal er belang in stellen dat zijn maîtresse zich in zijn afwezigheid met andere mannen amuseert." Haar ogen glansden. "En hij zal het beslist horen, dat zweer ik."

Kerwick balde zijn vuisten en voor het eerst van zijn leven had hij zin om een vrouw te slaan. Aislinn glimlachte met geveinsde kalmte.

"Daar twijfel ik niet aan, Gwyneth, met je gebruikelijke zorg voor details."

Toen liep ze de nu zwijgende Gwyneth voorbij om troost te gaan zoeken in haar slaapkamer, en ze wist dat ze niet helemaal veilig was voor Gwyneths boosaardigheid.

11

Wulfgar verschoof in zijn zadel en zijn scherpe ogen gingen langzaam over het landschap. Achter hem wachtten de ridders Gowain, Milbourne en Beaufonte en de zestien mannen met lange bogen, lansen en korte zwaarden. Onder beschutting van de bomen kwam de gesloten kar waarmee Gwyneth en Bolsgar aangekomen waren, de heuvel op, beladen met voedsel en graan om het eten dat ze onderweg vonden aan te vullen. Een oude maar sterke Sakser, Bowein, vloekte tegen de paarden.

Wulfgar had een sterke, maar mobiele groep. Hij liet al zijn mannen rijden, terwijl de meeste ridders en edelen alleen zelf reden en hun soldaten dienst lieten doen als voetvolk. Hij zag er niets in zijn mannen hun voeten kapot te laten lopen. Hij gaf ze paarden en ze reden mee; als er gevochten werd, stegen ze af.

In de tijd dat Wulfgar op Darkenwald was, had William moeten wachten tot zijn mannen weer op krachten waren. Ze hadden bijna een maand niet kunnen marcheren als gevolg van een ziekte die ook William zelf niet gespaard had. Die dwong hen in het kamp te blijven, in de buurt van een diepe greppel. Omdat Wulfgars groep hier niet aan geleden had, was hij eropuit gestuurd om te zorgen dat er zich in het zuiden of westen geen Saksische legers verzamelden. Hij was ver van het grote leger gereden, naar de gehuchten, dorpen en stadjes die in opstand zouden kunnen komen tegen de Normandiërs. Hier was het eten beter, en de paarden vonden malser gras.

Hij was ver ten westen van Londen in de beboste heuvels, bijna op het verste punt van zijn tocht. Het grootste deel hadden ze ongezien gereisd. Alles leek rustig, maar toen Wulfgar verder het land afzocht, verscheen een groep van drie ridders op een heuvel. Wulfgar wenkte Milbourne en Gowain en zei de anderen te wachten maar hun wapens gereed te houden, want misschien lag er een klein leger in het bos. Met de twee ridders reed hij op het drietal toe. Met een kreet trok hij hun aandacht, en ze velden hun lansen en toonden hun schilden, waaruit bleek dat ze Engelsen waren en dus vijanden van William. Ze verspreidden zich. Toen Wulfgar dicht genoeg bij was, bleef hij even staan, zodat ze zijn wapen konden zien.

"Ik ben Wulfgar van William," zei hij bevelend. "Aan uw kleuren zie ik dat u van Rockwell bent. Ik verzoek u zich over te geven, omdat hij William geen trouw gezworen heeft."

De oudste ridder keek hem recht aan en antwoordde: "Ik ben Forsgeil en ik erken de Normandische hertog niet. Ik heb trouw gezworen aan een Saksisch heer en met Gods hulp zullen we de invallers verjagen. We willen geen andere koning dan die wij erkennen."

"Dan dwingt u ons tot strijd," antwoordde Wulfgar. Hij wees zijn mannen dat ze moesten wachten. "Zij zullen niet vechten, want u bent ridders."

Hij draaide de Hun en reed een paar passen terug. Nu grepen allen hun lans en spoorden met een kreet hun paarden aan. De Hun viel aan, hij kende de strijd even goed als zijn meester. Wulfgar klemde zijn knieën om zijn flanken en leunde op zijn lans. De oudste ridder en hij ontmoetten elkaar met een daverende klap. De eerste slag was schadeloos en de paarden keerden en kwamen weer op elkaar af. Dit keer raakte Wulfgars lans het schild van de ander en drukte het tegen zijn schouder voor hij de Normandiër kon raken. De lans van de Sakser werd opzij geduwd en zijn schild werd uit zijn hand geslagen, maar hij bleef in het zadel. Zijn linkerarm was verdoof, maar zijn paard reageerde nog op zijn knieën. Wulfgar ging opzij. De man greep dapper zijn zwaard en dreef zijn paard weer naar voren. Wulfgar gooide zijn lans en schild weg en trok ook zijn zwaard, en de Hun sprong naar voren. Wulfgars paard hield hem steeds met zijn gezicht naar de ander en duwde zijn krachtige borst tegen het kleinere paard tot het struikelde en klauwde om op de been te blijven. Wulfgars zwaard raakte de wapenrusting van de ander. Na een slag op zijn hoofd druppelde bloed van onder de helm van de Sakser en zijn arm werd zwaar. Hij schudde zijn hoofd en probeerde zijn andere arm te heffen, maar die was nog verdoofd. Wulfgar nam zijn zwaard in beide handen en bracht het met volle kracht omlaag. Het brak het zwaard van de ander en zonk in zijn schouder. De man kon zijn armen niet meer gebruiken en bleef hulpeloos zitten. Wulfgar trok terug en de ander knikte zwijgend. Hij gaf zich over en Wulfgar had zijn gevecht gewonnen. De andere gevechten waren ook snel afgelopen. Nu werden de wapens van de drie ridders afgenomen, ze waren gevangenen en zouden naar William gestuurd worden.

Zo kon William ongehinderd optrekken, zonder dat bericht van zijn nadering hem vooruitging. Vele kastelen en vestingen werden op een ochtend wakker en ontdekten dat ze omsingeld waren. Bij het zien van dit grote leger dat wachtte op het sein voor de aanval, stuurden ze snel onderhandelaars naar buiten die probeerden de gunstigste voorwaarden te krijgen.

Wulfgar reed verder. Er viel een motregen die in ijzige stroompjes langs zijn nek en kousbroek liep. De zadels werden nat en het kostte voortdurende aandacht om goed te blijven zitten. Maar de regen was ook nuttig, want de mannen hadden geen zin meer om te schreeuwen of te praten. Ze waren extra waakzaam, want ze wisten dat ze in het donker makkelijk verrast konden worden.

Wulfgar stopte en stak zijn hand op. Voor ze uit werd woedend gevloekt. Op zijn teken stegen de soldaten af en spanden hun bogen. De bogen en pijlen waren verpakt in kokers van geölied leer, want Wulfgar wist hoe vochtig de Engelse winters waren.

De ridders velden hun lansen en reden langzaam voor het voetvolk uit. Een klein stroompje kruiste het pad en zou gewoonlijk niet veel last bezorgd hebben, maar nu was het een grote modderpoel en in het midden daarvan zat een vierwielige wagen met vier kinderen en twee vrouwen. Twee mannen en een flinke jongen duwden aan de modderige wielen terwijl de oudste vrouw de vermoeide paarden aanzette tot grotere inspanning. Een man zonder linkerarm vloekte, tot hij de ridders zag, wier lansen naar hem wezen. Zijn plotselinge zwijgen trok de aandacht van de anderen en er klonk een kreet van verbazing. Wulfgar stuurde de Hun naar voren en bekeek de toestand even voor hij zijn mannen een teken gaf te ontspannen. Deze doorweekte lijfeigenen vormden geen dreiging.

Wulfgar ging naar voren tot zijn lans de borst van de oudere man bijna raakte. "Ik verzoek u zich over te geven, want dit is geen geschikte dag om te sterven."

Hij sprak achteloos, maar de toon was dreigender dan de woorden. De man met de ene arm knikte. Er klonk een geluid uit de wagen en het goed afgerichte paard wendde zich naar deze mogelijke dreiging. Een kleine jongen probeerde een zwaard op te tillen dat even lang was als hijzelf.

"Ik zal met u vechten, Normandiër," snikte de jongen met donkere ogen vol tranen.

"Miles!" riep de jongste vrouw en sprong uit de wagen. Ze greep de jongen en probeerde hem te kalmeren, maar hij rukte zich los en stond dapper tegenover Wulfgar.

"U hebt mijn vader vermoord," zei hij. "Maar ik ben niet bang om met u te vechten."

De ridder keek in de ogen van de jongen en zag daar iets van de wilde moed van zijn eigen jeugd. Wulfgar hield zijn lans rechtop, spreidde de banier met zijn wapen en glimlachte.

"Ik twijfel er niet aan, jongen. Engeland en William zullen pit als de jouwe goed kunnen gebruiken, maar ik heb het op het ogenblik erg druk, dus heb ik geen tijd voor een duel."

De vrouw ontspande en keek dankbaar naar de Normandische ridder op.

Wulfgar wendde zich tot de mannen en vroeg: "Wie bent u en waar gaat u naar toe?"

De oudste kwam naar voren. "Ik ben Gavin, de smid. Ik was boog-schutter en vocht met Harold tegen de Noren in het noorden en daar verloor ik mijn arm." Hij wees naar de vrouw in de kar. "Dat is mijn vrouw Miderd en de ander is mijn zuster, de weduwe Haylan." Hij legde zijn hand op de schouder van de jongen naast haar. "Dit is Haylans zoon Miles. De andere kinderen zijn van mij, en de man is mijn broer Sanhurst. We zijn op zoek naar een nieuwe woonplaats omdat de Normandiërs ons verdreven hebben."

Terwijl de man sprak, zag Wulfgar hoe bleek hij was en de roodachtige kleur van de dichtgeknoopte lege mouw. Hij keek naar de jongere man, die klein van stuk was, maar stevig gebouwd.

"Het dorp Darkenwald –" zei Wulfgar. "Kent u dat?"

"De naam is bekend, mijn heer," zei de jongere man voorzichtig.

"Ja, 't is bekend," onderbrak Gavin. "De oude heer die daar woont, is eens door onze streek gekomen. Hij was koppig. Hij wilde dat ik een paard besloeg dat hij voor zijn dochter gekocht had en hij duldde geen oponthoud want hij wilde het haar diezelfde dag geven voor St. Michael. Hij zei dat ze even goed reed als een man, en dat moest ook wel, mijn heer, want de Barbarijse die hij gekocht had, was vurig."

Wulfgar fronste, want hij hoorde Gwyneths beschuldiging in de woorden van de man. "Ja, de merrie had pit, net als het meisje, maar dat doet er nu niet toe. Als u wilt, kunt u op Darkenwald wonen. Daar is een smid nodig."

Gavin keek hem aan. "U stuurt me naar een Saksisch dorp?"

"De oude man is dood," antwoordde Wulfgar. "Ik houd het dorp voor William tot Engeland van hem is, dan zal het van mij zijn." Hij wees naar Sanhurst. "Hij gaat met mij mee om mij in de rug te dekken. Als hij dat goed doet, kom ik terug om te zorgen dat uw gezin gevestigd wordt."

De Saksers keken elkaar aan, voor Gavin naar voren kwam. "Vergeving, mijn heer, maar we willen geen Normandiërs dienen. We willen toch nog een plaats zoeken bij onze eigen mensen."

Wulfgar verschoof in zijn zadel. "Denkt u dat u ver zult komen als Normandiërs door het land trekken?" Hij keek ze aan en zag hun onzekerheid. "Ik zal u mijn banier geven. Geen van Williams mannen zal u kwaad doen als ze die zien." Hij wees naar Gavins arm. "Er is ook iemand op Darkenwald die uw wond zal verzorgen. Ze is de dochter van de oude heer. Je mag proberen een ander dorp te vinden dat nog in handen van de Engelsen is, maar ik waarschuw je. Ieder dorp zal genomen worden, want William is rechtens troonopvolger en vastbesloten koning te worden."

Gavin ging terug naar Sanhurst en ze fluisterden even, toen knikte de jongere man. Hij kwam voor het grote paard staan en keek omhoog.

"Zij gaan naar Darkenwald, mijn heer, en ik ga met u mee."

"Goed," antwoordde Wulfgar.

Hij reed naar Bowein die achter de boogschutters in de kar wachtte. Na een snel woord haalde de oude Sakser een touw onder de bok vandaan. Hiermee ging hij terug naar de wagen, haalde het door een ring aan de voorkant en bond het andere eind aan zijn zadel. Hij dreef de Hun naar voren zover het touw reikte en gebaarde tegen de vrouw op de bok. Ze schreeuwde en de paarden spanden zich in hun tuig. Wulfgars hengst scheen te weten wat er gebeuren moest, hij keek achterom en trok met zijn gewicht plus een paar honder pond ruiter en wapenrusting aan de kabel. Even leken zijn hoeven weg te zinken, maar gingen toen naar voren in een serie korte, krachtige rukken. De wagen kraakte en met een zuigend geluid begonnen de wielen te draaien, eerst langzaam, toen sneller, tot het voertuig de oever op stoof. De mannen sopten door de modder en bedankten Wulfgar. Bowein wachtte tot iedereen aan de overkant was, ging toen in volle vaart de modder in en kwam er zonder moeite door.

De avond viel, en Bowein zei dat er dichtbij zware bossen waren. Wulfgar leidde zijn mannen erheen en het kamp was al gauw klaar. Het werd donker en de regen kletterde ononderbroken. Wulfgar zag de kinderen huiverend bij elkaar om het vuur kruipen en zag de honger in hun magere gezichten toen ze knabbelden op de natte broodkorsten die de oudste vrouw zorgvuldig verdeelde. Hij dacht aan zijn verdriet toen hij van huis gestuurd was en hij met Sweyn bij een kampvuur zat en besefte dat hij nooit terug zou kunnen naar die plek vol gelukkige herinneringen, waar hij de liefde gekend had van een vader die plotseling helemaal zijn vader niet was.

Hij beval Bowein de Saksers een stuk zwijn en beter brood te geven. Wulfgar werd warm van binnen toen hij de stralende ogen van de kinderen zag, die verder aten van wat het rijkste maal moest zijn dat ze in weken gehad hadden. Peinzend liep hij bij ze vandaan en ging onder een boom zitten. Hij lette niet op de vochtige aarde, leunde met zijn hoofd tegen de stam en sloot zijn ogen.

In zijn gedachten kwam langzaam een gezicht tussen roodgouden krullen, de violette ogen donker van hartstocht, de warme lippen reikend naar de zijne. Hij opende zijn ogen en keek in het vuur, bang ze weer te sluiten.

Wulfgar keek op en zag Haylan naar zich toe komen. Toen ze zijn blik voelde, glimlachte de vrouw onzeker en trok haar mantel dichter om haar schouders. Terloops vroeg Wulfgar zich af hoe het zou zijn om voor deze vrouw zijn mantel te spreiden. Ze was knap, met donker krullend haar en koolzwarte ogen. Dan zou hij misschien Aislinn uit zijn gedachten kunnen zetten. Maar tot zijn verrassing vond hij het idee maar matig belangwekkend. Hij werd bezorgd, want die feeks op Darkenwald wond hem in haar afwezigheid meer op dan deze vrouw voor hem, of enige andere die hij onderweg ontmoet had. Op dit ogenblik was hij woedend op haar. Hij wilde haar aan het huilen maken, haar laten lijden voor de kwelling die ze hem bezorgde.

Aaah, vrouwen! Ze kwelden een man, en zij was niet anders, alleen kon zij nog beter de begeerte van een man opwekken. Die laatste nacht was zo scherp in zijn geheugen gegrift dat hij soms dacht dat hij haar tegen zich aan voelde en de zoete geur van haar haar rook. Ze had zich met een doel overgegeven, en nu hij bij haar vandaan was, wist hij waar ze op aan gestuurd had. Hij wilde haar vervloeken, maar tegelijk verlangde hij haar bij zich te hebben zodat hij haar kon aanraken wanneer hij wilde. O Heer, hij haatte vrouwen, en haar het meest omdat zij hem betoverd had en nu zijn gedachten beheerste.

"U kent de Engelse taal goed, mijn heer," waagde Haylan toen hij bleef zwijgen. "Als ik uw banier niet gezien had, had ik gedacht dat u een van ons was."

Wulfgar gromde en keek in het vuur. Even was alles stil in het kamp. Wulfgars mannen sliepen. De kinderen lagen vredig op de ruwe vloer van hun wagen tussen de vachten en versleten dekens.

Haylan schraapte haar keel en probeerde weer Wulfgars gepeins te doorbreken. "Ik wil u danken voor uw vriendelijkheid voor mijn zoon. Miles is even koppig als zijn vader was."

"Een dappere jongen," antwoordde Wulfgar afwezig. "Zoals je man geweest moet zijn."

"Oorlog was een spel voor mijn man," mompelde Haylan.

Wulfgar keek haar scherp aan en vroeg zich af of hij bitterheid in haar stem gehoord had. Haylan ontmoette zijn blik.

"Mag ik gaan zitten, mijn heer?" vroeg ze.

Hij knikte en ze ging bij het vuur zitten.

"Ik wist dat ik vroeg weduwe zou worden," zei ze zacht. "Ik hield van mijn man, al had mijn vader hem gekozen en had ik er niets in te zeggen. Maar hij leefde te wild en te onvoorzichtig. Als de Normandiërs hem niet gedood hadden, had iemand anders het gedaan. Nu moet ik voor mezelf zorgen of op mijn familie teren." Ze keek Wulfgar aan. "Ik ben niet boos op zijn herinnering, mijn heer, maar verzoend met zijn sterven."

Wulfgar zweeg en ze glimlachte en keek hem van opzij aan.

"Vreemd, maar u doet niet als een Normandiër, mijn heer."

Wulfgar trok een wenkbrauw op. "Hoe zie je Normandiërs, mevrouw?"

"Ik heb zeker geen vriendelijkheid van ze verwacht," zei ze.

Hij lachte kort. "Ik verzeker je, mevrouw, dat ik geen gevorkte staart heb en geen horens op mijn hoofd. Als je goed kijkt, zul je zien dat we op gewone mensen lijken, al zijn we in sommige verhalen helser dan in werkelijkheid."

Haylan bloosde en stotterde. "Ik bedoelde niets kwaads, mijn heer. We zijn u dankbaar voor uw hulp en het goede eten. 't Is maanden geleden dat ik goed vlees geproefd heb en een volle maag had. Zelfs een vuur durfden we niet te maken, omdat het rovers kon aantrekken."

Ze strekte haar handen naar de warmte. Wulfgar keek en dacht aan Aislinns slanke vingers tegen zijn borst en de opwinding die ze opwekten. Nijdig vroeg hij zich af waarom hij aan die feeks bleef denken, terwijl deze knappe vrouw hier misschien niet te veel bezwaar zou hebben zijn bed te warmen. Als hij verkoos charmant te zijn, waren een paar van de hooghartigste meisjes zuchtend in zijn armen gekomen, en deze Haylan leek niet erg arrogant. Zoals ze naar hem keek, zou ze misschien zijn toenadering verwelkomen, ze was een jonge weduwe en had zich, zoals ze zei, verzoend met de dood van haar man. Eigenlijk hadden haar woorden bijna als een uitnodiging geklonken. Maar toen hij naar haar forse boezem en brede heupen keek, besefte hij dat hij liever een slanker figuur zag. Dat verbaasde hem, een paar maanden geleden zou hij haar zijn aandacht meer dan waard gevonden hebben. Had Aislinns ongewone schoonheid zijn verlangen naar andere vrouwen verdreven? Hij vloekte bijna hardop. Hij mocht vervloekt zijn als hij zich gedroeg als een verdwaasde bruidegom die zijn vrouw trouw was. Hij zou slapen met iedere vrouw die hij wilde. Hij stond op, waardoor Haylan schrok, greep haar hand en trok haar overeind. Haar donkere ogen werden groot van verbazing, maar hij wees zwijgend met zijn hoofd naar het bos. Ze verzette zich een beetje, wel en niet wetend wat hij bedoelde, maar toen ze het bos in liepen, zette ze haar reserve opzij. Ze vonden een met klimplanten begroeide eik, waar de takken een droog prieel vormden. Hij spreidde zijn mantel, nam haar in zijn armen en kuste haar. Hij hield haar dicht tegen zich aan en streelde haar rug. Ze reageerde hartstochtelijk, sloeg haar armen om zijn nek en ging op haar tenen staan om zich tegen hem aan te drukken. Ze gingen naast elkaar op de mantel liggen. Haylan kende een mannenlichaam en voelde zijn stemming. Ze gooide haar mantel opzij, drukte haar dijen tegen de zijne en liefkoosde zijn borst onder zijn hemd. Gretig maakte Wulfgar haar blouse los. Haylans adem stokte toen hij zijn gezicht tussen haar borsten begroef en ze trok hem woest tegen zich aan. Maar in zijn opwinding vergat Wulfgar zichzelf.

"Aislinn. Aislinn," mompelde hij hees.

Plotseling verstrakte Haylan.

"Wat zei u?"

Wulfgar keek haar aan, besefte wat hij gezegd had en Haylan voelde zijn begeerte verdwijnen. Hij rolde kreunend opzij met zijn handen voor zijn ogen.

"Oh, teef," kreunde hij. "Je achtervolgt me nog bij een ander."

"Wat zegt u?" snauwde Haylan en ging zitten. "Teef? Ben ik een teef? Goed, laat uw lieve Aislinn u dan maar bevredigen. Teef, hè! Oooh!"

Ze stond woedend op, streek haar kleren glad en liet hem over aan zijn verwarde gedachten. Wulfgar hoorde haar naar het kamp terug gaan en bloosde over zijn onvermogen. Hij voelde zich als een jongen die bij zijn eerste vrouw gefaald had. Lange tijd zat hij in zijn prieel en peinsde over de dwaasheden van verliefde mannen. Toch gaf hij het zichzelf niet toe, en verklaarde tenslotte zijn reactie als een gevolg van het rustige, makkelijke leven op Darkenwald.

"Ik ben week geworden," mompelde hij en pakte zijn mantel op.

Toch zweefde, terwijl hij langzaam terugliep naar het kamp, roodgouden haar in zijn gedachten en rook hij de geur ervan. Toen hij onder de kar ging liggen en zijn mantel om zich heen trok, boog hij zijn arm alsof er een hoofd op zijn schouder rustte, en lag hij op zijn zij alsof er iemand tegen hem aan lag. Hij sliep in met de gedachte aan violette ogen die in de zijne keken.

Onder hun wagen bewoog Haylan onrustig op de strozak die ze met Miderd deelde en keek naar de bewegingloze figuur onder de andere kar.

"Wat heb je, Haylan?" vroeg Miderd. "Zitten er buiten in de strozak dat je zo draait? Wees stil, of je maakt de mannen wakker."

"Aaah, mannen!" kreunde Haylan. "Ze slapen rustig, allemaal."

"Wat bedoel je? Natuurlijk. Gavin en Sanhurst slapen al uren. Het is vast al midden in de nacht. Wat heb je?"

"Miderd?" begon Haylan, maar kon haar vraag niet onder woorden brengen. Ze zuchtte machteloos en vroeg tenslotte: "Waarom zijn mannen zoals ze zijn? Zijn ze nooit tevreden met één vrouw?"

Midred rolde op haar rug. "Sommige mannen zijn tevreden als ze de juiste vrouw kunnen vinden. Anderen blijven eeuwig zoeken naar opwinding."

"Wat voor soort man denk je dat Wulfgar is?" vroeg Haylan zacht.

Miderd haalde haar schouders op. "Een Normandiër zoals de anderen, maar een aan wie we trouw moeten zijn om niet overgeleverd te worden aan de genade van een of andere zwervende schurk."

"Vind je hem knap?"

"Haylan, ben je gek? We zijn maar boeren en hij is onze heer."

"Wat is hij, een schurk of een goede ridder?"

Miderd zuchtte. "Hoe kun je verwachten dat ik een mans gedachten ken?"

"Je bent wijs, Miderd. Zou hij een boer slaan als die hem kwaad maakte?"

"Waarom? Heb jij dat gedaan?"

De jongere vrouw slikte. "Ik hoop van niet."

Ze keerde zich op haar zij, weg van Miderds vragende blik en na een lange tijd viel ze eindelijk in slaap.

Wulfgar werd wakker bij de hartige geur van zwijnevlees en soep. Hij zag dat de vrouwen al op waren en eten klaarmaakten. Hij stond op en rekte zich uit, genietend van de rust van de vroege ochtend. Haylan had onzeker naar hem gekeken toen hij sliep en zich afgevraagd wat er zou gebeuren als hij wakker werd, maar hij leek haar te zijn vergeten. Ze boog zich over het vlees en keek van opzij naar hem. Ze bewonderde zijn breedgeschouderde figuur en herinnerde zich duidelijk zijn lichaam tegen het hare.

Wulfgar had zich aangekleed en kwam met Gowain en Milbourne eten halen. Toen ze hem bediende, trilden Haylans vingers en ze bloosde bij de gedachte aan hun omhelzing van de vorige avond, maar hij praatte met Milbourne en grinnikte om een grap van heer Gowain, en leek gisteravond vergeten te zijn.

Even later kwam de oudste ridder nog een stuk vlees halen en Haylan stelde hem een vraag.

"Heer Normandiër, wie is Aislinn?"

Milbourne keek naar Wulfgar en stotterde: "Nou, ze – ahem – ze is vrouwe van Darkenwald."

Hij liep snel weg toen Haylan niet verder vroeg. Heer Gowain kwam naar haar toe en glimlachte.

"Madame, soldaten missen vaak een vrouw. 't Is prettig om bij het ontbijt naar u te kijken."

Haylan fronste. "Heer ridder, wie is Wulfgar? Wat is hij op Darkenwald?"

Gowains enthousiasme verdween snel toen ze zijn woorden negeerde. "Wulfgar, mevrouw, is heer van Darkenwald."

"Daar was ik al bang voor," fluisterde ze gespannen.

Gowain keek een beetje verbaasd, maar liep weg, nijdig over haar belangstelling voor een ander.

De derde ridder, Beaufonte, was net opgestaan en wachtte geduldig tot ze hem eindelijk opmerkte en wat soep gaf. Ze vroeg hem voorzichtig:

"Heer ridder, we gaan toch naar Darkenwald, hè?"

"Ja, mevrouw, naar Darkenwald."

Haylan slikte en vroeg zich af hoe ze Wulfgars vrouwe onder ogen kon komen en wat er zou gebeuren als vrouwe Aislinn er achter kwam wat er gebeurd was.

Tot het kamp opgebroken werd, bleef Haylan uit Wulfgars buurt, ze wist niet of ze banger was voor hem of voor zijn vrouwe. Als hij haar man was, zou ze razend zijn als ze hoorde dat hij met een meisje gestoeid had, of er wat gebeurd was of niet.

Voor ze vertrokken, zocht Wulfgar Miderd op en gaf haar een in leer verpakte bundel.

"Geef dit aan mijn vrouwe..." Hij schraapte zijn keel. "Geef dit aan Aislinn van Darkenwald als je even alleen met haar bent. Zeg haar – zeg haar dat het eerlijk gekocht is."

"Ja, mijn heer," antwoordde Miderd. "Ik zal er goed op passen."

Hij knikte maar bleef staan. Hij leek nogal verlegen.

"Wenst u nog iets, mijn heer?" waagde ze, zich verbazend over de aarzeling van de grote Normandiër.

"Ja," zuchtte hij. "Zeg ook..." Hij zocht naar woorden. "Geef haar mijn goede wensen en zeg dat ik hoop dat Sweyn goed voor haar zorgt."

"Ik zal de woorden goed onthouden, mijn heer," zei ze.

Hij draaide zich om, gaf zijn mannen een bevel, sprong in het zadel en leidde de groep het dal uit. Op de bok van de kar gezeten, keek Haylan naar Miderd die de bundel achterin wegstopte.

"Wat heb je daar?" vroeg ze. "Heeft hij je een beloning gegeven?"

"Nee. Ik breng dit alleen maar voor hem naar Darkenwald."

"Heeft – heeft hij iets over mij gezegd?"

Miderd schudde haar hoofd en keek de jongere vrouw aan. "Nee. Waarom zou hij?"

"Ik – ik dacht het misschien. Hij leek slecht gestemd toen ik bij hem weg ging."

"Dat was hij nu niet." Miderd keek haar schoonzuster met opgetrokken wenkbrauwen aan. "Waarom ben je bang voor hem?"

"Bang?" Haylan lachte flauw. "Dat ben ik niet."

"Wat is er gisteravond gebeurd toen we allemaal in bed lagen en jij niet? Heeft hij je het hof gemaakt?"

Haylan riep verontwaardigd: "Dat heeft hij niet. Echt niet. Er is niets gebeurd."

Miderd keek argwanend naar haar blozende gezicht en haalde toen haar schouders op. "'t Is jouw leven. Doe wat je wilt. Je hebt nooit naar mijn raad geluisterd. Maar ik geloof dat de belangstelling van mijn heer ergens anders is."

"Zoals je zegt, Miderd, 't is mijn leven," antwoordde Haylan en ging de kinderen in de kar helpen.

12

De nadering van Normandische ruiters werd aangekondigd van Darkenwalds toren toen de haan kraaide. Aislinn kleedde zich snel aan, hopend
dat er eindelijk een boodschapper van Wulfgar was. Haar hoop verdween
toen ze de trap af kwam en Ragnor de Marte bij het vuur zag staan.
Vachel en nog twee Normandiërs stonden bij hem, maar op een woord
van Ragnor gingen ze weg. Ragnor had zijn mantel en maliënkolder
afgelegd, maar zijn zwaard weer omgegord.

Hij wendde zich naar Aislinn en glimlachte, waardoor ze zich bewust
werd van haar losse haar en haar blote voeten op de koude stenen trap.
Ze liep naar de haard omdat het zo koud was. Ze ging zitten en keek
de Normandiër aan, zich bewust dat ze alleen waren. Sweyn en Bolsgar
waren gaan jagen en Gwyneth was nog niet op. Zelfs de lijfeigenen waren
elders aan het werk, omdat ze zich maar al te goed herinnerden dat
hun familie en vrienden door deze Normandiër gedood waren.

Aislinn zei zacht: "Zijn er geen oorlogen te vechten, heer Ragnor,
of komt u daarom terug? Ik veronderstel dat het hier veiliger is dan
in Williams kamp. Ik neem aan dat de hertog weer beter is?"

Ragnors ogen namen haar op en bleven rusten op haar blote voeten.
Hij glimlachte en knielde, nam een koude voet in zijn handen en wreef
hem. Angstig probeerde Aislinn los te komen, maar hij hield vast.

"Je tong wordt scherp, mijn duifje. Heeft Wulfgar gemaakt dat je
alle mannen haat?"

"Aaah, schurk," gaf ze terug. "Wat weet u van mannen?"

Zijn vingers omknelden haar enkel en Aislinn herinnerde zich hoe hij
haar pijn gedaan had.

"'t Is duidelijk, vrouwe, dat jij niets van ze weet. De bastaard boven
mij verkiezen was een zeldzame dwaasheid."

Ze schopte zijn hand weg en sprong op.

"Ik vind het niet dwaas, heer Ragnor. En ik geloof niet dat ik dat
zal doen. Wulfgar is heer van deze burcht. Ik geloof dat ik juist gekozen
heb, want wat hebt u, behalve het paard dat u wegvoert van de strijd?"

Hij streelde haar haar. "Kon ik maar blijven en je laten zien hoe je
je vergist hebt, Aislinn." Hij haalde zijn schouders op. "Maar ik blijf
maar een paar uur om te rusten. Ik moet naar Williams schip met brieven
voor thuis."

"Het moet wel erg dringend zijn, als u zo talmt," snibde Aislinn.

"'t Is erg dringend, maar ik wilde deze mooie burcht weer zien." Hij
grijnsde. "En jou, mijn duifje."

"Dat heeft u nu. Houd ik u op? Misschien wat eten voor onderweg? Wat doet u snel vertrekken?"

"Niets, mijn duifje." Hij legde zijn hand op zijn hart. "Want ik zou willen sterven om bij je te kunnen zijn."

Er sloeg een deur dicht en Ragnor ging bij Aislinn vandaan toen ze Gwyneths voetstappen hoorden. Het leek of hij Aislinn uitdaagde hem te verraden, maar zolang hij niet op haar lette, was ze meer dan blij om zijn ontrouw.

Gwyneth verscheen op de trap en Aislinn beet op haar lip. De ander droeg haar bleekgouden jurk, de beste die ze nog had. Gwyneth beschikte vrij over haar kleren en gaf ze alleen terug als ze kapot of vuil waren. Dan vond Aislinn ze afgedankt op haar bed. Maar toen Gwyneth de trap af kwam, onderdrukte Aislinn een glimlach. Gwyneths kleine boezem was kinderlijk plat en de botten van haar magere heupen staken lelijk door de zachte stof. Ze keek argwanend naar ze en wendde zich toen naar Ragnor.

"Ik dacht dat ik u nooit weer zou zien, heer ridder," zei ze.

"Ah, damoiselle, u bent voor altijd in mijn geheugen gegrift," verzekerde Ragnor haar. "Ik wil dat u weet dat er geen dag voorbij gaat dat ik niet aan uw schoonheid denk."

"U spreekt mooie woorden, maar ik vrees dat u me voor de gek houdt," antwoordde Gwyneth. "Doen mannen dat niet altijd?"

"Nee, nee, lieve Gwyneth. Dat doe ik niet, hoewel, eerlijk gezegd, een soldaat vaak de schoonheid thuis vergeet voor die in zijn armen."

"Wat zijn mannen wispelturig!" Glimlachend keek ze naar het jongere meisje. "Ze vergeten hun maîtresses zo makkelijk. Trouw wachten is zinloos en men kan beter vluchten en zich de pijn besparen van verstoten te worden voor een ander."

Aislinn richtte zich op. "Je beoordeelt mannen slecht, Gwyneth. Ik kijk liever verder. Dus besteed ik weinig aandacht aan een snoever en meer aan een ware ridder."

Zonder nog een woord of blik ging Aislinn de trap op. Gwyneth keek haar met een hoonlach na.

"Als ze denkt dat mijn broer terug komt vliegen naar haar armen, is ze een dwaas. Waarom zou hij alleen het gevallen fruit proeven als hij de hele boom van Engeland heeft?"

Ragnor onderdrukte een glimlach en haalde zijn schouders op. "Ik probeer niet vrouwen te begrijpen, maar ze lief te hebben." Hij nam Gwyneth in zijn armen. "Kom, meisje, laat me je tegen me aan voelen."

Ze trommelde met haar vuisten op zijn borst. "Laat me los!"

Hij liet haar zo abrupt los dat ze achteruit struikelde en bijna viel.

"Je hebt me niet verteld dat je met die Saksische hoer naar bed bent geweest!" riep ze. "Je hebt met die slet geslapen en me belogen!"

Ragnor ging zitten. "Ik dacht niet dat het je iets kon schelen."

Gwyneth knielde voor hem en nam zijn hand in de hare. Wanhopig keek ze hem aan.

"Mij niet kon schelen? Je maakt een grap. We zijn minnaars daarom moeten we alles van elkaar weten." Haar nagels drongen in zijn arm.

"Ik wil niet op de tweede plaats komen na die slet."

Ragnor duwde onzacht haar hand weg. "Helaas, mijn liefste, doe je dat al."

Ze klemde zich angstig aan zijn knieën vast. "Oh, mijn lief, je kwetst me diep."

"Ik laat me niet bevelen," zei hij koud. "Ik laat me niet rondleiden als een os met een juk op mijn nek. Als je me liefhebt, moet je niet proberen me op die manier te binden. Ik kan niet ademen als je me verstikt."

Gwyneth begon te huilen. "Ik haat haar," jammerde ze. "Ik haat haar bijna net zo erg als ik jou liefheb."

Ragnor glimlachte, hij nam haar kin in zijn hand, hief haar gezicht op en kuste haar. "'t Was alleen maar een gevolg van de strijd," fluisterde hij hees. "Het was geen liefde, zoals bij ons."

Hij drukte zijn mond op de hare, eerst zacht, toen veeleisender. Zijn hand sloot om haar borst, en toen hij haar zachte kleed voelde, herinnerde hij zich waar hij het voor het eerst gezien had. Aislinn had het de avond voor zijn vertrek gedragen.

"Kom naar mijn kamer," smeekte Gwyneth. "Ik zal op je wachten."

Ze liep naar de trap en keek glimlachend naar hem om. Toen ze weg was, stond Ragnor op en schonk zich een beker bier in. Hij keek omhoog naar de kamer van de heer en ging langzaam de trap op. Even bleef hij voor de deur staan, die hem scheidde van de vrouw die hij werkelijk begeerde. Hij wist dat hij gegrendeld was. Ze was voorzichtig om haar plaats als Wulfgars favoriete niet te verliezen, en die was wankel, want niemand wist ooit wat Wulfgar dacht of voelde. Ze was verleidelijk, maar veraf als de maan. Maar Wulfgar bezat Darkenwald, of zou het gauw bezitten, en ze had hem zelf gezegd dat dat alles was wat ze wilde. De man die de burcht en het dorp bezat, zou haar bezitten.

Hij boog voor de deur. "Gauw, mijn duifje. Heb geduld."

Geluidloos liep hij verder naar Gwyneths kamer. Ze lag naakt op het bed. Ragnor glimlachte en sloot de deur zorgvuldig achter zich. Hij kleedde zich uit en nam haar in zijn armen. Ze streelde hem en kreunde zacht toen hij haar liefkoosde.

De wind floot door de kale bomen en rammelde aan de luiken. Gwyneth kroop dieper onder de vachten en keek zwijgend naar Ragnor die zijn kleren weer aantrok. Ze richtte zich op een elleboog op toen hij de deur open wilde doen.

"Mijn lief?"

Hij bleef staan.

"Het is nog vroeg," mompelde ze. "Blijf nog een beetje bij me rusten."

"Rusten?" vroeg hij plagend. "Een andere keer, Gwyneth. Ik moet nu voor de zaken van de hertog zorgen."

Zonder nog een woord ging hij weg. Hij zag dat de deur van de kamer van de heer open stond. Maar de kamer was leeg en de zaal ook. Hij was teleurgesteld dat hij Aislinn niet meer zou zien voor hij wegging. Toen hij in het zonlicht stapte, rekte hij zich uit en spreidde zijn armen. Een beweging in zijn ooghoek trok zijn aandacht, en hij keerde zich om en zag een flits van roodgouden haar in het bos. Vachel en de andere mannen doezelden bij de paarden, dus kon hij zijn vertrek nog wel even uitstellen. Hij dacht aan een andere dag voor deze deur en de nacht erna. Hij had natuurlijk niet weinig gedronken en begreep wel dat hij geen gunstige indruk op Aislinn gemaakt had. Maar als hij lief voor haar was, zou ze nu misschien gewillig bij hem komen.

Hij liep achter haar aan, maar vroeg zich even af waarom hij het probeerde. Hoewel hij nooit zoveel bereikt had als Wulfgar hier, was het hem nooit moeilijk gevallen een vrouw te vinden. Aislinns trouw aan Wulfgar was moeilijk te begrijpen. Ze moest toch weten dat hij haar al gauw zou verlaten voor een van de edele vrouwen aan het Normandische hof. Hijzelf hoefde alleen maar te wachten, en Aislinn zou van hem zijn. Dus waarom volgde hij haar nu, terwijl hij dringender dingen te doen had? Maar haar gezicht kwam in zijn gedachten en hij versnelde zijn pas. Hij ging het bos in en vond op een smal pad een kleine voetafdruk.

Aislinn was naar buiten gegaan omdat ze Ragnor niet meer wilde zien. Gwyneths scherpe tong drong diep door en Ragnor hitste haar nog op. Ze dacht alleen maar aan hem in verband met verdriet en pijn. Ze herinnerde zich de avond met het touw om haar hals en zijn dronken geklauw. En ze dacht weer aan de dood van haar vader als ze Ragnor zag.

Bij de beek bleef Aislinn staan, leunde tegen een oude eik op de oever en keek in het donkere, kolkende water. In gedachten gooide ze een steentje naar een lichtplek en keek hoe de rimpels zich verspreidden.

"Wil je de vissen verjagen van een mager winters maal, mijn duifje?"

Aislinn keerde zich met een kreet om. Ragnor glimlachte en kwam voor haar staan. Om haar trillende knieën stil te houden, leunde Aislinn tegen de boom en keek behoedzaam naar hem.

"Ik wandelde in het bos en genoot van de stilte en toen zag ik jou. 't Is niet verstandig alleen zo ver van de burcht te gaan. Er zijn er die zouden…" Hij zweeg toen hij haar onzekerheid zag. "Ach, maar mijn duifje, ik heb je bang gemaakt. Vergeef me, schoonheid. Ik dacht alleen maar aan je welzijn en bedoelde geen kwaad."

Aislinn hief trots haar kin. "Ik ben voor geen man bang, heer ridder," zei ze, en vroeg zich af of ze loog.

Ragnor lachte. "Ach, duifje, Wulfgar heeft je nog niet getemd. Ik was bang dat hij dat hete bloed zou afkoelen."

Hij liep naar de oever en hurkte alsof hij nadacht. Toen keek hij haar over zijn schouder aan.

"Ik weet dat je me een schurk vindt en dat ik je pijn en verdriet heb gedaan. Maar bij het ene, Aislinn, was ik soldaat en deed mijn plicht, en bij het andere…" Hij gooide een steentje achter het hare aan. "Noem me maar een maanzieke jongen. Zeg maar dat ik betoverd was door je schoonheid, de grootste die ik ooit heb gezien." Hij stond op en draaide zich om. "Moet ik mijn ziel helemaal blootleggen, Aislinn, om je gunst te winnen? Heb ik helemaal geen kans?"

Aislinn schudde verward haar hoofd. "Ragnor, u maakt me in de war. Heb ik u ooit reden gegeven om mijn hand te vragen? En waarom zou u dat willen? Ik heb weinig te bieden, en ik ben van Wulfgar. Ik heb hem trouw beloofd. Wilt u dat ik hem bedrieg?"

Hij nam een lok van haar borst. "Kan ik je niet om jezelf begeren, Aislinn? Wil je de waarheid niet geloven? Je bent mooier dan woorden kunnen zeggen en ik begeer je. Ik begeerde je toen je van mij was en nu wil ik je terug."

"Ik ben van Wulfgar," zei ze zacht.

"Je zegt niet waar je hart is, Aislinn. Eer vind ik goed, maar ik wil je genegenheid." Hij keek strak in haar ogen. "Aislinn, kon ik het zwaard maar terugtrekken dat je vader doodde en hem het leven teruggeven. Ik zou er het fortuin van mijn familie voor geven." Hij haalde zijn schouders op. "Maar helaas, mijn mooie Aislinn, het is gebeurd en er is niets aan te doen. Toch vraag ik je me te vergeven. Geef me je liefde en verzacht de pijn in mijn hart."

"Dat kan ik niet," hijgde ze. "Als ik u zie, denk ik aan de ellende die u veroorzaakt hebt, niet alleen mij maar ook anderen. Niets kan het bloed afwassen dat ik aan uw handen zie."

"Zo is een soldaat en Wulfgar is even schuldig. Heb je gedacht aan de Saksers die hij gedood heeft? Het noodlot wilde dat ik jouw vader doodde."

Zijn borst deed pijn van de opwinding die ze in hem wekte. Als ze maar besefte hoe ze hem kwelde, zou ze zijn lijden wel verzachten.

Aislinn sloeg haar ogen op en mompelde: "Wie kent mijn hart echt, behalve God, heer Ragnor, maar er is een groot wonder nodig voor u het wint. Wulfgar heeft me opgeëist en ik ben van hem. Ik zou eerder hem mijn genegenheid geven…"

Ragnors gezicht verstrakte. "Je noemt de naam van die hond. Wat is hij dat ik niet ben? Een naamloze bastaard, zwervend over slagvelden, een anders oorlog vechtend voor een handvol goud. Ik ben een ridder uit een edele familie. Ik zou je aan het hof kunnen brengen."

Ragnor stak zijn hand naar haar uit, maar Aislinn schudde haar hoofd en draaide hem haar rug toe.

"Ik kan niet. Ook als Wulfgar geen zier om me gaf, ben ik toch zijn slavin en moet doen wat hij zegt. Hij zal me nooit laten gaan." Ze leunde weer tegen de boom en tikte glimlachend met haar vingers op zijn uitgestoken hand. "Maar houd moed, heer Ragnor. Vrouwe Gwyneth vindt u erg knap en zou ongetwijfeld graag doen wat u wilt als u het haar vraagt."

"Je plaagt me," kreunde Ragnor. "Een magere hen naast een witte duif." Hij greep haar hand en zijn bloed bonsde. "Aislinn, heb genade. Laat me niet zo naar je verlangen. Kwel me niet zo. Geef me een lief woord, Aislinn. Laat me weten dat ik kan hopen."

"Ik kan niet," hijgde ze en probeerde haar hand los te maken. Ze begon bang te worden. Ze zag zijn ogen en had geen ziener nodig om zijn bedoeling te raden. Hij trok haar dichter naar zich toe en haar verzet hielp niets. "Nee, alstublieft. Niet doen!"

"Mijn duifje, verzet je niet. Je maakt me gek," mompelde hij.

"Nee!" Ze draaide zich opzij. Ze trok de kleine dolk uit de schede

en hield hem dreigend voor zich. "Nee, niet nog eens, Ragnor! Nooit!"
Ragnor lachte. "Ha, het meisje heeft nog pit."

Hij greep haar hand en kneep hard tot ze de dolk liet vallen. Hij stak een hand in haar haar, draaide haar arm achter haar en trok haar naar zich toe.

"Ik zal dit vogeltje weer hebben." grinnikte hij en kuste haar hard.

Met een kracht die voortkwam uit wanhoop trok Aislinn zich los en viel tegen de eik. Ze hijgde van angst en woede en hij kwam lachend naar haar toe. Er suisde iets en met een plof drong een grote strijdbijl in de boom vlak bij Ragnors gezicht. Hij draaide zich met een ruk om en huiverde toen hij Sweyn zag staan. De Viking droeg een ongespannen boog en aan zijn voeten lagen duiven en een paar hazen. Aislinn sprong naar Sweyn toe, maar op dat moment ontdekte Ragnor dat de Viking nu ongewapend was. Zijn zwaard flitste uit de schede en hij sprong achter Aislinn aan. Ze gaf een gil en stapte achter de grote Noorman. In een ogenblik had Sweyn de bijl teruggetrokken aan de leren band aan het handvat en wachtte de aanval af. De strijdbijl lag op zijn schouder, mat glanzend in het zonlicht.

Ragnor bleef een paar passen voor Sweyn staan, zijn gezicht vertrokken van woede dat hij zo gedwarsboomd was. Hij wilde de man neerslaan, maar herinnerde zich dat hij eens in een gevecht had gezien hoe die bijl diep doordrong in het hoofd van een tegenstander. Zijn woede verdween en hij werd bang. Hij stak zijn zwaard in de schede en hield zijn handen van zijn zijden zodat de Viking zijn bewegingen niet kon misverstaan. Zo stonden ze even tegenover elkaar. Toen glimlachte de Noorman.

"Wees voorzichtig, Normandiër," zei hij zacht. "Mijn heer Wulfgar heeft me gezegd deze vrouw te bewaken en dat doe ik goed. Als ik ondertussen een paar Fransozenkoppen splijt, zou me dat niet veel verdriet doen."

Ragnor zei giftig: "Wees zelf voorzichtig, witharige heiden. Op een dag zal deze zaak beslist worden en zo het lot wil, zal ik mijn zwaard nat maken tussen je meisjesblonde lokken."

"Ja, Ragnor." De Viking grijnsde breder. "Mijn rug is onbeschermd maar deze vriendin," hij stak zijn bijl op, "past heel goed op mijn andere zijden en kust graag degenen die hun zwaard willen proberen op mijn schedel. Zou je haar graag ontmoeten?" vroeg hij. "Mademoiselle Dood."

Aislinn kwam achter Sweyn vandaan en legde haar hand op zijn arm, terwijl ze koud naar de Normandiër keek. "Zoek je plezier ergens anders, Ragnor. Maak dat je weg komt."

"Ik ga, maar ik kom terug," waarschuwde Ragnor.

Toen Aislinn even later in de zaal terugkwam, zag ze Gwyneth zenuwachtig heen en weer lopen. Een blik op het gezicht van de vrouw zei haar dat iets haar niet beviel. Ze wendde zich naar Aislinn met een woeste gloed in haar bleke ogen.

"Wat is er met jou en Ragnor gebeurd?" eiste ze. "Ik wil het nu weten, Saksische slet!"

Aislinn keek haar woedend aan, maar haalde haar schouders op en zei: "Niets dat jou kan interesseren, Gwyneth."

"Hij kwam uit het bos waar jij was. Heb je je weer aan hem opgedrongen?"

"Weer?" zei Aislinn en trok een wenkbrauw op. "Je bent gek als je denkt dat ik ooit toenadering zou zoeken tot die schoft."

"Hij heeft eerder met je gevrijd!" hijgde Gwyneth, razend van jaloezie. "Je bent er niet tevreden mee dat mijn broer aan je rokken hangt. Je wilt iedere man hijgend achter je aan hebben."

Aislinn zei met nauwelijks beheerste woede: "Ragnor heeft nooit met me gevrijd zoals jij denkt. Hij heeft me verkracht en dat is iets anders. Hij heeft mijn vader vermoord en mijn moeder gemaakt tot wat ze nu is. Gwyneth, hoe kun je denken dat ik hem ooit zou begeren?"

"Hij heeft meer te bieden dan mijn broer. Hij is van edele geboorte en belangrijke familie."

Aislinn lachte minachtend. "Ik geef om geen van beide. Je broer is meer man dan Ragnor ooit kan hopen te zijn. Maar als jij hem wilt hebben, heb je mijn zegen. Jullie passen bij elkaar."

Hoewel hij zijn neef gespaard had, had Ragnor de boogschutters genadeloos wakker geschopt, en nu donderde de groep over de kustweg naar Hastings. Ragnor reed voorop en zelfs Vachel bleef achter met de mannen om aan zijn slechte humeur te ontkomen. Er werden vragende blikken gewisseld, maar niemand wist waarom hij zo woest was. Zijn stemming werd steeds slechter en af en toe hoorden de mannen hem vloeken. Door zijn gebrek aan slaap vond hij zijn falen bij Aislinn nog erger. Wulfgar moest haar flink beloond hebben voor haar gunst, want die laaggeboren ridder had beslist geen omgangsvormen. Hij had nooit meegedaan aan de verfijnde grappen aan het hof. Als het waar was wat Vachel over Wulfgar zei; hij had de edelste dames maar een kort spel waard gevonden en ze afgedaan als ze aan zijn wensen voldaan hadden. Toch moest hij goed gekozen hebben, want Ragnor wist er niet een die zich wilde wreken.

Bah. Wat voor greep had de bastaard op zijn vrouwen? Ragnor gromde. Als Wulfgar maar faalde in een strooptocht en Aislinn haar dwaasheid wilde inzien, zou hij misschien toch nog iets kunnen overhouden aan deze oorlog. Hij maakte plannen maar verwierp ze weer even snel.

Vachel hoorde zuchten van opluchting toen de vesting van Hastings en de masten van de schepen in zicht kwamen. Allen dachten aan een nacht goed slapen, een buikvol vlees en een flinke beker bier.

Ragnor draaide zich om naar de man die hem aanriep uit de verte en herkende zijn oom, Cedric de Marte, die over het strand naar hem toe kwam.

"Ho, Ragnor, eindelijk heb ik je te pakken. Heb je me niet horen roepen?"

"Ik heb zorgen aan mijn hoofd," antwoordde Ragnor.

"Dat zei Vachel al," antwoordde Cedric. "Maar hij wilde niet zeggen wat."

"Ze zijn van persoonlijke aard," zei Ragnor.

"Persoonlijk?" Cedric keek zijn neef onderzoekend aan. "Wat is er zo persoonlijk dat het je verhindert bezittingen te winnen?"

Ragnor lachte honend. "Dus dat heeft Vachel ook verteld?"

"Met tegenzin, maar tenslotte was hij eerlijk. Hij is je trouw, Ragnor. Je zult hem op het slechte pad brengen."

Ragnor lachte vreugdeloos. "Hij heeft zelf verstand. Hij kan me verlaten wanneer hij maar wil."

"Hij wil niet, maar dat maakt de wegen waar jij hem leidt nog niet goed. Zijn welzijn gaat mij aan sinds zijn vader stierf."

"Wat hindert u, oom? De vrouwen met wie hij naar bed gaat of de bastaards die hij verzamelt?"

Cedric trok een wenkbrauw op. "Je vader is niet erg verrukt over hoe jij je zaad rondstrooit."

Ragnor gromde. "Hij overdrijft."

"Jullie moeten nog veel leren over eer," zei Cedric. "In mijn jeugd werd ik gestraft als ik de hand van een meisje durfde aanraken. Nu denken jullie aan niets anders dan tussen hun dijen te kruipen. Is het een vrouw die je dwarszit?"

Ragnor wendde zich af. "Heb ik me ooit zorgen gemaakt over een vrouw?"

"Die tijd komt in het leven van iedere man."

"Voor mij is hij nog niet gekomen," kraste Ragnor.

"En dat meisje waar Vachel over spreekt, die Aislinn?"

De ogen van de jongere man brandden van woede. "Zij is niets. Gewoon een Saksische."

Ook driftig duwde Cedric tegen zijn neefs borst. "Nou, ik waarschuw je, zorgeloze vrijer, je bent niet hier om meiden te veroveren, maar om de bezittingen van je familie uit te breiden. Vergeet die teef en doe waar we je voor opgeleid hebben."

Ragnor duwde zijn hand weg. "U lijkt iedere dag meer op mijn vader, Cedric," hoonde hij. "Maar wees maar niet bang. Ik zal krijgen wat me toekomt."

De zon kwam op toen het viertal uit Hastings wegreed. Ragnor reed weer voorop, zijn stemming was nauwelijks beter dan de vorige dag. Deze keer namen ze de weg die landinwaarts voerde.

Ze reden zwijgend en snel en maakten een eenvoudig kamp voor de nacht. Het weer was zacht en ze sliepen goed en waren bij de dageraad al weer onderweg. De zon stond al hoog toen ze over een heuvel kwamen en in de verte een grote groep ruiters zagen. Ze doken snel in de schaduw en wachtten tot ze de kleuren van de groep konden zien. Ze zagen de mannen samenkomen voor een bespreking en zich toen in drie groepen delen. Er viel een zonnestraal over de groep en nu zag Ragnor Wulfgars kleuren. De drie anderen wilden zich bekend maken, maar Ragnor hield ze tegen. Er vormde zich een plan in zijn hoofd. Hij zei de twee boogschutters door te rijden en William te zeggen dat hij onderweg was met brieven, en dat hij en Vachel gewacht hadden om nieuws van Wulfgar te brengen.

Toen ze weg waren, zei Ragnor glimlachend tegen zijn neef:

"Laten we zien of we die soldaat een drukke middag kunnen bezorgen."

Vachel keek verbaasd, maar Ragnor vervolgde:

"Er ligt daar een Saksisch dorp dat nog trouw is aan een Engelse koning." Hij lachte. "Ze zullen een Normandische ridder niet onthalen, want toen ik er laatst voorbij kwam, joegen ze me op." Hij wees omlaag waar twee groepen mannen naar beide zijden reden en de derde, onder leiding van Wulfgar, rechtuit ging. "Kijk, Wulfgar stuurt de anderen om de wegen achter het dorp te blokkeren en gaat dan de overgave eisen. Als de Engelsen vluchten, lopen ze in de val. Als ze aanvallen, komen de anderen Wulfgar te hulp."

Hij grijnsde naar Vachel.

"Maar laten wij het plan veranderen. Als we naar het dorp toe rijden, lokken we misschien wat moedige mensen naar buiten. Die leiden we naar Wulfgars groep voor hij het bos uit is."

Ragnor lachte bij het idee dat Wulfgars plan mislukte, maar Vachel aarzelde.

"Ik haat de Engelsen meer dan ik de bastaard minacht," antwoordde Vachel. "Ik wil niet dat die Saksers onze mensen mishandelen."

"Het kan geen kwaad." Ragnor haalde zijn schouders op. "Wulfgar zal de dwazen beslist verslaan. 't Zal hem alleen leren wat het betekent aangevallen te worden door die Saksische zwijnen, dan begrijpt hij misschien dat we onszelf verdedigden op Darkenwald en niet anders konden."

Vachel gaf eindelijk toe en de twee reden snel om Wulfgar heen. Zoals Ragnor bedoeld had, kwamen er gewapende mannen naar buiten en achtervolgden de Normandiërs over de akkers. Ragnor en Vachel leidden de dorpelingen het bos achter de akkers in. Daar reden ze snel door en lieten een spoor voor de achtervolgers achter. Bij een bocht gingen ze het pad af en reden naar een heuvel om te zien wat er gebeurde. Ze zagen de dorpelingen de bocht om gaan en blijven staan luisteren. Toen ze Wulfgar hoorden naderen, doken de Engelsen de struiken in.

Ragnor keek peinzend naar de weg en zei, alsof hij nu zelf twijfelde:

"Ik geloof dat het verkeerd gaat, Vachel. Ze zetten een val voor Wulfgar, maar ik twijfel. Ik vrees voor de veiligheid van onze eigen twee mannen. Wil jij naar ze toe rijden, Vachel, en ze beschermen, dan ga ik naar Wulfgar en waarschuw hem."

Vachel zette zijn tegenzin om Normandiërs verslagen te zien door Saksers van zich af en keek naar de bocht van de weg.

"Neef, dat lijkt me dwaas." Hij keek Ragnor aan en beiden grinnikten. "Laat me hier blijven tot ze Wulfgar uit het zadel hebben, dan zal ik doen wat je zegt."

Ragnor knikte en ze keken naar wat er beneden gebeurde.

Wulfgars kleine leger reed over het pad naar Kevonshire. Gowain en Beaufonte waren naar achter het dorp gestuurd, heer Milbourne reed naast Wulfgar en de drie boogschutters volgden. Als gewoonlijk vormde Sanhurst de achterhoede. Hij leek erg bang voor de Normandiër en bleef op een flinke afstand, al had hij een kort zwaard en een speer gekregen om hem in de rug te dekken.

Ze staken een kleine open plek over en reden de schaduw weer binnen, waakzaam maar toch ontspannen. De Hun kauwde zenuwachtig op zijn bit, maar Wulfgar dacht dat het paard alleen de opwinding voelde van de komende strijd. Toen, bij een bocht in het pad, snoof het dier en kwam glijdend tot staan. Wulfgar kende dat en greep naar zijn zwaard, terwijl hij een waarschuwing riep naar zijn mannen. Het volgende ogenblik was de weg vol schreeuwende, met wapens zwaaiende Saksers. Wulfgar zwaaide zijn zwaard, tot hij geveld werd door een slag op zijn achterhoofd. Zijn zwaard viel uit zijn hand en alles werd donker.

Een poosje later keek Wulfgar omhoog en besefte dat het licht dat pijnlijk in zijn ogen scheen, een plekje blauwe lucht was met zwarte dennetakken er overheen. Hij richtte zich op een elleboog op en keek om zich heen. Zijn hoofd bonsde en hij zag zijn helm liggen met een deuk in de achterkant. Toen hij voorzichtig aan de bult op zijn hoofd voelde, zag hij een stok van Engels eiken liggen en wist hij wat hem geraakt had. Er lagen verscheidene dorpelingen op de weg en hij zag drie van zijn mannen, maar geen spoor van Milbourne.

"Wees niet bang, Wulfgar. Ik denk dat je het wel zult overleven."

De stem klonk achter hem en hoewel hij hem direct herkende, rolde hij zich moeizaam om en probeerde zijn blik op Ragnor te richten die op een bebloed zwaard leunde. Hij lachte om Wulfgars inspanning en vroeg zich af wat Aislinn zou denken als ze de bastaard nu kon zien.

"Wat een armzalige plek om te slapen, Wulfgar," grijnsde hij, "zo midden op de weg. Ik heb het afgelopen uur gevochten met een groep Saksers die je oren wilden meenemen om te laten zien dat ze een slapende Normandiër hadden gevonden."

Wulfgar schudde zijn hoofd om de verwarring te verdrijven en kreunde. "Ik had nooit gedacht, Ragnor, dat jij mijn leven zou redden."

Ragnor haalde zijn schouders op. "Ik heb alleen maar een beetje geholpen. Milbourne had het erg druk, maar toen ik kwam, vluchtten de Saksers, waarschijnlijk dachten ze dat er nog meer kwamen."

"En Milbourne?" vroeg Wulfgar.

"Hij is met die boer die je moest bewaken je mannen gaan halen. De Sakser zei dat hij niet op tijd bij je kon zijn."

Wulfgar richtte zich op een knie op en wachtte tot de wereld weer stilstond. Hij keek schuin naar de ander en dacht na over diens onverwachte hulp. "Ik heb je schande gebracht en toch heb je mijn leven gered. Geen goede ruil, geloof ik, Ragnor."

"Helaas, Wulfgar." Ragnor wuifde de verontschuldiging weg. "Eigenlijk dachten Milbourne en ik dat je dood was, tot we de Engelsen weg sleepten en zagen dat je nog ademde." Hij glimlachte. "Kun je opstaan?"

"Ja," mompelde Wulfgar. Hij stond op en veegde het vuil van zijn gezicht.

Ragnor lachte weer. "Engels eiken heeft bereikt wat scherp staal niet kon. Ho, je zien vallen door de stok van een boer. 't Was de moeite waard."

De donkere ridder veegde zijn zwaard af en wees naar de kant van de weg.

"Je paard staat daar bij de beek."

Ragnor keek de ander na en zijn gezicht werd donker. Hij had de Sakser te snel gedood. "Ah," mompelde hij, "denken aan verloren mogelijkheden."

Hij stak zijn zwaard in de schede en steeg op zijn paard. Wulfgar kwam terug met de Hun en keek of hij geen letsel opgelopen had van de hooivork.

"Ik heb brieven voor William uit Hastings en moet me haasten," zei Ragnor. "Vergeef me dat ik niet blijf om te zien of alles goed is."

Wulfgar zette zijn helm op en sprong in het zadel. Hij keek de ander aan en vroeg zich af of die ook aan iemands genezende handen dacht.

"Ik moet ook gauw verder, maar dat dorp heeft verdiend dat het verbrand wordt. Daarna breng ik mijn mannen naar de volgende wegkruising en maak daar mijn kamp. Ik dank je, Ragnor." Hij groette hem met zijn zwaard en stak zijn lans onder handbereik. Hij schudde het vuil van zijn banier. "Daar komen mijn mannen, ik ga naar ze toe."

Hij groette Ragnor weer, keerde de Hun en gaf hem de sporen. Ragnor keek hem nijdig na, keerde toen zijn paard en reed weg.

Wulfgar zag dat maar een deel van zijn mannen bij Milbourne was. De ridder stak zijn hand op en wachtte op zijn hoofdman.

"Gaat het u goed, heer Wulfgar?" vroeg hij, en toen de ander knikte, bracht hij verslag uit. "Toen de dorpelingen ons verlieten, zeiden ze dat er een groot Normandisch leger aankwam en brachten het hele dorp op de been. Ze verzamelden hun bezittingen en vluchtten. Maar heer Gowain hield ze een paar mijl verderop tegen en stuurde ze terug. Als we ons haasten, vinden we ze nog op de akkers."

Wulfgar knikte en wendde zich naar Sanhurst, die een beetje beschaamd uit de buurt bleef. "Omdat je van geen nut bent om me te bewaken, blijf je hier en begraaft de doden. Daarna kom je bij ons en kun je dienen als mijn lakei." Hij trok een wenkbrauw op. "Ik hoop dat je dat beter doet."

Wulfgar stak een arm op en de groep reed weg. Hij reed voorop met Milbourne naast zich. Zijn gedeukte helm deed hem pijn en omdat hij hoopte dat er niet gevochten zou worden, zette hij hem op zijn zadelknop en haalde zijn schouders op over Milbournes bezorgdheid. Ze reden snel het dorp door en toen ze het laatste huisje voorbij waren, zagen ze een stuk of veertig Saksers. Ze stelden zich op de weg op. Moeders duwden hun kinderen naar het midden om ze te beschermen en de mannen grepen hun wapens, en vormden een kring om de groep heen.

Wulfgar velde zijn lans, maar hield voor de Saksers in, terwijl zijn mannen zich klaarmaakten om aan te vallen. De Saksers wachtten. Toen toonde Wulfgar zijn helm. Hij zag de verbazing toen hij Engels sprak.

"Wie heeft zo hard op mijn hoofd geslagen?" Hij wachtte tot de schout tegenover hem stond.

"Hij viel naast u," antwoordde de man. "En zover ik weet, ligt hij daar nog."

"Jammer," zuchtte Wulfgar. "Hij was een moedig man en had beter verdiend."

De schout schoof zenuwachtig met zijn voeten maar durfde niets te zeggen. Wulfgar hief zijn lans en zette zijn helm voor zich, maar de andere lansen bleven dreigend geveld.

De Hun steigerde zenuwachtig en Wulfgar kalmeerde hem en keek koud naar de opeengedrongen groep. Toen klonk zijn stem weer, met onbetwistbaar gezag.

"Of jullie wilt of niet, jullie zijn onderdanen van William, door overwinning koning van Engeland. Jullie mogen hier sterven als jullie willen, of jullie mogen je dorp herbouwen."

De schout trok zijn wenkbrauwen op en keek onderzoekend naar het nog ongeschonden dorp.

"Jullie moeten snel kiezen," vervolgde Wulfgar. "Mijn mannen worden onrustig en willen het achter de rug hebben."

Hij ging iets achteruit en hield zijn lans bijna tegen de borst van de schout. Langzaam liet de man zijn zwaard en bijl vallen en keerde zijn handpalmen naar boven. De andere mannen lieten hun hooivorken, bijlen en zeisen ook vallen.

Wulfgar knikte tegen zijn mannen en de lansen gingen omhoog. Hij sprak weer tegen de dorpelingen.

"Jullie hebben gekozen wat jullie mee wilden nemen. Ik hoop dat jullie goed gekozen hebben, want meer krijgen jullie niet. Heer Gowain, breng deze mensen naar dat veld." Hij stak zijn arm op. "De rest volgt mij."

Hij keerde de Hun en reed naar het dorp. Op het plein gaf hij Milbourne zijn bevelen.

"Doorzoek de huizen en breng goud en zilver en andere waardevolle dingen naar buiten. Leg ze in de kar. Leg alle voedsel op de stoep van de kerk. Als een huis klaar is, sluit het dan en merk het. Als het dorp klaar is, steek dan alles in brand, behalve de kerk en de graanschuren."

Wulfgar reed naar een heuvel waar hij zowel de mensen als het dorp kon zien. Toen de zon daalde, leek het of het dorp met grote zwarte ogen naar de soldaten keek die de rijkdom namen en het eten verzamelden. Even was het stil, toen werden de ogen rood en een dikke rode vlam stak hongerig een gevorkte tong op.

De dorpelingen beseften wat er gebeurde en kreunden zacht. Nu kwamen de mannen het dorp uit met de krakende kar achter ze aan, en Wulfgar daalde de heuvel af. Hij hield stil voor de Saksers en ze gingen angstig achteruit.

"Kijk!" brulde hij. "En weet dat in Williams land snel recht gedaan wordt. Maar luister. Ik zal hier weer langs komen, dus bouw opnieuw, en deze keer voor William."

Het sneeuwde nu, en Wulfgar had nog een eind te gaan en er moest een beschut kamp gemaakt worden. Hij wees met zijn lans en zijn mannen stelden zich op achter de zwaar beladen kar. Wulfgar keek nog een keer naar het brandende dorp. Hij schreeuwde boven het lawaai uit tegen de schout.

"Jullie hebben nog onderdak en wat voedsel en de winter komt. Jullie zullen geen tijd hebben om nog tegen Normandiërs te vechten."

Hij hief zijn lans als groet en stuurde de Hun achter zijn mannen aan, terwijl de dorpelingen ze nakeken. Tenslotte keerden ze zich met verslagen gezichten om, maar diep in hun hart wisten ze dat wat hij verwoest had, vervangen kon worden. Ze waren nog in leven en konden opnieuw bouwen.

13

De verse sneeuw kraakte onder Aislinns voeten op het pad van haar moeders huisje naar de burcht. Het was donker en sneeuwvlokken wervelden in de paar lichtplekken op haar weg. Ze keek op naar de lage zwarte lucht. Ze bleef even staan en liet de stilte haar zorgen verdrijven. Als ze bij haar moeder geweest was, voelde ze zich altijd een beetje minder tegen haar twijfels opgewassen. Iedere dag gleed haar moeder een beetje dieper weg. Als Maida erin slaagde wraak te nemen, zou William haar streng straffen. Aislinn wist geen geneesmiddel voor die hevige haat. Ze was teleurgesteld dat ze de ziekten en wonden van anderen kon genezen, maar niets kon doen voor haar enige verwante.

De ijzige sneeuw verfriste haar, en ze liep verder naar de burcht. Er stond een kar voor de deur. Ze vroeg zich terloops af welke arme ziel op Darkenwald beschutting zocht en of Gwyneth deze keer medelijden zou hebben. Ze ergerde zich niet alleen aan de goede eetlust van boeren en soldaten, maar ook vaak aan gasten en familie. Gwyneth bespotte haar vader en Sweyn achter hun rug, die veel aten omdat ze fors gebouwd waren, al zorgden Bolsgar en Sweyn voor het wild. Zelfs de goedige Broeder Dunley had te lijden van Gwyneths scherpe tong.

Dus op het ergste voorbereid duwde Aislinn de deur open. Opzettelijk langzaam trok ze haar zware wollen mantel uit, liep naar de haard en keek naar Bolsgar om te zien in welke stemming zijn dochter was. Als Gwyneth woedend was, fronste Bolsgar en sloot stijf zijn mond. Maar nu was hij ontspannen en opgelucht keek Aislinn nu naar de drie ruw geklede volwassenen en de kinderen die dicht bij het vuur zaten.

De jongste jongen keek verbaasd naar haar glanzende koperen lokken. Aislinn glimlachte tegen hem en zijn donkere ogen straalden in onmiddellijke vriendschap. Ze ontmoette geen vriendschap bij de jongste van de twee vrouwen. De ander leek op haar hoede en ging een eindje achteruit. Aislinn zag haar gelijkenis met de jongen en dacht dat ze, zo niet moeder en zoon, zeker nauw verwant waren.

De man, zag Aislinn, was bleek en trilde van vermoeidheid. Zijn vrouw stond rustig naast hem. Aislinn voelde hier een diepe wijsheid en rustige kracht, en beantwoordde de glimlach van de vrouw. De andere kinderen waren ouder dan de jongen met de donkere ogen. Er was een grote jongen, misschien zo oud als Ham, een jonger meisje en twee jongens tussen wie Aislinn geen verschil zag.

"We hadden je al bijna opgegeven, Aislinn."

Gwyneth had gesproken met een spoor van hoffelijkheid en daardoor was Aislinn direct op haar hoede. Ze kende haar bedoeling niet, maar bleef uiterlijk beheerst.

"Wulfgar stuurt gasten," vervolgde Gwyneth en zag een glimp van belangstelling in de violette ogen. Ze wees naar de groep, noemde hun namen en voegde eraan toe: "Hij heeft ze gestuurd om hier te wonen."

"Dat is zo, vrouwe," knikte Gavin. "Mijn broer Sanhurst is nog bij hem."

"En mijn heer? Maakt hij het goed?" vroeg Aislinn warm.

„Ja, het gaat de Normandiër goed," antwoordde de man. "Hij heeft ons uit de modderpoel getrokken en we hebben met hem gekampeerd. Hij gaf ons voedsel en zei ons hierheen te gaan."

"Zei hij hoe lang hij wegblijft?" vroeg Aislinn. "Komt hij gauw naar Darkenwald?"

Gwyneth lachte honend. "Je verraadt je verlangen naar hem, Aislinn."

Aislinn bloosde, maar Gavin antwoordde vriendelijk:

"Nee, vrouwe. Hij heeft het niet gezegd."

Gwyneth keek van Aislinn naar de jonge weduwe, die Aislinns slanke figuur en haar koperen haar intensief opnam. Gwyneth dacht met glanzende ogen over haar volgende woorden, een kleine leugen, maar een die haar goed van pas kwam.

"Wulfgar heeft speciaal gezegd dat Haylan en haar zoon hier op Darkenwald moeten wonen."

Aislinn keek naar de weduwe en zag haar ogen groot worden. Toen glimlachte Haylan bevend, maar Aislinn beantwoordde die glimlach niet.

"Ik begrijp het," zei ze. "En jij hebt ze verwelkomd, Gwyneth. Wulfgar zal tevreden zijn."

Gwyneths ogen werden koud. "Zou ik, als zijn zuster, dat niet beter weten dan jij?" Er klonk bitterheid in haar stem. "Wulfgar is een zeer edelmoedig heer. Hij behandelt zelfs slaven vriendelijker dan ze verdienen en kleedt ze rijk."

Aislinn veinsde verlegenheid, omdat ze wist dat Gwyneth haar bedoelde. "Werkelijk? Ik heb niemand opgemerkt behalve jou, liefste Gwyneth, die beter gekleed is dan eerst."

Bolsgar grinnikte gesmoord en Gwyneth keek hem vals aan. Iedereen wist dat ze al Aislinns overgebleven jurken in bezit genomen had. Gwyneth droeg nu haar mauve kleed en Aislinn zelf droeg de versleten jurk die ze altijd gedragen had als er schoongemaakt werd. Het was nu haar enige.

Gwyneth zei snijdend: "Ik heb het altijd vreemd gevonden dat een man trouw kan zweren aan een vrouw en als hij weg is, onmiddellijk een ander zoeken. Het moet wel dubbel hard zijn dat Wulfgar een zo knappe vrouw gevonden heeft dat hij haar naar zijn huis stuurt om op hem te wachten."

Haylan slikte en hoestte en trok direct Aislinns aandacht. Ze fronste naar de weduwe en vroeg zich af wat er tussen haar en Wulfgar gebeurd was.

Rustig zei Aislinn: "Wulfgar is een vreemde voor iedereen. Niemand hier kan naar waarheid zeggen dat hij hem kent. Wat mij betreft, ik kan alleen maar bidden dat hij zich eervol gedraagt. De tijd alleen kan het antwoord geven, en ik vertrouw op hem."

Toen keerde Aislinn zich om, Gwyneths antwoord afsnijdend, en vroeg Ham haar medicijnen te halen.

"Deze goede man heeft mijn verzorging nodig, tenzij natuurlijk een van jullie aangeboden heeft hem te behandelen."

Ze keek eerst naar Haylan, die haar hoofd schudde, en toen naar Gwyneth, die woedend terug keek, haar schouders ophaalde en verder ging met haar naaldwerk.

Aislinn glimlachte wrang. "Goed, dan doe ik het, als jullie het niet willen."

Ze boog zich over de stomp van Gavins arm en Miderd kwam haar helpen.

Gwyneth zei boosaardig: "Iedereen weet natuurlijk wat soldaten doen. Roept niet al het spreken over een gevecht zoete herinneringen bij je op, Aislinn? De trotse, grote Normandiërs, die iedere meid nemen die ze bevalt. Ik vraag me af hoe de overwonnen vrouw die liefkozing vindt."

De woorden deden Aislinn pijn en ze snakte naar adem. Ze was verbijsterd over zoveel wreedheid. Ze zag dat Miderd naar haar keek. Ze zag medelijden in haar ogen en voelde haar vriendelijkheid.

"Ik hoop bij God dat zelfs jij, beste Gwyneth," zuchtte ze, "dat nooit zult voelen."

Gwyneth voelde zich niet bepaald of ze gewonnen had en Haylan dacht na over wat ze gehoord had.

Aislinn liet de pijn van Gwyneths woorden wegebben, en toen ze klaar was met haar werk, ging ze naast Bolsgar staan.

"Mijn heer, u hebt net horen zeggen dat mannen wispelturig zijn. Hoe denkt u daar over? Bent u dat, heer? En denkt u dat Wulfgar dat is?"

Bolsgar gromde. "'t Is duidelijk dat mijn dochter weinig van mannen weet, omdat ze er nooit een gehad heeft." Hij nam Aislinns hand in de zijne. "Zelfs als jongen was Wulfgar trouw, aan zijn paard, zijn havik – mij." De oude ogen werden vochtig. "Ja, hij was trouw."

"Maar u weet niets van zijn vrouwen," zei Gwyneth snel.

Bolsgar haalde zijn schouders op. "'t Is waar dat hij vroeger gezegd heeft dat hij weinig om ze geeft, maar in zijn hart brandt een zo grote behoefte aan liefde dat hij niets anders kan doen dan het ontkennen."

"Wel allemachtig!" snauwde Gwyneth. "Mijn eigen vader die pas kort geleden zijn huis en land verloren heeft, keurt nu deze verbintenis goed tussen mijn bastaardbroer en deze Saksische..."

"Gwyneth!" brulde Bolsgar. "Hou je mond of ik zorg dat je hem houdt."

"Nou, 't is waar!" schreeuwde Gwyneth woedend. "U zou hem met die Saksische hoer laten trouwen."

Haylan staarde met open mond naar Aislinn. "U bent niet zijn vrouwe?" vroeg ze, voor een frons van Miderd haar deed zwijgen.

"Zeker niet!" antwoordde Gwyneth minachtend. "Ze is met een Normandiër naar bed gegaan en probeert nu mijn broer aan zich te binden."

Bolsgar schoot overeind en voor het eerst van haar leven was Gwyneth bang voor hem. Aislinn stond met gebalde vuisten en wilde haar woede niet bedwingen uit angst dat ze zou gaan trillen. Bolsgar hield zijn gezicht bij dat van zijn dochter en hoonde:

"Hersenloze treiter! Moet je altijd kwetsen met je jaloezie?"

Haylan schraapte haar keel en probeerde de oude man af te leiden. "Mijn heer Wulfgar voert veel oorlog. Wordt hij vaak gewond? Het litteken…"

Aislinn keek Haylan met grote ogen aan, want ze dacht aan Wulfgars laatste wond, waarvan alleen zij en Sweyn wisten, en nu misschien deze jonge weduwe.

"Ik was alleen nieuwsgierig…" zei Haylan zwakjes toen ze de boze gezichten zag.

"Nieuwsgierig?" Gwyneth vroeg zich af waarom Aislinn zo verbaasd was. "Wat hindert u zo, mevrouw Haylan?"

"Het litteken op uw broers wang," antwoordde Haylan voorzichtig. "Ik wilde alleen weten waar dat van gekomen is."

Gwyneth leunde achteruit en keek naar haar vader. Hij fronste diep en zijn handen klemden zich om de leuningen van zijn stoel.

"En u was bedroefd over dat lelijke litteken?" waagde Gwyneth.

"Bedroefd? O nee!" antwoordde Haylan. "Hij heeft een erg knap gezicht."

Ze keek nu naar Aislinn als een gelijke en bedacht dat ze, als ze Wulfgar die avond niet zo snel verlaten had, hem nu misschien in haar macht had gehad. Ze zou tenminste net zoveel recht op hem gehad hebben als die feeks.

"Het kwam door een ongeluk toen we klein waren," begon Gwyneth behoedzaam.

"Ongeluk!" brulde Bolsgar. "Lieg jij, dochter? Nee, 't was geen ongeluk. 't Was opzet."

"Vader," vleide Gwyneth. "'t Is voorbij en beter vergeten."

"Vergeten? Nee, nooit. Ik herinner het me duidelijk."

Gwyneth kneep geërgerd haar lippen op elkaar. "Vertel ze dan hoe het gebeurd is. Vertel ze dat u hem in drift sloeg met een valkeniershandschoen, toen u hoorde dat hij een bastaard was."

Bolsgar kwam moeizaam overeind en keek zijn dochter woedend aan. Aislinns verbazing was verdwenen; Bolsgar was nu zo woedend dat ze er niet aan twijfelde dat hij zich diep schaamde maar op zijn eigen koppige manier geen fout kon toegeven.

"Ik hoef niets te zeggen, dochter," beet hij. "Jij hebt al genoeg verteld."

"Ga zitten en wees een beleefde gastheer, vader," smeekte Gwyneth.

"Gastheer!" hoonde Bolsgar. "Ik ben hier geen gastheer." Hij nam een hoorn bier. "Dit is Wulfgars huis. Ik wil niets wat van hem is en jij matigt je te veel aan." Hij keek nijdig rond. "Waar is Sweyn? Ik wil nog bier en heb iemand nodig om me af te leiden."

"Hij is bij de paarden, vader," zei Gwyneth en probeerde haar ongeduld te verbergen.

"En Kerwick?" donderde hij. "Waar is die? Die jongen is goed om mee te drinken."

"Nu niet, vader," siste Gwyneth. Het ergerde haar dat hij met een gewone lijfeigene wilde drinken. "Hij moet huisjes in orde maken voor de nieuwe gezinnen."

"Zo laat nog?" snauwde Bolsgar. "Gun je die jongen niet een beetje rust?"

Gwyneth zei afgemeten: "Ik dacht alleen aan deze vermoeide mensen en de ongemakken die ze gehad hebben. Deze stenen vloer is niet erg comfortabel en in de hutten is meer afzondering."

Bolsgar stond op. "Als er dan niemand is om een behoorlijk woord mee te wisselen, ga ik slapen. Goedenavond, dochter."

Gwyneth knikte, en hij keerde ze de rug toe en bood Aislinn zijn hand.

"Ik ben een oud man, kind, maar ik begeleid nog graag een mooi meisje naar haar kamer. Wil je me die kleine eer bewijzen?"

"Natuurlijk, heer," mompelde ze en glimlachte tegen hem. Bolsgar was niet zo ongevoelig als zijn dochter en hielp haar vaak door een vriendelijk woord of kleine attentie. Ze legde haar hand op de zijne en liet zich wegleiden van de groep bij de haard naar haar en Wulfgars kamer.

Bolsgar bleef onzeker bij de deur staan. Toen zuchtte hij.

"Ik moet met Wulfgar praten. Hij moet je eervoller behandelen. Toch heb ik niet het recht me met zijn zaken te bemoeien. Dat heb ik verloren toen ik hem mijn huis uit stuurde."

Aislinn schudde glimlachend haar hoofd. "Hij moet zich niet gedwongen voelen me meer genegenheid te geven dan hij zelf wil. Dan betekent het niets."

Bolsgar drukte haar hand. "Je bent verstandig, kind. Maar ik wil je een raad geven. Laat de wolf maar tegen de maan huilen. Die komt niet naar hem toe. Laat hem in de bossen zwerven. Daar vindt hij niet wat hij zoekt. Pas als hij zichzelf toegeeft dat hij liefde nodig heeft, zal hij het geluk vinden. Tot dan, wees trouw en genegen. Als je iets voor hem voelt, Aislinn, geef hem dan wat zijn moeder en ik hem onthouden hebben. Geef hem je liefde als hij zijn hart aan je voeten legt."

Aislinn voelde het verdriet van de oude man die zowel zijn vrouw als zijn zoons had verloren en uit ervaring sprak.

"Ik ben maar een van zijn vele vrouwen, Bolsgar," zei ze. "U ziet hoe aantrekkelijk de weduwe is. De anderen ongetwijfeld ook. Hoe kan ik zeker zijn van een plaats in zijn hart als zovelen daarnaar verlangen?"

Bolsgar kon geen passend antwoord vinden. Hij kon haar zeggen dat ze mooi en aantrekkelijk was, maar niemand wist wat Wulfgar dacht. Het was beter haar geen hoop te geven met zijn veronderstellingen, want het was niet zeker dat hij gelijk had.

Gavin knikte naar de trap toen hij boven de deur hoorde dichtgaan.

"Is ze de dochter van de vroegere heer?" vroeg hij.

"Ja," zuchtte Gwyneth, "en een zweer in het hart van dit dorp."

Miderd en Gavin keken elkaar aan, maar zwegen. Haylans belangstelling nam toe toen Gwyneth verder ging.

"Ja, echt, en ze heeft zich in mijn broers bed gedrongen en wil hier burchtvrouwe worden." Gwyneth voelde Haylans aandacht en keek de

159

vrouw aan. "Mijn broer amuseert zich alleen een poosje, maar ik ben bang dat ze een betovering op hem zal leggen."

Gwyneth greep de leuningen van haar stoel toen de gedachte aan Ragnor met Aislinn in zijn armen haar weer kwelde. Ze sloot haar ogen om de boosaardigheid te verbergen.

"Die Kerwick is haar minnaar nu Wulfgar weg is," zei ze. "Ze een hoer, maar toch vindt zelfs mijn vader haar goed. Hij is betoverd door haar schoonheid, zoals alle mannen."

"Vindt mijn heer haar mooi?" vroeg Haylan jaloers. Ze dacht eraan dat Wulfgar haar naam gemompeld had.

Miderd fronste en waarschuwde: "Haylan, 't is onverstandig in heer Wulfgars zaken te graven."

"Heus, ik weet niet wat mijn broer vindt," onderbrak Gwyneth. "Dat rode haar betekent kwaad. Wie weet wat ze kan doen met haar drankjes. Pas voor haar op. Laat haar lieve woorden je niet misleiden. Ze is een bedriegster."

"Ja," mompelde Haylan. "Ik zal oppassen."

Miderd keek haar schoonzuster scherp aan, maar de weduwe zag het niet. Gwyneth stond op en legde haar naaiwerk weg.

"Mijn ogen doen pijn van de rook. Goedenavond."

De Saksische familie zweeg tot Gwyneth weg was, toen keek Miderd geërgerd naar Haylan.

"Je moet eerbied tonen voor je meerderen, terwille van ons allemaal, Haylan, of we zullen weer weggestuurd worden."

Haylan haalde haar schouders op. "Meerderen? Ik heb grote eerbied voor vrouwe Gwyneth. Wie bedoel je? Heer Bolsgar had een slecht humeur, maar ik was beleefd tegen hem."

"Ik weet dat als je iets in je hoofd hebt, je niet zult rusten voor je het hebt," antwoordde Miderd. "En ik zie dat je je zinnen gezet hebt op de Normandiër. Laat hem met rust, Haylan. Hij behoort aan vrouwe Aislinn."

"Ha!" schimpte Haylan. "Ik zou hem zo kunnen hebben."

"Je pocht te veel, Haylan. We zijn hierheen gestuurd om te werken, meer niet."

"Meer niet?" Haylan lachte kort. "Wat weet jij ervan?"

Miderd keek vragend naar haar man, maar die haalde alleen zijn schouders op.

"Ik wil geen ruzie maken, Haylan," zei Miderd zacht. "Maar ik waarschuw je dat als vrouwe Aislinn burchtvrouwe wordt, ze ons wel weg kan sturen als jij achter de Normandiër aan gaat. En waar moeten we heen? Denk aan je zoon."

"Ik denk aan hem," stormde Haylan. Ze streek de jongen over zijn haar. "Miles zou iedere heer eer aandoen."

Miderd schudde vol afkeer haar hoofd en keerde de weduwe de rug toe.

Toen Kerwick terugkwam, wekten ze Miles, kleedden hem aan en brachten hem met de andere kinderen naar buiten. Nadat hij voor Miderd en Gavin en hun gezin had gezorgd, bracht Kerwick Haylan en haar zoon naar een kleinere hut. Een loeiend vuur verlichtte het sombere interieur. Haylan keek oplettend naar Kerwick die meer hout bij de haard legde, en waagde toen:

"Vrouwe Gwyneth is een fijn meisje. Je moet wel blij zijn haar te dienen."

Kerwick staarde de jonge vrouw aan. Haylans donkere ogen gloeiden van woede om zijn zwijgen.

"Wat weet jij van je meerderen? Je bent maar een lijfeigene. 't Is duidelijk te zien dat je verliefd bent op die roodharige feeks."

Kerwick zei afgemeten: "Die roodharige feeks was mijn verloofde voor de Normandiër haar opeiste. Ik had eens mijn eigen burcht en die nam hij ook, maar het meest betreur ik haar verlies. Praat niet minachtend over haar. Als je ook maar een beetje verstand hebt, luister je niet naar de leugens die Gwyneth rondstrooit."

"Je kunt er zeker van zijn dat ik genoeg verstand heb om te zien dat jij nog verliefd bent op Aislinn," antwoordde Haylan.

"Ja," gaf Kerwick toe. "Meer dan jij kunt begrijpen."

"O, ik kan het wel begrijpen," antwoordde Haylan verhit. "Ben je vergeten dat ik pas weduwe ben en weet waar een man belang in stelt?"

Kerwick trok zijn wenkbrauwen op. "Wat? Verspreid je nu al leugens over ons? Je bent een hooghartig mens voor een lijfeigene."

"Lijfeigene?" Haylan lachte minachtend. "Misschien wel en misschien niet. Wie weet dat voor heer Wulfgar terugkomt?" Ze hief haar kin. "Ik kan hem hebben als ik wil."

Kerwick grinnikte. "Jij? Welk recht heb jij op hem? Heeft hij jou ook zijn maîtresse gemaakt?"

Haylans stem werd scherp van woede. "Zo ben ik niet! Maar ik had hem kunnen hebben. Hij begeerde me en wie weet wat er gebeurt als hij terug komt."

Kerwick snoof minachtend. "Laat ik je waarschuwen, mooie weduwe," zei hij, en zijn neus raakte bijna de hare. "Wulfgar heeft me geranseld toen ik het waagde Aislinn tegen hem te verdedigen, en hij werd razend toen ik haar even aanraakte, maar toch zegt hij dat hij vrouwen haat. Laat je niet wijsmaken dat hij een zachte meester is, want hij is sterk, en hij zou al gauw doorzien dat je hem voor jezelf wilt hebben. Hij zal je misschien nemen zoals mijn Aislinn, maar ik verzeker je dat hij jou veel minder zal geven dan haar."

"Beweer je dat ik geen kans heb burchtvrouwe te worden?" eiste Haylan. "Nou, opgezwollen vlegel, jij bent ook te verward door je begeerte naar haar om te zien waarom hij me hierheen gestuurd heeft."

"Om te werken, net als wij allemaal, denk ik. Hij heeft lijfeigenen nodig," antwoordde Kerwick.

Haylan krijste van woede. "Kijk naar me! Kun je niet geloven dat een man verliefd op me kan worden?"

"Je overschat jezelf, mevrouw, en je bent een ingebeeld mens. Je bent knap, dat is waar, maar dat zijn er meer. Aislinn is onovertroffen."

Haylan hijgde. "Ik zal meesteres van Darkenwald zijn. Je zult het zien."

"Echt?" Kerwick trok twijfelend een wenkbrauw op. "Ik denk dat je een lijfeigene zult zijn."

"Vrouwe Gwyneth zegt dat Wulfgar maar een poosje met Aislinn speelt," beet Haylan. "Misschien kan ik haar val verhaasten."

"Bah! Vrouwe Gwyneth!" spoog Kerwick. "Luister niet naar haar. Luister naar mij. Wulfgar zal vrouwe Aislinn niet loslaten, dat zou geen man met gezond verstand."

"Jouw mening is de zijne niet en dus waardeloos," zei Haylan uit de hoogte.

"Je zult gekwetst worden," waarschuwde Kerwick. "Want zie je, ik ben vergeten nog een deugd van Aislinn te noemen." Hij glimlachte. "Ze is wijzer dan de meeste vrouwen."

"Oooh, ik haat je!" schreeuwde Haylan.

Kerwick haalde onverstoord zijn schouders op. "Mevrouw, dat kan me geen verdomde zier schelen."

Hij liep het huisje uit en liet Haylan achter met een stroom van verhitte gevoelens.

In de eenzaamheid van haar kamer voelde Aislinn haar angsten weer opkomen. Twijfels verduisterden haar vertrouwen toen ze zich Wulfgar voorstelde in Haylans armen. Wanhopig kleedde Aislinn zich uit en dacht met pijn aan Wulfgars warme liefkozingen in hun laatste nacht. Had hij meer genot gevonden in het bed van een ander? Was ze toch maar iets voorbijgaands? Lag hij nu weer bij een ander en hield hij ze allemaal voor de gek?

De pijn in Aislinns borst werd erger tot haar adem in hortende snikken kwam, en ze smoorde haar huilbui in haar kussen. Tenslotte waren haar tranen vergoten, en ze kroop terneergeslagen onder de vachten om wat warmte te vinden. Er werd zacht op de deur geklopt en ze trok een vacht om haar schouders en zei de late bezoeker binnen te komen. Tot haar verbazing was het Miderd, met een bundel in haar handen.

"Vrouwe, ik breng bericht van heer Wulfgar en hij zei me het alleen aan u te geven."

Miderd zag Aislinns roodbehuilde ogen en zei vriendelijk:

"Vrouwe, Haylan is bedroefd en droomt van veel dat ze niet kent en overschat haar knapheid. Ik geloof niet dat uw heer zich van u afgewend heeft, want hij gaf me dit geschenk en sprak bezorgd over uw welzijn, en verlangde dat u naar Sweyn gaat als het nodig is. Ik geloof niet dat u bang hoeft te zijn voor de dromen van een jonge weduwe."

Ze legde het pak in Aislinns handen en glimlachte toen ze het snel openmaakte.

"Ik moest ook zeggen, vrouwe, dat het eerlijk gekocht is."

Er kwamen weer tranen toen Aislinn de rol gele stof tegen haar gezicht drukte en bedacht dat Wulfgar het aangeraakt had. Blij omhelsde ze Miderd en de vrouw bloosde bij haar dankbare woorden.

"Oh, Miderd, zie je het?" riep ze opgetogen. "Wulfgar zei dat hij nooit geschenken voor vrouwen kocht, want zijn geld was moeilijk verdiend en geen vrouw was het waard."

Miderd glimlachte. Ze voelde dat ze in Aislinn een vriendin gevonden had, al kenden ze elkaar nog maar kort. Ze drukte de hand van het meisje. "Ik denk dat u een slag gewonnen hebt, vrouwe. En laten we hopen de oorlog ook."

Blij voor het meisje ging Miderd weg, ze voelde verwantschap met deze jonge vrouw die ze nauwelijks kende en had een vertrouwen in de toekomst zoals ze lange tijd niet gehad had. Ze voelde dat ze hier op Darkenwald in vrede zouden leven. Haar man en zoons zouden werk hebben. Zij en haar dochter konden misschien hier in het huis van de heer werken. Eindelijk voelde ze dat ze veilig waren.

Aislinn stond vroeg op, voor alle anderen. Ze ging met de kostbare gele stof naar Wulfgars koffer en haalde die leeg, afwezig zijn kleren strelend. Toen legde ze het geel netjes aan de zijkant waar het niet kon kreuken en pakte Wulfgars kleren weer in. Gwyneth zou hier niet durven zoeken en de stof zou veilig zijn. Als ze hoorde dat Wulfgar terugkwam, zou ze een jurk maken en hem behoorlijker ontmoeten dan in deze oude kleren. Haar hart werd licht en haar hoofd tolde van opwinding in haar herstelde vertrouwen.

Toen ze de trap af kwam, zag ze Haylan en Gwyneth voor de haard zitten. De weduwe was door Gwyneth vrijgesteld van alle werk en zat nu naast haar te proberen het fijne naaldwerk te leren. Ze deed het armzalig en Gwyneths geduld werd ernstig op de proef gesteld. Aislinn verborg een glimlach toen Haylan nederig Gwyneths vergeving vroeg voor haar onhandigheid, niet wetend dat Aislinn stond te kijken.

Gwyneth zuchtte geërgerd. "Je moet kleinere steken maken, zoals ik je heb laten zien."

"Ik vraag vergeving, vrouwe, maar ik heb nooit kunnen verstellen," antwoordde Haylan verontschuldigend. Toen voegde ze er vrolijk aan toe: "Maar ik kan een zwijn roosteren en iedereen prijst mijn brood."

"Dat is werk voor een lijfeigene," antwoordde Gwyneth kort. "Men kent een dame aan haar naaldwerk. Als je er ooit een wilt worden, moet je het leren. Wulfgar zal verwachten dat je zijn kleren maakt en verstelt."

Aislinn kwam naar voren en warmde haar handen.

"Je bent behulpzaam, beste Gwyneth, maar ik heb geen hulp nodig bij het verstellen van de kleren van mijn heer." Ze glimlachte. "Wulfgar was tevreden over mijn werk."

Gwyneth snoof minachtend. "'t Is een wonder dat je nog aan naaiwerk toekwam, zoveel tijd als je met hem in bed doorbracht."

"Maar, Gwyneth, hoe weet jij wanneer we in bed waren of niet?" grijnsde Aislinn. "Of gluur je net zo veel om deuren als je in mijn koffer doet." Ze keek naar de jurken van de twee vrouwen, want Haylan droeg een derdehandse die de edelmoedige Gwyneth haar ongetwijfeld gegeven had.

"Jouw koffer?" herhaalde Gwyneth spottend. "Slaven hebben geen bezit."

Aislinn glimlachte. "Maar, Gwyneth, als ik een slavin ben, behoort alles wat ik bezit aan Wulfgar. Steel jij van je broer?"

Gwyneth verstrakte en zei woedend: "Mijn broer heeft gezegd dat we alles hier als het onze konden beschouwen."

"O?" grinnikte Aislinn. "Dat zei hij tegen Bolsgar, niet tegen jou, en die lieverd neemt zorgvuldig niet meer dan zijn deel. Echt, hij verdient meer dan zijn onderhoud met het wild dat hij vangt. Je weet dat Wulfgar vele handen nodig heeft om hier voorspoed te brengen. Wat doe jij, beste Gwyneth, om te helpen?"

De vrouw stond op en snauwde: "Ik leid dit huis als hij weg is en zorg dat zijn provisiekast niet beroofd wordt door die gulzige dronkaards die..."

Ze zweeg abrupt en Aislinn volgde haar blik en zag Sweyn naar de haard lopen. Hij glimlachte naar Gwyneth en nam opzettelijk een groot stuk vlees, dat hij wegspoelde met een flinke beker bier. Hij smakte en likte het vet van zijn vingers. Hij bromde tegen Aislinn:

"Wie deelt het eten uit waar ik en Bolsgar voor zorgen?"

Aislinn lachte. "Niemand, Sweyn. We eten er allemaal goed van."

De Noorman staarde even naar Gwyneth en mompelde toen. "Goed. Goed."

Luid boerend liep hij weg.

Aislinn stapte achteruit en maakte een revérence. "Vergeving, dames. Ik moet aan mijn werk." Ze draaide zich om en zei over haar schouder: "Haylan, let op het vlees zodat het niet aanbrandt."

Ze sprong bijna van plezier, gooide de deur open en vond de wereld geweldig.

Wulfgar en zijn mannen kampeerden verscheidene dagen bij Kevonshire. Ze hielden Engelse boodschappers met berichten over Williams opmars aan. Ze lieten ze pas los toen ze het kamp opbraken, omdat hun inlichtingen toen verouderd waren.

Nu trok William aan hun andere kant op en van deze kant kwam geen bedreiging. Ze reden naar het noorden en het leger van William stak ten westen van Londen de Theems over. De stad lag geïsoleerd, afgesneden van haar zogenaamde bondgenoten. Hampshire, Berkshire, Wallingford vielen, toen ontmoetten aartsbisschop Aldred en een gevolg waaronder Atheling Edgar, de troonpretendent, William in Berkhamstead en gaven Londen over. Ze lieten gijzelaars bij William achter en legden de eed van trouw af. Op eerste kerstdag zou hij gekroond worden tot koning van Engeland.

Wulfgar en zijn mannen werden naar het kamp geroepen. Hun kar was zwaar beladen met goud en zilver en waardevolle zaken. Dit werd naar William gestuurd, die het liet tellen, er zijn deel van nam en de rest aan Wulfgar teruggaf.

Bijna een week voor Kerstmis, kreeg Wulfgar bericht van William dat hij, als het leger Londen binnen trok, een huis in de buurt van de abdij moest zoeken en daar de dag van de kroning afwachten.

Al vroeg zadelde Wulfgar de Hun en reed naar Londen om een huis te zoeken. Het was druk in de stad en de Engelsen bekeken hem met openlijke haat. De met hout betimmerde stenen huizen stonden dicht aan de straten. In de vaak open goten stroomde modderig water vol afval. Bij Westminster was het nog drukker, omdat iedere vrije man was gekomen om de kroning van de Normandische hertog te zien. Hij leidde de Hun een plein op en ontdekte een groot huis dat een eindje van het plein afstond, maar waarvan het dak uitzicht bood op het plein. Met moeite vond hij de ingang en omdat het nog niet door een andere Normandiër opgeëist was, eiste hij het nu op in Williams naam. De dikke koopman die er eigenaar van was, beklaagde zich luid. Hij werd woedend toen hem gezegd werd dat er niet voor betaald zou worden en Wulfgar zei:

"Maar, goede koopman, dat is uw plicht tegenover William. Wees blij dat uw huis niet in een puinhoop veranderd is, zoals zoveel andere."

Tranen rolden over het mollige gezicht toen de Normandische ridder hem zei zichzelf en zijn vele familie ergens anders onderdak te bezorgen voor twee weken – of vier.

Wulfgar dwaalde door het huis terwijl de man zijn familie vertelde van de verhuizing. Wulfgar grinnikte toen hij een schelle vrouwenstem de man hoorde berispen dat hij zich niet tegen de Normandiërs verzet had, of tenminste betaling geëist. Al gauw kwam de man weer bij hem en bleef dicht in zijn buurt, alsof hij dat veiliger vond. Er waren stallen voor de paarden en een mooie keuken op de benedenverdieping. Daar was een trap naar een kelder met een rijke sortering wijnen en suikergoed. Wulfgar stelde de bevende koopman gerust met de belofte dat betaald zou worden voor wat hiervan gebruikt werd.

Op de eerste verdieping waren kleine kamers en een grote zaal waar de mannen konden slapen. Van hier ging Wulfgar een smalle trap op naar de zolder. Daar lagen de kamers van de koopman zelf, zo rijk dat ze het fijnste Normandische kasteel gesierd zouden hebben. Wulfgar bleef staan bij de grote slaapkamer met een met zwaar fluweel bedekt groot bed. Hij stak zijn hand uit om de donzen matras te proberen en zag in gedachten een romige huid en ronde heupen, lachende violette ogen en liefkozende lippen.

Wulfgar wendde zich snel af. Heer, wat betoverde die feeks hem.

Als door een magneet getrokken, keerde Wulfgar zich weer naar het bed en zag weer lachende violette ogen. Met een vloek liep hij weg. Maar hij bleef dromen van Aislinn op dat grote fluwelen bed.

Peinzend reed hij terug, zonder naar de stad te kijken. Hij bleef op een heuvel staan, staarde naar het uitgestrekte kamp en voelde zich eenzaam. Hoewel nog onuitgesproken, wist hij dat hij een beslissing genomen had, en vrolijker dan hij in dagen geweest was, gaf hij de Hun de sporen en reed naar zijn tenten.

Twee dagen later verhuisden ze naar Londen. 's Avonds hoorde Wulfgar zijn mannen beneden lachen en praten over het ongewone comfort van het huis. Hij keek uit over het door toortsen verlichte plein. Gowain was vertrokken en zou morgen in Darkenwald zijn. Een ongewoon verlangen kwam in Wulfgar op en hij verbaasde zich over het bonzen van zijn hart. Aislinns gezicht kwam in zijn gedachten, met de glanzende ogen en de tere lippen.

Wulfgar wendde zich af. Dit gepeins bracht hem niet tot rust. Hij vond het gebonden gevoel niet prettig en ging geërgerd naar de slaapkamer met het grote bed. Hij kleedde zich uit en viel erop neer om te slapen, maar ontdekte al gauw dat dat niet lukte.

Wulfgar sprong nijdig van het bed en ging bij het raam over de slapende straat staan uitkijken. Zijn stemming werd vreemd zachter en hij dacht alleen nog aan Aislinn van Darkenwald.

Dat tere meisje, dacht hij, zo mooi en trots. Mishandeld, ja, maar toch durft ze voor me te staan als een Cleopatra. Hoe kan ik haar afwijzen, als ze haar ziel voor me blootlegt en een beroep doet op mijn eer? Ze trotseert mijn drift voor haar mensen en laat me doen wat ze wil. Hij wreef zijn voorhoofd of het pijn deed van het denken, maar hij kon er niet mee ophouden. Toch, op de een of andere manier, wenste ik dat ze...

"... hij me trouw zou zweren," zuchtte Aislinn. Als hij een belofte deed en wat liefde voor me uitsprak, zou ik tevreden zijn. Hij is vriendelijk en rechtvaardig en teder. Ik heb hem niet gevraagd me te nemen, maar toch kan ik hem niet vervloeken. Wat moet ik doen om hem te winnen, als ik hem niet kan weerstaan. Zijn kussen maken me machteloos en ik doe precies wat hij wil. Hij is er tevreden mee mijn lichaam te gebruiken en geen enkele belofte te doen. Maar ik wil meer. 't Is waar dat hij niet de eerste was die me aanraakte, maar ik heb toch zeker een beetje recht op hem. Ik ben geen vrouw van de straat die gebruikt en verlaten kan worden, op de een of andere manier moet hem dat bijgebracht worden. Ik heb mijn eer en trots. Ik kan niet eeuwig zijn minnares blijven en niet meer dan dat kleine deel van hem hebben.

Ze kroop onder de vachten en trok zijn kussen, waar zijn geur nog aan hing, naar zich toe. Ze trok het tegen zich aan en voelde bijna zijn lippen op de hare.

Ik begeer hem, besliste ze. Of ik hem liefheb of niet, ik begeer hem meer dan iets anders. Toch moet ik hem met verstand winnen. Ik zal me tot het uiterste tegen hem verzetten, maar proberen hem niet boos te maken. En als hij het me toestaat, zal ik hem alle liefde geven die ik heb, of kan stelen of lenen. Hij zal er geen spijt van hebben.

De dag brak helder aan en Darkenwald ging luidruchtig aan het werk. Nadat Aislinn ontbeten had, ging ze het dorp in. Zo vermeed ze Gwyneths scherpe tong. Laat in de middag riep de uitkijk van de toren en even later kwam Kerwick haar zeggen dat er ruiters naderden met Wulfgars kleuren.

Aislinn rende naar haar kamer en kamde snel haar haar. Ze drukte een koele doek tegen haar gezicht om haar blos te verzachten. Maar beneden zag ze dat het alleen Gowain maar was. Hij kwam glimlachend naar haar toe, maar Gwyneth riep hem bij zich. Gowain keek aarzelend naar Aislinn omdat hij eerst met haar wilde spreken, maar ging beleefd naar de ander.

"Hoe gaat het William?" vroeg ze bezorgd. "Is Engeland van hem?"

"Ja," antwoordde Gowain. "De hertog wordt eerste kerstdag gekroond, als alles goed gaat."

Gwyneth zuchtte opgelucht. "Dan is Darkenwald van ons."

"Gaat het heer Wulfgar goed?" vroeg Aislinn, naar ze toe komend. "Waarom is hij zelf niet gekomen? Is hem iets gebeurd?" Er was angst in haar stem en in haar ogen toen ze Gowains gezicht afzocht naar een reden voor zijn komst.

"O nee," verzekerde de ridder haar snel. "Hij is gezond en wel."

"Waarom ben jij dan hierheen gereisd?" onderbrak Gwyneth. "Het moet wel een belangrijke boodschap zijn."

Gowain glimlachte. "Inderdaad, vrouwe. Voor Wulfgar is het erg dringend."

"Wat dan?" drong Gwyneth aan. "Laat ons niet wachten."

"Ik ben hier om – iemand te halen," besloot hij tam, denkend aan de spanning tussen Wulfgars zuster en Aislinn.

"Iemand halen? Wie?" Gwyneth keek de man aan en tikte peinzend op haar wang. "Waarvoor? De kroning? Wil Wulfgar zijn familie aan de koning voorstellen? Ik zal graag gaan, maar ik moet wel een nieuwe jurk van hem hebben om de koning te ontmoeten." Ze wees op het mauve kleed dat ze droeg. "Deze kleren zijn nog niet geschikt om de zwijnen in te voeren."

Gowain werd rood, schraapte onbehaaglijk zijn keel en keek onzeker naar Aislinn. Hij had de zaak alleen maar erger gemaakt. Aislinn keek naar Gwyneth en plotseling zag Gowain dat ze een van Aislinns jurken droeg. Hij had het meisje erin bewonderd en was betrapt door Milbourne, die er een hartige grap over gemaakt had. Nu merkte hij ook Aislinns versleten kleed op, en besefte dat haar kleren haar afgenomen waren. Hij wilde er iets over zeggen, maar slikte de woorden in. Hij kon zich maar beter buiten Wulfgars zaken houden. En het was nooit verstandig je te bemoeien met een twist tussen twee vrouwen.

De ridder schraapte zijn keel en waagde: "Vrouwe Gwyneth, ik vrees dat ik u een verkeerde indruk gegeven heb."

"Hè?" De vrouw keek hem scherp aan en zag zijn blik naar Aislinn gaan. Ze kneep haar ogen tot spleetjes.

Gowain bloosde. "Heer Wulfgar heeft me gestuurd om vrouwe Aislinn te halen. Het meisje Hlynn moet haar vergezellen."

"Wat?" krijste Gwyneth en sprong woedend op. "Je bedoelt toch niet dat Wulfgar zo onvoorzichtig is, dat hij die slet mee naar bed neemt onder de ogen van de koning."

Ze liep opgewonden heen en weer. Toen zag ze Haylan naar ze toe komen. Ze glimlachte berekenend tegen de jongeman.

"Je hebt hem vast verkeerd begrepen, Heer Gowain. Laat hij niet een ander meisje halen?"

De Normandiër schudde zijn hoofd, heel zeker van zijn opdracht. "Nee, Wulfgar heeft bevolen Aislinn van Darkenwald bij hem te brengen. Hij zei me dat snel te doen en we moeten morgen vertrekken." Hij wendde zich van de woedende Gwyneth af, merkte Haylan niet eens op en vroeg aan Aislinn:

"Kunt u klaar zijn, damoiselle?"

"Zeker, heer Gowain," antwoordde Aislinn stralend. Hij haakle diep

adem toen ze warm zijn hand drukte. "Er is maar weinig voor te bereiden.
't Is geen moeite."

"Dan, damoiselle, wacht ik op u."

Hij boog diep en liep snel naar buiten, waar de koude lucht zijn bloed
kon afkoelen. Hij zou onderweg uit de buurt van dit meisje moeten
blijven, uit angst dat hij zich zou vergeten en zowel haar als Wulfgar
onteren.

14

De kleine groep verliet Darkenwald in de vroege ochtend. Ze reden eerst westwaarts en toen noordelijk naar Londen, voorbij de plaats waar Atheling Edgar zijn mislukte aanval op William had gedaan. Het was stil toen ze door het verwoeste dorp Southwark reden, waar de ingestorte huizen nog smeulden en Saksers zochten naar verloren schatten. Ze staarden in doffe wanhoop naar de reizigers, maar hun ogen gloeiden van haat.

Gowain leidde vroeg op eerste kerstdag het groepje over de Southwark Bridge Londen binnen en vocht zich urenlang een weg door de woelende menigten.

Ze naderden Westminster, waar het nog drukker was. Gowain en zijn mannen moesten hun speren gebruiken om een weg vrij te maken. Ze gingen het plein op, en de grote paarden werden heen en weer geduwd door de massa's. Vloeken en dreigementen hielpen maar weinig, en ze kwamen maar langzaam vooruit. Gowain keek over zijn schouder naar Aislinn die een kleine merrie bereed. Haar hoofd was bedekt door de kap van haar mantel, maar haar gezicht toonde geen angst. Ze hield de teugels stevig vast.

Voor ze was een uitbarsting van vlammen, en toen de mensen angstig achteruit gingen, werd een groep Normandische ridders naar ze toe gedrongen. Aislinn worstelde om in het zadel te blijven toen haar paard struikelde en op de been probeerde te blijven onder de druk van een groter paard dat ze tegen een muur drong. Ze voelde het kleinere dier vallen en was bang dat ze vertrapt zouden worden.

Wulfgar was vroeg opgestaan en had zijn mooiste kleren aangetrokken voor Williams kroning. Met tegenzin legde hij zijn grote zwaard opzij en nam een lichter. Hij was gekleed in rood en zwart, afgezet met goud en zag er indrukwekkend uit.

Toen hij het huis verliet, gaf hij Milbourne bevel om de mannen gereed te houden en de Hun gezadeld met zijn helm en grote zwaard aan de zadelknop. Als er iets mis ging, zouden ze hem zoeken op de stoep van Westminster, want William vreesde een opstand en wilde dat een deel van zijn leger paraat was.

Wulfgar ging net binnen de grote deur van de kathedraal staan en keek naar Williams machtige figuur gebogen voor de Normandische bisschop. Daarna volgde de zwaarwichtige Engelse plechtigheid. De kroon werd op zijn hoofd gezet en het "Heil William" van de Engelsen klonk door de abdij. Wulfgar keek opgelucht. Dit was wat ze gewild hadden. William, hertog van Normandië, was uitgeroepen tot koning van Engeland.

Plotseling klonken buiten boze kreten en Wulfgar ging kijken wat er was. Rook krulde van een dak en menigten Saksers worstelden met Normandische soldaten die toortsen naar andere gebouwen droegen. Wulfgar rende de kerk uit en vocht zich een weg naar de dichtstbijzijnde ridder.

"Wat gebeurt hier?" vroeg hij.

De man keerde zich verbaasd om. "We hoorden de Engelsen in de kathedraal schreeuwen. Ze hebben William aangevallen."

Wulfgar kreunde. "Dat was het niet, dwazen! Ze juichten hem toe." Hij wees naar de soldaten. "Hou ze tegen voor ze heel Londen in brand steken."

Milbourne bracht de paarden door de menigte naar zijn heer en Wulfgar sprong in het zadel en leidde zijn mannen naar voren om de Normandiërs tegen te houden. Hij sloeg de toortsen uit hun handen, schreeuwde dat er geen dreiging was en bracht ze tot staan. Maar anderen renden nog door. Hij dreef de Hun verder, toen loeiden plotseling vlammen uit een winkel en de geschrokken mensen drongen hem en zijn mannen tegen een muur en een andere groep te paard. De Hun botste tegen een kleiner paard en Wulfgar vocht om hem in de hand te houden. De voorbenen van het andere paard bogen onder de druk en een vrouw schreeuwde. Wulfgar stak een arm uit, sloeg hem om een figuur in een mantel en sleurde haar uit het zadel toen het paard struikelde. De kap viel weg van koperen haar toen Wulfgar het meisje voor zich zette, en hij rook lavendel.

"Aislinn," hijgde hij, en dacht dat hij weer droomde.

Het gezicht werd naar het zijne geheven, met grote, verbaasde violette ogen.

"Wulfgar?"

Hij keek op haar neer en besefte dat het deze keer geen illusie was. Hij wilde haar kussen, haar dicht tegen zich aan drukken, maar hij vroeg:

"Alles goed met je?"

Aislinn knikte en was gerustgesteld toen ze zijn arm vaster om zich heen voelde. Wulfgar zag Gowain naar voren worstelen om bij haar paard te komen voor het vertrapt werd. Ondertussen keek de jongeman Wulfgar aan en grijnsde.

"Mijn heer, u zei breng haar snel, en dat heb ik gedaan, recht op uw schoot."

Wulfgar glimlachte. "Dat heb je, Gowain. Laten we haar nu in veiligheid brengen."

Voor ze hun paarden weg konden leiden, schudde een man zijn vuist tegen hen.

"Normandische varkens!" schreeuwde hij, en een kool miste net Wulfgars hoofd.

Wulfgar hief een arm om Aislinn te beschermen. Ze klemde zich aan hem vast en keek naar de boze Engelsen.

"Wees niet bang, chérie," grijnsde Wulfgar. "Ze zullen ons allemaal moeten doden voor ze jou kwaad kunnen doen."

"Ik ben niet bang," zei Aislinn. "Waarom zouden ze mij kwaad doen? Ik ben ook Engels."

Wulfgar lachte kort. "Denk je dat dat ze iets kan schelen als je bij ons bent?"

Aislinns zekerheid verdween toen iemand riep: "Normandische slet, ga met het zwijn naar bed! Mogen je oren lang worden als die van een ezel en je neus wrattig als die van een pad!"

Hij besloot zijn vloek door iets naar haar hoofd te gooien, maar Wulfgars arm veranderde het van richting.

"Ben je nu overtuigd, mijn dappere feeks?" vroeg Wulfgar spottend.

Aislinn slikte en knikte. Wulfgar dreef de Hun naar voren en de anderen volgden. Achter een muur van strijdrossen bereikten ze de smalle straat naar het huis van de koopman en Wulfgar hield in en wendde zich naar Gowain.

"Breng de dame naar huis," beval hij. "Zorg dat ze veilig is en pas op dat niemand het huis in brand steekt."

Voor hij haar aan de jonge ridder overgaf, gaf Wulfgar haar een hartstochtelijke kus die haar duizelig maakte. Gowain bracht Aislinn het huis binnen, grendelde de deur achter ze en zette er wachters bij om de toortsdragers tegen te houden, terwijl Wulfgar probeerde wat orde te scheppen en zowel Saksers als Normandiërs te kalmeren. Het geschreeuw nam tenslotte af tot een zacht geroes toen de stad begon aan eindeloze braspartijen voor Kerstmis en de kroning van de nieuwe koning. Wulfgar wilde snel naar Aislinn terug, maar merkte dat zijn plichten hem steeds verder weg voerden. Toen hij laat in de avond klaar was en met Beaufonte en Milbourne naar huis reed, zuchtte hij van opluchting, maar zelfs toen kon hij nog niet doen wat hij wilde, want hij en de ridders werden bijna met geweld meegenomen naar een feest van een groep edelen. De mannen wilden geen excuus aanvaarden, maar knikten toen een van hen opmerkte:

"Echt, goede ridder, u moet geëerd worden als Williams soldaat."

Wulfgar keek naar Milbourne, die zijn schouders ophaalde.

"Ik geloof, mijn heer, dat u gevangen bent," mompelde hij. "Ze zullen het verkeerd begrijpen als u de kroning van de hertog niet viert."

Wulfgar kreunde wanhopig. "Je hebt natuurlijk gelijk, Milbourne, maar dat maakt het niet minder vervelend."

Beaufonte grijnsde. "Mijn heer, waarom vertelt u ze niet dat de mooiste damoiselle van de hele christenheid op u wacht? Misschien geven ze dan toe."

"Ja," gromde Wulfgar. "En misschien volgen ze me naar huis om haar zelf te zien."

Dus werden de drie ridders gevierd, en terwijl hun gastheren opschepten over hun daden, schoven ze onbehaaglijk heen en weer. Wulfgars ergernis groeide toen een mooi Saksisch meisje op zijn schoot sprong en zijn hoofd tegen haar borsten drukte tot hij bijna stikte in haar zoete muskusgeur. Zijn gastheren lachten toen hij zich probeerde los te maken en brulden hem toe zijn kans te grijpen.

"U zult vanavond geen betere vinden," grinnikte een graaf. "En ik zweer u dat ze goed is."

Milbourne en Beaufonte verborgen een glimlach toen Wulfgar weigerde. Toen ze zich eindelijk bevrijd hadden van hun onwelkome gastheren begon het al licht te worden. Maar Wulfgars stemming verbeterde toen ze het huis naderden. Ze stalden hun paarden en gingen naar de zaal. Beaufonte en Milbourne zochten hun strozakken op en Wulfgar ging met drie treden tegelijk de trap op. Zijn hart bonsde en zijn adem ging sneller dan nodig was. Hij verwachtte dat Aislinn sliep. Maar toen hij de deur opende, zat ze met een zijden doek om zich heen op een bank. Hlynn stak haar koperen haar hoog op haar hoofd voor het bad. Een grote houten teil dampte naast de haard. Toen Wulfgar tegen de deur leunde, wendde Aislinn zich naar hem, terwijl Hlynn verlegen achteruit ging.

"Goedemorgen, monseigneur," glimlachte Aislinn. Haar violette ogen glansden. "Ik begon een beetje bang te worden voor je welzijn."

"Het spijt me, chérie," grijnsde hij. "Ik zou eerder gekomen zijn, maar de moeilijkheden hielden me bezig tot de avond voorbij was. Ik smeek je niet slecht over me te denken."

"Geen slechte gedachten," antwoordde ze en boog haar hoofd zodat Hlynn de laatste krullen op hun plaats kon steken. "Ik weet dat je je plichten hebt en er niet aan zou denken je anders te amuseren nu ik hier ben." Ze keek hem van opzij aan. "Je stuurt alleen weduwen om mijn huis te delen."

Haar stem was lief, maar ze keek hem oplettend aan. Hij trok een stoel naast haar en steunde zijn voeten op de bank terwijl zijn ogen over de rondingen onder de doek gingen. Zijn blik leek haar te verslinden en Aislinn voelde zijn nabijheid die haar in vlammen zette. De herinnering aan zijn liefkozingen deed haar blozen. Ze probeerde hun gedachten af te leiden, omdat ze wist dat ze gevoelig voor hem was.

"Ik geloof dat de kroning van je hertog wat ontevredenheid opwekte bij de menigte waar we gisteren in terecht kwamen."

"Het was een misverstand."

"Ik geloof dat het land rustig is, want we hadden geen moeilijkheden op weg hierheen," zei ze en voegde er een beetje scherper aan toe: "De Engelsen zijn behoorlijk bedwongen."

Wulfgar gromde en keek naar het netjes opgestoken haar boven die mooie nek. Hij leunde naar voren en wilde een kus drukken op dat verleidelijke kuiltje, maar Aislinn stond snel op, liep naar de teil en zei over haar schouder:

"Het weer was ook erg prettig. We hebben de reis in een goede tijd gemaakt. Gowain scheen haast te hebben."

Wulfgar leunde weer achteruit en glimlachte, wachtend tot ze de doek liet vallen om in het bad te stappen. Hij fronste toen Hlynn de doek nam en omhoog hield en Aislinn aan zijn blik onttrok. Toen ze hem eindelijk naar beneden deed, zat Aislinn in de teil met alleen haar hoofd boven de rand. Haar gezicht was prettig om naar te kijken, maar Wulfgar was niet tevreden met alleen haar wenkbrauwen.

Aislinn begon zeep te kiezen uit de potten die Hlynn haar voorhield, probeerde ze allemaal tot ze haar liefste, lavendel, uitkoos. Het was precies op tijd, want Wulfgar zette zijn voeten op de vloer, woedend om dit getalm over geuren.

Beide vrouwen staarden naar hem toen hij woedend naar de arme Hlynn keek. Half glimlachend hield hij de ogen van het jonge meisje vast met de zijne. Hij deed zijn gordel af en legde hem met het zwaard op de bank. Hij trok de korte toga over zijn hoofd en legde hem netjes op de gordel. Zijn ogen lieten niet los toen hij zijn hemd begon los te maken, en Hlynn keek angstig toen hij alleen nog maar zijn kousbroek aan had. Toen hij zijn gekruiste kousebanden begon los te maken, vluchtte Hlynn de kamer uit.

Aislinn kon een lach niet onderdrukken toen hij op de kruk naast de teil ging zitten. "Oh, schurk, Wulfgar. Je hebt haar bang gemaakt."

Hij glimlachte. "Dat was mijn bedoeling, chérie."

Ze sperde haar ogen open in gespeelde afschuw. "In mijn jeugd heeft mijn moeder mij gewaarschuwd dat ruwe schurken misbruik van mij zouden kunnen maken, maar ik geloofde nauwelijks dat ze bestonden."

"En nu?" grijnsde Wulfgar.

Aislinn keek hem ondeugend aan. "Nu, mijn heer, twijfel ik niet meer."

Wulfgar grinnikte. Ze wreef haar schouders en armen rijkelijk met de geurende zeep die hij speciaal voor haar gekocht had, al had het zeldzame stuk hem een flinke som gekost. Maar hij besliste dat het geld goed besteed was. Zijn blik ging naar waar het water zacht haar borsten verborg.

Hij ging met zijn vinger langs haar sleutelbeen en haar zenuwen tintelden onder zijn aanraking. Hij boog voorover om haar lippen te kussen, maar Aislinn, zenuwachtig en opgewonden door zijn aandacht, begon haar gezicht te boenen.

"Aaah, meisje, de vuren deze winter hebben je hart niet verwarmd," hijgde Wulfgar.

Aislinn glimlachte achter haar doek en triomfeerde. Ze voelde zich zwak waar het hem betrof. Toen ze de doek liet zakken, gilde ze en wilde vluchten toen Wulfgar onvervaard in de teil stapte. Hij liet zich in het water zakken en trok haar naar zich toe.

"Mijn dag en nacht zijn verspild aan eindeloze kleinigheden," grijnsde hij. "En nu wil ik mijn tanden zetten in vleziger zaken."

Hij drukte zijn uitgehongerde lippen op de hare met een warmte die haar deed duizelen. Aislinn ontspande zich tegen hem aan, legde een hand in zijn nek en gaf zich over aan zijn kus. Toen plotseling veranderde haar gedrag. Met een kreet trok ze zich los, haar ogen flitsten van woede. Voor Wulfgar zich kon bewegen, smoorde de zepige doek hem en duwde Aislinn zijn hoofd onder water. Een gespetter, een voet tegen zijn borst en ze was vrij. Wulfgar ging zitten, spuugde schuim uit en probeerde de prikkende zeep uit zijn ogen te wrijven. Toen hij weer naar haar kon kijken, had ze zich in haar mantel gewikkeld en keek hem met gloeiende ogen aan.

"Plichten! Hah!" Haar lippen trilden van woede. "Nou, je stinkt nog naar de hoer. Echt, je ruikt naar een meid van de straat."

Wulfgar was verrast door haar plotselinge woede, toen herinnerde hij zich zware borsten tegen zijn gezicht en een verstikkende lucht van zoete muskus.

Woest begon Aislinn zich af te drogen, niet beseffend dat de natte doek meer onthulde dan verborg. Wulfgar leunde achteruit en boende zich goed. Hij spoelde zich af en keek geamuseerd hoe ze probeerde gelijk de doek op zijn plaats te houden en haar onderkleed over haar hoofd te trekken. Toen het bijna gelukt was, zei hij zacht maar streng:

"Nee, mijn lief."

Aislinn keerde zich geërgerd om en hij wees met zijn hoofd naar het bed. Ze stampvoette en kreunde.

"Maar 't is ochtend en ik heb al geslapen."

Hij lachte zacht. "Ik dacht niet aan slapen."

Hij stapte uit de teil en pakte een linnen handdoek. Half gillend en half kreunend greep Aislinn haar doek om te vluchten. Ze werd opgepakt en vastgehouden door die staalharde armen. Wulfgar keek diep in haar ogen en even werden ze onbeweeglijk gehouden in hun groeiende opwinding. Hij gooide haar op het bed. Haar doek viel weg en Aislinn probeerde de dekens om zich heen te trekken, maar Wulfgar liet het niet toe. Hij ging naast haar liggen en streelde en kuste haar. Hij maakte haar haar los en duwde zijn gezicht erin, de frisse geur opsnuivend.

Er werd zacht op de deur geklopt en Hlynns stem riep:

"Vrouwe? Is alles goed? Ik heb het ontbijt gebracht."

Hlynns adem stokte toen de deur opengerukt werd en Wulfgar naakt voor haar stond. Haar mond vormde een zwijgend "Oh" toen hij het blad uit haar handen trok en de deur voor haar neus dichtgooide. Wulfgar bleef met het blad in zijn handen staan luisteren naar haar rennende voeten, eindigend in een dreun van een deur en het geratel van een grendel. Hij zuchtte en zette het blad op een tafel naast het bed. Aislinn had de dekens stevig om zich heen getrokken. Toen Wulfgar zich naar haar toe boog, glimlachte ze aarzelend en legde een hand tegen zijn borst.

"Wulfgar, wacht," smeekte ze. "Laten we eten."

Hij schudde zijn hoofd, gleed naast haar en sloot haar in zijn armen.

"Straks, chérie," fluisterde hij. "Straks."

Hij smoorde verdere protesten op een manier die geen verzet duldde en al gauw was Aislinn het eten vergeten. Ze duizelde van zijn heftige liefkozingen en voelde dat ze toegaf. Ze worstelde tegen hem, maar haar vastberadenheid verdween toen hij haar onder zich trok. Zijn hartstocht wekte verlangens in haar op waarvan ze het bestaan niet gekend had. De koude nachten, de eenzame dromen deden nu het vuur in haar opvlammen. Zijn kussen maakten haar ademloos. Ze hoorde zijn stem in haar oor, hees en onduidelijk maar met een dringendheid die zijn verlangen verried. Diep in haar gloeide een vonk op, die groter en groter werd. Duizend zonnen barstten in haar en verspreidden hun hitte in gloeiende golven naar de grenzen van haar zinnen. Hijgend drukte ze zich tegen hem aan. Ze zonk langzaam in de kussens toen hij zijn mond op de hare drukte en loste op in een vloed van genot, voor het eerst de volle diepte van liefde ervarend.

Aislinn kwam langzaam bij, verbijsterd over haar overgave. Wat was het verschil tussen haar en zijn vroegere vrouwen? Ze was als was in zijn handen, niet in staat haar waardigheid en trots te bewaren, of zijn kleinste toenadering te weerstaan. Wulfgar hield haar in zijn armen en streelde haar haar, maar toen ze zich met een snik van hem losmaakte, keek hij verbaasd naar haar.

"Aislinn?"

Hij ging zitten en wilde haar weer naar zich toe trekken, maar ze schudde heftig haar hoofd. Ze lag op haar zij met de dekens over zich heen en schokte van het snikken.

"Heb ik je pijn gedaan?" vroeg hij zacht.

"'t Is geen pijn," mompelde ze zielig.

"Je hebt niet zo gehuild toen ik wegging. Wat is er?" Hij boog naar haar toe en streek het haar van haar wang. "Zeg het me."

Als antwoord schudde ze weer haar hoofd en bij iedere vraag begon ze weer te snikken. Wulfgar ging liggen en zuchtte, volkomen verbijsterd. Hij wist dat ze haar volle vrouwzijn ervaren had, maar nu jammerde ze alsof haar iets gemeens aangedaan was. Na een poosje kalmeerde ze, en vermoeid van het nachtelijke feestvieren, viel hij in slaap.

Aislinn ging voorzichtig rechtop zitten en veegde de laatste tranen van haar gezicht. Ze trok haar knieën op en bekeek hem alsof ze iedere kleinigheid in haar geheugen wilde prenten. Dat ze haar hartstocht niet kon bedwingen terwijl hij geen teken van achting of liefde voor haar gaf maakte haar erg van streek. Haar lichaam was meer overgeleverd aan zijn wil dan aan de hare, en alleen op ogenblikken als deze, als hij sliep, had ze een klein voordeel. Ze lachte triest. Nou, ze kon zelfs zijn mond kussen, zonder dat de hoeken spottend omhoog gingen.

Ze bekeek hem geboeid. Zijn bruine haar moest nodig geknipt, maar zij vond hem geweldig. Er waren mannen als Gowain, die bijna mooi genoemd konden worden. Wulfgar niet. De kracht van zijn gezicht maakte het aantrekkelijk en veel boeiender.

Opgelucht zag ze dat hij geen nieuwe wonden had en dat van die ze verzorgd had, alleen nog maar een rood litteken over was. Zachtjes trok ze de deken over hem heen tegen de kou en klom uit bed. Ze kleedde zich aan en keek ontevreden naar het versleten kleed waarin hij haar zou zien als hij wakker werd. Ze had het gele fluweel ingepakt, maar had nog geen tijd gehad er een jurk van te maken. Maar er was nu niets aan te doen en Gwyneth vervloeken om haar diefstal hielp niet. Ze zou het beste moeten maken van wat ze had. Toen ze dat besloten had, begon ze haar haar te verzorgen. Dat kon Gwyneth haar niet afnemen, en op Darkenwald had Wulfgar vaak zitten kijken hoe ze het kamde.

Ze herinnerde zich zijn warme, verliefde blik en bloosde, opgewonden alsof ze weer in zijn armen lag. Met een weemoedige zucht liep ze naar het bed en keek op hem neer. Ze kon onmogelijk koel blijven onder zijn toenadering. Als ze het genot kon onderdrukken, zou ze misschien bij haar beslissing niet toe te geven kunnen blijven. Maar nu ze wist welke hoogten ze kon bereiken, zou het nog moeilijker zijn. Ze bleef denken aan wat zou kunnen zijn als hij maar...

Geërgerd over haar gedroom keerde Aislinn zich om en liep bewonderend door de kamer. Bij zijn netjes opgevouwen kleren bleef ze staan en glimlachte. Hij had niet veel kleren, maar ze waren met zorg gekozen. Alles toonde tekenen van voortdurende zorg. Zijn kleding was nooit gekreukt of zorgeloos neergegooid. Ook voor zichzelf was hij toegeeflijk noch verkwistend. Misschien was hij sober omdat hij zichzelf omhoog gewerkt had. Wat de reden ook was, hij had gezegd dat hij niet erg edelmoedig was en het betekende veel dat hij haar het gele fluweel gestuurd had. Misschien was hij toch een beetje op haar gesteld. Ach, zou ze ooit weten wat hij voor haar voelde?

Wulfgar sliep maar kort en het was nog vroeg toen hij zich oprichtte. Hij spoelde zijn doezeligheid weg met koud water en terwijl hij zijn hemd en broek aantrok, keek hij Aislinn lang aan en geen detail ontging hem. Ze bloosde en kon geen behoorlijke steek doen aan het hemd dat ze voor hem verstelde. Toen hij aangekleed was, werd ze weer kalm en wees hem naar een bank. Met een scherp mes, warm water en wat van de kostbare zeep schraapte ze de baard van zijn wangen en kin en ordende zijn haar. Hij zuchtte en keek haar aan.

"Ik heb je erg gemist, Aislinn," glimlachte hij. "Sanhurst bezorgt me meer littekens dan me lief is."

Ze lachte zacht en duwde zijn hand weg. "Nou, mijn heer, dan zou je me altijd nog kunnen houden als je lakei."

Hij gromde. "Ik zou niet graag een zo verleidelijke lakei hebben." Toen zuchtte hij en glimlachte. "Maar toch, het lijkt een goed idee."

"Ha!" antwoordde ze achteloos en hield de punt van het mes tegen zijn kin. "Ik denk dat Sanhurst zou protesteren, en ik zou voor het magere loon je keel wel kunnen afsnijden." Ze sneed een lok van zijn haar en gooide hem in de haard.

Wulfgar knipoogde. "Wees voorzichtig met dat mes, meisje, dat ik niet net als de barbaren van het zuiden alleen maar een plukje haar op mijn kruin overhou."

"'t Zou je verdiende loon zijn als ik die mooie manen afschoor," antwoordde Aislinn. "Misschien stonden er dan minder weduwen te blaten voor mijn deur."

Wulfgar keek haar nijdig aan. "Ik geloof dat ik maar beter Sanhurst kan verdragen."

Ze stapte lachend achteruit en maakte een diepe revérence. "Zoals u wenst, heer. Ik ben uw slavin en kan alleen maar gehoorzamen."

"Goed," antwoordde hij.

Hij trok zijn toga aan en terwijl hij zijn korte zwaard om gordde, fronste hij over haar droevig versleten kleren.

"Ik had je graag in dat geel gezien, Aislinn. Ik dacht dat het je goed zou staan."

Ze boog haar hoofd en streek over haar versleten kleed. "Ik had geen tijd om er een jurk van te maken toen Gowain me kwam halen, Wulfgar, en voor die tijd heb ik het verstopt."

"Ik vrees dat je gierig begint te worden, Aislinn," zuchtte hij teleurgesteld. "Heb je niets beters voor als we uitgaan?" Hij nam een plooi van haar mantel die aan een haak hing en keek lelijk naar de gerafelde zoom. "Ik heb je koffer gezien en ik dacht dat je wel betere kleren had." Hij trok vragend een wenkbrauw op. "Probeer je mijn medelijden op te wekken?"

Aislinns wangen gloeiden en ze schudde haar hoofd, maar zijn woorden kwetsten haar. "Nee, maar anderen op Darkenwald hadden ze meer nodig dan ik. Ik klaag niet, maar ik heb geen geld en kon ze niet vervangen, dat is alles."

Wulfgar fronste, maar Aislinn liep snel naar haar bundel en haalde de stof eruit.

"Kijk, ik heb het meegenomen en zal er een mooie jurk van maken. 't Duurt maar een paar dagen, Wulfgar."

Verstoord door haar armoedig uiterlijk, gromde hij een zuur antwoord, nam haar toen bij de arm en bracht haar naar de zaal. Toen hij Aislinn in een stoel hielp, zette Hlynn blozend een bord vlees voor ze neer. In een hoek stond Sanhurst op en groette kort, en ging toen verder met het poetsen van Wulfgars wapenrusting. Hij probeerde het laatste spoor van een deuk uit de helm te wrijven, maar keek ondertussen behoedzaam naar zijn heer. Aislinn keek onderzoekend naar de stevige jongeman, wiens hoofd en gezicht kort geleden geschoren waren.

Wulfgar glimlachte. "Sanhurst," antwoordde hij op haar onuitgesproken vraag.

Aislinn peinsde over de verontruste uitdrukking van de man. "Je lijkt hem goed afgericht te hebben."

Wulfgar gromde. "Ik dacht beter over hem dan hij verdiende. Hij heeft zijn verdiende loon."

"Nog een onderworpen Sakser, mijn heer?"

Even werd de Normandische ridder boos. "Aislinn, wil je deze kinkel verdedigen? Verdomme! Je komt op voor alle stomme schoften en armzalige dwazen die uit Engelse bodem spruiten."

Ze sperde haar ogen open in geveinsde onschuld. "Maar, Wulfgar, wie heeft mijn bescherming nodig, als de heren zulke begrijpende Normandiërs zijn?"

Wulfgar knarste met zijn tanden. "Jij zou de heiligen zelf op de proef stellen, mens. Maar ik moet niet vergeten dat jij Saksisch bent en dus partijdig."

Aislinn haalde haar schouders op. "Ik wil alleen rechtvaardigheid, meer niet."

"En je noemt mij onrechtvaardig," antwoordde Wulfgar. "Vraag heer Milbourne of ik onrechtvaardig was toen deze stomme sukkel liever de strijd ontvluchtte dan achter me te blijven. Ik heb niets anders gedaan dan hem van soldaat lijfeigene maken, en dat verdiende hij ook."

Aislinn keek bezorgd. "Ben je aangevallen, Wulfgar? Dat heb je me niet verteld. Ik heb geen nieuwe littekens gezien –"

Ze zweeg en bloosde toen ze besefte dat niet alleen Wulfgar plagend naar haar keek, maar ook de anderen in de kamer, onder wie verscheidenen van zijn soldaten, zich omgedraaid hadden om naar haar te kijken.

"Ik bedoel..." stamelde ze verward. "Je hebt niet gezegd.."

Wulfgar lachte hartelijk en fluisterde toen zacht: "Ik vind je bezorgdheid voor mij niet erg, chérie. Ik ben even bezorgd voor jou."

Aislinn boog beschaamd haar hoofd. Wulfgar legde een hand over de hare die stevig in haar schoot gevouwen waren.

"Wees niet bang, Aislinn," grijnsde hij. "Ze weten hoe goed je kunt genezen en zullen aannemen dat je me daarvoor verzorgt."

Ze keek op en zag zijn warme glimlach.

"Alleen ik weet de waarheid."

"O?" Aislinn trok een wenkbrauw op en glimlachte toen. "Jij zou de laatste zijn die het wist."

Gowain kwam naast Wulfgar zitten. Terwijl deze Aislinn bestookte met vragen over Darkenwald en Sweyns welzijn, luisterde de jonge ridder en dronk van een beker wijn. Midden in haar antwoorden snuffelde Gowain argwanend aan zijn kelk en fronste verbaasd. Toen vestigden zijn ogen zich op Wulfgar. Hij keek weg, maar keek steeds weer terug alsof zijn blik onweerstaanbaar getrokken werd tot zijn vreemde gedrag Wulfgar opviel en hij nors vroeg:

"Wat mankeert je, Gowain? Heb ik plotseling horens gekregen, of ben je je verstand kwijt?"

"Vergeef me, Wulfgar," zei Gowain snel. "Ik kon er niets aan doen dat ik het merkte." De jongeman plukte nadenkend aan zijn lip. "Maar – ik vind niet dat de geur van lavendel erg goed bij u past, mijn heer."

Wulfgar trok verbaasd zijn wenkbrauwen op en Aislinn smoorde haar lach achter haar hand. Even later grinnikte Wulfgar en zei toen spottend tegen Gowain:

"Als jij zo groot bent dat je je moet scheren, jongen, zal ik je je laten verantwoorden voor deze woorden."

Toen het gelach wegstierf, boog heer Gowain zich naar Wulfgar toe.

"Mijn heer," fluisterde hij. "Degene die u zocht, is in de stallen. Wilt u haar nu zien?"

Een beweging trok Gowains aandacht en hij zag dat Aislinn verward en met een frons naar ze keek. Haar ogen vroegen Wulfgar, die snel zei:

"Niets om je zorgen over te maken, Aislinn. Alleen iets dat ik wil kopen. Ik kom gauw terug."

Hij drukte haar hand voor hij opstond, maar Aislinn was niet gerustgesteld. De mannen gingen naar de stal en daar stond een koopman met een merrie wier kleur en bouw Wulfgar bewonderde. Hij streelde de flanken van het paard, voelde haar krachtige spieren, haar rechte benen en harde hoeven. Ze was appelgrauw, bijna blauw op de donkere en bleekgrijs op de lichte plaatsen. Haar voorhoofd was grijs en ging over in een donkere snoet. Het oosterse bloed was duidelijk, maar ze had de korte bouw van een Engels paard.

Wulfgar knikte tegen Gowain. De koopman keek begerig toe toen hij het benodigde geld uittelde en ruilde het voor een papier waarop nauwkeurig de tekening van het mooie dier aangegeven was. Toen de koopman weg was, bleven de twee ridders het paard bewonderen.

"Het is een prachtig paard. De vrouwe zal blij zijn," zei Gowain.

"Ja," antwoordde Wulfgar. "Maar zeg haar niets. Ik wil het voor later bewaren."

Toen ze weer binnenkwamen, keerde Aislinn zich om, maar toen ze Wulfgars tevreden glimlach zag, kon ze er niet toe komen de zaak ter sprake te brengen. Stil legde ze een hand op zijn arm en keek hem aan.

"Ik ben nog nooit in Londen geweest, Wulfgar, en ik wil het graag zien. Mag ik vanmiddag wat wandelen en…" Ze aarzelde, maar om een behoorlijke jurk te maken had ze garen en garnering nodig en ze kon het niet kopen, behalve als hij haar iets zou geven, "en misschien een paar sieraden kopen."

Wulfgar fronste en ze bloosde diep toen hij naar haar versleten jurk keek.

"Nee," antwoordde hij bars. "Dit is geen tijd voor vrouwen om alleen rond te zwerven. Ik heb geen tijd en mijn mannen hebben het ook te druk. Je kunt beter veilig hier blijven en wachten tot ik mee kan."

Ze kon alleen maar gedwee knikken en wendde teleurgesteld haar blik af toen Gowain zijn diensten wilde aanbieden, maar met een frons tot zwijgen gebracht werd. Wulfgar sloeg zijn mantel om en ging naar de stal. Ze zette Hlynn en Sanhurst aan het opruimen van de zaal en ging langzaam naar de grote slaapkamer om die op orde te brengen. Ze borg haar schamele bezittingen weg en ging toen gelaten op een bank voor het raam zitten. Ze vroeg zich af hoe Wulfgar haar zo tegen haar wil kon gebruiken en dan uit zijn gedachten zetten.

Aislinn legde de gele stof op het bed en stond met haar schaar te spelen terwijl ze plannen maakte voor een jurk. Het was moeilijk zonder garnering, maar ze was goed met een naald en wist dat ze een mooie jurk kon maken als ze maar garen had.

In de zaal beneden klonken stemmen en ze dacht dat de mannen terug waren gekomen om te eten; toen klonken Hlynns voetstappen voor de deur en haar kloppen deed de scharnieren rammelen. Aislinn zei haar binnen te komen en ging verbaasd achteruit toen een hele groep mensen achter haar aan de kamer binnendromde. Hlynn giechelde en haalde haar schouders op om te zeggen dat ze niets van deze invasie begreep.

Er waren bedienden met fluweel en zijde, linnen en wol; vrouwen met scharen, garen, garnering en bont. Achter de anderen aan kwam een magere kleermaker die diep voor haar boog. Hij vroeg haar op een bank te gaan staan zodat hij de maat kon nemen. Hij gaf nauwkeurige instructies aan de naaisters. Aislinn kon ze pas tegenhouden bij het gele fluweel op het bed. Daar ging ze met de kleermaker zitten en beschreef, terwijl hij tekende, een speciale jurk met lange wijde mouwen en een strak, laaguitgesneden lijfje, met een onderkleed van bleekgele zijde die hij bij zich had. Ze koos gouden garnering en verzekerde zich ervan dat hij met bijzondere zorg gemaakt zou worden.

Het werd rumoerig in de kamer toen de vrouwen knipten en naaiden en de bedienden snel de stof uitlegden en de snippers opraapten. Aislinn werd van de een naar de ander geduwd. Er waren halfgevormde slippers die passend om haar voeten genaaid werden. Er waren stroken bont, nerts en sabel voor kragen en manchetten. Eén kledingstuk in het bijzonder viel haar op, een mantel van met bont gevoerd fluweel. De kleermaker had plezier in zijn werk. Hij werkte maar zelden voor een zo slank figuur en een zo edelmoedig heer.

De middag was al half om toen Wulfgar een kleine, stille herberg vond waar hij onopvallend kon wachten. Hij zat voor een loeiend vuur en de waard zette een kan koppige wijn en een kelk voor hem neer. Hij was klaar met zijn werk, maar wilde niet naar huis omdat de kleermaker daar nog bezig zou zijn. Hij onderdrukte een rilling toen hij aan de kosten dacht en schonk nog een beker wijn in. Maar verdomme, hij wilde niet dat Aislinn gezien werd in die lompen waarin ze aangekomen was. Hij peinsde over haar omstandigheden en vulde woedend de beker weer. Natuurlijk Gwyneth, dacht hij. Ze maakte misbruik van zijn afwezigheid om haar eigen lot te verbeteren. Maar het geld dan dat hij achtergelaten had? Uitgegeven aan iets onbenulligs? Ah, vrouwen! Zou hij ze ooit begrijpen? Gwyneth, wier moeder van haar gehouden had, had een humeur als een adder. Waarom, als ze altijd gekregen had wat ze wilde? Waarom was ze zo boosaardig?

Hoe meer Wulfgar dronk, hoe minder hij aan zijn halfzuster dacht en hoe meer aan Aislinn. Welke vrouw zou niet blij zijn met zoveel kleren? Het uitgegeven geld zou hem wel iets kunnen opleveren. Misschien zou ze nu haar verzet opgeven en gewillig in zijn armen komen. Hij dacht aan haar zachte, sierlijke lichaam en haar mooie gezicht. Een bekoorlijker meisje bestond niet. Maar haar schoonheid had hij nooit betwijfeld. Ze stelde geen eisen aan hem en scheen hem graag op iedere manier, behalve die ene, te behagen.

Verdomme, dacht hij en leegde de beker. Ik heb haar meer gegeven dan enige andere vrouw. Hij keek met gefronste wenkbrauwen naar de lege kelk en vulde hem weer. Waarom blijft ze zo koel? Ze lijkt om me te geven, maar toch huilt ze achteraf of ik haar gekwetst heb. Anderen zijn gretig bij me gekomen. Maar zij blijft passief, tot ik haar opwek. Dan is ze hartstochtelijk, maar later wendt ze zich af en wil niet om meer vragen.

Weer vulde hij de beker tot de rand.

"Maar dit zal er een eind aan maken," zuchtte hij vol vertrouwen. "Wat het ook kost, ik zal meer dan de waarde terugvinden in haar gewilligheid."

Hij zat zich haar lange tijd zwijgend voor te stellen in de kleren die hij voor haar gekocht had. Hij werd er warm van en leegde de beker tot de bodem. Hij zag dat de kan leeg was en riep om een volle zak van die wonderlijke nectar. Hij droomde van het gevolg van zijn edelmoedigheid, van roodgouden lokken op de zijden kussens, van zachte borsten tegen zich aan gedrukt en van lippen tegen de zijne.

Vele uren nadat hij de herberg binnengekomen was, viel er een schaduw over de tafel. Wulfgar keek op en zag de waard naast zich staan.

"Mijn heer, het is laat," zei de man. "En ik wil sluiten. Blijft u hier voor de nacht?"

"Nee, nee, beste man. Deze nacht zeker wil ik mijn eigen bed opzoeken."

Wulfgar stond onvast op en propte de wijnzak onder zijn arm. Hij telde de munten uit tot de waard tevreden was en liep toen langzaam van de herberg naar de Hun. Het paard snoof, maar bleef staan toen hij na verscheidene pogingen voorover in het zadel lag, zich toen oprichtte en de stijgbeugels vond. Wulfgar brulde luid, maar het paard bewoog niet. Tenslotte opende de waard zijn deur weer, maakte de teugels los van de paal en gaf ze aan de ruiter. Nu ging de Hun op weg en voor het grootste deel zijn meesters bevelen negerend, liep hij naar zijn warme stal.

Het was donker geworden en een dikke mist kwam omhoog van de rivier. De acht nieuwe jurken lagen op het bed. Maar nog blijer was ze met Wulfgars edelmoedigheid. Ze was erdoor overdonderd. Iets dergelijks had ze nooit van hem verwacht. Het waren prachtige jurken, voor een grote dame. En hij had ze voor haar gekocht, met het geld waar hij zo zuinig op was.

Ze nam eerst het gele kleed en vouwde het zorgvuldig op. De andere volgden, behalve een van een zachte perzikkleur, dat trok ze aan. Hlynn kamde haar haar, vlocht het met linten en legde het als een kroon op haar hoofd. Aislinn ging naar de zaal om op Wulfgar te wachten, en het werd stil in de kamer. Milbourne, de oudste ridder, bood haar zijn arm en leidde haar naar een stoel. Aislinn knikte dankbaar en heer Gowain slikte en begon zachtjes lofdichten te mompelen. Niemand leek haar waardig, maar zijn ogen glansden als ze in zijn richting keek.

De mannen waren betoverd en Hlynn grijnsde om die Normandiërs die over hun woorden struikelden. Zelfs Sanhurst in zijn hoek hield op met poetsen en wierp een verlangende blik op Aislinn.

Ze waren bijna klaar met eten toen Beaufonte zijn hand opstak om stilte. Door de open luiken kwam het geluid van langzame hoeven en een luide stem die een lied over liefde en toewijding brulde. Er werden wenkbrauwen opgetrokken en Aislinn giechelde toen Gowain met zijn ogen rolde. De stem werd luider en onvaste voetstappen klonken op de trap. Wulfgar kwam binnen met een halflege wijnzak in zijn hand.

"Ho, beste kerels en schoonste damoiselle," brulde hij in een vreemd mengsel van Engels en Frans.

Toen Aislinn opstond om hem te begroeten, dacht Wulfgar dat hij een sierlijke buiging voor haar maakte en haar hand kuste. In werkelijkheid raakten zijn voeten in de knoop en leek het of hij op haar zou vallen. Zijn kus kwam ergens bij haar elleboog terecht. Hij richtte zich op en loensde door de kamer tot zijn ogen zich op haar vestigden. Aislinn had hem nog nooit in die toestand gezien. Eigenlijk was hij altijd matig.

"Mijn heer," fluisterde ze. "Bent u ziek?"

"Nee, chérie. Ik ben dronken van jouw schoonheid. Zie, ik breng een dronk op je uit." Hij gebaarde naar de kamer in het algemeen. "Op vrouwe Aislinn," schreeuwde hij, "de mooiste vrouw in het bed van een man."

Hij hief de zak hoog en slaagde erin iets in zijn mond te krijgen. Aislinn was woedend om zijn grofheid. Wulfgar legde de wijnzak opzij, drukte haar hand tegen zijn lippen en mompelde romantisch:

"Kom, chérie, laten we naar bed gaan."

Hij glimlachte dronken tegen zijn mannen, draaide zich om en zette zijn voet in een mand. Het duurde even voor hij het nijdige beest kon afschudden, maar alleen Sanhurst had de moed hardop te lachen, hoewel er onderdrukt gehoest werd.

Wulfgar richtte zich op, keek woest naar de lachende Sakser en ordende zijn kleren. Met vorstelijke waardigheid miste hij de tweede tree van de trap en kwam weer in de zaal terecht. Met een zucht greep Aislinn zijn ene arm en wenkte Gowain die, vechtend tegen het lachen, de andere nam. Na veel valse starts brachten ze hem naar de kamer en zetten hem op de rand van het bed. Aislinn stuurde de jonge ridder weg, sloot de deur en wendde zich naar Wulfgar. Hij kwam op haar toe alsof hij haar in zijn armen wilde nemen, maar ze stapte opzij en hij greep de mantels die achter de deur hingen. Er viel er een over zijn hoofd toen hij om zich heen sloeg om zich te bevrijden en Aislinn greep zijn handen.

"Sta stil, Wulfgar," zei ze bevelend. "Sta stil, zeg ik."

Ze maakte hem los en duwde hem weer op het bed voor ze de kleren terug hing. Toen ging ze met gekruiste armen voor hem staan en schudde haar hoofd. Ze trok zijn toga over zijn hoofd, maar op het juiste ogenblik stond Wulfgar op en sloeg zijn armen om haar heen. Aislinn krijste van woede, duwde tegen zijn borst en Wulfgar zat weer. Deze keer wachtte hij, omdat het meisje kennelijk graag bij hem wilde liggen.

Zijn hand vermijdend kleedde Aislinn hem uit, duwde hem achterover en dekte hem toe. Zijn ogen volgden haar toen ze zich uitkleedde, haar kleren opvouwde en haar haar losmaakte. Ze schopte haar slippers uit, kroop onder de dekens en wachtte op zijn zoekende hand, maar hoorde alleen een zacht gesnurk. Ze giechelde, kroop tegen hem aan, legde haar hoofd op zijn schouder en sliep tevreden in.

Aislinn opende haar ogen in het heldere zonlicht dat door de ramen naar binnen kwam. Ze hadden ongewoon lang geslapen, dacht ze, maar ze was gewekt door een vreemd kreunend geluid uit de hoek waar de kamerpot stond. Ze grinnikte en kroop dieper onder de dekens. Er klonk gespetter van water en toen kraakte het bed onder Wulfgars gewicht. Ze wendde zich naar hem toe voor een vrolijke groet, maar die bleef onuitgesproken toen ze zijn rug zag. Ze trok aan zijn schouder tot hij op zijn rug rolde. Zijn ogen en mond waren stijf gesloten en hij zag groenig bleek. Ze stopte een deken om hem in en toen ze opkeek, zag ze zijn bloeddoorlopen ogen onder gezwollen oogleden.

"De luiken, Aislinn," zuchtte hij lam. "Doe ze dicht. Dat licht doet me pijn."

Ze krabbelde op en maakte de kamer donker. Ze gooide nog wat brandstof op het vuur, sprong toen weer in bed en kroop tegen hem aan.

"Zachtjes, mijn lief, zachtjes," kreunde hij. "Mijn hoofd voelt zo groot als een wijnzak en ik geloof dat ik haar op mijn tong heb."

"Arme Wulfgar," fluisterde ze. "Je wordt ziek als je zoveel drinkt en de vreugden van de avond worden duur betaald met de ellende van de ochtend."

Wulfgar zuchtte. "En ik lig in bed met een filosofe," mompelde hij. "Misschien heb je ook een geneesmiddel voor een pijnlijke schedel."

Aislinn beet nadenkend op een vinger. "Ja, maar het geneesmiddel is bijna net zo erg als de kwaal."

Hij nam haar hand en legde hem op zijn koortsige voorhoofd. "Als ik dit overleef," beloofde hij, "zal ik je goed belonen."

Ze knikte en stapte uit bed. Ze duwde een haardijzer diep in de gloeiende kolen. Terwijl hij warm werd, mengde ze kruiden en een drank in een beker en vulde hem bij uit een kan wijn. Toen het ijzer rood gloeide, hield ze het in het brouwsel tot de vloeistof dampte. Ze bracht het naar Wulfgar en glimlachte aarzelend.

"Je moet het allemaal snel opdrinken," zei ze.

Wulfgar worstelde zich overeind en nam het aan. Hij trok zijn neus op en leek nog groener te worden. Hij keek haar smekend aan, maar ze legde een vinger onder de beker en duwde hem naar zijn lippen.

"Alles en snel,"herhaalde ze.

Met ingehouden adem leegde hij de beker in één teug. Hij liet zijn hand zakken en huiverde. Aislinn ging een stap opzij. Er rommelde iets en hij vloog overeind, rechtstreeks naar de kamerpot.

Aislinn kroop diep onder de dekens terwijl hij schokte boven de kom. Ze vouwde haar handen en keek onschuldig. Een poosje later kwam hij terug en viel achterover, te zwak om zich te bewegen.

"Je bent slecht, meisje. Als ik dit overleef, zal ik de monniken je duivel laten uitdrijven."

Aislinn glimlachte. "Wat denk je, Wulfgar?" vroeg ze vrolijk. "Zoals je weet kan alleen een behoorlijk getrouwd man de duivel laten uitdrijven bij zijn vrouw."

"Aaargh." Wulfgar kronkelde alsof hij pijn had. "Je tergt me zelfs nog in mijn nood, als je me behekst hebt."

Hij keek naar haar en nu al waren zijn ogen minder rood en kwam een gezonde kleur terug op zijn wangen.

"'t Is alleen maar een reinigende drank," zuchtte ze. "Als het vergif weg is, zul je je veel beter voelen."

Wulfgar voelde aan zijn hoofd. "Het voelt bijna normaal en ik geloof dat ik de Hun zou kunnen verslinden."

Hij trok nog een kussen onder zijn hoofd en bekeek haar warmer.

"Ben je blij met de kleren die de kleermaker voor je gemaakt heeft?"

Aislinn knikte gelukkig. "Ik heb nog nooit zoiets moois gehad, Wulfgar. Dank je voor het geschenk." Ze drukte een zachte kus op zijn wang. "Die jurken zijn mooi genoeg voor een koningin." Ze sloeg haar ogen naar hem op. "De prijs moet je beurs veel lichter gemaakt hebben."

Hij haalde onverschillig zijn schouders op. Aislinn ging op haar hielen zitten en fronste.

"Maar ik vrees dat ze mijn andere kleren zullen volgen. Ze zijn veel te mooi om met rust te laten."

Wulfgar gromde. "Daar zal ik voor zorgen."

Aislinn kroop weer dicht tegen hem aan. "Zijn ze dan echt van mij? Om te dragen als ik wil?"

"Natuurlijk. Zou ik je geschenken geven en ze dan terugnemen?" vroeg hij, van opzij naar haar kijkend.

Ze legde een wang tegen zijn schouder. "Wat kan een slavin opeisen zonder dat de heer het wil?" Ze zuchtte en lachte toen zacht. "Ik denk dat ik de eerste slavin ben die zo rijk gekleed is. Men zal me benijden op Darkenwald. Wat zul je zeggen als ze je vragen waarom je een slavin zo kleedt?"

Wulfgar snoof. "Alleen Gwyneth is roekeloos genoeg om dat te vragen. Maar wat ik met mijn geld doe, is mijn zaak; ik heb het verdiend. Ik kan het allemaal weggeven en zij kan er niets van zeggen. Ik ben haar niets schuldig, noch enige andere vrouw."

Aislinn volgde met een vinger het litteken op zijn borst. "Dan moet ik dubbel dankbaar zijn want ik ben, tenslotte, maar een vrouw."

Wulfgar draaide zich op zijn zij om haar aan te kijken en nam een krul van haar borst. "Je bent meer waard dan de meesten. Dat je hier bij me bent, is het bewijs."

Aislinn haalde haar schouders op. "Maar ik ben nog steeds je hoer en uit die titel blijkt geen genegenheid. Wat ben ik voor je dat je andere vrouwen niet waren?"

Hij lachte honend. "Denk je dat ik zoveel zou uitgeven voor een andere vrouw, al had ze niets om aan te trekken? Ik heb je gezegd hoe ik over vrouwen denk. Wees vereerd dat ik jou boven de rest stel."

"Maar, Wulfgar," mompelde ze. "Wat is het verschil? Je geschenken? In de ogen van anderen ben ik niets meer."

Hij boog zich naar haar lippen. "Ik geef niets om wat anderen denken," zei hij en kuste haar. Hij ging met zijn hand over haar rug en heup, maar Aislinn beet op haar lip en kromp in elkaar toen zijn vingers de plek van Gwyneths zweepslag raakten. Wulfgar fronste en tilde de deken op om naar de lelijke striem te kijken. Aislinn voelde bijna hoe hij woedend werd.

"Wat is dat?" eiste hij.

"Een kneuzing, meer niet, Wulfgar," antwoordde ze mat. "Ik ben alleen maar gevallen..."

Hij gromde, ging op zijn knieën zitten en trok haar omhoog. "Aislinn, je houdt me voor de gek." Hij sprak zacht, maar alsof de woorden zuur smaakten. "Ik weet wanneer ik het merk van een zweep zie."

Er kwamen tranen in haar ogen. "Je doet me pijn, Wulfgar." Toen hij haar minder stevig vasthield, legde ze een hand tegen zijn borst. "'t Is niets." Ze schudde heftig haar hoofd. "Een onbenullige twist die nu voorbij is. 't Zal wel verdwijnen, maar boze woorden doen dat nooit. Praat er niet meer over, alsjeblieft. 't Is gebeurd."

Ze stapte uit bed en begon zich aan te kleden terwijl hij met een verbaasde frons naar haar keek. Hij verbaasde zich steeds weer over haar. Haar kracht, haar schoonheid, haar wijsheid, haar begrip als hijzelf zijn stemming nauwelijks begreep. Plotseling wilde hij haar tegen zich aan houden en zorgen dat de wereld haar nooit meer kon kwetsen. Hij duwde het gevoel snel weg.

Bah! Vrouwen, dacht hij. Ik heb geen behoefte aan zwakheid en eeuwige banden.

"Chérie, je geneesmiddelen helpen me goed. Maar kom, laten we naar buiten gaan. Er is een kerstkermis en je wilt de stad bekijken."

Hij nam haar in zijn armen, kuste haar voorhoofd en lippen en glimlachte.

"Of beter nog," mompelde hij hees, "we laten Londen jou bekijken."

15

Vier ridders en een mooi meisje verlieten het huis van de koopman en wandelden op hun gemak door de ontwakende stad. Ze kwamen aan een brede straat waar stedelingen kramen opgezet hadden en met rauwe stemmen aandacht vroegen van de wandelaars. Er waren hansworsten en komedianten, sommigen met maskers, die een publiek probeerden te verzamelen. Er waren groepen acrobaten die hoog door de lucht zeilden. Er waren verkopers van suikergoed en wijn en alle soorten voedsel. Er waren ook dieven en zakkenrollers en oplichters.

Aislinn liep vrolijk met de vier ridders door de menigte. Jonge jongens liepen achter ze aan om nog een glimp op te vangen van dat mooie gezicht, en als ze te dichtbij kwamen, kregen ze een nijdige blik van die ene die een hoofd groter was dan alle anderen. Ze bleven staan als een sieraad of voorstelling haar aandacht trok. Aislinn ontdekte dat ze een snuisterij maar hoefde te bewonderen en een van haar vier bewakers kocht het voor haar. Beaufonte zag haar naar een verzilverde spiegel kijken en telde er snel geld voor neer en drukte hem in haar hand. Ze had nog nooit zoiets gezien en bedankte hem oprecht. Maar ze werd voorzichtig met het tonen van haar belangstelling.

Ze giechelde om heer Gowains subtiele grapjes en Wulfgars droge humor vergrootte het plezier nog. Beaufonte, die nooit veel zei, lachte om ze, terwijl Milbourne grinnikte en Gowains speelse grappen beantwoordde.

Het was al laat toen Aislinn aan Wulfgars mouw trok en smeekte om redding uit de dichte menigte. Ze zochten een zijweg en waren al gauw thuis waar Hlynn wachtte met een flinke maaltijd. Terwijl ze weg waren, was er een boodschap van William gekomen dat alle ridders en edelen aanwezig moesten zijn bij een kerst-mis waar de koning gastheer was, gevolgd door het voorstellen aan het hof en een feestmaal. Aislinn was teleurgesteld want ze had zich verheugd op nog een dag met Wulfgar voor hij weer aan het werk moest.

Aislinn voelde weer Wulfgars aandacht, toen hij Hlynn wegstuurde en zelf gretig de haken van haar kleren zocht. Hij tilde haar op en zette haar zacht in het bed, maar hij merkte dat hij nog de prijs voor haar gewilligheid niet betaald had, want hoewel ze opnieuw het hoogste genot kende, snikte ze later in haar kussen.

Aislinn zat met opgetrokken knieën te kijken naar Wulfgar die zijn kleren klaarlegde. Weer koos hij zijn kleuren zwart en rood. Hij riep Sanhurst om zijn bad klaar te maken en deed er terwille van Gowain wat sandelhout in om de geur van lavendel weg te werken.

Aislinn lachte. "Als je weer mijn bad wilt delen, mijn heer," zei ze, "zal ik jou de geuren laten kiezen."

Hij gromde en liet zich in de teil zakken.

"Kom je vanavond laat, Wulfgar?" vroeg Aislinn aarzelend. "Of zal ik met het avondeten op je wachten?"

Hij haalde de doek van zijn gezicht en keek haar aan. "De mannen kunnen eten wanneer ze willen, maar ik denk dat wij inderdaad laat thuis zullen komen."

Aislinn zuchtte teleurgesteld. "Het zal een lange dag zijn zonder jou, Wulfgar."

Hij grinnikte. "Het zal zeker een lange dag zijn, mijn lief, maar je zult hem aan mijn zijde doorbrengen."

Aislinn stond met open mond op van het bed. Toen ze Wulfgars waarderende blik zag, sloeg ze een deken om zich heen en ging naast de teil staan.

"Maar, Wulfgar, ik ben Saksische. Ik hoor daar niet."

Hij boende onverdroten zijn borst. "Jouw plaats is waar ik verkies je te brengen." Hij glimlachte. "Ik vertrouw dat je discreet zult zijn. Je bent niet dom en kunt je mond houden als dat nodig is. En dat je een vijand bent..." hij trok spottend een wenkbrauw op, "ik heb nog nooit zoveel plezier gehad met een tegenstander."

Aislinn bloosde. "Je bent gemeen," beschuldigde ze.

Wulfgar lachte maar Aislinn liep weg.

"Ik ben nog nooit aan het hof geweest," betoogde ze. "Ik zou je in verlegenheid kunnen brengen."

Hij grijnsde. "Er zijn veel dikke Saksische dames aan het Engelse hof en ik denk dat ik ze allemaal ontmoet heb – alle giechelende meisjes en strenge oude vrijsters – en ze opgedrongen kreeg omdat ik zonder meisje aan mijn arm verkoos te komen. Me in verlegenheid brengen? Nee. 't Zal ze goed doen mijn keus te zien."

"Maar Wulfgar," zuchtte ze. "De hele adel en William zelf zullen kunnen zien – ik heb geen behoorlijke geleide. Ze zullen weten dat ik je maîtresse ben."

Hij snoof. "Omdat je geen vette dame hebt die je in de gaten houdt?" Hij glimlachte. "Ik zou kunnen zeggen dat je mijn zuster bent." Hij schudde zijn hoofd. "Nee, dat kan niet. Als ik naar je kijk, zouden ze ons alleen maar verdenken van een nog grotere zonde. Nee, we moeten hun vragende blikken maar verdragen en niets zeggen."

Aislinn probeerde het nog eens. "Wulfgar, ik kan het verdragen hier te wachten..."

"Maar ik niet. Ik wil er niets meer over horen," antwoordde hij streng. "Maak je klaar."

Aan zijn toon hoorde Aislinn dat hij niet zou toegeven en plotseling besefte ze dat ze waardevolle tijd verspilde met proberen hem over te halen. Ze riep om Hlynn. Wulfgar dook dieper in de teil toen het meisje kwam. Hij keek geamuseerd hoe ze door de kamer rende, uitzocht wat

Aislinn wilde dragen en plannen maakte om haar haar op te maken. Tenslotte ving hij Aislinns blik.

"Chérie, ik wil Hlynn niet bang maken, maar ik vrees dat ze de deur stuk trekt in haar haast om weg te komen als ik opsta. Het water wordt koud en ik heb rimpels in mijn knieën. Kun je haar een ogenblik missen zodat ik het bad uit kan?"

Aislinn stuurde het meisje met een boodschap weg en Wulfgar stapte uit de teil en kleedde zich aan.

"Ik zou willen dat je vandaag het gele kleed draagt, Aislinn," zei hij over zijn schouder. "Dat zal je goed staan."

"Mag ik weigeren, monseigneur?" Ze glimlachte toen hij haar vragend aankeek. "Ik wilde het voor iets anders bewaren."

Wulfgar leek verbaasd. "Wat is er belangrijker dan een koning ontmoeten?"

Ze haalde onschuldig haar schouders op. "Ik durf niet te zeggen waarvoor, Wulfgar, maar je hebt toch gezegd dat ik zelf mag kiezen?"

Hij knikte. "Ik wilde alleen maar dat je op je mooist was en die kleur staat je goed."

Ze kwam naar hem toe, legde haar handen tegen zijn borst en keek naar hem op. "Ik zou een ander kleed willen dragen, dat ook mooi is."

De violette ogen keken smekend. Wulfgar werd verblind door hun schoonheid en kon zich nauwelijks de oorzaak van hun twist herinneren. Aislinn streelde zijn borst terwijl ze op antwoord wachtte en hij zuchtte.

"'t Is jouw keus."

Aislinn sloeg haar armen om zijn hals en kuste zijn wang. Wulfgar wendde zich fronsend af. Maar toen ze gekleed was, beloofde hij zwijgend dat hij zich niet meer met haar keus van kleren zou bemoeien.

De jurk was van een romige kleur, aan de hals en lange wijde mouwen afgezet met kleine pareltjes. Om haar heupen droeg ze de gordel van tere gouden schakels met haar met juwelen bezette dolk in de schede. Haar haar was ingewikkeld opgestoken met smalle linten en kleine, bijna witte zijden bloempjes. Haar ogen waren schitterend violet tegen haar zwarte wimpers.

Wulfgar kon zich niet herinneren ooit een zo bekoorlijk meisje te hebben gezien. Even was hij bezorgd, omdat Ragnor er zou zijn, en hij vroeg zich af wat er zou gebeuren. Misschien was het verstandiger haar thuis te laten, maar hij wilde niet zo lang bij haar vandaan. Hij gaf toe dat hij van haar gezelschap was gaan genieten en dat ze hem niet verveelde zoals andere vrouwen als ze niet in bed waren. Het was zuiver zelfzucht dat hij haar meenam. Hij was nooit helemaal op zijn gemak aan het hof. Hij was meer thuis op een slagveld, waar hij de vijand kende en hem van aangezicht tot aangezicht kon ontmoeten. Met Aislinn aan zijn zijde zou het makkelijker zijn en zou de lange mis minder eentonig zijn.

Toen Wulfgar bleef zwijgen, draaide Aislinn met gespreide armen in het rond.

"Beval ik je, monseigneur?" vroeg ze.

Ze zag de glans in zijn ogen niet. Later, toen ze hem weer aankeek, zag ze zijn spottende blik. Hij vouwde zijn armen over zijn borst en grijnsde.

"Probeer je me lof te ontlokken, chérie?"

Aislinn trok een gezicht. "Je bent stekelig," beschuldigde ze. Toen draaide ze zich om en keek hem over haar schouder schelms aan. "Maar ik ben edelmoediger, mijn heer. Je ziet er echt mooit uit. Het verbaast me niet dat je omringd wordt door weduwen en giechelende meisjes."

De mis was werkelijk lang en vermoeiend. Ze knielden en stonden op, en knielden weer als de aartsbisschop aan nog een gebed begon. Wulfgar keek herhaaldelijk naar Aislinn en had plezier als anderen dat niet hadden. De rust van haar in gebed gevouwen handen kalmeerde hem. Ze zat stil naast hem, hief alleen haar hoofd op als een gebed afgelopen was en boog het plichtsgetrouw als er weer een begon. Als hij haar overeind hielp, was haar blik warm en zacht. Toen ze later in de troonzaal van het kasteel in een hoek gedrukt werden door hoge edelen die voorgesteld wilden worden, verbaasde hij zich over haar gratie. Zijn gastheren van twee nachten tevoren sloegen hem met groot vertoon van vriendschap op zijn rug, terwijl ze naar Aislinn keken. Geduldig stelde Wulfgar ze allemaal voor en bleef onverstoorbaar toen ze terloops vertelden hoe na ze William stonden, alsof ze zich wilden onderscheiden boven de laaggeboren ridder naast haar. Aislinn trok zacht haar hand terug als ze die langer wilden vasthouden en beantwoordde hun vragen hoffelijk maar zo handig ontwijkend dat alleen Wulfgar wist dat ze niet alles verteld had. Hij glimlachte en dacht dat ze zich aan ieder hof kon gedragen, zelfs dat van William.

Haar ontwijkende waardigheid leek alleen maar meer belangstelling op te wekken bij de Normandiërs. Wulfgar hoorde opgelucht het bevel om aandacht toen de koning binnenkwam en hij wist dat straks ridders en edelen voorgesteld zouden worden. Wulfgar voelde Aislinns hand in de zijne glijden. Hij keek even op haar neer en wilde iets vriendelijks zeggen over haar wijsheid met zijn mede-Normandiërs, maar hij kon geen woorden vinden. Hij glimlachte mat en drukte haar hand. Aislinn keek een beetje bezorgd.

"Mijn heer, ben je ontevreden over me?"

Hij grinnikte. "Nee, chérie."

Aislinn glimlachte opgelucht. "Je moet niet zo fronsen als je nadenkt, Wulfgar. Als ik niet zo dapper was, zou je me bang maken."

"Ah, vrouwe," zuchtte hij, "als je zachter was, zou je misschien gewilliger in mijn bed komen."

Aislinn bloosde en keek snel om zich heen of iemand ze kon horen. Toen ze zag dat niemand op hen lette, glimlachte ze lief tegen Wulfgar.

"Maar, mijn heer, het kost me zoveel moeite je achteloze verkrachting zachtmoedig te ondergaan. Je kunt nog wel eens de volle laag van mijn woede krijgen omdat je me zo misbruikt."

Hij drukte haar hand weer. "Je wordt niet zo misbruikt," antwoordde hij en zijn ogen lachten. "Welk Engels meisje wordt zo vertroeteld door haar Normandische heer? Je moet toegeven dat dit beter is dan aan mijn bed geketend te zijn."

Aislinn haalde haar schouders op en streek over zijn korte fluwelen mantel. "Toen onteerde je me tenminste niet."

Wulfgar glimlachte onvervaard. "Ik onteer je nu ook niet. Ik eer je boven alle andere vrouwen. Zie je een ander aan mijn arm of in kleren die ik betaald heb? Voor dat geld heb ik gezweet en het had me mijn leven kunnen kosten. Ik behandel je vriendelijk. Je hoeft niet te werken. Je hebt een plaats naast me of je mijn vrouwe was. Het enige verschil is dat ik geen beloften gedaan heb om me voor eeuwig te binden."

Aislinn wilde antwoorden, maar ze schrok toen er een ridder geroepen werd die ze kende, en keek om zich heen. Ze zag hem onmiddellijk en Ragnor de Marte glimlachte en groette haar, en ze wist dat hij de hele tijd naar haar gekeken had. Zijn ogen zwierven over haar figuur en Aislinn bloosde en voelde zich naakt. Abrupt wendde ze zich naar Wulfgar, die kalm naar de ander keek.

"Je hebt me niet verteld dat Ragnor hier zou zijn," zei ze.

Wulfgar keek naar haar blozende gezicht. "Je moet leren, chérie, dat het beter is Ragnor in zijn gezicht te zien dan dat hij onverhoeds op je af komt. Dan krijg je tenminste geen dolk in je rug."

"En is mijn borst vrij voor zijn mes," antwoordde Aislinn spottend.

Wulfgar glimlachte. "Wees niet bang, schoonheid. Ik geloof niet dat je dat scherpe instrument zult voelen. Hij is niet helemaal gek."

"'t Zou het minst erge zijn wat hij me kan aandoen," zei ze vals.

Wulfgar keek weifelend naar haar, maar ze draaide zich om en keek naar de stijve, formele plechtigheid. William was even groot als Wulfgar maar veel breder. Door de staatsiemantels zag hij er massief uit en toen Ragnor knielde, leek hij wel een dwerg vergeleken bij de koning. Williams arendsogen keken ernstig tot de ridder opstond, toen knikte hij. Zoals bij vele edelen voor Ragnor, gaf William geen teken van vriendschap. Toch zag Aislinn een klein verschil toen Wulfgar even later naderde. William leek te ontspannen en minder streng. Aislinn werd warm toen Wulfgar voor zijn koning boog, en ze keek niet meer naar William.

Aislinn merkte op dat de Saksische vrouwen fluisterden over deze grote Normandische ridder. Toen hij bij haar terugkwam, leek Wulfgar zich niet bewust van de aandacht die hij getrokken had.

"Ah, mijn heer, ik geloof dat je nog een paar harten veroverd hebt," zei Aislinn. "Is dat hoe je zoveel maîtresses verzameld hebt?"

Wulfgar lachte zacht. "Jij bent de eerste, mijn lief. Met de anderen niet meer dan een of twee nachten." Hij kuste haar hand terwille van de toeschouwers en glimlachte teder. "Maar ik ben er zo door bekoord dat ik me afvraag waarom ik het niet eerder geprobeerd heb."

Aislinn glimlachte lief, maar haar stem klonk nijdig. "Er waren er zeker aan het Normandische hof zoveel dat je niet kon kiezen." Zich bewust dat velen naar hen keken, sloeg ze zedig haar ogen neer. "Daar had je het vast zo druk dat mijn alledaagse gezicht je niet opgevallen zou zijn. O, was het op Darkenwald maar zo geweest."

Wulfgar bracht haar hand aan zijn lippen en fluisterde: "Pas op, chérie, de ketting zit nog steeds aan het bed."

Aislinn lachte. "Ik ben niet bang, Wulfgar. Je wilt dat koude ijzer 's nachts vast niet in je bed hebben."

"Dat is zo natuurlijk," gaf hij grinnikend toe. "Ik zou je veel liever gewillig hebben dan als overwonnen slavin."

Aislinn keek ernstig in zijn ogen. "Gewillig? Je hebt de prijs nog niet genoemd. Maar ik geloof toch ook niet dat ik een verslagen slavin ben."

Wulfgar wilde haar in zijn armen nemen en kussen, ondanks de op hen gerichte blikken, maar een luide stem die het feestmaal aankondigde, redde hem.

Toen Wulfgar haar naar haar stoel bracht, zag ze tegenover zich Ragnor naast zijn stoel staan. Hij lachte en toen ze was gaan zitten, nam hij plaats alsof hij op haar gewacht had. Ze gaf even al haar aandacht aan het maal, toen keek ze op en ontmoette geschrokken Ragnors blik. Hij knikte en glimlachte en ze wendde zich snel af. Ze zorgde ervoor niet meer naar hem te kijken. Ze antwoordde op de vragen van andere ridders, en Wulfgar wees haar hoge edelen en mannen die een heldhaftige daad verricht hadden, aan. Na het maal werd Wulfgar bij haar weggehaald door een graaf die iets belangrijks met hem wilde bespreken. Aislinn zat alleen, verbijsterd door de vorstelijke personen overal in de grote kamer. Toen merkte ze dat iemand Wulfgars stoel nam. Ze keek op en zag Ragnor die naar haar glimlachte.

"Vergeef me, mijn duifje. Mag ik even gaan zitten?"

Aislinn fronste, maar kon geen goede reden vinden om te weigeren.

"Wulfgar..." begon ze, maar hij onderbrak haar.

"Is druk bezig en ik wil met je praten." Hij trok zijn stoel dicht naast de hare. "Begrijp je niet dat Wulfgar je alleen maar een poosje gebruikt?" Hij zag dat ze kwaad werd en probeerde haar te kalmeren. "Heeft hij je gevraagd hem te trouwen? Heeft hij je een andere titel of plaats gegeven dan als slavin? Ik heb zelfs gehoord dat hij een ander meisje naar Darkenwald gestuurd heeft. Je bent hem trouw, maar als je zijn gunst verliest, zal de ander zijn nachten vullen."

Aislinn keek om zich heen of ze hem kon ontsnappen. Geschrokken voelde ze Ragnors hand op haar dij onder de tafel.

"Ik zou je vrouwe van Darkenwald en Cregan maken," mompelde hij.

"Hoe kan dat?" snauwde ze en duwde zijn hand weg. "Het dorp is van Wulfgar."

Ze wilde weggaan, maar zijn arm op de leuning van haar stoel hield haar tegen en hij legde zijn hand weer op haar dij. Ze sloeg hem weg en weer kwam hij terug.

"Ragnor!" hijgde ze en stond op. Hij stond ook op, nam haar arm en trok haar naar zich toe. Toen er naar hen gekeken werd, fluisterde hij koortsachtig iets in haar oor, maar ze verstond hem niet omdat ze probeerde los te komen.

"Laat haar los," zei Wulfgar zacht maar heel dichtbij. Hij legde zijn hand op Ragnors schouder en draaide hem om. "Ben je mijn waarschuwing vergeten? Wat van mij is, houd ik."

Ragnor hoonde: "Ik heb recht op Darkenwald. Je hebt me geen deel gegeven en toch heb ik het gewonnen."

Wulfgar ontmoette zijn verhitte blik met koele waardigheid. "Je hebt niets verdiend, want jij bent de strijd begonnen."

Ragnors ogen vernauwden. "Je bent een schoft, Wulfgar," snauwde hij. "Ik heb zelfs je leven gered en toch geef je me geen deel."

"Jij mijn leven gered?" Wulfgar trok een wenkbrauw op. "Mijn mannen hebben gehoord dat er twee Normandische ridders de dorpelingen van Kevonshire naar de bocht hebben gelokt waar ze een hinderlaag voor me konden leggen. Vachels wapen werd gezien en ik kan wel raden wie de ander was. Mijn leven gered? Nee, je maakte dat het me bijna mijn leven heeft gekost."

Aislinns ogen werden groot bij Wulfgars woorden. Ragnor had geen antwoord maar hij was woedend. Zonder na te denken gooide hij zijn zware handschoenen in Wulfgars gezicht. Ze vielen op de grond. Wulfgar trok zijn zwaard, raapte met de punt de handschoenen op en gooide ze met volle kracht terug in Ragnors gezicht.

"Wat nu? Strijd tussen mijn ridders?" vroeg een stem achter ze en William voegde zich bij hen.

Wulfgar stak zijn zwaard weer in de schede en boog voor de koning.

William keek naar Aislinn, die onversaagd zijn blik ontmoette. Zijn ogen gingen van haar naar Ragnor en toen naar Wulfgar.

"Ruzie over een vrouw, Wulfgar? Dat is niets voor jou."

Wulfgars gezicht werd donker. "Sire, mag ik Aislinn van Darkenwald voorstellen."

Aislinn maakte een diepe revérence voor de koning, die haar oplettend opnam. Toen ze opstond, keek ze hem trots aan.

"U bent niet bang voor me, damoiselle?" vroeg William.

Aislinn keek snel naar Wulfgar en weer terug. "Uwe genade, uw ridder heeft me dezelfde vraag gesteld, mag ik hetzelfde antwoord geven: Ik vrees alleen God."

William knikte, onder de indruk van haar openhartigheid. "En deze ridders van mij vechten over u. Dat kan ik begrijpen." Hij wendde zich tot Ragnor. "Wat heb je te zeggen?"

Ragnor was star van woede. "Vergeving, sire. Deze bastaard heeft geen recht op Darkenwald, noch op vrouwe Aislinn, want zij hoort er bij, de dochter van de heer die ik zelf gedood heb."

"Eis jij, Ragnor de Marte, dit land dan op als overwinnaar?" vroeg William.

"Ja, sire," bevestigde Ragnor en boog voor het eerst voor zijn koning.

William keek Wulfgar aan. "En jij eist dit land ook op, heer Wulfgar?"

"Ja, mijn heer. Omdat u me opgedragen hebt het voor uw kroon te winnen."

William wendde zich naar Aislinn. "Heeft u iets te zeggen, damoiselle?" vroeg hij vriendelijk.

"Ja, uwe genade," antwoordde ze trots. "Mijn vader stierf als een krijgsman en is begraven met zijn schild en zwaard, maar hij ging uit voor een wapenstilstand. Hij was van plan zich over te geven. Maar hij werd onnodig beledigd tot hij gedwongen was zijn eer te verdedigen. Er waren alleen lijfeigenen om hem te helpen en ze werden met hem gedood." Ze glimlachte triest. "Hij had iedereen naar Harold gestuurd. Hij had niet eens meer een paard om op te sterven."

William keek weer naar de twee ridders. "De handschoen is geworpen, zie ik, en teruggegooid. Heer Ragnor, stemt u toe in een gevecht en legt u zich neer bij de afloop?"

Ragnar boog instemmend.

"En u, heer Wulfgar, stemt u toe?"

"Ja, sire," antwoordde Wulfgar.

"En vrouwe Aislinn? Zult u zich buigen voor de overwinnaar?"

Aislinn ontmoette heel even Wulfgars blik, maar ze kon geen ander antwoord geven.

"Ja, sire," mompelde ze en boog diep.

Toen zei de koning: "Op de eerste dag van het nieuwe jaar zal het gevecht zijn, een strijd tot er een valt maar niet tot de dood, want ik heb mijn ridders nodig. Ik zal toezicht houden op het veld en de wapens, en laat niemand achteraf zeggen dat het niet eerlijk was." Hij bood Aislinn zijn arm. "Tot dan, vrouwe, bent u mijn gast. Ik zal uw meisje en uw bezittingen laten halen en een kamer voor u laten klaarmaken. U staat onder mijn bescherming tegen deze beide schurken."

Aislinn keek aarzelend naar Wulfgar en zag zijn frons. Ze wilde protesteren, maar wist dat dat niet kon. Voor hij haar weg leidde, glimlachte William.

"Heb geduld, Wulfgar. Als alles goed gaat, zal dit het beste blijken."

Ragnor grijnsde om zijn tijdelijke triomf, maar Wulfgar voelde een verlies dat hij niet onder woorden kon brengen.

Laat die avond kwam Wulfgar in de grote slaapkamer. Het vuur brandde laag en alle tekenen van Aislinns aanwezigheid waren verdwenen. Wat voor hem een rustpunt was geweest na een vermoeiende dag, was nu een martelkamer. Hij zag Aislinn overal, voor het raam, naast de haard, op het bed. Hij streek met zijn hand over het dek, keerde zich toen om en keek de lege kamer door. Toen stopte zijn blik. Netjes opgevouwen naast de teil lag een strookje geel fluweel. Hij raapte het op en rook de geur van lavendel. Hij zuchtte, stopte het stukje zorgvuldig in zijn hemd en streek over de bult tot het niet meer te zien was. Hij nam zijn mantel en ging naar beneden om in de zaal te slapen. Hier was hij minder eenzaam en voelde hij zich weer soldaat. Toch lag hij lang wakker en verlangde naar haar warmte naast zich.

Hij stond de volgende dag vroeg op en vond zijn ridders ongewoon rustig, maar ze volgden al zijn bewegingen. Milbourne verbrak tenslotte de stilte door op te springen en Ragnor te vervloeken. Gowain keek alleen maar verdrietig. Beaufonte staarde humeurig in het vuur.

"Jullie zijn een zielig stel," bromde Wulfgar zuchtend. "Maak de paarden klaar. We kunnen net zo goed vandaag iets nuttigs doen."

Wulfgar werkte hard, waardoor hij weinig tijd had om aan iets anders te denken. Toen hij thuis kwam, lag er een briefje van de koning waarin hem gevraagd werd het avondeten met hem te gebruiken. Zijn stemming verbeterde, hij kleedde zich met zorg en werd even later de eetzaal van

William en zijn gevolg binnengebracht. Nijdig merkte hij op dat Ragnor er ook was, en het werd nog erger toen hij zag dat hij naast Aislinn zat. Zijn woede verminderde niet toen een page hem naar een andere tafel bracht. Aislinn kon maar even naar hem kijken voor een graaf naast haar haar aandacht trok. Wulfgar gaf toe dat haar schoonheid het hof opvrolijkte en zag dat niet alleen William kennelijk van haar aanwezigheid genoot. Ze leek opgewekt en praatte vrolijk, maar ze bleef uit de buurt van Ragnors handen. Maar al waren zijn handen tam, zijn ogen verslonden Aislinn onder het mom van onschuldige blikken. Met een geforceerde glimlach snauwde Aislinn zachtjes tegen hem:

"Wilt u me toestaan gekleed te blijven in aanwezigheid van de koning?"

Ragnor lachte luid en Wulfgar fronste dieper. De avond sleepte zich voort. Hij was zich voortdurend bewust van Aislinn en ergerde zich als ze lachte. Hij voelde zich niet op zijn plaats. Hij kon niet eindeloos over niets babbelen zoals anderen. Vaak gedurende de maaltijd voelde hij dat William op hem lette. Hij had eerbied voor Williams wijsheid het duel toe te staan, want als hij won, was zijn titel onbetwistbaar. Maar hij miste Aislinn. Hij gedroeg zich als een soldaat en antwoordde op grappen met een gedwongen grijns en een knikje. Hij dronk een beker wijn die niet hielp. Hij was geen ogenblik met Aislinn alleen en onder Williams blikken wilde hij niets forceren. Nu er zoveel op het spel stond, kon Wulfgar geen scène riskeren die alles in de war kon gooien of Ragnor reden geven te zeggen dat hij oneerlijk was. Tenslotte gaf hij het op, nam afscheid en ging somber op weg naar zijn eenzame strozak.

Aislinn keek de zaal rond en zag dat Wulfgar weg was. Haar vrolijke stemming verdween. Ze verzon een armzalig excuus en ging naar haar kamer waar Hlynn op haar wachtte. Ze hield haar tranen in tot ze het meisje kon wegsturen, tot ze veilig in bed lag en haar snikken in haar kussen kon smoren. Het hof was boeiend en de Normandiërs behandelden haar met achting. Ze was opgetogen geweest toen ze hoorde dat Wulfgar zou komen en had gretig op hem gewacht. Niemand had haar een plattelandsmeisje kunnen noemen, zelfs Gwyneth niet als ze haar had kunnen zien. Ragnor was charmant geweest als zijn ogen haar met rust lieten. Maar altijd als ze naar Wulfgar keek, was zijn blik ergens anders en aan zijn frons zag ze dat zijn stemming verre van goed was. Hij had er prachtig uitgezien in een zachte bruine toga. Ze hadden de hele avond geen woord gewisseld en hij had haar geen teken van genegenheid gegeven, en ze snikte weer om zijn onachtzaamheid.

Ik ben schaamteloos, dacht ze. Al zijn we niet door beloften gebonden, ik smacht naar zijn armen om me heen. O Wulfgar, maak me meer dan een hoer. Ik kan deze gevoelens niet verdragen.

Ze verlangde naar zijn warmte naast zich. Het zijden kussen had geen borst waar ze haar hoofd op kon leggen, geen armen om haar vast te houden. Ze herinnerde zich ieder litteken, elke bult in zijn arm en zelfs het schuren van zijn baard tegen haar hals. Ze draaide en woelde en vond weinig vreugde in haar gedwongen kuisheid.

Weer kwam er een briefje van William, en hoewel Wulfgar weinig van de vorige avond genoten had, had hij geen keus want de koning eiste zijn aanwezigheid. Wulfgar was nijdig, want hij had niet veel werk om hem bezig te houden en hij verheugde zich niet op weer een avond uit de verte naar Aislinn kijken. Dus ging hij met slepende voeten het paleis binnen en werd tot zijn verbazing direct naar Aislinn gebracht. Haar stralende glimlach bedwelmde hem bijna en haar ogen leken hem te liefkozen.

"Wulfgar, je zou zo lang talmen dat de avond om is. Kom zitten."

Ze trok hem aan zijn mouw neer in de stoel naast haar. Haar schoonheid en warme begroeting verlamden zijn tong en hij kon alleen maar mompelen:

"Goedenavond, Aislinn." Toen ging hij gevat verder: "Is alles goed met je? Je ziet er goed uit."

"Ja?" Ze lachte zacht en streek langs haar ijsblauwe zijden kleed. "Jij was zo lief mij deze jurk te geven, Wulfgar. Ik hoop dat je niet boos bent dat ze de kleren zonder je toestemming meegenomen hebben."

Wulfgar schraapte zijn keel. "Nee, waarom zou ik? Ik heb ze je gegeven en heb er dus verder geen recht op."

Aislinn legde haar hand op de zijne die op zijn dij lag, en haar ogen hielden hem vast. "Jij ziet er ook goed uit, mijn heer."

Wulfgar zweeg onhandig en worstelde tegen zijn verlangen haar te omhelzen. Haar hand op de zijne maakte het hem moeilijk, want hij deed hem denken aan andere delen van haar lichaam. Het hete bloed in zijn lendenen voelend, trok Wulfgar zijn hand terug, wat de marteling alleen maar vergrootte, want haar hand bleef op zijn dij. Hij keek onbehaaglijk om zich heen. Hij zag Ragnor op de plaats waar hij de vorige avond gezeten had, met zijn ogen op Aislinn gevestigd.

"Hij houdt je in de gaten als een havik," klaagde Wulfgar, "alsof hij je zoetheid al proeft."

Aislinn lachte zacht en streelde Wulfgars mouw. "Het heeft lang genoeg geduurd voor je het begreep, maar nu overdrijf je zijn dreiging. Anderen hebben openlijker naar me gekeken." Toen hij fronste, schitterden haar ogen. "Vrees niet, Wulfgar. Ik heb ze afgewezen en ze verzekerd dat mijn hand al beloofd is." Ze hief haar hand op en hij nam hem in de zijne. "Zie je, Wulfgar," glimlachte ze, "'t is niet zo moeilijk in het openbaar mijn hand op te eisen. Je hebt al het andere genomen, waarom mijn hand niet?"

"Je hand?" zuchtte hij. Hij streek met zijn lippen langs haar vingertoppen. "Ik wil meer. Ik liet je hier komen om mijn bed te warmen en nu moet ik het voor gezelschap mijn mannen opzoeken."

"Arme Milbourne," grinnikte ze. "Ik geloof niet dat hij je smaak is. En Gowain nog minder. Zijn poëzie en proza zullen je slecht bevallen. Of zitten jullie als vier oude heren om het vuur herinneringen aan lang voorbije feesten op te halen?"

"Nee," antwoordde hij en vervolgde eerlijk: "Ik geloof dat alle drie niet goed bij hun hoofd zijn nu je weg bent. Gowain lummelt rond alsof hij zijn liefde verloren is, Milbourne gaat tekeer over de belediging en

Beaufonte zit voor het vuur en drinkt." Hij lachte er zelf om. "Het is in een kerker vrolijker dan in dat huis."

Aislinn legde een hand op zijn arm. "En jij, Wulfgar? Zorgt Sanhurst niet voor je?"

"Ha!" hoonde Wulfgar. "Noem me de naam van die Sakser niet. Als je niet oplet, zet die gek een zadel nog verkeerd om."

Aislinn lachte en liefkoosde zijn arm. "Wees niet te hard voor hem, Wulfgar," vermaande ze. "Hij is nog maar een jongen en niet gewend aan heren en ridders. Hij zal je wensen leren kennen en je goed dienen."

Wulfgar zuchtte. "Je geeft me altijd raad over de behandeling van mijn lijfeigenen, en nu zou ik moeten geloven dat die logge beer een tere jongen is."

Zo ging de maaltijd voorbij. Iedere keer dat Aislinn hem aanraakte, vocht Wulfgar tegen het verlangen haar naar het dichtstbijzijnde bed te dragen. Onder de tafel streek haar dij langs de zijne en hij stond in brand. Hij beheerste zijn hartstocht, antwoordde anderen op zijn gemak, maar tegen Aislinn kon hij alleen maar stroef zijn. Als ze lachte met iemand die hij nauwelijks kende, leunde ze tegen zijn arm en voelde hij haar borst. Hij kreunde inwendig van ellende. Williams nadering gaf hem een excuus om op te staan, maar William wuifde hem terug in zijn stoel.

"Zo, Wulfgar," zei de veroveraar, "morgen is het zo ver. Maar zeg eens, wat zit je dwars? Je lijkt me niet het aangename gezelschap dat ik van vroeger ken. Laten we drinken en vrolijk zijn zoals we vroeger vaak gedaan hebben."

"Vergeef me, sire, maar alles wat ik wilde bereiken, staat nu op het spel. Ik ben niet bang, maar ik krijg genoeg van het wachten."

William grinnikte. "Je bent weinig veranderd. Maar ik vrees dat ik me vergist heb. Je bent armzalig gezelschap voor een zo mooie dame. Je begeert haar misschien maar je toont er weinig van. Als ik het meisje was, zou ik het je kwalijk nemen."

Wulfgar bloosde en keek weg. "De dame is zo lang bij me geweest, dat haar afwezigheid heel ongewoon voor me is."

William keek Wulfgar oplettend aan. "Echt, heer Wulfgar? En heb je voor haar eer gezorgd? Wij hebben haar uit haar huis verdreven. 't Zou naar zijn als we haar naam ook te schande maakten."

Wulfgar trok twijfelend een wenkbrauw op en vroeg zich af wat de koning bedoelde. William vervolgde bijna achteloos:

"Wees gerust, Wulfgar. Ik ken je goed en vertrouw dat je zult zorgen dat een zo mooi juweel in een volmaakte zetting gezet wordt."

William legde een hand op de schouder van de krijgsman en liep weg. Toen Wulfgar zich weer naar Aislinn wendde, keek ze aarzelend in zijn broedende gezicht.

"Is er iets mis, Wulfgar?" vroeg ze zacht. "Heeft de koning verontrustend nieuws gebracht?"

"Nee," zei hij kort. "Was morgen maar voorbij zodat ik je mee kon nemen. Ragnor is een dwaas als hij denkt dat ik jou aan hem zal overlaten. Je bent van mij en dat blijft zo."

"Maar Wulfgar," mompelde Aislinn, "wat wil je doen? De koning heeft gesproken."

Wulfgar trok een wenkbrauw op. "Doen? Nou, chérie, ik zal natuurlijk winnen."

16

De eerste dag van januari 1067 brak aan. Het was koud en vochtig. Voor Wulfgar ontbeet, kleedde hij zich in volle wapenrusting en reed met de Hun naar een open veld. Daar oefende hij met het krijgsros op de bevroren aarde en wende hem weer aan het gewicht op zijn rug. De zon stond hoog en de ochtendmist was al lang opgetrokken toen Wulfgar tevreden was en het paard terugbracht naar de stal. Hij voerde het paard en wreef hem, maar het dier voelde de komende strijd en stampte gretig. Wulfgar ging de trap op en nam een laat ontbijt uit de ketel soep boven het vuur. Na het eten ging hij voor de haard zitten met zijn voeten op een kruk. Hij peinsde over het komende gevecht, tot hij merkte dat het licht vreemd vaag was geworden. Hij keek op en zag Gowain, Milbourne en Beaufonte staan.

Gowain ging bij Wulfgars voeten op de haardsteen zitten en zei: "Mijn heer, wees voorzichtig. Ik heb Ragnor vaak zien vechten. Ik denk dat hij bij de aanval de neiging heeft te leunen…"

Wulfgar stak een hand op om hem te laten zwijgen.

Milbourne boog naar voren. "Wulfgar, luister. 't Is belangrijk dat je weet dat hij zijn schild hoog en een beetje voor zich houdt en daardoor zijn verdediging verzwakt. Als je zo slaat, duw je het opzij en kun je inkomen."

"Nee, nee, beste kerels," lachte Wulfgar. "In een ander geval zou ik rekening houden met wat jullie zeggen, maar hier is maar één ding belangrijk; hij is meer een lafaard dan een ridder en ik heb niemand om mijn rug te beschermen. Ik dank jullie voor je zorg, maar net als in ieder ander gevecht kan ik geen plannen vooruit maken. Het is bijna zo ver. Ik zie jullie daar om me aan te moedigen en een handje te helpen als ik val. Heer Gowain, wil je mijn secondant zijn?"

Toen de jonge ridder gretig knikte, stond Wulfgar op en ging naar de slaapkamer. Hij bleef in de deur staan en dacht aan de warmte in de kamer als Aislinn er was. Hij vloekte toen zijn sombere stemming weer opkwam. Het komende gevecht eiste al zijn aandacht als hij wilde winnen. Hij kon niet eeuwig aan dat meisje denken, zoals Gowain zou doen. Hij moest zijn beslistheid van de vorige avond bewaren. Hij zei tegen zichzelf dat hij meer om Darkenwald dan om Aislinn vocht, maar in zijn hart wist hij dat er ander land was, maar er was maar één Aislinn en zij verveelde hem nog niet.

Hij kleedde zich om naar het veld te gaan. Hij legde zijn maliënkolder en schild op het bed. Sanhurst had ze glanzend gepoetst, maar in de

achterkant van de helm zag hij nog steeds de omtrek van een deuk.
Hij vroeg zich af hoe ver zijn tegenstander zou gaan om Aislinn te krijgen.
De hinderlaag bij Kevonshire had hem bijna het leven gekost, en als
dat was wat Ragnor wenste, zou het toernooi van vandaag hem niet
bevredigen als hij verloor. Hij was altijd op zijn hoede geweest voor
de ridder. Nu had hij goede reden hem zijn leven lang te wantrouwen.

Hij bleef even voor de gloeiende haard staan, maar er was geen echt
vuur. Sanhurst was weer laks geweest en had geen hout gebracht, maar
het deed er nu niet toe. Hij zou zo weg gaan en Aislinn was er niet.
Met een zucht pakte hij het kleine stukje geel van de tafel en keek er
lang naar, toen gooide hij het in de haard waar het vlam vatte en verdween.

Wulfgar keerde zich om, sloeg een zware mantel om zijn schouders
en liep naar het bed waar hij zijn uitrusting verzamelde, zijn zwaard
omgordde en een bijl die Sweyn hem gegeven had in zijn gordel stak.
Toen ging hij weer naar beneden waar de drie ridders op hem wachtten.
Sanhurst was de resten van de maaltijd aan het opruimen en Wulfgar
fronste omdat hij weer laat was, maar hij slikte zijn scherpe woorden
in en dacht aan wat Aislinn gevraagd had.

Gowain kwam naar hem toe, nam de bundel over en ging de zaal
uit. Wulfgar volgde met Milbourne en Beaufonte en grinnikte toen de
oudere ridder hem smeekte Ragnor niet te erg toe te takelen.

"Tenslotte, mijn heer," grijnsde Milbourne, "als hij er niet meer is,
op wie moet u dan uw woede koelen, behalve op ons drieën?"

Het zag er prachtig uit. Iedere heer in Londen kwam naar het gevecht
kijken. Er waren kleine paviljoens van doek opgezet. Het hele veld was
afgeschermd met veelkleurige banieren tegen de blikken van lijfeigenen
en boeren, want dit was een erezaak en niet bedoeld voor het gewone
volk.

Wulfgar en zijn gevolg kwamen het veld op. Terwijl hij en Gowain
naar de tent met zijn kleuren gingen, keek Wulfgar rond. Williams paviljoen was nog gesloten en er was geen spoor van Aislinn. Er was grote
activiteit om Ragnors tent en Wulfgar dacht dat hij vroeg gekomen was
en het net zo graag achter de rug wilde hebben als hijzelf.

Wulfgar steeg af bij zijn tent en terwijl Gowain naar binnen ging,
bleef hij even staan om de Hun te strelen en hem een zak graan om
te hangen. In de tent controleerde Gowain de schakels van Wulfgars
maliënkolder en de handgreep van zijn schild. Zwijgend trok Wulfgar
de leren kledingstukken aan en kroop met Gowains hulp in de zware
maliënkolder.

Er werd een bord vlees en wijn gebracht. Wulfgar weigerde de drank,
maar Gowain nam nog een tweede beker. Wulfgar trok een wenkbrauw
op.

"Ik denk niet dat we het meisje verliezen door deze kleine schermutse-
ling, Gowain. Er is wel iets anders voor nodig om dat gedaan te krijgen."

De jonge ridder dronk hem toe. "Mijn heer, ik heb alle vertrouwen
in u."

"Goed," antwoordde Wulfgar. "Zet nu die beker weg en geef me mijn handschoenen aan, voor ik jou moet helpen."

Met een grijns boog Gowain.

Wulfgar dacht niet aan Williams bedoeling, maar alleen dat hij moest winnen. Vroeger waren zijn toernooien bekend geweest, en vandaag moest hij op zijn best zijn, want hij wist dat Ragnor zowel sterk als sluw was. Ze hadden elkaar nog nooit in een toernooi ontmoet, maar hij was niet zo dwaas te denken dat Ragnor makkelijk te verslaan was.

Trompetten kondigden de aankomst van de koning en zijn gevolg aan. Aislinn zou bij William zijn, de enige vrouw in het gevolg van de koning. Bij een andere koning zou Wulfgar bezorgd zijn geweest, maar William nam geen maîtresses, hij was een trouw echtgenoot voor Matilda.

Wulfgar zwaaide de tent open en liep naar de Hun. Hij nam de zak van de neus van het paard en liefkoosde hem en sprak tegen hem als tegen een goede vriend. Het paard snoof en knikte als in antwoord. Wulfgar steeg op en Gowain gaf hem zijn helm en schild. Uit het paviljoen van de koning was de voorkant van zijn tent niet te zien, en hij kon Aislinn niet zien.

Tegenover hem kwam Ragnor zijn tent uit met Vachel, de eerste knikte terwij de laatste sprak. Toen hij opsteeg, kreeg Ragnor zijn tegenstander in het oog. Hij maakte een spottende buiging en lachte met overdreven vertrouwen.

"Eindelijk, Wulfgar, ontmoeten we elkaar," riep hij. "Kom mij en de mooie Aislinn op Darkenwald bezoeken als dit voorbij is. Ik zal je een blik op haar niet misgunnen, die heb je mij ook gegeven."

Gowain stapte met gebalde vuisten naar voren.

"Wacht, jongen," zei Wulfgar. "Dit is mijn zaak. Laat mij de eer."

Ragnor leunde vrolijk achteruit in zijn zadel. "Wat, Wulfgar? Nog iemand verliefd op het meisje? Het zal wel moeilijk zijn ze bij haar vandaan te houden. Ik denk dat zelfs je geliefde Sweyn wel zin in haar had. Waar is die goede ziel, tussen haakjes?" Hij lachte, het antwoord wel kennend. "Bewaakt hij mijn land?"

Wulfgar gaf geen antwoord. Vachel mompelde iets tegen Ragnor waardoor die nog harder lachte en pas het geluid van de trompet kalmeerde hem. De twee ridders reden op elkaar af – draaiden toen en reden naar de tent van de koning. Nu kreeg Wulfgar Aislinns gele kapje in het oog, en toen hij dichterbij kwam, zag hij dat ze onder haar met vos gevoerde mantel de gele fluwelen jurk droeg. Hij was er blij om. Hiermee gaf ze hem zonder woorden haar voorkeur te kennen.

William stond op en aanvaardde hun groet. Toen las hij de dagorder, die iedereen beval de uitkomst van het gevecht te respecteren. Aislinn zat bleek en gespannen, kennelijk angstig, naast William. Hoewel Wulfgar naar de koning keek, hielden haar ogen hem vast. Aislinn wilde haar voorkeur uitschreeuwen, iedereen laten weten wie ze wilde hebben, maar als deel van de prijs van het gevecht, werd haar mening niet gevraagd.

De trompetten klonken weer, en toen de paarden keerden, dacht Aislinn dat Wulfgar naar haar keek, maar ze was er niet zeker van. De ridders reden naar hun plaats, gemerkt met een banier met hun wapen en kleuren. Toen ze elkaar aankeken, zetten ze hun helm op. Beiden kregen een lans van hun secondant en groetten weer de koning. De trompetten gaven het sein voor de eerste aanval. Aislinn was angstig gespannen, maar uiterlijk was ze trots en op een afstand. Haar hart bonsde. Met onder haar mantel gebalde vuisten herhaalde ze zwijgend het gebed dat ze die ochtend in de kapel gefluisterd had.

De grote paarden kwamen naar voren. De ridders ontmoetten elkaar met een gekletter van wapens waar Aislinn van schrok. Wulfgars lans gleed langs het schild van zijn tegenstander en die van Ragnor versplinterde tegen Wulfgars wapens. Aislinn zuchtte dankbaar toen ze zag dat Wulfgar nog ongedeerd in het zadel zat. De twee mannen gingen terug naar hun tent en namen een nieuwe lans. De tweede aanval kwam zonder waarschuwing. Deze keer raakte Wulfgar goed maar zijn lans ging aan splinters. Ragnor werd naar achteren geduwd en miste Wulfgar volkomen. Ze haalden een nieuwe lans. Wulfgar raakte de rand van Ragnors schild. De Hun botste tegen Ragnors paard en hij werd op de grond geworpen. Aislinn beet op haar lip toen Wulfgars Hun over Ragnors paard struikelde, maar hij bleef op de been. Wulfgar ging een beetje achteruit en toen Ragnor overeind krabbelde, gooide hij zijn lans weg en steeg af om zijn tegenstander te voet te ontmoeten. Met een woeste grauw greep Ragnor een knots, maar gooide hem weer weg. Met spijkers zou het een dodelijk wapen zijn geweest, maar William wilde zijn ridders sparen. Ragnors bloeddorst verminderde er niet door.

Wulfgar trok de bijl uit zijn gordel en hief hem, maar gooide hem ook opzij. Beide ridders trokken nu hun zwaard en liepen naar elkaar toe, terwijl Aislinn angstig toekeek. De eerste slagen klonken luid in de koude winterlucht. Het was moeilijk de slagen te volgen, want de zwaarden flitsten in het zonlicht en leken elkaar voortdurend te raken. De grote, zware schilden vormden een muur van waar achter de ridders vochten. Zweet begon van de gezichten van de twee mannen te stromen en drupte onopgemerkt onder de leren buizen onder de maliënkolders. Ragnor was snel en vaardig, Wulfgar een beetje langzamer maar zekerder. Dit was geen gewoon duel maar een proef van pure kracht en wil. Wie het het langst uithield, won. Ragnor begon het gewicht van zijn zwaard in zijn arm te voelen en Wulfgar merkte dit en, kracht puttend uit een onbekende bron, viel hij nog harder aan. Maar plotseling raakte zijn voet verward in de ketting van de gevallen knots. Ragnor greep dit voordeel aan en liet zijn slagen zwaar neerkomen. Wulfgar viel op een knie door het gewicht om zijn enkel. Aislinn kwam met een gesmoorde snik half overeind. William hoorde het en merkte op aan wie het meisje de voorkeur gaf.

Wulfgar schudde de boei van zijn been en slaagde erin op te staan. Hij strompelde achteruit, herstelde zich en ontmoette de hernieuwde aanval van de ander weer met beide voeten stevig op de grond. Het leek of geen van beiden de overhand kon krijgen, tot opnieuw door pure kracht Wulfgar de ander begon terug te dringen. Plotseling schoot zijn zwaard uit. Hij zette Ragnors helm scheef. Voor hij zich kon herstellen, was het zwaard hoog de lucht in gezwaaid en kwam neer op de rand van het schild en weer op de helm. Ragnor struikelde en Wulfgar trok zijn zwaard los uit het schild van de ander. Ragnor liet het los toen Wulfgar zijn zwaard bevrijdde. Hij weefde een net van staal om de donkere ridder. Ragnor moest achteruit omdat hij met zijn wapen moest aanvallen en verdedigen. Een harde slag raakte zijn schouder en verdoofde zijn arm. Zijn ribben deden pijn van de slagen op zijn maliënkolder. Ragnor struikelde weer en zijn zwaard viel. De helm vloog van zijn hoofd. Ragnor viel en rolde over het bevroren gras. Wulfgar ging achteruit en bleef zwaar hijgend staan kijken naar de ander die probeerde op te staan. Ragnor spande zich in om op de been te komen, maar viel steeds terug. Aislinn hield haar adem in en bad dat de strijd afgelopen was. Ragnor bleef tenslotte liggen en Wulfgar wendde zich langzaam naar William en groette hem met het gevest van zijn zwaard tegen zijn voorhoofd. Aislinns wijdopen ogen en de angstige blik op haar gezicht waarschuwden Wulfgar voor de beweging achter hem. Hij draaide zich op tijd om om Ragnors slag af te weren en legde de ridder weer neer met de platte kant van zijn zwaard. Ragnor ging met een gil tegen de grond. Deze keer bewoog hij niet meer maar kreunde van pijn.

Nu naderde Wulfgar het paviljoen van de koning. Hij zag Aislinns blije gezicht voor hij William een vraag stelde.

"Is het gevecht voorbij, sire?"

William glimlachte en bevestigde het. "Ik heb nooit aan de uitkomst getwijfeld, Wulfgar. Je hebt een waardige strijd gestreden en je eer opgehouden." Hij keek van opzij naar Aislinn en zei droog tegen Wulfgar: "Arm meisje, ze denkt dat ze zal bloeien bij jouw mager vuur. Zal ik haar waarschuwen minder blij te zijn over je overwinning?"

Wulfgar stak zijn zwaard in de grond, gooide zijn handschoenen ernaast, trok zijn helm en kap af en zette ze op het gevest. Hij beklom de treden van het paviljoen en ging voor Aislinn staan, die schrok toen hij haar overeind trok. Hij kuste haar lang en drukte haar tegen zich aan. Zijn lippen bewogen op de hare met een honger zoals ze alleen gevoeld had in de afzondering van hun slaapkamer.

Ragnor werd overeind geholpen door zijn neef en de twee stonden alleen op het veld naar de omhelzing te kijken. Ragnors lichaam deed pijn en zijn gezicht vertrok van woede. Hij leunde tegen Vachel aan en zei wraakzuchtig:

"Op een dag zal ik die bastaard doden." Toen keerde hij zich om en hinkte naar zijn tent.

Toen Wulfgar Aislinn losliet, viel ze met knikkende knieën in haar stoel en probeerde op adem te komen. Wulfgar maakte een korte buiging voor William.

"Bevalt u dat, sire?" vroeg hij.

William lachte hartelijk en knipoogde tegen Aislinn. "Aaah, de waarheid komt uit. De jongen verlangt meer naar u dan naar het land."

Aislinn bloosde van plezier. De koning wendde zich ernstiger weer naar Wulfgar.

"Als gevolg hiervan moeten er contracten gemaakt worden en dat kost tijd. Je moet vanavond aan mijn tafel eten met mij en je charmante vrouwe, want ik wil haar zo lang mogelijk bij me houden. Het hof is zo saai zonder vrouwen. We zien je dan. Goedendag, Wulfgar."

William keerde zich om en wenkte Aislinn mee te gaan. Ze trok haar kap over haar haar, maar voor ze hem volgde, keek ze achterom naar Wulfgar en glimlachte als afscheid.

Nu het voorbij was, kon Wulfgar zich ontspannen, maar toen hij terugging naar het huis en op de avond wachtte, werd hij steeds meer gespannen. Hij werd opgewonden als hij aan Aislinn dacht en verlangde naar haar. Hij koos zijn kleren met zorg en nam weer de bruine toga, een sobere tint waarin hij zich niet opvallend voelde.

Een oud deuntje neuriënd reed hij die avond naar het kasteel. Hij werd nu anders begroet aan het hof. De mannen namen de Hun mee en bewonderden hem openlijk. Een schildknaap bracht hem naar de zaal, waar hij onmiddellijk door een groep heren begroet werd. Ze maakten hem complimenten en wensten hem geluk met zijn overwinning. Toen ze uit elkaar gingen, zag hij Aislinn met een andere vrouw aan de overkant van de kamer staan. Ze glimlachten tegen elkaar. Ze leek zo onbereikbaar en Wulfgar verwonderde zich dat van alle aanwezige hoge heren alleen hij recht op haar had.

Hij verohtschuldigde zich bij de mannen en liep naar haar toe, en zij kwam hem tegemoet.

"Weer, mijn heer," mompelde ze, "heb je mij gewonnen."

Hij bood haar zijn arm en ze legde haar hand erop.

"Kom," zei hij en bracht haar naar hun stoelen. Zijn gedrag was passend voor een overwinnaar die zijn prijs opeist en niemand raadde de waarheid. Hij verlangde ernaar haar in zijn armen te nemen en haar protesten weg te kussen. Het kostte hem al zijn wilskracht het hof niet te verbijsteren met wat hij voelde.

Aan de maaltijd werden vele dronken uitgebracht op Normandië, de kroon, William, Engeland en tenslotte op Wulfgars overwinning. Na het eten en het bespreken van Wulfgars moed en bekwaamheid met wapens, begonnen de gasten snel te vertrekken. Een schildknaap boog zich naar Aislinn toe en fluisterde iets in haar oor. Ze wendde zich naar Wulfgar.

"De koning wil onder vier ogen met je praten en ik moet me gaan klaarmaken. Vaarwel voor nu, monseigneur."

Wulfgar wachtte tot de bedienden de tafel weggehaald hadden en knielde toen voor zijn koning. Bisschop Geoffrey kwam achter Williams stoel staan.

"Sire, ik ben tot uw beschikking," zei Wulfgar buigend.

"Sta op, heer ridder, en luister," antwoordde William. "Je hebt het gevecht gewonnen. Het land van Darkenwald en Cregan is van jou, en vrouwe Aislinn ook. Vanaf vandaag zal niemand je bezit betwisten. Het land is klein en ik kan je er dus geen heer over maken. Daarom geef ik je een volle titel in het beheer van de wegen oost en west en de kortste weg van Londen naar de kust. Ik wens dat je op Darkenwald een stenen kasteel bouwt dat zo nodig duizend man kan huisvesten. Hoewel Cregan op het kruispunt ligt, ligt het laag en is moeilijk te beschermen. Darkenwald ligt in de heuvels. Daar moet het kasteel gebouwd worden. Jij moet de plaats uitkiezen en het sterk bouwen. De Noren hebben nog steeds een oogje op Engeland en de Schotse koningen willen het ook onderwerpen. Dus moeten we ons voorbereiden."

Hij zweeg en wenkte de bisschop, die een rol uit zijn wijde mantels haalde, die hij uitrolde en voorlas. De koning plaatste zijn zegel erop en de bisschop gaf hem aan Wulfgar en verliet de kamer. William leunde achteruit en legde zijn handen op de leuningen van zijn stoel.

"Het is een gedenkwaardige dag geweest, maar ik zeg je nog eens, Wulfgar, ik twijfelde niet."

"Mijn heer is te vriendelijk, vrees ik," mompelde Wulfgar, een beetje van zijn stuk gebracht door zoveel lof.

"Ja, Wulfgar," zuchtte William, "ik ben te vriendelijk, maar ik heb er een reden voor. Ik weet dat je me trouw bent en voor mijn zaken zult zorgen, want ik moet al gauw terug naar Normandië. Zelfs in dat mooie land zijn er die me opzij zouden willen zetten voor hun eigen doel, en ik heb maar weinig echt trouwe mannen voor mijn zaken hier. Bouw een sterk kasteel, vraag ik je, en bewaar het land voor je eigen zonen. Ik ken de moeilijkheden van een bastaard en het is eerlijk dat ik mijn geluk deel met een ander van mijn soort."

Wulfgar kon niet antwoorden en de koning kwam met uitgestrekte hand naar hem toe. Wulfgar nam hem aan en even stonden ze als twee soldaten tegenover elkaar.

"We hebben heel wat bekers gedeeld, goede vriend," zei William zacht. "Maak er het beste van en stuur niet in een dwaas ogenblik vrouwe Aislinn weg. Ik geloof dat ze een zeldzame vrouw is, die iedere man eer zou aandoen."

Wulfgar viel op zijn knie en bracht zijn koning eer.

"Ze wordt binnenkort naar je toe gestuurd, Wulfgar," vervolgde William. "Ik zie je nog wel voor je Londen verlaat en voor ik naar Normandië vertrek. Goede berichten, Wulfgar. Veel geluk, vriend."

William verliet de kamer en Wulfgar ging naar de binnenplaats waar de Hun wachtte. Hij steeg op, maar had niet veel haast om naar huis te gaan. Hij vroeg zich af wanneer William Aislinn terug zou sturen en ergerde zich dat hij zijn zaak niet bepleit had. Hij vond een kleine taveerne en bestelde een kan bier. Als hij genoeg dronk, dacht hij, kon hij misschien de nacht doorkomen. Hij hief de beker, maar het spul smaakte bitter. Het hielp niet en hij stond al gauw op. Hij zwierf verder, stopte bij een andere herberg en bestelde deze keer zware rode wijn. Maar ook dat hielp niet. Hij ging weer op weg en kwam bij het huis terecht. Hij staarde er bedroefd naar en ging met tegenzin naar binnen. Het was al laat en alle anderen sliepen al. Er brandde een laag vuur in de haard en hij bleef staan om het af te dekken voor de nacht. Hij liep langzaam de trap op, maar bij Hlynns kamer hoorde hij iets.

Wat was dat? Hij bleef staan. Kan dat? Hlynn? 't Is Hlynn. Als zij hier is, dan moet Aislinn...

Nu liep hij snel naar de grote kamer, gooide de deur open en zag haar bij het raam haar haar staan kammen. Ze keerde zich om en glimlachte. Hij sloot de deur en leunde er tegen. Alles was op zijn plaats, haar jurken en haar kammen op de kleine tafel. Het was of de kamer weer leefde door haar aanwezigheid. Ze droeg een zacht, strak wit onderkleed. Ze glimlachte warm in het zachte licht van de kaars naast haar. Aislinn kon hem niet goed zien achter de kaars maar plotseling was hij er, nam haar in zijn armen en kuste haar. Hij gaf haar geen tijd om adem te halen, maar tilde haar in zijn armen en droeg haar naar het bed. Ze hijgde naar lucht en wilde iets zeggen, maar zijn lippen bedekten de hare weer. Zijn hand gleed in de hals van haar onderkleed en zijn brandende lippen gingen langs haar keel omlaag naar waar zijn hand zacht vlees omvatte. Hij wilde haar het kledingstuk uittrekken, maar hield verward op. Aislinns lippen trilden en tussen haar gesloten oogleden gleden tranen langs haar wangen. Hij fronste.

"Aislinn, ben je bang, mijn lief?" vroeg hij zacht.

"O, Wulfgar," hijgde ze, "ik ben alleen bang dat je me zult verstoten. Zul je ooit mijn ellende begrijpen?" Ze opende haar ogen. "Een beker kan vaak met wijn gevuld worden en gedronken, maar als hij kapot is, wordt hij weggegooid. 't Is een ding. Gekocht. Bezeten. Gebruikt. Ik ben een vrouw. Ik vrees de dag dat ik kapot ben en weggegooid word en een ander je behoeften vervult."

Hij lachte haar angst weg. "Er is geen beker die de wijn ook proeft of de drank koppiger maakt. Ja, arme beker, mijn hand is aan je gewend geraakt. Kapot of niet, jouw drank is beter dan die van de wijnstok." Toen zei hij: "En jij geniet er ook van, dat weet ik."

Ze ging zitten, trok haar voeten onder zich en streek haar kleed glad. "Monseigneur." Ze keek hem aan. "Ik ben aan Williams hof geweest. William en alle heren behandelden me als een voornaam meisje, maar de valsheid ervan smaakte me bitter, want ik weet wat ik ben."

"Je vernedert jezelf, chérie, want vandaag heb ik mijn leven voor je op het spel gezet. Welke hogere prijs verlang je nog?"

Ze lachte spottend. "Welke prijs heb je betaald voor je vrouwen in Normandië? De prijs van een jurk of twee? Eén koperstuk of een handvol? Wat is het verschil? De vrouw blijft een hoer. Voor vanavond was de prijs een uur of zo van je leven. Dat is veel, dat geef ik toe." Ze legde een hand op zijn arm. "Ook voor mij, want ik hecht misschien meer waarde aan je leven dan jij. Welke prijs heeft William betaald voor je leven, voor de eed van trouw? Zou ik die van hem kunnen kopen? Zou je me dan je woord geven? Maar wat je me ook betaalt, als ik gewillig kom voor je prijs, ben ik nog steeds een hoer."

Wulfgar stond op en keek haar boos aan. "Je bent van mij, twee keer beloofd met je eigen mond."

Aislinn haalde haar schouders op en glimlachte. "Een keus uit twee kwaden, één keer om een afschuwelijke last te verlichten, één keer om je eer te redden. Wulfgar, kan ik het je laten zien?" Ze wees naar de deur. "Ik kan daar uit gaan de straat op, en denk je niet dat ik vanavond een dozijn hoge heren in mijn bed kan brengen?"

Wulfgar schudde zijn hoofd en wilde ontkennen, maar ze vervolgde ernstig, alsof ze het in zijn hoofd wilde dwingen.

"Wulfgar, luister. Wat is het verschil tussen één man of een dozijn? Of de prijs? Als ik gewillig kom, ben ik een hoer."

Nu hoonde hij haar bijna, zijn verliefde bui was verdwenen. "Wat is dan het verschil tussen een handvol geld of woorden gesproken in een of andere gewijde zaal? Wat is het verschil, behalve dat je een man bindt voor zijn leven?"

Er kwamen weer tranen toen ze merkte dat hij niet begreep wat haar de vrouw maakte die hij verlangde. Ze zei zo zacht dat hij zich moest inspannen om haar te horen:

"Ik ben hier als je me wilt hebben. Ik zal misschien schreeuwen en me weer aan je overgeven, maar ik zal me verzetten tot het uiterste."

Ze liet verslagen haar hoofd hangen en tranen drupten op haar in haar schoot gevouwen handen. Niet in staat haar te zien huilen en ook niet om haar te helpen, keerde Wulfgar zich om en ging de kamer uit.

Hij stond voor de haard in de zaal en staarde in de vlammen. Hij knarsetandde. "Moet ik dat meisje altijd verkrachten?" mompelde hij. "Wanneer zal ze bij me komen zoals ik haar wil hebben?"

"U sprak, mijn heer?" klonk een nasale stem achter hem en hij draaide zich om en zag Sanhurst.

"Saksisch zwijn!" brulde hij. "Verdwijn!"

De jongen haastte zich weg, en boven hoorde Aislinn Wulfgars stem en wist waarom hij zijn woede op anderen koelde. Ze stond op en liep naar de deur, bijna gaf ze haar besluit op. Ze schudde zuchtend haar hoofd, liep naar het raam en keek uit over de donkere stad.

Het vuur was gedoofd toen Wulfgar de kamer weer binnen kwam. Aislinn sloot haar ogen en deed of ze sliep en luisterde naar zijn bewegingen in de donkere kamer, toen kraakte het bed onder zijn gewicht. Ze zuchtte en bewoog zich slaperig. Maar Wulfgar kon haar nabijheid niet weerstaan. Hij begon haar te strelen. Hij kuste haar, eerst zacht, toen heftig tot ze buiten adem en zwak was.

"Nee, nee, alsjeblieft," fluisterde ze, maar hij besteedde er geen aandacht aan en ze wist dat ze weer verloren had. Hij nam haar en ze snikte toen haar lichaam vanzelf reageerde.

Toen de hartstocht wegebde, lag ze uitgeput in zijn armen zonder snikken of tranen. Ze verbaasde zich over haar tevredenheid en zijn tederheid. Hij gaf haar geschenken, terwijl hij gezegd had dat dat niet zijn gewoonte was. Hij had gezegd dat hij niet om vrouwen vocht, toch had hij om haar gevochten. Dus was het duidelijk dat hij van gedachte kon veranderen, en misschien deed hij dat wel weer.

De volgende paar dagen gingen snel voorbij. Wulfgar deed zijn werk en werd vaak naar het kasteel geroepen om de details van zijn bezit te regelen. Als ze samen in het openbaar waren, leken Wulfgar en Aislinn minnaars, ze raakten elkaar zacht aan en hun blikken ontmoetten elkaar met warmte. Maar in hun kamer werd Aislinn koel en op een afstand en leek ze bang voor de kleinste aanraking. Haar verzet begon hem te vermoeien. Iedere keer moest hij haar met kracht en geduld overwinnen, maar als het voorbij was, lag ze dicht tegen hem aan en genoot van zijn armen om haar heen.

Drie dagen later kwam er een brief van William waarin hij Wulfgar ontsloeg van zijn plichten aan het hof en hem beval naar Darkenwald terug te gaan. Hij was die dag uit voor een aantal zaken en kwam pas laat thuis. Aislinn at alleen en wachtte later in haar kamer met een bord vlees op de haard en een beker bier op de vensterbank. Hun laatste nacht in Londen stonden ze bij het raam naar de stad te kijken en ze voelden een rust en tevredenheid als nooit tevoren. Aislinn leunde tegen Wulfgar aan, die achter haar stond met zijn armen om haar heen, en ze genoot van deze tedere ogenblikken.

De volgende ochtend haastten ze zich. De laatste stukken werden ingepakt en naar beneden gebracht. Aislinn wikkelde zich in haar warme met bont gevoerde mantel, nam in de zaal een snel ontbijt en ging naar de stallen. Haar kleine roodschimmel was zonder zadel of tuig achter de kar gebonden. Met een verbaasde frons keerde ze zich om en zag Gowain.

"Heer ridder, moet ik in de kar rijden?"

"Nee, vrouwe. Uw paard staat daar."

Hij wees. Er lag een vreemde glimlach om zijn lippen, maar hij wilde niet meer zeggen, keerde zich om en liep weg. Aislinn fronste en ging toen kijken. Daar stond de mooie appelgrauwe merrie. Op haar rug lag een dameszadel en een warme mantel om haar benen te bedekken tijdens de reis. Ze streelde de flanken van de merrie en bewonderde haar spieren. Ze liefkoosde de snoet en het zachte blauwachtige grijs. Plotseling voelde ze iemand achter zich, keerde zich om en zag dat Wulfgar met een geamuseerde glimlach naar haar keek. Ze wilde iets zeggen maar hij was haar voor.

"Ze is van jou," zei hij bruusk en haalde zijn schouders op. "Ik ben je er een schuldig."

Hij keerde zich om, bracht de Hun naar buiten en steeg op. Aislinn werd weer warm van binnen en dacht weer aan zijn woorden dat hij nooit veel geld uitgaf voor vrouwen. Blij leidde ze de merrie naar buiten en keek om zich heen naar iemand om haar te helpen opstijgen. Heer Gowain sprong met veel vertoon van zijn paard, tilde haar voorzichtig in het zadel en stopte de mantel dicht om haar heen. Toen sprong hij op zijn paard en de groep vertrok. Aislinn kreeg geen woord of gebaar van Wulfgar, dus bleef ze een paar passen achter hem. Ze reden behoedzaam door de straten van Londen met de kar krakend achter de ridders en de boogschutters achteraan. Ze gingen de brug over, Southwark door en het open land in. Hier keek Wulfgar steeds achterom als om zich ervan te verzekeren dat alles in orde was. Tenslotte hield hij de Hun in tot Aislinn naast hem was. Ze glimlachte, want nu reed ze als een echtgenote naast haar heer.

Het werd koud en ze zetten die avond tenten op, een voor Wulfgar en Aislinn, een voor de ridders en een voor de andere mannen. Hlynn mocht in de kar slapen die dicht naast Wulfgars tent stond. Er werd een groot vuur gemaakt en na een warme maaltijd kropen ze in hun tenten. Alles was stil en Aislinn zag het flakkeren van het dovende vuur door de wanden van de tent. Ze dekten zich toe met grote mantels en even later voelde ze Wulfgars zoekende hand. Een gerammel uit de wagen waar Hlynn haar strozak maakte, stoorde hem. Even later voelde Aislinn zijn hand weer en weer kwam er een geluid uit de kar. Hij trok zich terug. Ze hoorde een gemompelde vloek en toen fluisterde hij nijdig:

"Die daar gaat tekeer als een stier in een broedhok."

Hij probeerde het weer en weer bewoog Hlynn zich in de kar. Met een ontstemde vloek rolde Wulfgar zich om en trok de mantels dicht om zich heen. Aislinn giechelde, maar voelde zich veilig en kroop dicht tegen hem aan om zijn warmte te delen.

De volgende dag was helder en koud en de paarden ademden grote wolken damp. Ze gingen weer op weg en Aislinns hart werd licht want ze zou die avond thuis in Darkenwald zijn.

17

Er was geen fanfare om ze te begroeten, maar dat was het enige dat Aislinn miste toen de vrolijke stoet het plein van Darkenwald opreed, want het leek of iedereen van mijlen in de omtrek uitgelopen was om de heer welkom te heten. Aislinn zat warm ingepakt in de met vos gevoerde mantel op haar merrie. Het dier steigerde van opwinding, maar ze hield haar in en bleef zorgvuldig achter Wulfgar. Hij leidde de Hun door de mensenmassa en steeg voor de burcht af. Een lakei nam de teugel van Aislinns paard en Wulfgar tilde haar uit het zadel. Hij boog zijn hoofd toen Aislinn hem iets vroeg en Gwyneth keek fronsend naar ze toen ze opmerkte dat iedere aanraking bijna een liefkozing was. Toen ze naar de burcht liepen, dromde een menigte mensen om ze heen – de ridders die Wulfgar vergezeld hadden en de Noorman die achtergebleven was; een troep kinderen die elkaar uitdaagden de ridders, en vooral Wulfgar, aan te raken; en dorpelingen die nieuws wilden horen. Binnen vermengden de geluiden zich met die van buiten. Honden blaften en er werden begroetingen geroepen. De geur van gebraden zwijn kwam van de haard waar twee jongens het dier roosterden. Hij mengde zich met de geur van zweet en pas getapt bier.

Hier kende Aislinn iedere stem en iedere geur. Haar hart bonsde luid toen ze verwelkomd werd door bekende gezichten. Ze was thuis. Vrouwen schreeuwden om het maal te verhaasten en de ridders en krijgslieden vonden bier om hun dorst te lessen. Er werd veel gedronken, toasts werden heen en weer geschreeuwd door de zaal. Aislinn stond in de kring van mannen die grappen maakten met Wulfgar. Ze voelde zich niet op haar plaats en wilde naar de vrouwen gaan, maar hoewel hij door bleef praten, hield Wulfgar haar tegen. Tevreden bleef Aislinn tegen hem aan staan en genoot van zijn diepe stem en zijn lach.

Het werd stil toen Gwyneths woorden boven alles uit klonken. "Nou, Wulfgar, heb je genoeg Saksers gedood?"

Ze liep vastberaden naar hem toe en anderen gingen voor haar opzij.

"Heb je deze mooie plaats gewonnen, of moeten we onze spullen pakken en vertrekken?"

Wulfgar glimlachte. "'t Is van mij, Gwyneth. Zelfs Ragnor kon het me niet afnemen."

Haar wenkbrauwen gingen vragend omhoog. "Wat bedoel je?"

Hij keek spottend. "Nou, Gwyneth, we hebben gestreden om dit mooie land en vrouwe Aislinn."

De vrouw keek Aislinn beschuldigend aan. "Waar is de hoer weer op uit geweest? Hoe heeft ze jou en de edele ridder zo ver gebracht? Net iets voor haar om boosaardig over mij te roddelen. Ik kan me haar onnozele leugens en haar onschuldige ogen voorstellen."

Wulfgar voelde Aislinn verstijven, hoewel ze haar woede niet liet blijken.

Gwyneth stak smekend haar handen naar hem uit toen hij kalm naar haar keek.

"O, zie je het niet, broer? Ze wil Darkenwald regeren door jou en je van ons afwenden. Je moet je verzetten tegen die drang van een bastaard en haar verstoten voor je te gronde gaat. Je moest eens op het goede bloed aan het hof letten. Je gewoonten en je gespeel met deze hoer zijn niet passend voor een heer."

Gwyneth keek minachtend naar Aislinn en vervolgde:

"Ze zet de lijfeigenen tegen me op. Ze hield me zelfs tegen toen ik die brutale Ham wilde straffen voor zijn ongehoorzaamheid. Ja, zelfs Sweyn is voor haar bedriegerij gevallen en zal zich ongetwijfeld aan haar zijde scharen."

Ze trok een wenkbrauw op en glimlachte.

"Heeft ze je verteld van haar genegenheid voor haar vroegere vrijer en hun spelletjes toen je weg was? 't Was makkelijk voor ze dat je die slaaf hier gebracht hebt zodat ze samen konden zijn."

Ze zag dat zijn voorhoofd donker werd en dacht dat ze succes had.

"Nou, de goede Haylan die je gestuurd hebt om in de burcht te wonen..." Ze keerde zich om en glimlachte naar Haylan die zich onbehaaglijk voelde in een van Aislinns vroegere jurken. "Aislinn keerde zich tegen haar en wilde haar niets geven om zich te kleden, tot ik de zaak rechtzette. Ik zag er geen kwaad in haar haar kleren te laten delen terwijl wij ze nodig hadden. Bovendien heeft die slavin geëist dat een vrije vrouw vlees roosterde en eten klaarmaakte als een lijfeigene."

Wulfgar keek om zich heen naar de zwijgende gezichten. Op sommige zag hij twijfel, op andere woede. Gowain stond star en kwaad naast hem, klaar om Aislinn te verdedigen als zijn heer het niet deed. Wulfgar wendde zich weer naar zijn zuster.

"Ik heb geen geroddel gehoord tot ik jou zag, Gwyneth," zei hij kalm en Gwyneths ogen werden groter van verbazing. "Echt, Aislinn heeft niets gezegd over jou of Haylan."

Gwyneth stotterde en Wulfgar lachte spottend.

"Ik geloof, lieve zuster, dat je jezelf verraden hebt. Maar nu je lucht gegeven hebt aan je klachten, verzoek ik je dit goed ter harte te nemen. Ik ben hier heer, Gwyneth, en heb nu de titel. Ik ben ook rechter en, als ik wil, beul. Begrijp dat hier geen straf gegeven wordt dan uit mijn naam en jij hebt geen recht op mijn gezag. Jij moet als iedereen onder mijn wetten leven, en ik zal je eerlijk zeggen, ik zou jou graag hetzelfde geven als jij een ander wilde geven, dus wees voorzichtig, zuster."

"Wat betreft de mensen die ik gestuurd heb." Hij keek ook naar Haylan, tot haar schrik. "Ik heb ze gestuurd om hier te werken en ik heb niet bedoeld dat een van hen in de burcht zou wonen."

Hij keek even naar Aislinn en toen weer naar Gwyneth.

"Je weigert te zien dat Aislinn me goed en trouw dient en goedmaakt wat jij probeert te bederven. Ik geniet van haar gezelschap en ze woont in mijn huis, dus onder mijn bescherming, net als jij. Ik zeg je nogmaals dat zij de vrouw van mijn keuze is. Wat van haar is, geef ik haar graag. Kerwick weet dat, en kent ook de straf, dus ik betwijfel of hij iets van mij zou aanraken."

Hij wees naar de kleren die Gwyneth en Haylan droegen.

"Ik zie dat je die armzalige vodden goed gedeeld hebt, maar van nu af zal ik het als diefstal beschouwen als iets van haar genomen wordt. Ga niet weer mijn kamer binnen zonder mijn toestemming of die van Aislinn."

Gwyneth was sprakeloos en kon geen antwoord vinden.

"Uit eerbied voor jouw vader en onze moeder zeg ik dit vriendelijk," vervolgde hij. "Maar pas heel goed op dat je me niet weer op de proef stelt."

"Ik had niet verwacht dat je me zou begrijpen, Wulfgar," zuchtte Gwyneth. "Wat ben ik voor je behalve je zuster?"

Ze keerde zich om en liep weg met een kalme waardigheid die sommigen misleidde. Haylan keek haar verbijsterd na en ging toen naar de haard waar wild geroosterd werd. Ze zag dat Kerwick spottend naar haar keek.

"U bent te mooi gekleed voor dit werk, vrouwe."

"Klets niet, kinkel," siste Haylan. "Of ik zal zorgen dat je beroofd wordt van het kleine beetje verstand waar je je op laat voorstaan. Mijn broer Sanhurst is nu hier en zal me verdedigen."

Kerwick keek naar de genoemde die de trap op zwoegde met Wulfgars kist. Hij lachte een beetje vals.

"Ik geloof dat Sanhurst het te druk heeft om veel om jouw verdriet te geven. Een goede jongen, hij probeert niet aan zijn meesters tafel te zitten maar is er tevreden mee zijn werk te doen."

Haylan keerde zich met een woedend gezicht om om het vlees te proberen.

Het was al laat toen Aislinn Wulfgar volgde naar hun kamer. Wulfgar sloot de deur en keek naar Aislinn die blij door de kamer liep.

"Oh, Wulfgar," riep ze. "Ik ben zo gelukkig."

Hij fronste. Zijn stemming was bedorven door Gwyneths woorden. Hij kon ze niet van zich af zetten en wilde een antwoord.

Aislinn gooide zich giechelend op het bed. Wulfgar ging naast haar staan en keek op haar neer.

Aislinn begreep niet waarom hij fronste. Ze ging achteruit op haar hielen zitten en keek naar hem op.

"Ben je ziek, Wulfgar?" vroeg ze bezorgd. "Doet er misschien een wond pijn?" Ze klopte op het bed. "Kom hier liggen. Ik zal de pijn weg kneden."

Zijn wenkbrauwen trokken samen. "Aislinn, heb je me bedrogen?"

Ze sperde verbaasd haar ogen open.

"Voor je iets zegt," zei hij zacht, "denk eraan dat ik de waarheid moet weten. Ben je met Kerwick naar bed geweest toen ik weg was?"

Ze richtte zich langzaam op tot haar ogen op gelijke hoogte waren met de zijne. De grijze waren onzeker, maar de violette schoten vonken. Aislinn beefde van woede over deze vernedering. Haar trots te nemen en dan aan haar trouw twijfelen. Ze sloeg hard midden op zijn borst. Tranen van pijn in haar hand kwamen in haar ogen, maar hij bleef onbeweeglijk staan. Haar drift vlamde nog hoger op.

"Hoe durf je! Je maakte me je slavin en nam mijn eer en dan durf je me zo iets te vragen! Oooh, gemene ezel..."

Nijdig greep ze een vacht en sprong van het bed. Ze rende naar de deur, waar ze hem weer aankeek, maar ze kon geen woorden vinden om haar woede te luchten. Razend stampte ze met haar voet, draaide zich om en vloog de trap af en de zaal door, zonder te merken dat Bolsgar haar verbaasd nakeek. Ze beende het plein over en ging, omdat ze niets beters wist, naar Maida's huisje. Haar moeder schrok toen ze de deur achter zich dicht sloeg, de zware grendel op zijn plaats liet vallen en tevreden knikte. Zonder een woord zakte Aislinn in de enige stoel en trok haar vacht om zich heen. De oude vrouw begreep het en zag in haar dochters verwerpen van Wulfgar een echte wraak. Ze grinnikte, sprong blij van haar bed en danste om haar dochter heen. Maar Maida werd plotseling stil toen er buiten zware voetstappen klonken en er hard op de deur werd gebonsd.

"Aislinn," klonk Wulfgars stem.

Aislinn wierp een nijdige blik over haar schouder en keek weer naar het vuur.

"Aislinn!"

De hut schudde maar Aislinn gaf geen antwoord. Toen schoot krakend de grendel los en de deur werd uit zijn leren scharnieren gescheurd. Maida gilde en kroop in een donkere hoek. Aislinn kwam overeind en keerde zich woedend om. Wulfgar stapte over de deur en keek haar aan.

"Saksische meid!" gromde hij. "Geen gesloten deur zal me weghouden van wat van mij is."

"Ben ik van jou, mijn heer?" hoonde ze.

"Ja," brulde hij.

Ze zei langzaam, alsof ieder woord pijn deed: "Ben ik van jou, mijn heer, omdat je me gewonnen hebt? Of ben ik misschien de jouwe door de woorden van een priester? Of ben ik alleen maar van jou omdat jij het zegt?"

"Ben je met die hond naar bed geweest?" schreeuwde Wulfgar.

"Nee!" krijste Aislinn, en vervolgde toen zacht maar duidelijk: "Had ik met die hond naar bed kunnen gaan met Hlynn, Ham en mijn moeder erbij en Sweyn die mijn deur bewaakte? Heb ik het voor hun plezier gedaan?" Haar ogen glansden van onstuimige tranen. "Zou ik iedere keer nee tegen jou zeggen en je smeken me wat waardigheid te laten als ik er geen had? Als je wilt, geloof dan wat Gwyneth zegt, maar verwacht niet dat ik voor je kruip om te proberen goed te maken wat niet gebeurd is. Je kunt kiezen of je mij gelooft of Gwyneth. Ik geef geen antwoord meer op deze beschuldigingen en ik zal je niet smeken mij te geloven."

Wulfgar keek lang naar haar en veegde toen zacht een traan van haar wang.

"Je hebt een plek gevonden, Saksisch meisje, waar alleen jij me pijn kunt doen."

Hij trok haar naar zich toe en keek in haar ogen, de zijne brandend van hartstocht en begeerte. Zonder een woord tilde hij haar in zijn armen en droeg haar terug naar de burcht. Toen hij de zaal door liep, grinnikte Bolsgar zacht.

"Ah, die jonge vrijers willen hun zin hebben."

18

Het was vroeg in de tweede maand van het jaar. De sneeuw was weg maar het regende veel en de wolken hingen laag boven de heuvels. Vaak lag zware mist uit het moeras de hele dag over het dorp.

Het werd koud in Maida's hut toen Aislinn zorgvuldig de sintels in een hoek van de haard veegde zodat ze die kon schoonmaken. Wulfgar verzorgde zijn paarden, zoals zijn gewoonte was op zijn luie dagen. Aislinn had de gelegenheid aangegrepen om haar moeder eten te brengen zodat Maida er niet voor naar buiten hoefde. De oude vrouw zat met een halfwijze grijns op haar bed en keek hoe haar dochter werkte.

Aislinn kreeg pijn in het smalle deel van haar rug en ging rechtop staan om het te verminderen. Door de plotselinge beweging leek de kamer te tollen en ze legde een hand op de schoorsteen om zich te steunen. Toen ze een druppel zweet van haar voorhoofd veegde, vroeg haar moeder:

"Heeft het kind al bewogen?"

Aislinn keek haar moeder geschrokken aan, met opgetrokken wenkbrauwen en een snelle ontkenning op haar lippen. Ze stapte van de haardsteen en ging zitten.

"Dacht je dat je het voor eeuwig voor me kon verbergen, kind?" vroeg Maida.

"Nee," mompelde Aislinn. "Ik heb het te lang voor mezelf verborgen."

Ze besefte dat ze al enige tijd geweten had dat ze een kind droeg. Haar borsten werden zwaarder en haar tijd was nog niet gekomen sinds die nacht met Ragnor. Er kwam een doffe pijn in haar borst en het gewicht van haar moeders woorden lag als een koude brok in haar buik, toen ze zichzelf voor het eerst toegaf wat daar groeide.

"Ja." Haar moeders stem knarste in haar oren. "Ik weet dat je zwanger bent, maar, mijn kleine Aislinn, van wie?"

Maida lachte wild en sloeg op haar knieën. Ze leunde naar voren en wenkte met een gekromde vinger en fluisterde hees:

"Zie, mijn dochter, wees niet bedroefd. Zie. Wat een zoete wraak nemen we op die bronstige Normandische heren. Een bastaard voor de bastaard."

Aislinn keek op vol afschuw bij de gedachte dat ze een bastaardkind zou krijgen. Ze vond geen troost in haar moeders vreugde en voelde behoefte alleen te zijn. Ze greep haar mantel en verliet snel het benauwde huisje.

De koude mist tegen haar gezicht verfriste haar en ze liep langzaam langs de rand van het moeras. Ze stond een poosje bij een gorgelend stroompje en had een gevoel of het haar uitlachte. De vroeger zo trotse Aislinn zo vernederd. Wiens bastaard draag je? Van wie?

Ze wilde haar verdriet uitschreeuwen, maar ze keek alleen maar dof naar het donkere water en vroeg zich af hoe ze het Wulfgar moest vertellen. Hij zou er niet gelukkig mee zijn. Een gedachte kwam bij haar op, maar ze duwde hem weg, ze wilde er niet aan denken dat hij haar en de baby kon wegsturen. Ze moest het hem zeggen zodra ze alleen waren.

Dat gebeurde eerder dan Aislinn had durven hopen, want toen ze langs de stal kwam, zag ze dat Wulfgar alleen was. Ze had willen wachten tot de avond, maar dit was beter, als hij iets te doen had om hem af te leiden.

Wulfgar werkte bij het rokerige licht van een vetlantaarn. Hij had een van de hoeven van de Hun tussen zijn knieën geklemd en bracht hem met een scherp mes in vorm. Aislinn werd bang toen ze eraan dacht dat hij woedend zou kunnen worden als ze het hem vertelde. Besluiteloos wachtte ze, maar het grote paard draaide zijn hoofd in haar richting en snoof, en waarschuwde Wulfgar dat er iemand was. Aislinn haalde diep adem en ging naar binnen. Wulfgar stond op, liet de hoef los en veegde zijn handen af. Ze kwam aarzelend dichterbij. Wachtend tot ze zou spreken, begon Wulfgar de flanken van het dier te borstelen.

"Monseigneur," zei ze zacht. "Ik ben bang dat wat ik te zeggen heb, je kwaad zal maken."

Hij lachte luchtig. "Laat dat maar aan mij over, Aislinn. Je zult zien dat ik liever de waarheid hoor dan leugens."

Ze keek in zijn glimlachende ogen en gooide eruit: "Zelfs als ik je vertel dat ik zwanger ben?"

Hij hield even op met zijn werk en haalde zijn schouders op. "Dat was te verwachten. Ik weet dat dat soms gebeurt." Hij grinnikte en zijn blik gleed over haar heen. "'t Zal nog een paar maanden duren voor je formaat ons plezier bederft."

Aislinn grauwde. De Hun keek over zijn schouder en steigerde bij haar vandaan, maar Wulfgar was niet zo verstandig, hij bleef staan en grijnsde om haar woede.

"Ik veronderstel dat ik het wel kan uithouden, chérie."

Hij keerde zich om, grinnikend om zijn eigen grap, maar voor hij een stap kon doen, bewerkte Aislinn zijn rug met haar vuisten. Stomverbaasd draaide Wulfgar zich om en ze stompte verder op zijn borst, tot ze opkeek, zijn verbazing opmerkte en besefte dat ze hem geen pijn deed. Ze trok haar lippen op, ging een beetje achteruit en schopte tegen zijn scheen. Wulfgar struikelde achteruit en stapte achter de Hun, zijn been wrijvend.

"Wat voor waanzin is dat, meisje?" kreunde hij. "Waaraan heb ik deze mishandeling verdiend?"

"Laaghartige boer!" raasde ze. "Je hebt het verstand van een kakelende kip."

"Wat wil je dat ik doe?" vroeg hij. "Doen alsof het een grote ramp of een wonder is, terwijl ik het aldoor verwacht heb? Het moest wel gebeuren."

"Ooooh!" krijste Aislinn. "Onverdraaglijke, warhoofdige Normandier!"

Ze draaide zich om, waarbij haar mantel wijd uitzwaaide, beende langs de Hun en schopte nijdig tegen een bundel stro. Het losse spul vloog door de lucht en het paard sprong weer schichtig opzij. Wulfgar ademde uit met een luid "whoof" toen hij tussen het paard en de muur geklemd werd.

Toen Aislinn naar buiten stapte, verbeterde haar stemming iets door Wulfgars gesmoorde vloek.

"Stomme hit! Opzij!"

Aislinn gooide de zware deur nijdig achter zich dicht. De mannen bij de haard keerden zich om. Tussen ze door zag Aislinn Bolsgar en heer Milbourne zitten schaken, zo verdiept in hun spel dat ze niet opkeken. Aislinn onderdrukte haar woede en rende de trap op. Toen ze Kerwick zag die met een armvol brandhout op weg was naar Gwyneths kamer, herinnerde ze zich dat ze geen vuur gemaakt had in Maida's haard. Ze bleef bij haar vroegere verloofde staan.

"Kerwick, zou je hout voor mijn moeder willen halen als je het niet te druk hebt? Ik vrees dat ik haar slecht verzorgd heb achtergelaten."

Hij keek haar oplettend aan en zag hoe opgewonden ze was. "Is er iets dat je hindert, Aislinn?"

Ze keek ongenaakbaar terug. "Niets bijzonders."

"Je stormt hier binnen als een zeewind," antwoordde hij. "Vertel je me dat je om niets zo driftig bent?"

"Niet snuffelen, Kerwick," antwoordde ze.

Hij lachte en knikte naar de mannen beneden. "Er blijft er maar een over die je kwaad gemaakt kan hebben. Een ruzie tussen minnaars?"

"'t Gaat je niet aan, Kerwick," zei Aislinn geprikkeld.

Hij legde het hout neer. "Heb je hem van het kind verteld?" vroeg hij.

Aislinn keek hem met open mond aan, maar hij glimlachte vriendelijk.

"Nam hij het slecht op? Verheugt hij zich niet op het loon van genot?"

"Jullie beslissen allemaal mijn toestand op je eigen houtje," mopperde Aislinn kribbig, zich herstellend van de klap van zijn vraag.

"Dus de grote Normandiër wist het niet," veronderstelde Kerwick. "Hij voert te veel oorlog om iets van vrouwen te weten."

Aislinn keek op. "Ik zei niet dat hij het niet wist," protesteerde ze. "Eigenlijk verwachtte hij het."

"Zal hij het opeisen of Ragnor de eer laten?" vroeg hij spottend.

Aislinns ogen gloeiden. "'t Is Wulfgars kind, natuurlijk."

"O?" Kerwick trok een wenkbrauw op. "Je moeder zei..."

"Mijn moeder!" snauwde Aislinn. "Dus zo wist je het!"

Kerwick ging een stap achteruit.

"Ze kletst te veel," kraste Aislinn. "Wat ze ook zegt, het kind is van Wulfgar."

"Als jij het zo wilt, Aislinn," zei Kerwick voorzichtig.

"Het is de waarheid," beet ze.

Kerwick haalde zijn schouders op. "Hij is tenminste eerbaarder dan die schoft."

"Dat is hij zeker!" zei Aislinn. "En, beste kerel, vergeet dat alsjeblieft niet!"

Ze ging de slaapkamer in en sloeg de deur achter zich dicht, en Kerwick verbaasde zich over haar trouw aan Wulfgar die, zover hij wist, geweigerd had haar te trouwen.

Aislinn liep nijdig de kamer door, woedend over Kerwicks vrijpostigheid. Hoe durfde hij er op zinspelen dat het Ragnors kind was dat in haar groeide.

Ze schoof met haar voet over de vloer. Zelfs als Ragnor de werkelijke vader was, zou het Wulfgars kind zijn, wat er ook gebeurde.

Kerwick stak het plein over op weg naar Maida, maar bleef staan toen hij zijn heer in de stal bezig zag, hoewel hij aan Wulfgars stem hoorde dat hij erg nijdig was.

"Bokkig beest, bang van zo'n klein ding. Ik heb zin om je te laten castreren."

De Hun snoof en duwde tegen zijn meesters arm.

"Hou op," tierde Wulfgar, "of ik laat haar weer op je los. Dat zou nog een ergere straf kunnen zijn."

"Moeilijkheden, mijn heer?" vroeg Kerwick. Hij wilde beslist weten wat de Normandiër met Aislinn van plan was.

Wulfgar keek op. "Kan ik niet rustig werken?" gromde hij.

"Vergeving, mijn heer," zei Kerwick. "Ik dacht dat er iets mis was. Ik hoorde u praten…"

"Er is niets mis," antwoordde Wulfgar zuur. "Tenminste niets dat ik niet zelf recht kan zetten."

"Ik zag Aislinn in de zaal," zei Kerwick voorzichtig, vechtend tegen zijn angst. Hij herinnerde zich goed de striemen op zijn rug om niet een beetje bang te zijn als hij haar naam noemde tegen deze man.

Wulfgar richtte zich op en keek hem aan. "O?"

Kerwick slikte. "Ze leek erg van streek, heer."

"Ze leek erg van streek!" snoof Wulfgar en mopperde toen: "Niet half zo erg als ik."

"Is het kind u onaangenaam, mijn heer?"

Wulfgar staarde hem aan zoals Aislinn gedaan had. "Dus ze heeft het je verteld, hè?"

Kerwick verbleekte. "Haar moeder, een poosje geleden."

Wulfgar gooide de lap die hij in zijn hand had weg. "Die dwaas Maida heeft een losse tong."

"Wat bent u van plan, mijn heer?" bracht Kerwick uit.

Wulfgars ogen doorboorden hem. "Vergeet je je plaats, Sakser? Ben je je verstand verloren? Ben je vergeten dat ik hier heer ben?"

"Nee, heer," antwoordde Kerwick snel.

"Onthou dan ook dat ik me niet laat ondervragen door een slaaf," zei Wulfgar met nadruk.

"Mijn heer," antwoordde Kerwick langzaam. "Aislinn is edel geboren en opgevoed. Ze zou de vernedering niet kunnen verdragen haar kind te krijgen zonder huwelijk."

Wulfgar snoof. "Ik geloof, Sakser, dat je het meisje erg onderschat."

"Als u zegt dat het van Ragnor is, dan…"

"Van Ragnor? Je gaat te ver, Sakser, als je de vraag van de vader oproept. Het gaat je niet aan."

Kerwick zuchtte. "Dat zei Aislinn ook."

Wulfgar ontspande. "Dan had je daar acht op moeten slaan, Sakser."

"Ze heeft geen ander om haar eer te verdedigen, mijn heer, en ik wil alleen het beste voor haar. Ik heb haar gekend vanaf haar geboorte, achttien winters geleden. Ik kan het niet verdragen haar in schande te zien."

"Ik doe haar geen kwaad," antwoordde Wulfgar. "Het kind kan naar Normandië gestuurd worden en niemand zal het weten. Vrienden van me zullen zorgen dat het kind behoorlijk verzorgd en opgevoed wordt. Het kind zal het veel beter hebben dan ik."

Kerwick keek hem aan. "Bent u van plan Aislinn ook weg te sturen?"

"Natuurlijk niet," antwoordde Wulfgar verbaasd.

Nu snoof Kerwick spottend. "Nee, heer, u kent Aislinn nog niet. Ze zal haar kind niet laten gaan."

Wulfgar fronste. "Ze zal wel zien dat het verstandig is."

Kerwick lachte kort. "Pas dan op, mijn heer, zeg er niets over tot het gebeurd is."

Wulfgar trok een wenkbrauw op. "Bedreig je me, Sakser?"

Kerwick schudde zijn hoofd. "Nee, mijn heer, maar als u vrouwe Aislinn wilt houden, zeg dan niets tegen haar of iemand die haar zou kunnen waarschuwen."

Wulfgar keek Kerwick argwanend aan. "Wou jij dan het kind hier houden om me op mijn zonden te wijzen en de haat voor de Normandiërs levend te houden?"

Kerwick zuchtte machteloos en boog spottend zijn hoofd. "Weer nee, mijn heer." Hij keek op en zei ernstig: "Maar, heer, gelooft u dat Aislinn zo zachtaardig is dat u haar kind van haar borst kunt graaien en het overzee sturen? Zou ze dan in uw armen vliegen? Nee, zou u lang haar dolk kunnen ontlopen? Of kunt u haar doden voor ze vlucht of toeslaat?" Hij stak een hand op om Wulfgars antwoord tegen te houden. "Denk na, mijn heer," waarschuwde hij. "U kunt allebei hebben of geen." Hij schudde zijn hoofd. "Maar nooit een van beiden."

Wulfgar keek hem even aan en ging toen nijdig weer aan het werk. "Maak dat je weg komt, Sakser. Je stelt mijn geduld op de proef. Ze zal doen wat haar gezegd wordt."

"Ja, mijn heer."

Bij het lachje in Kerwicks stem keek Wulfgar hem weer aan. Hij zag zowel minachting als ongeloof op het gezicht van de jongeman en wilde iets zeggen, maar Kerwick keerde zich om en liet hem met open mond staan. Even bleef hij zo staan, deed toen zijn mond dicht en verzorgde peinzend verder de Hun.

Aislinn zat voor de haard in de slaapkamer met alleen een deken om toen ze Wulfgars voetstappen hoorde. Ze leken langzamer dan gewoonlijk, alsof hij aarzelde de kamer binnen te gaan. Ze boog zich over het linnen hemd dat ze voor hem aan het maken was en toen hij binnen kwam, wees niets meer op haar eerdere woede. Ze glimlachte tegen hem, hoewel hij haar ietwat argwanend aankeek. Hij had zich in de stal gewassen, want zijn haar was vochtig en zijn mouwen waren opgerold.

"Voel je je beter?" vroeg hij.

"Ik voel me best, mijn heer. En jij?" antwoordde ze lief.

Wulfgar gromde en begon zich uit te kleden.

Aislinn legde haar naaiwerk weg en stond op, Wulfgars aandacht trekkend toen ze naakt naar het bed liep. Ze huiverde en klom haastig onder de vachten. Ze keek naar Wulfgar, maar hij wendde zich snel af. Ze keek hoe hij het vuur afdekte, en het duurde lang voor hij naar het bed kwam. Hij haalde zijn zwaard uit de schede en legde het op de grond. Hij grendelde niet meer elke nacht de deur, maar dit deed hij nog steeds.

Hij bleef even naar haar staan kijken met een onheilspellende frons. Aislinn rolde zich op haar zij met haar rug naar hem toe en gaf hem geen kans te zeggen wat hij dacht. Na een poosje blies hij de kaars uit en gleed onder de vachten, maar hij kwam niet dichterbij. Aislinn huiverde weer en kroop dieper onder de vachten. Gewoonlijk deelde hij zijn warmte met haar, maar ze voelde dat hij niet in de stemming was. Toen ze zich tenslotte omdraaide, schrok ze van zijn intense blik alsof hij probeerde haar gedachten te lezen.

"Heb je zorgen, monseigneur?" vroeg ze.

"Alleen om jou, mijn lief," antwoordde hij.

Aislinn rolde weer om en lag stil, zijn blik op zich voelend. Hij kwam niet dichterbij.

"Ik heb het koud," klaagde ze zacht.

Hij schoof iets dichter naar haar toe, maar niet genoeg om haar te warmen. Aislinn huiverde weer en na een lange tijd kwam hij tenslotte dicht genoeg bij, maar hij lag star met alleen zijn borst tegen haar aan.

Duizend gedachten in Wulfgars hoofd werden verdrongen door een enkele. Aislinns huid tegen zijn borst dreef zijn gedachten verder naar de volle, rijpe borsten, de lange benen, die smalle heupen...

Aislinn schrok bijna toen ze Wulfgar plotseling vol tegen zich aan voelde. Hij sloeg zijn arm stevig om haar heen en draaide haar om en ze zag zijn ogen glanzen van begeerte.

"Je weet wat ik wil," fluisterde hij hees en drukte zijn mond op de hare.

Wulfgar merkte haar koele stemming op toen hij haar streelde. Maar hij hield vol. Haar lippen gingen vaneen onder zijn woeste kussen die haar ademloos maakten. Aislinn voelde de kou niet meer. Met een zacht, verloren gekreun sloeg ze haar armen om zijn nek en beantwoordde zijn kussen. Wulfgar wist dat hij weer door het ijs gebroken was. Op dit ogenblik deelden ze hun hartstocht. Wulfgars lippen streken langs haar voorhoofd, haar oor en hij rook de zachte geur van lavendel. Hij drukte zijn gezicht tegen haar keel. Aislinn draaide bevend haar gezicht naar het zijne en toen zijn naam haar ontsnapte als een zucht, nam zijn mond de hare weer en stegen ze op naar onmeetbare hoogten en leken te drijven, omstrengeld in hun gelukzaligheid.

Wulfgar stond op en keek naar de slapende Aislinn. Haar voorhoofd was licht gebronsd en haar lippen waren gescheiden. Het roodgouden haar lag verspreid over de vachten. Hij schudde zijn hoofd, in de war door haar stemmingen. Hij trok zijn kousbroek en tuniek aan en ging zachtjes de kamer uit naar de zaal. Bolsgar zat voor de haard wijn te drinken. Wulfgar schonk zich ook een beker in, trok een stoel naast die van de oudere man en ging zitten. Zwijgend keken ze naar de sissende blokken, tot de oude man sprak.

"Wat hindert je, Wulfgar?"

Het duurde even voor de jongere man de vraag stelde die hem kwelde.

"Wat gaat er om in een vrouw, Bolsgar?" zuchtte hij. Hij keek de ander aan en er lag pijn in zijn ogen. "Kwelt ze me zo omdat ze niets om me geeft of wraak zoekt?"

"Arme dwaas," grinnikte Bolsgar. "Een vrouw is het zachtste maar toch scherpste wapen op aarde. Ze kan in de felste strijd geworpen worden, maar om je goed te dienen, moet ze goed verzorgd en beschermd worden, en vooral dicht aan je zijde gehouden." Hij glimlachte. "Men zegt zelfs dat het beste zwaard gebonden moet zijn door een eed van trouw."

"Bah!" snauwde Wulfgar. "Ik heb mijn zwaarden altijd gekocht met een handvol geld en dan precies gezegd hoe ze gevormd moesten worden."

"Ja," antwoordde Bolsgar. "Maar denk eraan: het zwaard kan leven nemen. De vrouw laat leven geboren worden en voedt het nadien."

"Ik heb geen behoefte aan nog meer eden en banden. Ik heb trouw gezworen aan William en zijn kroon en aan Sweyn als een goed vriend. Ik geloof dat ik moet leven zo goed ik kan." Zijn stem werd ruw en honend. "Vrouwen zijn maar iets dat ik gebruik. Ze plezieren me en ik geef ze plezier terug. Moet dat opgeschreven worden in een vermolmd boek in een of andere donkere abdij?" Hij zweeg even en vervolgde toen zachter: "Of bevestigd in een ogenblik van pracht en dan goed en rechtvaardig genoemd en met tederheid herdacht?"

Bolsgar leunde een beetje boos naar voren. "We hebben het over één vrouw, Wulfgar. Er komt een tijd in het leven van elke man dat hij zijn daden onder ogen moet zien en weten of hij goed gedaan heeft of gefaald." Hij haalde zijn schouders op. "Ik heb gefaald. Alles wat ik gedaan heb, heeft geleid tot pijn of tot niets. Ik heb geen land. Ik heb geen wapens. Ik heb geen zoons. Ik heb alleen een verzuurde dochter. In woede heb ik verworpen wat ik had moeten houden." Hij keek Wulfgar ernstig aan. "Jij hebt een kans, een mooie, wijze vrouw die waard is om naast je te lopen tot de poorten van de hemel. Waarom gedraag je je als een dwaas? Verafschuw je haar? Zoek je wraak voor een of ander ingebeeld onrecht?"

Hij greep Wulfgars schouder en draaide hem om tot ze elkaar aankeken.

"Kwel je haar omdat ze je gekwetst heeft? Wil je dat ze knielt en om genade smeekt? Je hebt haar gebruikt, eerst met kracht en nu openlijk, je maakt haar een hoer in ieders ogen en geeft geen beloften voor morgen. Als je wraak wilt, gooi mij er dan uit. Ik heb je onrecht gedaan. Of Gwyneth. Zij geselt je met haar tong. Maar wat heeft zij gedaan wat je haar niet bevolen hebt? Je bent een dwaas als je haar verstoot of als je haar door je trots van je afkeert. Als je dat doet, ben je voor mij net als een stomme krijgsman die in dronkenschap brult wat een held hij had kunnen zijn – als alleen maar..."

Als iemand anders dit gezegd had, was hij al lang neergeslagen, maar Wulfgar keek in het gerimpelde gezicht en kon zijn hand niet opheffen. Hij stond op.

"Ik kan niet meer verdragen," zei hij. "Eerst zij, toen Kerwick, nu u. Ik geloof dat Hlynn zich nog op me zal storten voor de nacht om is." Hij rechtte zijn schouders. "Ze kan het kind krijgen waar ze wil en of het van mij is of niet, ik zal het sturen waar ik wil."

Hij bleef staan toen hij de verbazing van de oude man zag.

"Zeg je dat Aislinn al zwanger is?"

"Wist u het niet?" Nu was Wulfgar verbaasd. "Ik dacht dat iedereen het wist, behalve ik."

Bolsgar drong aan: "Wat ga je nu doen? Zul je het meisje trouwen zoals het hoort?"

Wulfgar werd weer woedend en schreeuwde: "Ik zal doen wat ik wil!"

Hij keerde zich om en liep nijdig naar zijn kamer. Aislinn zat met een angstig gezicht rechtop in bed, maar toen ze hem zag, glimlachte ze opgelucht en ging liggen. Zijn woede verdween en al gauw lag hij tegen haar aan en vielen ze in slaap.

Wulfgar kwam de volgende ochtend een beetje later beneden dan gewoonlijk. Sweyn en Bolsgar en de andere mannen zaten al te eten. De twee mannen hielden op met hun gesprek. Bolsgar boog zich over zijn bord, maar Sweyn leunde achteruit en keek zijn heer aan met van pret schitterende ogen. Hij grinnikte en het hoefde Wulfgar niet verteld te worden dat het nieuws dat Aislinn zwanger was, zich nog een beetje verder verspreid had. Toen Wulfgar ging zitten, gaf de Viking hem vlees en gekookte eieren aan. Zijn stem donderde door de zaal, waardoor de lijfeigenen en de Normandiërs die Engels verstonden, opkeken en belangstellend luisterden.

"Dus het meisje is zwanger, hè?" Hij grinnikte weer. "Is ze nu getemd en bereid je meester te noemen?"

Wulfgar keek naar de mannen en zag dat ze Sweyn verstaan hadden. Miderd en Haylan waren blijven staan en Hlynn keerde zich met open mond van verbazing om, maar Kerwick ging door met zijn werk.

"Sweyn," mopperde Wulfgar, "soms is je mond veel groter dan je verstand."

De Noorman brulde van het lachen en sloeg Wulfgar hartelijk op zijn rug.

"'t Is een geheim dat vroeger of later bekend moet worden, mijn heer. Het zou anders zijn als het meisje dik was, maar ze is mager en heeft geen kans het lang geheim te houden."

Zijn stem werd zachter, maar nu wachtte iedereen gretig op zijn verdere woorden. Ze hoefden zich niet in te spannen, want Sweyn zei duidelijk: "'t Is de beste manier om die feeks onder de duim te houden; hou een kind in haar buik en haar kleren van haar rug."

Wulfgar keek hem aan en vroeg zich af hoe hij de Viking weg kon werken. Nijdig sloeg hij een ei kapot en begon het te pellen, toen de Noorman vervolgde:

"Je hebt gelijk die Saksers eronder te houden. Laat ze zien wie meester is. Hou de vrouwen in bed en kleine bastaards voor hun voeten."

Bolsgar keek vragend naar Sweyn. Wulfgar verslikte zich in de eidooier waar hij net in gehapt had en Bolsgar sloeg hem hard op zijn rug.

Sweyn knikte opgewekt. "Ja, de zwangerschap van het meisje moet gevierd worden. Ah, ze was hooghartig, maar toch. Als ze weg is, zijn er nog meer om te veroveren. Vrees niet."

Dat was de laatste druppel. Wulfgar sloeg woedend op de tafel. Zonder een woord liep hij Sweyn voorbij, trok de deur open en vluchtte.

Sweyn leunde achteruit en lachte hard. Bolsgar staarde de Noorman aan. Langzaam begon hij de woorden van de Viking te begrijpen en lachte mee.

Aislinn kwam kort na Gwyneth beneden. Haylan had niet lang gewacht met het inlichten van Wulfgars zuster over de verwachte gezinsuitbreiding. Gwyneth keek spottend naar Aislinn en zei luid genoeg dat zij het ook kon horen, tegen Haylan:

"Een ongetrouwde slavin moet maar zo lang ze kan voordeel trekken van haar meesters genegenheid, want de heer zal gauw genoeg krijgen van haar dikke buik en haar naar een ver land sturen om haar kind in schande te krijgen."

Aislinn fronste, maar ze antwoordde waardig: "Ik ben tenminste in staat kinderen te krijgen. Er zijn er die het niet kunnen, al proberen ze nog zo hard. Droevig, hè?"

Ze wendde zich van hun verbaasde gezichten af met een klein gevoel van overwinning. Gwyneth had haar stemming bedorven en ze kon de met eten beladen tafel niet aanzien. Ze vroeg zich af wat er met haar kind zou gebeuren als Wulfgar niet met haar wilde trouwen. Ze kon er niet over zeuren, want dan zou hij zich vast van haar afwenden en een ander meisje zoeken. Ze moest haar toestand aanvaarden met alle eer die de hemel haar toestond. Misschien kon ze hem dan winnen, en niets anders zou haar tevreden stellen.

Tegen de avond kwam Wulfgar terug van Cregan en ging met zijn helm onder zijn arm naar zijn kamer. Aislinn zat met haar naaiwerk voor de haard. Ze zag dat hij somber gestemd was en geen zin had om te praten. Ze stond op en hielp hem uit zijn maliënkolder.

"Ik heb water warm gemaakt voor je bad," mompelde ze en nam zijn leren tuniek aan en vouwde hem op zoals ze hem zo vaak had zien doen.

Wulfgar gromde iets, maar toen ze de zware ketel van de haard wilde tillen, vroeg hij scherp:

"Wat ben je van plan, mens?"

Aislinn keek hem verbaasd aan. "Nou, ik maak je bad klaar, zoals ik al maanden gedaan heb."

"Ga zitten, vrouw," beval hij, liep naar de deur en brulde: "Miderd!" Het duurde maar even voor de vrouw in de deur verscheen. Ze keek aarzelend naar Wulfgar. Ze slikte moeilijk en vroeg zich af waarmee ze zijn woede opgewekt had.

"Mijn heer?" vroeg ze zwak.

"Jij moet deze kamer schoonhouden en het bad klaarmaken zoals vrouwe Aislinn verlangt. Hlynn kan je helpen," beval hij. Hij wees naar Aislinn en maakte beide vrouwen aan het schrikken door te schreeuwen: "En je zorgt dat zij niets zwaarders optilt dan een beker."

Miderd zuchtte van opluchting. Ze maakte snel het bad klaar en keek naar Aislinn, die verbaasd naar haar heer staarde. Miderd sloot de deur achter zich toen Wulfgar zijn kousbroek begon uit te trekken. Hij stapte in het dampende water en ontspande zich en liet de warmte de pijn van de harde rit verdrijven. Hij had de Hun bijna tot het uiterste aangedreven terwijl hij probeerde zijn gedachten te ordenen.

Aislinn nam haar naaiwerk weer op en keek tussen het naaien door naar Wulfgar.

"Mijn heer," mompelde ze na een poosje, "als ik een slavin ben, waarom laat je dan anderen mij dienen?"

Wulfgar fronste. "Omdat je alleen mijn slavin bent en voor niemand anders."

"Ik wilde mijn toestand niet bekend laten worden aan iemand anders dan jou, mijn heer, maar ik vrees dat er niets meer aan te doen is. Ik geloof dat het nieuws zich verspreid heeft naar alle hoeken van Darkenwald."

"Ik weet het," antwoordde Wulfgar kort. "Er zijn hier vervloekt veel loslippigen."

"En zul je het kind en mij naar Normandië of een ander ver land sturen?" Ze moest het weten, want die vraag kwelde haar voortdurend.

Wulfgar keek haar scherp aan, denkend aan wat hij tegen Kerwick gezegd had. "Waarom vraag je dat?"

"Ik wil het weten, monseigneur. Ik wil niet bij mijn mensen weg."

Wulfgar fronste. "Wat is het verschil tussen Normandiërs en Saksers, dat je zegt dit is jouw soort en dat het mijne? We zijn allemaal vlees en bloed. Het kind dat je draagt is half Normandisch en half Saksisch. Wie zal hij trouw zijn?"

Aislinn legde haar naaiwerk in haar schoot en besefte dat hij niet geantwoord had. Had hij de vraag met opzet ontweken omdat hij van plan was haar weg te sturen?

"Kun je alleen een Sakser vertrouwen?" vroeg Wulfgar. "Moet je eeuwig voor ze opkomen? Ik ben niet anders dan een Engelsman."

"Zeker, mijn heer," zei ze zacht. "Je doet me erg aan een denken."

Wulfgar fronste, maar kon geen antwoord meer vinden. Hij kwam uit het bad, droogde zich af, kleedde zich aan en nam haar mee naar de zaal waar ze zwijgend aten onder de blikken van lijfeigenen en Normandiërs.

Aislinn zat in de slaapkamer zorgvuldig kleine kleertjes te naaien voor het kind. Het was een maand geleden dat ze het Wulfgar verteld had en ze was de wanhoop nabij. Wulfgar was vroeg in de ochtend vertrokken, en in zijn aanwezigheid kwam Gwyneths scherpe tong los. Aislinn dacht terug aan de snijdende opmerkingen die haar bijna in tranen van het middagmaal verjaagd hadden. Wulfgars zuster had terloops gevraagd of Aislinn haar spullen al gepakt had om Darkenwald te verlaten en had er boosaardig aan toe gevoegd dat Wulfgar haar nu gauw weg zou sturen als Aislinns omvang zijn vrijerij zou gaan hinderen, of als het niet meer verborgen kon blijven. Aislinn snufte en schudde haar hoofd toen de tranen weer dreigden te komen. Hier durfde Gwyneth tenminste niet te komen en kon Aislinn wat rust vinden.

Zelfs Maida had onbewust bijgedragen aan Aislinns moeilijkheden. Kort nadat ze haar kamer opgezocht had, had Maida geklopt. Ze zei dat ze naar haar dochters welzijn kwam kijken, maar had het weinig verbeterd. Ze had Aislinn gesmeekt met haar weg te gaan, en gezegd dat ze beter konden vluchten dan afwachten wat Wulfgar wilde. Het bezoek was geëindigd met ruzie, zoals altijd bij dit onderwerp, en pas toen Maida zag hoe kwaad Aislinn was, was ze vertrokken.

Dus werkte Aislinn aan de kleine kleertjes en legde ze op het bed, ze streek ze peinzend glad en dacht aan het kleine lichaampje dat ze zou dragen. Maar zelfs toen ze droomde over haar kind, gingen haar gedachten weer naar haar moeder. Ze wist dat Maida steeds meer haar greep op de werkelijkheid verloor, en ze kon niets doen om haar te redden.

"Er is niets aan te doen," zuchtte ze. "Ik moet het verleden vergeten en naar de toekomst kijken." Ze streek over een klein jurkje. "Arm klein kind. Ik vraag me af of je een jongen of een meisje bent." Ze voelde een beweging of de baby haar wilde antwoorden. Ze grinnikte. "Dat is de minste zorg. Ik zou tevreden zijn als je uit een huwelijk geboren werd."

Ze legde een klein dekentje in haar arm. Er kwam een wiegeliedje in haar op en ze neuriede het refrein en droomde van hoe het zijn zou haar baby vast te houden en zijn hulpeloze vertrouwen te voelen als hij aan haar borst sliep. Ze zou misschien wel de enige zijn die van hem hield en hem de warmte en liefde gaf die hem meer zouden voeden dan melk.

Er klonken stemmen uit de stal en Aislinn wist dat Wulfgar en Sweyn terug waren. Denkend dat hij bij haar zou komen, zoals zijn gewoonte was, pakte Aislinn haastig de kleertjes in een kist en ruimde de kamer op. Ze streek de kreukels uit haar kleed en ging voor de haard zitten.

Er kwam niemand.

Aislinn hoorde Wulfgar beneden lachen en grappen maken met de mannen.

Hij komt me niet halen, dacht ze geprikkeld. Nu al maakt hij plezier met zijn mannen en die sloerie. Haylan. Hij bereidt zich voor als hij me wegstuurt om ergens ver weg zijn jong te krijgen, zodat hij het nooit hoeft te zien. Ze kneep haar ogen dicht. 't Zal niet gebeuren

De tranen kwamen weer, maar nijdig drukte ze een koele doek tegen haar gezicht. Huilen was niet nodig. Wulfgar was vriendelijk tegen haar, en de laatste tijd meer dan attent, vooral sinds hij wist dat ze zwanger was.

Ja, dacht ze triest, men zou hem zelfs koel kunnen noemen. Hij ziet zeker mijn groeiende formaat en vindt de felle weduwe leuker.

Er werd zacht op de deur geklopt en Miderd riep:

"Vrouwe, de tafel is gedekt en mijn heer zei me u te vragen of u met hem wilt eten of hier een bord wilt hebben?"

Ook al geen troost, peinsde Aislinn spottend. Hij stuurt een ander om me te halen in plaats van zelf te komen.

"Geef me even tijd, Miderd," antwoordde ze, "ik kom beneden. Dank je."

Wulfgar en de anderen zaten aan tafel toen Aislinn binnen kwam. Hij stond op en begroette haar met een glimlach, maar ze wilde zijn blik niet ontmoeten en liep hem voorbij naar haar stoel. Hij fronste licht, vroeg zich af waar ze over broedde, maar toen hij geen antwoord vond, ging hij naast haar zitten.

Het maal was goed maar niet buitensporig omdat de winter de voorraad verminderd had. Er was vers wildbraad en schapevlees, met groenten die bewaard konden worden, gekookt tot een voedzame stoofpot. Er werd niet veel gesproken en de ridders vulden hun bekers vaker, Wulfgar niet het minst. Hij dronk zijn wijn en keek naar Aislinn die kieskeurig aan haar eten knabbelde. Ze was de laatste tijd vaak somber en ernstig, koel en teruggetrokken, alsof ze geen plezier meer in het leven had. Hij kon geen andere reden bedenken dan het kind, en vroeg zich af of ze het net zo zou verafschuwen als zijn moeder hem. Het was beter als het kind werd weggestuurd naar waar hij de nodige liefde en aandacht zou krijgen. Wulfgar kende uit ervaring het verdriet van een jongen wiens moeder niet om hem gaf. Wat Kerwick ook zei, hij moest aan het bestwil van de baby denken. Hij kende een vriendelijk paar dat lang gehoopt had op een eigen kind, maar er geen had gekregen. Ze zouden goede en toegewijde ouders zijn.

Wulfgar gaf toe dat hij geen raad wist met Aislinns stemmingen. Er was maar een kleinigheid nodig om haar kwaad te maken. Toch was ze in bed als altijd, eerst onwillig, dan toegevend, dan hartstochtelijk. En hij dacht dat hij vrouwen kende – hij glimlachte in zichzelf.

Gwyneth had Aislinns stemming opgemerkt, en na het eten boog ze zich naar haar broer toe en zei:

"Je bent de laatste tijd veel weg, Wulfgar. Heeft iets hier zijn smaak verloren? Of bevalt de burcht je niet?"

Aislinn zag Gwyneths zelfvoldane glimlach en wist dat zij bedoeld werd. Ze besefte direct dat het een vergissing geweest was aan tafel te komen, maar nu kon ze niet anders dan het uitzitten of een nederlaag erkennen. Bolsgar probeerde van onderwerp te veranderen.

"Het wild komt het dichte bos uit, Wulfgar," begon hij. "Dat is een teken dat de lente komt, net als die lichte nevel."

Gwyneth hoonde haar vader: "Lichte nevel! Jawel! Dat gemene zuiden van Engeland zorgt dat het koud en nat is. Of er waait sneeuw in mijn gezicht of de zware mist maakt mijn haar nat. En wie kan het schelen of het lente wordt of niet. Dit laffe weer is het hele jaar slecht."

"Het zou jou moeten kunnen schelen, Gwyneth," zei haar vader, "want dit jaar zullen we de juistheid van Wulfgars inzichten en die van William kunnen zien. Het land is uitgeput en de arme Engelse jongens ook, en als de oogst deze zomer mager is, zal jouw buik dat ook zijn als het weer koud wordt."

Het was stil en Hlynn en Kerwick vulden de bekers weer. Aislinn zag dat Wulfgars blik naar Haylan zwierf, en haar drift vlamde op toen ze zag dat de weduwe in de warmte bij de haard haar eenvoudige jurk losgemaakt had zodat haar boezem te zien was.

Het maal was voorbij maar de mannen bleven zitten. Gowain haalde zijn citer te voorschijn en tokkelde erop, terwijl Sweyn en Milbourne ontuchtige liederen brulden. De ridders riepen om meer wijn en bier en Kerwick zette zakken en kruiken voor ze neer.

Haylan was klaar met haar werk en stond te kijken naar de mannen die plezier maakten en wedstrijden hielden in het drinken. Beaufonte bood haar een hoorn bier aan. Zonder aarzelen nam ze hem aan, hief hem hoog en boog glimlachend naar de mannen. Ze bracht de beker aan haar lippen en dronk hem onder gejuich leeg. Gowain vulde de zijne en deed het haar na, toen deed Milbourne hetzelfde. Beaufonte wilde niet omdat hij al zo veel gedronken had, maar Sweyn greep een zak wijn en schonk tot de beker overliep en de arme ridder hem smeekte op te houden. Beaufonte haalde diep adem en dronk. Gowain tokkelde op de citer en een zacht gezang gaf de maat aan van de slokken. Een gejuich steeg op toen hij met een triomfantelijk gebaar de laatste druppel oplikte. Hij zette de beker op tafel, ging weer zitten en gleed met een tevreden glimlach onder de tafel.

Sweyn brulde van plezier en Bolsgar vulde lachend een beker met koud water en gooide het in het gezicht van de ridder.

"Hé, Beaufonte!" grinnikte hij. "Het is nog vroeg en je zult heel wat missen als je zo dut."

Zijn slachtoffer worstelde zwaaiend overeind en Gowain speelde een ritme dat bij zijn stappen paste. Haylan lachte, nam de handen van de dronken ridder en leidde hem in een langzame dans. De mannen juichten en zelfs Wulfgar begon te grinniken. Omdat Aislinn niet vrolijk was, vond ze dat ze kinderachtig deden. Ze waren allemaal ridders en geharde krijgslieden, toch keken ze als onervaren jongens verliefd naar Haylans open lijfje.

Beaufonte werd romantisch en probeerde haar in zijn armen te nemen en zo te dansen. Lachend duwde Haylan hem weg en hij struikelde tegen een bank, waar hij ging zitten en niet meer kon opstaan. De weduwe wervelde weg, bleef voor Gowain staan en stampte met haar voet tot hij het ritme opnam en een melodie begon te spelen waarop haar voeten een snelle roffel sloegen op de vloer. De anderen schreeuwden en klapten in hun handen om haar aan te moedigen. Ze bleef even staan, stampte met haar voet en even later wervelde ze in een verleidelijke dans. Wulfgar ging achteruit zitten en strekte zijn lange benen vóor zich.

Haylan zag haar kans. Ze bewoog naar hem toe, Aislinns nijdige blik negerend, en zwaaide haar rokken toen Gowain het ritme versnelde.

Toen danste ze in een ingewikkeld patroon over Wulfgars voeten, stapte tussen zijn benen en dan plagend weer weg. Haar hete ogen hielden hem vast en haar bezwete huid glansde in het vage licht. Ze hield haar rokken boven haar knieën, toen ging ze achteruit en met een laatste draai viel ze op haar knie en boog voor Wulfgar. Haar lijfje viel open en liet weinig aan de verbeelding over.

Aislinn verstijfde en keek naar Wulfgar, die niet in het minst geschokt leek door dit wellustig vertoon, maar in zijn handen klapte en goedkeurend brulde. Aislinns ogen gloeiden, en het werd niet beter, want Gowain begon nog een lied en Haylan danste weer. Aislinn keerde zich walgend om en wilde niet meer kijken. Wulfgar trok zijn voeten terug en keerde zich om om zijn hoorn te pakken. Zijn blik ging over Aislinns borsten en zijn vingers trommelden op tafel in de maat van de muziek. Niemand kon zijn gedachten raden, maar Gwyneth glimlachte om Aislinns strakke gezicht. De heer en zijn maîtresse leken vanavond helemaal geen liefhebbend paar, en Gwyneth lachte hardop, een zo zeldzaam geluid dat het aller aandacht trok. Wulfgar keek vragend naar zijn zuster, maar Aislinn werd nog somberder, ze begreep waarom Gwyneth zo vrolijk was. Terwijl Haylan doorging met haar bokkesprongen, zat Aislinn stil en haar twijfels kwamen terug. Wulfgar zou weinig aan haar hebben als ze dik werd, peinsde ze terneergeslagen. Hij was al op zoek naar een ander. En Haylan leek het beste in de buurt te zijn.

Toen Wulfgar naar Sweyn toe boog en lachte over een grap over de weduwe, stond Aislinn op en ging de zaal uit, alleen opgemerkt door Gwyneth. Ze stapte het plein op en haalde hortend adem, huiverend in de koude avond. Ze liep naar Maida's huisje. Ze wilde bij haar moeder blijven en Wulfgar vrij maken voor als hij iemand anders vond om zijn begeerte te bevredigen. Ze was het moe haar hoop te zien verdwijnen door een negatief wóórd van hem. Waar leidden haar dromen anders toe dan meer verdriet en ellende? Ze voelde zich verslagen. Ze was zo bang dat hij haar weg zou sturen. Hij had het nooit ontkend en sprak de laatste tijd steeds meer over Normandië alsof hij haar voorbereidde, en verzekerde haar dat het een mooi land was voor een jongen om op te groeien. O, ja! Hij wilde ze kwijt.

Ze haastte zich over het smalle pad, net als die avond dat ze terugkwamen uit Londen en Wulfgar haar ondervraagd had over Kerwick. Ze glimlachte verdrietig omdat hij zo makkelijk haar trouw kon betwijfelen en zij de zijne niet. Een slavin! Niets meer voor hem. Een slavin die moest doen wat hij beval zonder het recht ja of nee te zeggen.

Ze deed voorzichtig de deur open en zag haar moeder voor de haard zitten met de resten van haar avondeten. De oude vrouw keek op met een spoortje verstand in haar ogen. Ze wenkte Aislinn binnen.

"Kom, mijn liefje. Het vuur is warm genoeg voor twee."

Aislinn kwam langzaam naar voren en Maida haalde snel een vacht en legde die om haar dochters bevende schouders.

"Ah, liefje, waarom kom je in de kou? Heb je geen zorg voor jezelf of de baby? Is het zo slecht in de kamer van de heer dat je zo laat naar mijn arme hut komt?"

"Moeder, ik vrees dat ik van nu af hier blijf," zuchtte Aislinn.

"Wat? Heeft de bastaard je eruit gegooid? Die bronstige Normandische ezel heeft je verstoten?" Maida dacht hier even over na, toen glimlachte ze. "Een bastaard voor de bastaard. 't Zal hem hinderen als de baby zijn eigen bleke lokken heeft."

Aislinn snufte en schudde haar hoofd. "Ik ben bang dat hij me weg zal sturen, zodat hij zijn bastaard niet hoeft te zien."

"Weg?" hijgde Maida en staarde haar dochter aan. "Je mag je niet bij mij vandaan laten sturen." Het was half een angstige vraag.

Aislinn haalde haar schouders op.

"Hij is de heer en ik maar een slavin. Ik kan niets zeggen."

"Vlucht dan, dochter. Voordat hij het doet," smeekte Maida. "Denk voor een keer aan jezelf. Wat voor goed kun je hier doen als je in Normandië of een ander ver land bent? Vlucht met mij naar het noorden waar we onze familie om onderdak kunnen vragen. Daar kunnen we blijven tot de baby geboren is."

Aislinn zat stil voor de haard en keek nadenkend in de vlammen. Haar gedachten wilden niet tot rust komen, maar draaiden steeds om ontsnappen. Zou het hem kunnen schelen? Of zou hij blij zijn dat hij van ze af was? Ze wilde niet graag de plaats verlaten waar ze geboren was en die haar enige thuis geweest was. Maar Wulfgars gedrag de laatste tijd liet haar weinig keus, ze kon zich niet voorstellen dat het haar in Normandië goed zou gaan. Ze legde haar hoofd in haar hand en wist dat de beslissing haar al opgedrongen was.

"Ja," fluisterde ze zo zacht dat haar moeder haar nauwelijks verstond. "Dat is het beste. Als hij me niet kan vinden, kan hij me niet uit Engeland wegsturen."

Maida klapte blij in haar handen en danste door de kleine kamer. "Bastaard! Bastaard! Normandische vijand! We zijn weg voor je het weet."

Aislinn deelde haar vreugde niet. Ze stond dof op en liep naar de deur.

"Verzamel uw bezittingen morgen vroeg, moedertje. Hij rijdt morgen naar Cregan en wij vertrekken daarna naar het noorden. Maak u klaar. Ik moet deze laatste nacht naar hem terug, zodat hij niets van onze plannen merkt."

Aislinn ging terug naar de zaal. Ze bleef bij de deur staan en sloot hem zacht achter zich. Wulfgar stond tegen de stenen muur bij de haard, Gowain speelde een zachtere melodie en Haylan danste als een verleidster van de Nijl. Voor ze bij de trap was, draaide Haylan, die zag dat Wulfgars aandacht afgeleid was, en ging voor Aislinn dansen alsof ze met haar talenten pronkte. Aislinn keek koel naar haar, toen stopte plotseling de muziek en Gowain legde zijn instrument weg. Haylan keek geërgerd naar hem, waardoor Aislinn waardig naar boven kon gaan. Wulfgar

liep de nijdige weduwe voorbij achter Aislinn aan en haalde haar bovenaan de trap in.

"Waar ben je geweest?" vroeg hij zacht. "Je was zo plotseling weg
dat ik dacht dat je misschien ziek was."

"Ik ben in orde, mijn heer," antwoordde ze. "Het spijt me dat ik
je bang gemaakt heb. Ik ben naar mijn moeder geweest."

Hij duwde de deur open en liet haar voorgaan. Tegen de deur leunend,
keek hij hoe ze naar een donkere hoek liep en zich met haar rug naar
hem toe uitkleedde. Zijn ogen gingen over haar lange slanke benen en
haar heupen naar haar middel dat nog steeds smal was. Toen ze zich
omkeerde, zag hij haar boezem voor ze haastig in bed gleed en de vachten
over zich heen trok. Wulfgar liep naar het bed en nam haar in zijn armen
en begon haar te kussen. Met zijn lippen tegen haar geurende haar mompelde hij:

"Ach, meisje, jij bent de zoetste verrukking. Wat zou ik met mijn
vrije tijd moeten als jij me afgenomen werd?"

Aislinn zuchtte. "Mijn heer, ik weet het niet. Vertel het me alsjeblieft."

Hij grinnikte. "Ik zou een even mooi en wellustig meisje zoeken en
dan zou ik misschien tevreden zijn," plaagde hij.

Aislinn antwoordde afgemeten. "'t Zou nuttig zijn als je er een vond
die ook zo begaafd is als Haylan. Je weet nooit wanneer er reden is
voor vermaak."

Wulfgar lachte en rolde van het bed om zich uit te kleden. Toen hij
terugkwam, lag ze met haar rug naar hem toe, maar hij was niet ontmoedigd want vele van hun prettigste nachten waren zo begonnen. Dicht
tegen haar aan kruipend, streek hij de krullen uit haar nek en drukte
hongerig zijn lippen erop.

Aislinn kon hem niet weigeren, zelfs nu ze besloten had te vluchten.
Alleen door weg te gaan, kon ze iets van haar zelfrespect terugwinnen.
Maar ze zou altijd naar hem blijven verlangen. Ze zuchtte toen ze zich
overgaf aan zijn armen, ze kuste hem en klemde zich aan hem vast alsof
ze hem niet dicht genoeg tegen zich aan kon houden. Het laaiende vuur
van hun hartstocht verteerde ze. Aislinn beefde in zijn armen, en toen
de storm uitgewoed was, huilde ze zacht in haar kussen.

19

Aislinn werd wakker van het licht dat door de luiken drong en zocht doezelig met haar hand het bed af. Het kussen naast het hare was leeg en toen ze de kamer rondkeek, zag ze dat Wulfgar weg was. Ze ging slaperig rechtop zitten, steunde neerslachtig haar kin in haar handen en dacht aan wat ze ging doen. Het leek allemaal een afschuwelijke nacht-merrie, maar toen Maida even later aan de deur krabbelde, wist ze dat het dat niet was. De vrouw kwam binnen en begon haastig Aislinns jurken in een bundel te pakken, tot Aislinn haar tegenhield.

"Nee. Ik neem alleen het vod dat Gwyneth me gelaten heeft. De andere zijn van hem –." En met een gesmoorde snik voegde ze eraan toe: "Voor Haylan als hij dat wil."

Het deed er niet toe dat hij ze haar gegeven had. Ze zou weinig rust hebben als ze ze meenam, want ze zouden haar steeds herinneren aan wat er tussen hen geweest was, en ze wilde niet nog meer onwelkome herinneringen.

Ze riep Miderd, liet haar beloven te zwijgen, en liet haar helpen bij het haastige vertrek. De vrouw redeneerde tegen haar tot ze zag dat Aislinn vastbesloten was, en kon niet anders dan helpen. Sanhurst moest de oude hit zadelen, niet wetend dat het voor Aislinn was. Toen ze het schamele paard zag, huiverde Maida en voer woedend tegen Aislinn uit.

"Neem de grijze. We zullen haar kracht nodig hebben."

Aislinn schudde haar hoofd. "Nee. Deze of niets. Een mooi paard zal ons spoor aangeven."

"De Normandiër heeft je haar en de kleren die je achterlaat gegeven. Ze zijn van jou en het is zijn verdiende loon als ze weg zijn."

"Ik neem zijn geschenken niet mee," zei Aislinn koppig.

Maida jammerde ook over de keuze van voedsel.

"We zullen verhongeren. Je maakt ons bedelaars met die strompelende hit en verwacht dat we overleven met dat beetje eten."

"We vinden wel meer," verzekerde Aislinn haar en weerde verdere argumenten af. Toen ze weg reden, ging Miderd langzaam de burcht binnen en veegde een traan van haar wang.

Het was donker geworden en Miderd kon haar droefheid niet afschud-den. Ze keek naar Haylan die een stuk wildbraad probeerde. Ze wist dat Haylan blij zou zijn met het nieuws, en ze verbaasde zich over haar gekoketteer, want zij beschouwde Wulfgar als een man van eer en wist dat zijn belangstelling voor Aislinn eerlijk was.

Miderd dacht met afkeer aan de vorige avond. "Waarom probeer je heer Wulfgar te verleiden?" vroeg ze haar schoonzuster geërgerd. "Blijf je de hoer spelen als vrouwe Aislinn hier meesteres is?"

"Er is weinig kans dat Aislinn hier meesteres wordt," snauwde Haylan. "Wulfgar zegt dat hij vrouwen haat."

Miderd keerde zich om. "Haat een man een vrouw die zijn kind draagt?"

Haylan haalde haar schouders op. "Dat is geen liefde maar wellust."

"En jij wilt dat hij zo wellustig met jou is tot je net zo rond bent als zij?" vroeg Miderd ongelovig. "Gisteravond danste je voor hem als Salomé voor die koning. Zou je Aislinns hoofd als loon vragen?"

Haylan glimlachte. "Als ze weg was," zuchtte ze, "zou Wulfgar van mij zijn."

"En ze gaat weg," zei Miderd bitter. "Ben je nu gelukkig?"

Haylans ogen werden groot van verbazing, en Miderd knikte.

"Ja, ze gaat bij hem vandaan. Ze neemt niets mee dan haar moeder en zijn kind en de oude hit waar haar moeder op rijdt."

"Weet hij het?" vroeg Haylan.

"Als hij terugkomt van Cregan vertel ik het hem. Ze zei me te zwijgen, maar ik vrees voor haar veiligheid. Er zijn wolven in de bossen. Ik kan mijn mond niet houden en haar ten prooi laten vallen aan die woeste beesten, of aan de menselijke die haar zouden nemen zonder rekening te houden met haar toestand."

"Wie weet of Wulfgar achter haar aan gaat of niet?" Haylan haalde haar schouders op. "Ze wordt dik van het kind en hij zal toch gauw genoeg van haar hebben."

"Je hart is koud, Haylan. Ik had niet gedacht dat je zo onbarmhartig was, of zo zelfzuchtig."

Haylan riep woedend: "Ik heb genoeg van je gevit en je sympathie voor die meid wordt vervelend. Ze heeft niets voor mij gedaan. Ik voel me niet aan haar verplicht."

"Als je haar ooit nodig hebt," zei Miderd zacht, "hoop ik bij de hemel, dat ze meer medelijden met jou heeft."

"'t Is niet waarschijnlijk dat ik ooit haar hulp zal vragen," antwoordde Haylan achteloos. "Ze is trouwens al weg."

"De dorpelingen zullen haar missen. Ze kunnen zich tot niemand wenden voor wat de vrouwe ze gaf."

"Vrouwe! Vrouwe!" bootste Haylan na. "Ze is mijn vrouwe niet en zal dat nooit zijn. Ik ben handiger dan zij. Ik zal maken dat Wulfgar me liefheeft."

"*Heer* Wulfgar," verbeterde Miderd kribbig.

Haylan glimlachte. "Hij zal voor mij al gauw gewoon Wulfgar zijn."

Het geluid van zware hoeven klonk uit de richting van de stallen. Miderd stond op en keek Haylan aan.

"Daar is hij en ik ga het hem vertellen. Als hij haar niet achterna gaat, zal ik jou vrouwe Aislinns dood verwijten, want dan zal ze waarschijnlijk sterven."

"Mij?" schreeuwde Haylan. "Ik heb alleen gewenst dat ze weg was.

Ze is uit eigen vrije wil gegaan."

"Ja," gaf Miderd toe, "maar het is of jij haar weg geduwd hebt."

Haylan holde driftig terug naar de haard. "Ik geef er niets om. Ik ben blij dat ze weg is."

Miderd zuchtte en ging naar de stal waar Wulfgar en zijn mannen hun paarden ontzadelden. Aarzelend naderde ze de grote Hun en keek een beetje zenuwachtig naar Wulfgar. Hij sprak met Sweyn en merkte haar pas op toen ze aan zijn mouw trok. Hij keek haar vragend aan.

"Mijn heer," zei Miderd zacht, "uw vrouwe is weg."

De glimlach verdween van Wulfgars gezicht en zijn ogen werden koud.

"Wat?" eiste hij.

Miderd slikte angstig, maar hield vol.

"Vrouwe Aislinn is weg, mijn heer," zei ze. Ze wrong onzeker haar handen. "Kort nadat u vanochtend vertrokken was, mijn heer."

Wulfgar greep zijn zadel en gooide het op de rug van de Hun. Het paard snoof en trok de aandacht van de mannen. Hij steunde een knie tegen het paard en trok de buikriem aan terwijl hij tegen Miderd sprak.

"Ze is natuurlijk naar het noorden. Naar Londen?" vroeg hij.

"Naar het noorden, ja, maar niet naar Londen. Ik denk westelijk om de stad heen, naar de noordelijke stammen," antwoordde ze, en voegde er toen zacht aan toe: "waar geen Normandiërs zijn, mijn heer."

Wulfgar vloekte hartgrondig en sprong in het zadel. Hij zag dat Sweyn een paard klaarmaakte en hield hem tegen.

"Nee, Sweyn, ik ga alleen. Ik vraag je weer op te passen tot ik terug ben."

Hij keek de stallen rond en zag de merrie staan.

"Heeft ze geen paard of wagen genomen? Gaat ze te voet?" Hij keek Miderd weer aan.

Ze schudde haar hoofd. "De vrouwe nam alleen de oude hit, wat eten en een paar dekens. Ze zullen dakloze Saksers lijken die voor de oorlog vluchten." Ze dacht bedroefd aan haar eigen lange reis en vervolgde toen bezorgd: "Ik vrees voor haar, mijn heer. De tijden zijn slecht en er zwerven rovers rond. Wolven…" Ze zweeg angstig.

"Bedaar, Miderd," zei Wulfgar. "Je hebt vanavond een plaats verdiend voor de komende tweehonderd jaar."

Wulfgar nam de teugels, keerde de Hun en was al gauw op weg naar het noorden.

Miderd bleef lang staan luisteren naar het geluid van hoeven dat wegstierf in de nacht. Ze schudde haar hoofd en glimlachte. Ze wist dat deze man een hart had dat veel pijn gekend had. Daarom sprak hij nors en ontkende zijn gevoelens voor anderen en pochte dat hij niemand nodig had. Daarom voerde hij oorlog en hoopte misschien half dat het zwaard van een ander een einde aan zijn lijden zou maken. Toch reed hij door de nacht om een vluchtende liefde tegen te houden.

Wulfgar zat in het zadel, nog gekleed in maliënkolder. Hij trok zijn helm af en liet de koude maartwind de slaap uit zijn hoofd verdrijven. Hij voelde de beweging van de Hun onder zich en wist dat deze in een paar uur zou afleggen wat Aislinn het grootste deel van de dàg gekost had.

Een heldere driekwart maan stond hoog aan de hemel en lage nevels kwamen op uit de moerassen. Hij mat aan de stand van de maan wanneer hij moest gaan zoeken naar een uitgaand vuur. Hij vroeg zich af wat haar hiertoe gebracht had. Hij kon zich niet herinneren dat er de afgelopen paar dagen iets gebeurd was waardoor ze ontevreden was met haar leven. Maar wat wist hij van vrouwen, behalve dat ze niet te vertrouwen waren.

Aislinn keek nog eens naar de om een kleine boom gebonden teugels en streelde troostend de flanken van de oude merrie.

"Zielig stel, wij," dacht ze. "Niets dan een maaltijd voor wolven."

Aislinn legde haar hand in haar rug waar een doffe pijn opkwam en liep naar het vuur waar haar moeder rustig sliep, gewikkeld in een voddige deken. Aislinn huiverde in een koude bries en een veraf gehuil waarschuwde dat er wolven rondzwierven. Ze pookte doelloos in het kleine vuur en dacht aan het warme bed dat ze nu met Wulfgar zou kunnen delen. Ze had niet in het bos willen stoppen, maar gehoopt het dorp een uur of twee verder te bereiken voor haar moeder te moe werd. Maar de merrie was kreupel geworden aan een voorbeen.

Aislinn sloeg haar armen om haar knieën en keek peinzend in de vlammen. Het kind bewoog even. Aislinn glimlachte zacht en knipperde haar tranen weg.

Een baby, dacht ze verbaasd. Een schat, een wonder, een zoete vreugde van twee mensen die in liefde samenkwamen.

Heer, was ze maar in staat zichzelf en Wulfgar gerust te stellen dat het echt van hem was, maar altijd was er die twijfel en kwam Ragnors gezicht tussen ze. Maar zelfs als de baby van hem was, zou ze hem niet laten wegsturen, en de gedachte van huis weg te zijn, kon ze ook niet verdragen. Nu ze weg was, hoefde Wulfgar tenminste niet meer naar haar te kijken en het zich af te vragen.

Nu liepen de tranen ongehinderd langs haar wangen.

"Oh, Wulfgar," zuchtte ze ellendig, "was ik maar behoorlijk met je verloofd geweest en niet door Ragnor besmeurd, misschien had ik dan je hart kunnen winnen, maar je ogen zwerven al van mijn meloenfiguur naar het slankere van de weduwe Haylan. Ik kon het niet verdragen zoals je naar haar keek – of zag ik alleen in mijn verbeelding de wellust in je ogen?"

Aislinn legde haar wang op haar knieën en keek door haar tranen heen het donkere bos in. Alles was stil. Het leek of de tijd stilstond en ze voor altijd vastzat in het heden. Zelfs de sterren leken weggedwaald te zijn uit de zwarte hemel, want in het donker glinsterden twee heldere lichten.

Langzaam hief ze haar hoofd op, knipperde de tranen uit haar ogen en keek naar die glinsterende punten. Angstig besefte ze dat het helemaal geen sterren waren maar twee ogen. Er kwamen er meer, tot het leek of het donker achter het vuur bestrooid was met gloeiende kolen. De wolven kropen dichterbij, tongen uit hun open bekken alsof ze om haar hulpeloosheid lachten. De arme oude merrie snoof. Aislinn legde nog een blok op het vuur, nam een stok in de ene hand en haar dolk in de andere. Ze telde nu een dozijn harige lichamen die snauwden en grauwden en elkaar de beste plaats betwistten. Plotseling klonk een krachtiger stem en de wolven gingen met de staart tussen de poten opzij toen een veel groter beest naar voren kwam. Hij keek om zich heen, ging toen met zijn rug naar Aislinn voor de troep staan en grauwde dreigend tot ze zich terugtrokken naar de rand van de open plek. Hij keerde zich om en keek haar met verbazend intelligente gele ogen aan. Haar lippen vormden vanzelf het woord.

"Wulfgar!" fluisterde ze hees.

Het zwarte beest ging liggen, volkomen op zijn gemak als een afgerichte hond.

Aislinn liet de stok zakken en stak haar dolk weer in de schede. De kaken van de wolf gingen open alsof hij glimlachte en de vrede bevestigde. Hij legde zijn kop op zijn gestrekte poten, maar bleef waakzaam naar haar kijken. Aislinn leunde tegen een boom en voelde zich even veilig als op Darkenwald.

Een wolf grauwde vanuit het donker en Aislinn werd wakker, beseffend dat ze gedoezeld had. De grote wolf hief zijn kop op en keek in het donker achter haar, maar maakte verder geen beweging. Aislinn wachtte gespannen. Toen rolde er een steen en ze keerde zich langzaam om.

"Wulfgar!" hijgde ze.

Hij kwam naar voren met de Hun en keek van haar naar het grote beest achter het vuur. Ze was zowel verrast als opgelucht toen ze hem goed kon zien, want ze had zichzelf er bijna van overtuigd dat hij een weerwolf was en zich veranderd had in die grote zwarte wolf die haar bewaakt had.

Het dier stond op en schudde zich terwijl hij en Wulfgar elkaar aankeken over de dovende vlammen. Tenslotte keerde de zwarte wolf zich om en leidde zijn troep de nacht in. Het bos was stil en Aislinn wachtte terwijl Wulfgar naar haar keek. Tenslotte zuchtte hij en zei:

"Jij, mevrouw, bent een dwaas."

Aislinn hief haar hoofd en antwoordde vinnig: "En jij, heer, bent een schoft."

"Toegegeven." Hij glimlachte kort. "Maar laten we het comfort van deze plek delen tot het ochtend wordt."

Hij bond de Hun naast de vermoeide merrie en gaf ze uit een zak achter zijn zadel een paar handenvol graan. Aislinn voelde zich getroost door zijn aanwezigheid en verzette zich niet toen hij, nadat hij zijn malienkolder had afgelegd, zich naast haar uitstrekte, haar naar zich toe trok en zijn mantel om ze heen wikkelde.

Maida kwam plotseling overeind en stond op om nog wat hout op het vuur te leggen. Ze hield op toen ze de Hun naast de merrie zag en keek rond tot ze Wulfgar naast Aislinn ontdekte.

"Ha!" gromde ze. "Jij sluwe Normandiër, kunt in elk bosje een warm bed vinden, hè?" Ze ging terug naar haar bed en keek nog eens nijdig naar Wulfgar. "Keer me maar een ogenblik om! Huh!" Ze ging liggen en trok de deken hoog op.

Aislinn glimlachte tevreden en kroop dichter tegen Wulfgar aan. Maida was niet blij de Normandiër in hun kamp te zien, maar haar eigen hart juichte dat ze weer in zijn armen was.

"Heb je het koud?" fluisterde hij in haar haar.

Ze schudde haar hoofd en haar ogen glansden, maar ze had haar blik neergeslagen zodat hij niet kon zien hoe gelukkig ze was. Ze lag tegen hem aan met haar hoofd op zijn schouder en voelde zich even veilig als in hun bed op Darkenwald.

"De baby beweegt," zei Wulfgar hees. "Dat is een teken van kracht."

Aislinn beet op haar lip, plotseling onzeker. Hij sprak zelden over het kind, en als hij het deed, dacht ze dat het alleen maar was om haar een beetje gerust te stellen. Iedere keer dat hij naar haar buik keek, werd ze bezorgder.

"Hij beweegt nu vaak," antwoordde Aislinn, zo zacht dat hij haar nauwelijks verstond.

"Goed," zei hij en trok zijn mantel dichter om ze heen, een eind makend aan het stijve gesprek toen hij zijn ogen sloot.

Aislinn werd langzaam wakker toen Wulfgar voorzichtig opstond. Met half gesloten ogen zag ze hem het bos in gaan, toen ging ze rechtop zitten, trok zijn mantel dicht om zich heen en keek het kamp rond. Haar moeder sliep nog, opgekruld in een stevige bal als om de werkelijkheid buiten te sluiten.

Met haar vingers de knopen in haar haar losmakend, rekte Aislinn zich uit en genoot van de mooie ochtend. Dauw glinsterde op grasjes en in een spinneweb. Vogels vlogen door de takken en een geluidje in het gras bleek een pluizig konijntje. De lucht rook fris en ze ademde diep in. Ze zuchtte, tevreden met de wereld en zijn wonder. Ze hief haar stralende gezicht op naar het zonlicht. Even peinsde ze over het geluk dat ze voelde. Waarom? Terwijl ze eigenlijk somber zou moeten zijn dat ze ingehaald was. Misschien zou ze tenslotte Normandië toch zien. Toch zong haar hart.

Ze hoorde Wulfgars voetstappen achter zich en keerde zich om om hem met een glimlach te begroeten. Hij keek even verward, en liep toen naar haar toe en liet zich naast haar vallen. Hij pakte de kleine bundel die ze haastig klaargemaakt had bij haar vertrek van Darkenwald, en zocht erin. Met een vragend opgetrokken wenkbrauw, stak hij het voedsel op.

"Een stuk schapevlees? Een brood?" Zijn stem klonk spottend. "Je hebt je goed voorbereid voor de lange reis naar het noorden."

"Gwyneth bewaakt je provisiekast goed. Ze telt zelfs de graankorrels voor het meel en zou misbaar gemaakt hebben als ik meer genomen had."

Gewekt door hun stemmen, richtte Maida zich op en wreef haar heup. Met een scheve grijns zei ze:

"U moet het kind vergeven, mijn heer. Ze is raar in deze dingen. Ze dacht dat we dieven zouden lijken als we te veel van *ons* voedsel namen."

Aislinn spitste haar lippen. "We zouden wel meer eten hebben gevonden bij het verlaten van Williams land."

Wulfgar snoof. "Van je vriendelijke Saksische familie zeker? Die helden van het noorden?"

"De trouwe vrienden zouden ons welkom geheten hebben en ons verzorgd hebben als slachtoffers van de bastaard hertog," zei Maida geergerd.

Wulfgar hoonde: "Iedereen behalve jij heeft William als koning toegejuicht. Jouw trouwe vrienden, verdomme. De noordelijke stammen eisen een hoge prijs voor het gebruik van hun wegen en veel rijkere groepen dan jullie zijn zonder een penny aangekomen."

"Ha!" Maida wuifde van afkeer met haar hand. "Je krast als een raaf met kroep. De tijd zal leren wie de Saksers het best kent, een Normandische schurk of iemand van eerlijk Engels bloed."

Ze liep zwijgend het bos in.

Wulfgar trok een stuk van het brood, legde er een plak vlees op en gaf het aan Aislinn. Hij maakte een grotere portie voor zichzelf en nam haar al kauwend nadenkend op.

"Heb je geld of goud meegenomen voor onderweg?" Omdat hij het antwoord al wist, vervolgde hij zuur: "Ik kan me nog voorstellen dat een noordelijke landheer jou verwelkomt in zijn kamers, maar je moeder zou het moeilijker vallen de kosten te betalen." Hij lachte. "Maar, chérie, ik denk dat het je moeilijk zou zijn gevallen de volle tol te betalen door van bed tot strozak te gaan."

Aislinn schudde haar hoofd en likte zorgvuldig haar vingers af. Wulfgar negeerde haar minachting en ging dicht naast haar zitten.

"Waarom ben je eigenlijk gevlucht, mijn lief?"

Aislinn keek hem met grote ogen van verbazing aan, maar ze zag dat hij ernstig was.

"Je had alles wat een meisje kon verlangen," zei hij, haar onderarm strelend. "Een warm bed. Een sterke beschermer. Een arm om op te steunen. Eten genoeg, en liefde om je bezig te houden in lange, koude nachten."

"Alles?" hijgde Aislinn verbaasd. "O, denk eens na wat ik heb. Het bed was van mijn vader die nu in zijn graf ligt. Mijn beschermers heb ik de zweep of het zwaard zien krijgen. Ik moet meer beschermen dan ik bescherm word. Een arm om op te steunen, heb ik nog niet gevonden. Het ruime voedsel wordt uitgedeeld van wat eens van mij was." Haar stem brak en tranen welden op. "En liefde? Ik ben verkracht door een dronken dwaas. Was dat liefde? Ik ben de slavin gemaakt van een Normandische heer. Is dat liefde? Ik ben aan het bed geketend en bedreigd." Ze greep zijn hand en legde hem tegen haar middel. "Voel mijn buik. Leg je hand daar en voel het kind bewegen. In liefde ontvangen? Ik weet het niet."

Wulfgar wilde iets zeggen, maar Aislinn duwde zijn hand weg en raasde door.

"Nee, luister deze ene keer en zeg me wat ik heb. Ik ben misbruikt in het huis waar ik als kind speelde, mijn kleren en al mijn schatten zijn me afgenomen. Ik kan niet de eenvoudigste jurk de mijne noemen, want morgen kan een ander hem dragen. Mijn enige lievelingsdier, een lastdier, is gewond en, zij het uit genade, gedood. Zeg mij, heer Wulfgar, wat ik heb."

Hij fronste. "Je hoeft maar te vragen en, als het in mijn macht is, leg ik het aan je voeten."

Aislinn keek in zijn ogen en zei langzaam: "Wil je met me trouwen, Wulfgar, en dit kind een naam geven?"

Hij fronste nog dieper en wendde zich af. 'De eeuwige val," gromde hij, "om de onoplettende te grijpen."

"Aaah," zuchtte Aislinn, "je genoot genoeg van me toen ik slank was, maar nu ontwijk je het gevolg. Je hoeft me niet te vertellen van je hartstocht voor Haylan. Je ogen zeiden genoeg toen ze voor je danste."

Wulfgar keek haar verbaasd aan. "Ik genoot alleen maar van de voorstelling."

"Voorstelling, ha!" hoonde Aislinn. "'t Leek meer een uitnodiging voor haar bed."

"Op mijn woord, vrouwe, jij hebt niet geprobeerd me half zo goed te vermaken."

"Wat?" riep ze verbaasd. "Met mijn figuur? Wil je dat ik dans en de dwaas speel?"

"Je vindt excuses waar er geen zijn," antwoordde hij zuur. "Je bent even slank als zij en er is niets dat je tegenhoudt. Ik zou graag eens door je verwend worden, in plaats van in bed met je te vechten en gestoken te worden door je tong."

Aislinn verstijfde en haar ogen flitsten van woede. "Wiens tong steekt, mijn heer? Ik zou beter je maliënkolder kunnen dragen om niet altijd gewond te worden door je hoon."

Wulfgar snoof. "Ik ben geen aanbidder zoals Ragnor. Ik vind het moeilijk een meisje te vertroetelen, maar voor jou ben ik edelmoedig geweest."

"Heb je me misschien een klein beetje lief?" vroeg Aislinn zacht.

Hij streelde haar arm. "Natuurlijk, Aislinn," mompelde hij. "Ik zal je iedere nacht liefhebben, tot je het uitschreeuwt dat ik moet ophouden."

Aislinn sloot haar ogen en kreunde.

"Ontken je dat mijn liefkozing je iets doet?" vroeg Wulfgar.

Aislinn zuchtte. "Ik ben je slavin, mijn heer. Wat zou je willen dat een slavin tegen haar meester zegt?"

Machteloze woede gloeide in zijn ogen. "Je bent mijn slavin niet! Als ik je liefkoos, kom je bij me met warmte."

Ze bloosde diep en keek naar waar haar moeder in het bos was verdwenen, bang dat Maida terugkwam en het hoorde. Hij lachte spottend.

"Ben je bang dat ze hoort dat je geniet in het bed van een Normandier?" Hij trok een knie op, legde er een arm op en boog zijn hoofd naar haar toe. "Je kunt dan misschien je moeder voor de gek houden, maar mij niet. Je bent niet voor mijn liefdesspel gevlucht."

Met een kreet van woede wilde Aislinn hem slaan, maar haar hand zat gevangen in de zijne. Hij duwde haar achterover op de grond en hield haar daar vast.

"Dus je eer is gekwetst. Vluchtte je daarom plotseling na al die maanden?"

Aislinn worstelde vergeefs. Ze voelde zijn harde spieren en zijn hand in haar rug. Beseffend dat verzet nutteloos was, gaf ze zich over. Tranen liepen over haar wangen.

"Je bent wreed, Wulfgar," snikte ze. "Je speelt met me en bespot dat wat ik niet kan onderdrukken. Ik wou dat ik koud en onverschillig kon zijn voor je aanraking."

Hij kuste haar neus, haar oogleden en toen haar lippen en zelfs nu kon Aislinn zich niet bedwingen, maar beantwoordde zijn liefkozingen hartstochtelijk.

Maida's stem kraste: "Wat nu! Een Normandiër die in de dauw rolt? Mijn heer, moesten we niet liever op weg gaan?"

Ze giechelde om haar eigen woorden. Wulfgar ging rechtop zitten, haalde zijn vingers door zijn haar en keek haar nijdig aan. Aislinn veegde het gras van haar rok.

Wulfgar stond op en zadelde de paarden. Hij vouwde zijn maliënkolder op en bond hem voor het zadel van de Hun. Maida kreunde toen ze haar voet in de hoge stijgbeugel probeerde te zetten, en hij tilde haar op en zette haar schrijlings op de oude merrie. Hij liep om Aislinn heen, sprong in zijn zadel en keek op haar neer. Hij grinnikte om haar vragende blik.

"De merrie is kreupel en kan jullie niet allebei dragen."

Aislinn keek hem koel aan. "Moet ik dan lopen, mijn heer?" vroeg ze uit de hoogte.

Hij leunde op zijn zadelknop. "Is dat niet wat je verdient?"

Ze keek nijdiger, maar draaide zich om en begon aan de lange tocht naar Darkenwald. Wulfgar nam glimlachend de teugels, Maida kwam achteraan op de kreupele hit.

De zon stond al hoog toen Aislinn op een houtblok ging zitten, haar slipper uittrok en er een steentje uit schudde.

Wulfgar hield in en wachtte tot ze opkeek, toen vroeg hij bezorgd: "Wordt mijn vrouwe moe van de lange wandeling?"

"Jij dwong me ertoe, mijn heer," antwoordde ze nijdig.

"Nee, mijn lief," ontkende hij onschuldig. "Ik vroeg alleen of je dat niet verdiende."

Aislinn stond op en keek hem aan, toen bloosde ze.

"O, beest!" Ze stampvoette, maar knipperde met haar ogen toen haar pijnlijke hiel de grond raakte.

Wulfgar schoof achteruit naar de rand van zijn zadel.

"Kom, mijn lief," zei hij. "Het zal zo al vermoeiend worden, en ik wil gauw thuis zijn."

Hij stak zijn handen uit en Aislinn legde met tegenzin de hare erin, en Wulfgar zwaaide haar voor zich in het zadel.

Maida was naast ze gekomen en hoonde Wulfgar. "'t Is beter te lopen dan een Normandische schoot te warmen, dochter."

Wulfgar zei onvriendelijk: "Zou je graag ontsnappen, oud wijf? Ik zal me wel omkeren, als je wilt."

Aislinn maakte een vreemd geluid, maar toen ze naar haar keken, keek ze rustig in de verte, maar de hoeken van haar mond trilden van onderdrukt lachen.

Wulfgar zette de Hun in beweging. Achter hem gromde Maida in zichzelf, maar verder hield ze zich de volgende paar mijl stil.

Aislinn werd doezelig. Het zadel was glad gesleten en veel te ruim, zodat ze moeilijk op haar plaats kon blijven. Ze voelde de warmte van de man achter haar en keek peinzend naar zijn handen om de teugels. Ze glimlachte toen ze aan hun kracht dacht. Met stralende ogen leunde ze tegen hem aan, trok zijn mantel om haar schouders en legde haar hoofd tegen zijn hals. De glimlach bleef toen ze ontspande en het aan zijn sterke armen overliet haar vast te houden. Wulfgar vond het geen onaangename taak, maar weer verbaasde hij zich over haar plotselinge verandering.

Korte tijd later verbrak Maida de stilte met een jammerkreet. Aislinn schoot overeind en keek achterom naar haar moeder.

"Ik slik de hele weg al stof," jammerde de vrouw. "Wil je dat ik van dorst sterf, gemene heer, zodat je mijn dochter kunt hebben wanneer je maar wilt, zonder mij om je in toom te houden?"

Wulfgar stuurde zijn paard de weg af en bracht hem bij een beek tot staan. Hij sprong van de hengst, stak zijn handen uit om Aislinn op te vangen en legde zijn mantel om haar schouders. Toen liep hij naar Maida en hielp haar met tegenzin afstijgen.

"Huh," snauwde ze. "Je moet nog heel wat leren over vriendelijkheid, Normandiër. Er is geen twijfel aan dat mijn dochter door verkrachting zwanger is geraakt."

"Moeder!" Aislinn fronste, maar Wulfgar keek Maida scherp aan.

"Hoe kom je aan de zekerheid, oude hen, dat ík de vader van het kind ben?"

Maida giechelde vrolijk. "Ah, als de kleine zwart haar heeft, dan heeft Ragnor zijn werk goed gedaan, en als het de kleur van zomergraan heeft, dan is 't zeker 't jong van de bastaard. Maar..." ze zweeg even en scheen van ieder woord te genieten. "Maar als het haar van het kind rood is als de ochtendzon –" ze haalde haar schouders op – "dan is de vader onbekend, natuurlijk."

Wulfgar keerde zich abrupt om, liep Aislinn voorbij en bracht de paarden naar het water. Aislinn fronste tegen haar moeder, die giechelend het bos in liep. Aislinn keek onzeker naar Wulfgars rug, die nu zo afwijzend leek, dat ze wist dat hij geen ander gezelschap wilde dan zijn paarden, die hij afwezig streelde. Met een zucht liep ze het bos in, wetend dat hij het probleem zelf moest oplossen.

Toen ze terugkwam, had hij brood en vlees klaargemaakt. Hij was nog steeds stil en het drietal at zwijgend. Maida had zijn stemming opgemerkt en hield voor een keer haar mond.

De rit naar huis ging verder. Aislinn doezelde in Wulfgars armen en vond wat troost in zijn vriendelijkheid. Hij wekte haar toen ze Darkenwald bereikten. Met moeite richtte Aislinn zich op, knipperde de slaap uit haar ogen en ontdekte dat het al donker was. Wulfgar sprong uit het zadel en hielp Aislinn afstijgen. Hij zette haar voorzichtig neer en wendde zich naar haar moeder en zag Maida's kleine lichaam vermoeid op de merrie hangen. De toortsen naast de grote deur brandden en bij het licht ervan zag Aislinn haar moeders vermoeide gezicht. Aislinn nam Maida's arm en zei zacht:

"Kom, ik breng u naar uw hut."

Wulfgar hield haar tegen. "Ik breng haar. Wacht in onze kamer op me. Ik kom gauw."

Maida keek hem argwanend aan, toen liep ze langzaam voor hem uit het donker in. Aislinn bleef staan, luisterend naar hun voetstappen die langzaam vervaagden. Na een poosje zag ze licht uit het raam van Maida's huisje, toen draaide ze zich eindelijk om en liep met slepende passen de zaal door en de trap op naar hun slaapkamer.

Er brandde een vrolijk vuur, ongetwijfeld aangestoken door iemand die nooit twijfelde aan Wulfgars succes bij alles wat hij deed – Sweyn, altijd trouw, altijd voor zijn meester zorgend.

Met een zucht liet Aislinn haar vuile kleed op de koffer vallen. Ze trok haar onderkleed uit en reikte naar een vacht om om te slaan, maar toen de deur achter haar open ging, trok ze haar onderkleed weer tegen haar borst en draaide zich om.

"Je bent dus terug," zei Gwyneth, tegen de deurpost leunend.

Aislinn wuifde met haar hand. "Zoals je ziet, levend en wel."

"Jammer," zuchtte Gwyneth. "Ik hoopte dat je een hongerige wolf tegen zou komen."

"Dat ben ik, als je het weten wilt. Hij kan nu elk ogenblik hier zijn."

"Ah, de dappere bastaard," antwoordde Gwyneth honend. "Altijd pronkend met zijn moed."

Aislinn schudde haar hoofd. "Je kent je broer zo slecht, Gwyneth."

De vrouw kwam onbeschaamd naar binnen en liet haar blik minachtend langs Aislinns slanke lichaam gaan. "Ik geef toe dat ik hem niet begrijp, noch waarom hij je in de nacht gaat zoeken, als hij je toch binnenkort naar Normandië of een ander ver land stuurt. Dwaasheid."

"Waarom haat je hem zo?" vroeg Aislinn ernstig. "Heeft hij ooit geprobeerd je te kwetsen? Ik begrijp niet waarom je zo'n hekel aan hem hebt."

Gwyneth hoonde: "Dat kun je niet, Saksische slet. Jij bent tevreden met in zijn bed te kruipen. Wat zal hij je geven, behalve nog meer bastaards?"

Aislinn slikte haar boze woorden in. Toen zag ze vanuit haar ooghoek een beweging. Wulfgar stond rustig in de deuropening. Toen Aislinn zweeg, draaide Gwyneth zich om en ontmoette haar broers blik.

"Kom je ons welkom thuis heten, Gwyneth?" vroeg hij ruw.

Hij liep de kamer door, legde zijn maliënkolder op de koffer naast Aislinns jurk en keek naar Gwyneth die koud terugkeek.

"Je maakt je minachting voor ons wel duidelijk, Gwyneth. Ben je hier niet gelukkig?" vroeg hij.

"Wat? Hier in deze armoedige burcht?" snauwde ze.

"Je bent vrij om te gaan," zei Wulfgar langzaam. "Niemand houdt je tegen."

Gwyneth keek hem koud aan. "Gooi je me eruit, broer?"

Wulfgar haalde zijn schouders op. "Ik wil je alleen maar verzekeren dat ik je niet zal tegenhouden als je weg wilt."

"Als het niet om mijn vader was, zou je wel een manier vinden om me kwijt te raken," beschuldigde Gwyneth.

"Ja," gaf Wulfgar toe met een spottende glimlach.

"Wat? De zwervende ridder heeft ontdekt dat het voordelen heeft landheer te zijn?" hoonde Gwyneth. "Het moet wel vermoeiend voor je zijn, die vele lijfeigenen en je huishouden, terwijl je vroeger alleen met jezelf te maken had. Waarom geef je niet toe dat je hier een mislukking bent?"

"Het is soms vermoeiend." Wulfgar keek zijn zuster scherp aan. "Maar ik geloof dat ik het wel aan kan."

Gwyneth snoof. "Een bastaard die zich met zijn meerderen probeert te meten. 't Zou een houten beeld aan het lachen maken."

"Vind je het zo leuk, Gwyneth?" Hij glimlachte en ging dicht naast Aislinn staan. Hij pakte een koperen lok en drukte er een kus op, haar met zijn blik liefkozend. "Je moet ons allemaal wel minachten omdat wij menselijk en onvolmaakt zijn."

Gwyneth trok spottend haar lip op. "Met sommigen moet je meer geduld hebben dan met anderen."

"O?" Wulfgar trok een wenkbrauw op. "Ik had de indruk dat je ons allemaal even veel minacht. Wie niet?" Hij keek nadenkend, toen glimlachte hij en wendde zich weer naar Aislinn, die warm en zwak werd door zijn nabijheid. "Ragnor misschien? Die schurk?"

Gwyneth richtte zich op. "Wat weet jij, als bastaard, van edelgeborenen?" snauwde ze.

"Een heleboel," antwoordde Wulfgar. "Ik ben sinds ik een kleine jongen was slecht behandeld door mensen als Ragnor en jij. Ik ken hun hooggeboren manieren en ze zijn me geen rooie duit waard. Als je werkelijk een man wilt kiezen, Gwyneth, en deze raad geef ik je voor niets, kijk dan naar zijn hart, daar zul je de ware man zien en niet in wat zijn voorouders al of niet voor hem gedaan hebben. Pas op voor Ragnor, zuster. Hij is verraderlijk en onbetrouwbaar."

"Je bent jaloers, Wulfgar," beschuldigde ze.

Hij grinnikte en speelde met Aislinns oor. "Als je dat wilt geloven, Gwyneth, maar denk eraan dat ik je gewaarschuwd heb."

Gwyneth liep trots naar de deur, bleef even staan en keek koud naar ze, toen ging ze weg.

Wulfgar lachte zacht en trok Aislinn in zijn armen, legde een hand in haar rug en hief met de andere haar gezicht op. Ze verzette zich niet, maar reageerde ook niet. Toen hij zijn lippen zacht op de hare drukte, dwong Aislinn zich aan andere dingen te denken en ontmoette zijn kus met een koelheid die hij niet van haar gewend was. Na een ogenblik hief hij zijn hoofd op en keek neer in onschuldige violette ogen.

"Wat hindert je?" vroeg hij zacht.

"Mishaag ik u, mijn heer? Wat wilt u? Zeg het me en ik zal gehoorzamen. Ik ben uw slavin."

Wulfgar fronste. "Je bent mijn slavin niet. Dat heb ik je vandaag al eens gezegd."

"Maar, mijn heer, ik ben hier om u te behagen. Wat kan een slavin anders dan doen wat haar meester zegt? Wilt u mijn armen om uw hals?" Stijf legde ze haar hand in zijn nek. "Wilt u mijn kus?" Ze streek met haar lippen langs de zijne en liet toen haar arm weer langs haar zij vallen. "Daar, ik heb u behaagd, hè?"

Wulfgar trok zijn tuniek over zijn hoofd en vouwde hem nijdig op. Met lange passen liep hij naar het bed, ging op de rand zitten en trok zijn hemd uit. Toen hij opstond om zijn kousbroek uit te trekken, liep Aislinn naar het eind van het bed waar de ketting nog lag en ging op de vloer zitten. Toen hij verbaasd naar haar keek, knipte ze de ijzeren ring om haar enkel.

"Wat voor de duivel?" riep hij en kwam naar haar toe. Hij trok haar overeind, zijn gezicht donker van woede. "Wat denk je dat je aan het doen bent?"

Haar ogen werden groter in geveinsde onschuld. "Zijn slaven niet geketend, mijn heer? U ziet dat ik hun behandeling niet ken, want ik ben pas een paar maanden een slavin. Sinds de komst van de Normandiërs, mijn heer."

Wulfgar vloekte en maakte ongeduldig het ijzer los. Hij tilde haar op en gooide haar op het bed.

"Je bent geen slavin," brulde hij woedend.

"Ja, mijn heer," antwoordde ze, nauwelijks in staat haar lachen in te houden. "Zoals u wenst, mijn heer."

"Grote genade! Wat wil je van me, mens?" eiste hij, machteloos zijn hand opstekend. "Ik heb gezegd dat je geen slavin bent. Wat wil je nog meer?"

Ze sloeg zedig haar ogen neer. "Ik wil u alleen maar behagen, mijn heer. Waarom bent u zo boos? Ik zal doen wat u wilt."

"Waar wil je naar luisteren?" raasde hij. "Moet ik het tegen de wereld schreeuwen?"

"Ja, mijn heer," zei ze, en glimlachte.

Even keek Wulfgar haar onbegrijpend aan, toen daagde het hem en pakte hij zijn kleren weer op. Hij liep naar de deur, maar bleef staan toen haar stem hem tegenhield.

"Waar gaat u naar toe, mijn heer? Ben ik niet aardig?"

"Ik ga naar Sweyn," gromde hij. "Die tergt me niet zo."

Hij sloeg de deur achter zich dicht. Glimlachend trok Aislinn de vachten over zich heen, sloeg haar armen om zijn kussen, ademde zijn geur in en viel in slaap.

20

"Wat een brutale meid!" Wulfgar liep nijdig het plein over naar de stallen. "Ze wil me getrouwd hebben, om de wereld te tonen dat ze behoorlijk mijn vrouwe is. Ik wil geen ring door mijn neus. Ze zal tevreden moeten zijn."

Hij vond wat vers hooi naast de Hun en stompte erin om er een bed van te maken. Het lawaai ontlokte een nijdig gegrom aan de mannen. Hij ging bij het hoofd van de Hun liggen, trok zijn mantel om zich heen en probeerde vergeefs in slaap te komen.

Hij reed de volgende dag hard en snel, vermoeide zijn lichaam en geest in de hoop dat hij die avond zou kunnen slapen, maar toen de dag aanbrak, lag hij nog steeds te woelen op het stro. Hij was sinds hij hem die avond verlaten had, niet in de burcht geweest, maar af en toe zag hij Aislinn in het dorp. Dan bleef hij staan en keek haar na. Ze keek heimelijk in zijn richting, maar bleef uit zijn buurt. De mannen keken vragend naar ze en krabden hun hoofd om zijn bed in het stro. Ze bleven zorgvuldig zwijgen als een vloek of grauw ze wekte in de nacht, en hoopten dat hij gauw in slaap zou vallen.

De derde ochtend ontbeet hij in de zaal en keek naar de trap tot Aislinn eindelijk naar beneden kwam. Even leek ze verbaasd hem te zien, maar ze beheerste zich en ging Ham helpen met bedienen. Ze liep met een schaal langs de mannen en kwam er tenslotte mee bij hem. Hij koos een vette kwartel en keek haar aan.

"Vul mijn beker," beval hij. Aislinn reikte voor hem langs, waarbij haar borst zijn schouder raakte, en pakte zijn beker. Ze bracht hem even later terug, gevuld met melk, en zette hem neer.

Wulfgar fronste. "Heb je hem daar gevonden? Zet hem op zijn plaats, slavin."

"Zoals u wenst, mijn heer," mompelde ze.

Weer streek haar borst langs zijn schouder toen ze de hoorn op zijn plaats zette.

"Is het zo goed, mijn heer?" vroeg ze.

"Ja," antwoordde hij en begon te eten.

Gwyneth scheen verrukt over deze regeling en zat bij het avondmaal naast Wulfgar op Aislinns plaats. Ze was een beetje vriendelijker tegen haar broer en probeerde een gesprek met hem te beginnen, maar kreeg alleen nietszeggend gegrom en zwijgende blikken. Hij had alleen aandacht voor Aislinn, die samen met Ham en Kerwick bediende. Ze worstelde met de grote schalen en Kerwick kwam haar vaak te hulp als het leek of ze ze zou laten vallen. Zijn zorg ergerde Wulfgar en hij keek ze broedend na. Hij greep zijn beker stevig vast toen Aislinn een keer lachte met de Sakser.

"Zie je hoe ze met hem speelt?" mompelde Gwyneth aan haar broers oor. "Is ze je aandacht waard? Kijk dan eens naar Haylan." Ze wees naar de jonge weduwe die verlangend naar Wulfgar keek. "Ik geloof dat zij meer liefde te bieden heeft. Heb je haar al geprobeerd? Ze zou je kunnen genezen."

Maar wat Gwyneth ook probeerde, Wulfgar keek steeds naar Aislinn. Bolsgar keek een poosje zwijgend naar hem en boog zich toen naar hem toe.

"De wolf zwerft door het land, maar hij komt altijd terug bij zijn ene wijfje. Heb jij die ene al gevonden?"

Wulfgar keek hem aan. "Welke prijs hebt u gekregen om dit huwelijk te maken?"

"Alles zou te weinig zijn," lachte Bolsgar zacht, en werd toen ernstig. "Maak je keus, Wulfgar. Laat Aislinn vrij of maak haar de jouwe."

Wulfgar knarste met zijn tanden. "U spant samen met Maida!" beschuldigde hij.

"Waarom hou je een zo wraakgierig meisje in huis?" vroeg Bolsgar, naar Aislinn wijzend. "Ik zie hoe haar aanwezigheid je kwelt. Ze weet dat je kijkt en speelt met andere mannen. Kerwick is geen dwaas. Hij zal haar tot vrouw nemen en een vader voor haar baby zijn. Waarom geef je hem haar niet? Hij zou gelukkig zijn. Maar jij, heer dwaas –" de oude ridder grinnikte. "En jij? Kun je de gedachte verdragen dat ze zijn bed deelt?"

Wulfgar sloeg met zijn vuist op tafel. "Hou op!" brulde hij.

"Als je haar niet neemt, Wulfgar," vervolgde Bolsgar onvervaard, "dan kun je de Sakser niet beletten haar te trouwen en haar kind een naam te geven."

"Wat voor verschil maakt dat voor het kind? Mijn moeder was met u getrouwd, en toch word ik bastaard genoemd," antwoordde Wulfgar bitter.

Bolsgar werd bleek. "Ik heb je verworpen," zei hij moeilijk. "Dat was dwaas, want ik heb het vaak betreurd en gewenst dat ik je terug had. Je was een trouwer zoon voor me dan de goede Falsworth. Ik word eeuwig gekweld door wat ik je aangedaan heb, maar ik kan het niet meer ongedaan maken. Zul jij zo dwaas zijn?"

Wulfgar wendde zich af, verward door de woorden van de oude man. Tenslotte stond hij op en ging de zaal uit, hij merkte niet dat Aislinn hem bezorgd nakeek.

De volgende ochtend werd Aislinn ruw gewekt door Wulfgar die de vachten van haar af trok en haar een fikse klap op haar achterste gaf.

"Opstaan, meid. We krijgen vandaag belangrijke gasten en ik wil dat je op je mooist bent."

Aislinn wreef haar mishandelde achterste en stond op. Toen ze naar haar onderkleed greep, klapte hij in zijn handen en Hlynn en Miderd kwamen binnen met water voor een bad. Haar onderkleed tegen zich aan houdend, keek Aislinn vragend van de vrouwen naar Wulfgar.

Hij trok een wenkbrauw op. "Voor jou, vrouwe. Een geurig bad zal je humeur verbeteren." Hij liep naar de deur en keerde zich weer om. "Draag het gele kleed dat ik voor je gekocht heb. Ik zie je graag in die kleur."

Aislinn ging nijdig op de rand van het bed zitten.

"Tss! Tss!" knorde hij. "Je wilt me behagen, hè? Of ben je de plicht van een slavin vergeten?" Hij glimlachte. "Ik kom straks terug."

Lachend deed hij de deur dicht, voor een of ander projectiel hem kon raken, en liep de trap af.

Met tegenzin liet Aislinn de twee vrouwen helpen met haar bad en ontspande eindelijk toen ze haar wreven met geurende olie. Toen kamden ze haar haar zo lang dat Aislinn dacht dat ze nooit zouden ophouden. Ze vlochten het met gele linten hoog op haar hoofd. Ze hielpen haar in haar zijden onderkleed en het fluwelen kleed en legden toen haar gouden filigrain gordel om haar heupen.

Miderd deed een stap achteruit om haar te bewonderen en glimlachte blij. "Oh, vrouwe, u bent te mooi voor woorden. We zijn blij dat hij u teruggebracht heeft."

Aislinn omhelsde haar. "Eerlijk gezegd, Miderd, ik ook, maar toch vraag ik me af of hij geen ander zal zoeken."

Verlegen legde Hlynn een arm om haar meesteres' middel en klopte op haar rug, ze kon geen woorden vinden om haar gerust te stellen. Aislinn trok haar dicht tegen zich aan, en toen ruimden Miderd en Hlynn snel de kamer op voor Wulfgar terugkwam. Toen hij even later binnenkwam, gingen ze snel weg.

Wulfgar ging voor Aislinn staan en bekeek haar langzaam. Een beetje nijdig om zijn onderzoek, keek Aislinn koud terug. Hij kwam dichter naar haar toe en hief haar kin op. Heel licht kuste hij haar lippen.

"Je bent mooi," fluisterde hij hees, en het kostte Aislinn al haar wilskracht om haar armen niet om hem heen te slaan. Hij lachte zacht. "Maar een slavin mag niet ijdel worden. Kom naar de zaal, de anderen wachten," zei hij en ging weg.

Aislinn schoof verward met haar voet heen en weer.

"Een slavin die moet doen wat hij zegt. De hele hemel zou nodig zijn om hem te overtuigen dat ik een goede vrouw zou zijn."

Gwyneth had zich ook op haar mooist gekleed en ergerde zich over het geheim en het oponthoud. Wulfgar dronk bier terwijl hij keek hoe ze heen en weer liep en hem af en toe een boze blik toewierp.

"Je sleurt me uit bed en zegt niet waarom, alleen dat er iemand komt. Alleen een halve gare zou zich naar deze godverlaten plek wagen."

"Jij bent gekomen, beste Gwyneth," zei hij en zag dat ze woedend werd. "Ben jij een uitzondering, of zijn we allemaal halve garen?"

"Je maakt grappen, broer, maar ik geloof niet dat je kostbare William naar je bezittingen komt kijken."

Wulfgar haalde zijn schouders op. "Zou je willen dat de koning een kleine landheer bezoekt? Zijn plichten als koning zijn veel groter dan de mijne als heer. Ik begrijp dat hij het druk heeft, vooral als zijn onderdanen altijd mopperen zoals de mijne."

Gwyneth schudde haar hoofd en liep naar Ham en Kerwick, die een zwijn en een hoeveelheid kleiner wild en gevogelte roosterden. Ze wees honend naar het vlees.

"Hier kunnen we allemaal een maand van eten. Je bent zorgeloos met eten, Wulfgar."

"De graankorrels voor het meel," mompelde Wulfgar binnensmonds en keerde zich om toen Bolsgar de trap af kwam. Wulfgar had hem wat van zijn beste kleren gegeven. Hoewel de gordel te nauw was voor Bolsgars middel, pasten de schouders en de lengte van de mantel goed. De oude man draaide grinnikend voor ze rond.

"Ik geloof dat ik weer jong geworden ben."

Gwyneth schimpte: "In geleende kleren."

De oude man keek naar Gwyneth in Aislinns bleekgouden jurk.

"Wat nu! De pot verwijt de ketel dat hij zwart ziet. Ik geloof dat je zelf ook wat geleend hebt."

Gwyneth keerde hem haar rug toe en Bolsgar dacht niet meer aan haar toen Wulfgar hem een hoorn bier gaf. Ze zaten te genieten van de drank tot een van Wulfgars mannen binnenkwam met een in huiden verpakte bundel. De man fluisterde Wulfgar iets toe terwijl hij het pak voor hem neerlegde. Wulfgar knikte en toen de man zich omdraaide, sneed hij de bundel open. Hij haalde er verscheidene mannenkleren uit en legde ze over zijn arm. Hij liep naar Kerwick, die hem niet opmerkte doordat hij het zo druk had.

"Kerwick."

De jongere man kwam overeind en keerde zich om. Hij keek naar de kleren en zijn ogen werden groot van verbazing.

"Mijn heer?"

Wulfgar hield de kleren op. "Heb ik gelijk dat deze kleren van jou zijn?" vroeg hij een beetje knorrig, wat de Sakser nog meer verwarde.

"Ja, mijn heer," antwoordde Kerwick onzeker. "Maar ik begrijp niet hoe ze hier komen. Ik heb ze niet van Cregan gehaald."

"Als je opgelet had, Kerwick, ze zijn nog maar net gekomen. Ik heb ze laten halen."

"Heer?" Kerwick keek twijfelend naar Wulfgar, want geen verandering kon de kleren passend maken voor de grotere Normandiër.

"Ze zijn niet voor mij, Kerwick, maar voor jou," antwoordde Wulfgar op zijn blik. "Neem ze, hou op met dit werk en kleed je als een edele."

Kerwick stak zijn handen uit en trok ze toen weer terug om ze af te vegen aan zijn ruwe tuniek. Met zorg nam hij de kleren aan, maar zijn gezicht stond nog steeds verbaasd.

Gwyneth keerde zich walgend van haar broer af en ging aan het andere eind van de zaal zwijgend zitten mokken.

Wulfgar keerde zich om en zei tegen allemaal: "Mijn man heeft me gezegd dat onze gast onderweg is."

Toen Aislinn de trap af kwam, trok ze vele bewonderde blikken, want nu waren velen van Wulfgars mannen er ook, in hun beste kleren. Heer Milbourne en heer Gowain stonden onderaan de trap en de jongere man gaapte haar zo aan dat de oudere met een hand voor zijn gezicht zwaaide. Gowain bood haar zijn hand en glimlachte blij toen ze hem aannam.

"Vrouwe, uw schoonheid verblindt me. Ze verlamt mijn tong en ik kan geen woorden vinden."

Toen ze zag dat Bolsgar Wulfgar aanstootte, glimlachte Aislinn lief tegen de jonge ridder.

"Uw tong is glad, heer ridder, en er zijn vast vele jonge meisjes voor bezweken."

Verheugd over het compliment, keek de jonge ridder om zich heen, en slikte heftig toen Wulfgar naar ze toe kwam. Hij stotterde en bloosde toen Wulfgar vragend een wenkbrauw optrok.

"Wat, heer Gowain? Heb je zoveel vrije tijd dat je kunt praten met mijn slavin?"

"Nee, mijn heer. Nee!" ontkende hij snel. "Ik keek alleen maar naar haar buitengewone schoonheid. Ik bedoelde niets kwaads."

Wulfgar nam Aislinns hand in de zijne, trok haar naar zich toe en grijnsde tegen de verwarde ridder.

"Het is je vergeven. Maar wees van nu af voorzichtig. Ik heb nooit haren gekloofd om een meisje, maar om deze, heer Gowain, zou ik je schedel wel kunnen kloven."

Met die waarschuwing aan de jonge ridder en alle anderen, trok Wulfgar Aislinn bij de mannen vandaan en liep terug naar Bolsgar. De oude man keek met schitterende ogen naar haar.

"Ah, wat een knap meisje ben je, Aislinn. Je doet die oude ogen van mij goed. Bijna zestig jaar ben ik, en ik kan me niet herinneren ooit zo'n volmaakte schoonheid te hebben gezien."

"U bent vriendelijk, mijn heer." Ze maakte een revérence voor hem en keek op naar Wulfgar. "En behaag ik u ook, mijn heer? 't Is mijn plicht als u dat beveelt, maar ik kan moeilijk mijn uiterlijk veranderen als het u niet bevalt."

Hij glimlachte, maar zijn woorden betekenden niets.

"Zoals ik al zei, een slavin mag niet ijdel worden."

Hij drukte haar hand. Hij grijnsde toen ze hem ijzig aankeek, maar haar vingers trilden in tegenspraak met haar blik.

"Je bent mooi," mompelde hij. "Wat moet ik nog meer zeggen?" Ze opende haar mond, maar hij stak zijn hand op voor ze kon spreken. "Hou op met je eisen. Ik ben het moe opgejaagd te worden. Laat me met rust."

Wrevelig trok Aislinn haar hand uit de zijne en liep naar de haard waar Ham werkte.

"Een feestmaal?" veronderstelde ze, naar het roosterende vlees kijkend. "Zijn gasten moeten echt belangrijk zijn."

"Ja, vrouwe," stemde de jongen in, "hij heeft alles gedaan om deze dag gedenkwaardig te maken. Ze werken in de kookkamer ook nog."

Aislinn keerde zich om en keek naar Wulfgar. Hij zag er prachtig uit in een tuniek van diepgroen fluweel, afgezet met goudband. Een rode mantel was om zijn hals vastgemaakt en viel over een schouder tot zijn knieën. Onder zijn tuniek droeg hij een linnen hemd en Aislinn dacht aan de zorg waarmee ze dat voor hem genaaid had. Het paste goed en ze vond dat het nog nooit zo mooi was geweest als nu hij het droeg. Zijn lange benen waren recht en sterk in de bruine kousbroek en gekruiste kousebanden, en Aislinn voelde een pijnlijke trots toen ze naar hem keek.

"Aislinn?"

Een bekende stem achter haar zei haar naam en ze draaide zich om en keek naar Kerwick die nu rijk gekleed was, toen lachte ze stralend.

"Oh, Kerwick, wat ben je mooi," riep ze verheugd.

"Mooi?" Hij schudde zijn hoofd. "Nee, dat woord past bij jou."

"Oh, maar dat ben je wel," hield ze vol.

Kerwick glimlachte. "Het voelt goed om weer mooie kleren te dragen. Hij liet ze halen – speciaal voor mij," zei hij verbaasd.

"Wie?" vroeg Aislinn, en haar blik volgde die van Kerwick naar Wulfgar. "Bedoel je dat Wulfgar ze van Cregan heeft laten halen? Voor jou?" vroeg ze verbijsterd.

Kerwick knikte, en ze glimlachte blij. Met een brok in haar keel verontschuldigde Aislinn zich bij haar vroegere verloofde en ging terug naar Wulfgar, zich afvragend wat er aan de hand was. Hij keerde zich om toen ze zijn hand aanraakte en glimlachte.

"Chérie," mompelde hij, zacht haar hand drukkend, "heb je besloten dat je mijn humor kunt verdragen?"

"Soms, mijn heer, maar niet te vaak," antwoordde ze en haar mondhoeken krulden bekoorlijk. Wulfgar was verblind door haar stralende ogen. Even stonden ze zo, genietend van elkaars nabijheid en voelden weer die opwindende aantrekkingskracht. Gwyneths stem onderbrak ze ruw.

"Een bastaard en zijn slet," siste ze. "Ik zie dat jullie elkaar weer gevonden hebben. Wat kan men ook verwachten van gewoon volk."

Bolsgar beval Gwyneth te zwijgen, maar de onbeschaamde dochter negeerde hem en bekeek Aislinn.

"Goed genoeg voor een koningin, denk ik, maar je buik bederft het kostuum."

Voor ze haar reactie kon bedwingen, legde Aislinn haar hand op de lichte ronding en keek bezorgd.

Wulfgar fronste tegen zijn zuster en slikte een scherp antwoord in. "Niet zo wreed, Gwyneth. Vandaag wil ik dat niet hebben. Toon eerbied voor Aislinn of je wordt naar je kamer gestuurd."

"Ik ben geen kind," hijgde Gwyneth. "En ik toon geen eerbied voor een slet."

"Nee, je bent geen kind," gaf Wulfgar toe. "Maar ik ben heer van deze burcht en ik laat me niet uitdagen. Zul je gehoorzamen?"

Gwyneths lippen trokken strak en haar bleke ogen vernauwden, maar ze zei niets. Toen zag ze Haylan naderen en ze glimlachte sluw tegen Wulfgar.

"Hier is die lieve Haylan. Je ziet natuurlijk wel dat ik de vrijheid genomen heb haar wat van mijn weinige kleren te geven."

Ze keken naar de jonge weduwe en Aislinn zag dat ze haar eigen mauve kleed droeg. Haylan was een beetje kleiner en molliger dan Aislinn, maar de kleren pasten goed bij haar donkere schoonheid. Aangemoedigd door de gebeurtenissen van de afgelopen dagen, wurmde Haylan zich handig tussen Aislinn en Wulfgar en glimlachte tegen hem. Ze ging met een vinger over zijn borst langs de rand van zijn mantel.

"U ziet er goed uit, mijn heer," fluisterde ze.

Aislinn verstijfde en keek woedend naar de rug van de vrouw. Ze had zin om het zwarte krullende haar uit haar hoofd te trekken en haar een flinke schop tegen haar ronde billen te geven. Afwezig speelde ze met het gevest van haar dolk en keek gespannen naar Haylans donkere achterhoofd.

Haylan leunde tegen Wulfgar aan en wreef over het fluweel van zijn tuniek, terwijl haar ogen schuchter naar de zijne gingen.

"Wilt u dat ik wegga, mijn heer?" vroeg Aislinn snijdend. "Ik wil u niet hinderen bij uw – plezier." Het laatste woord droop van zoetheid, maar haar stem ging vragend omhoog.

Wulfgar maakte zich haastig van Haylan los en leidde zijn maîtresse weg. Gwyneth en Haylan keken hem fronsend na.

"En die noemen mij wellustig," mopperde Aislinn zacht.

Wulfgar lachte zacht. "De weduwe ziet meer dan er is. Maar echt, ik vreesde voor haar welzijn toen ik de bloeddorst in je ogen zag."

Aislinn trok haar arm los. "Maak u geen zorgen, meester." Ze boog nederig maar haar ogen weerspraken het gebaar. "Ik ben maar een slavin en moet de wrede grillen van anderen kalm verdragen, tenzij u het anders beveelt."

Wulfgar grijnsde en wreef zijn borst die nog steeds geschramd was. "Ja, ik weet hoe teer en hulpeloos je bent en ik geloof dat de weduwe, als ze je op de proef zou stellen, geluk zou hebben als ze nog een plukje haar op haar hoofd hield."

Aislinn wilde antwoorden, maar zweeg verbaasd toen Sweyn in de deur verscheen, gekleed in al zijn Noorse opschik. Hij had zijn armen gekruist en lachte zo hard dat de muren trilden.

"De man nadert, Wulfgar," donderde hij. "Hij zal er zo zijn."

Wulfgar nam zwijgend Aislinns hand en bracht haar naar Bolsgar, legde haar hand op de arm van de oude man en zei hem haar daar te houden. Haar pruilen negerend, liet Wulfgar haar naast Bolsgar staan en ging zijn gast begroeten.

Even later klonk het gekletter van kleine hoeven, vergezeld van gesnuif en gepuf, toen geklip-klap van sandalen en broeder Dunley verscheen, breed glimlachend. Iedereen keek verbaasd en er werd zacht gemompeld. De heilige man voegde zich bij Wulfgar en Sweyn en even praatte het drietal zacht met de hoofden dicht bij elkaar. Toen bracht Wulfgar de broeder naar de tafel en schonk een kelk wijn voor hem in.

De priester maakte een kniebuiging, dronk de beker leeg en knikte dankbaar. Zijn keel schrapend, liep hij naar de vierde tree van de trap, keek iedereen aan en hield een klein gouden kruis omhoog. Het werd stil in de zaal, de mensen wachtten ademloos op wat er zou gebeuren.

Wulfgar ging voor de priester staan, keerde zich om en trok een wenkbrauw op tegen Bolsgar, die het nu begon te begrijpen. Hij hief Aislinns hand hoog voor zich en bracht het verbijsterde meisje naast Wulfgar. Broeder Dunley knikte, en Aislinns hand nemend, knielde de heer van Darkenwald in de biezen op de vloer en trok haar zachtjes naast zich neer.

Maida ging plotseling op een bank zitten en staarde in stomme verbazing. Kerwick kreeg een brok in zijn keel, maar die verdween en hij voelde zich gelukkig toen hij zag dat Aislinn kreeg wat ze het liefst wilde. Gwyneth zag wanhopig haar verlangen naar macht en een ereplaats op Darkenwald verdwijnen met de woorden van de priester. Toen ze eindelijk de betekenis van de plechtigheid begreep, snufte Haylan en begon te snikken, haar aspiraties vernietigd door de zachte stem van de priester die de verbintenis zegende.

Wulfgar sprak krachtig en duidelijk zijn beloften en vreemd genoeg was het Aislinn die hakkelde toen ze verward de woorden herhaalde. Wulfgar trok haar overeind en ze was sprakeloos toen de priester de laatste woorden uitsprak. Ze besefte dat hij haar al drie keer iets gevraagd had.

"Wat?" mompelde ze versuft. "Ik heb niet..."

De broeder boog naar voren en zei ernstig: "Wil je de man kussen en de beloften bezegelen?"

Ze wendde zich naar Wulfgar, nauwelijks in staat te geloven wat er gebeurd was, en keek hem verwonderd aan. Een luide bons verbrak de stilte toen Sweyn een kroes bier op de tafel sloeg, waardoor het schuim rondvloog, en hem hoog ophief.

"Heil Wulfgar, heer van Darkenwald!" brulde hij.

Een donderend gejuich kwam van de mannen en ook de dorpelingen deden mee. Weer kwam de zware kroes op de tafel neer.

"Heil Aislinn, vrouwe van Darkenwald!"

Deze keer schudde de zaal.

Eindelijk drong de waarheid tot Aislinn door en met een kreet sloeg ze haar armen om Wulfgars hals, en tegelijk lachend en huilend van vreugde, bedekte ze zijn gezicht met kussen. Wulfgar hield haar tenslotte van zich af om haar te kalmeren. Ze werd uit zijn armen gerukt door Sweyn die haar in zijn armen knelde, een klinkende kus op haar wang plantte en haar verder duwde naar Gowain, toen naar Milbourne, Bolsgar, Kerwick en alle anderen. Tenslotte was ze weer bij Wulfgar, rozig van opwinding en buiten adem van het lachen. Hij nam haar in zijn armen en kuste haar lang en hard, en ze antwoordde uit de volle vreugde van haar hart.

De zaal barstte los in plezier, maar niemand merkte de grimmige gezichten op van drie van de vrouwen. Maida kwam bij uit haar verstarring en vluchtte met een gekreun van wanhoop de zaal uit. Gwyneth liep langzaam de trap op naar haar kamer en Haylan rende snikkend achter Maida aan.

Aislinn kreeg goede wensen en werd zo vaak op haar rug geklopt dat ze ervan hijgde. Ze danste door alles heen en had maar een enkele gedachte.

Wulfgar! Mijn Wulfgar! Mijn Wulfgar! Al het andere verdween.

Vaten bier en zakken wijn werden geleegd. Het vlees werd gesneden, brood gebroken en de woorden werden onduidelijk toen de ene toast na de andere volgde. Wulfgar leunde achteruit in zijn stoel en genoot van de feestelijkheden. Er waren haastig goochelaars, muzikanten en acrobaten gehaald die voor de feestvierders optraden. Maar Gowain sprak de woorden die Aislinn het meest troffen.

> "Geen schoner roos heeft mijn hart gezien
> Of een dwalende ridder gewonnen.
> Haar schoonheid straalt op de hoogste top
> Door geen ander meisje beklommen.
> Geen zwarter nacht of donkerder dag
> Dan toen deze roos werd weggegrist,
> En in het huwelijk gebonden; hoe verloren!"

Hij hief zijn beker hoog en besloot:

> "Op mijn laatste troost, de drinkhoorn."

Aislinn lachte blij en het feest ging verder, tot Wulfgar opstond en zijn keel schraapte. Hij keek om zich heen naar alle blije gezichten. Ze waren afwachtend naar hem gewend, en toen hij in het Frans begon te spreken terwille van zijn mannen, verzamelden de lijfeigenen zich om Kerwick die ze in het Engels kon vertalen.

"In ons dorp moet deze dag herinnerd worden als de verbintenis tussen Normandiër en Sakser," begon hij. "Van nu af heerst hier vrede en het dorp zal voorspoed kennen. We zullen al gauw beginnen een kasteel te bouwen zoals de koning bevolen heeft, om de dorpen Darkenwald en Cregan te beschermen. Er komt een gracht omheen en de muren worden zo sterk als we ze kunnen maken. In tijden van gevaar zullen Normandiërs en Engelsen daar een schuilplaats vinden. Degenen van mijn mannen die dat wensen, mogen een beroep opnemen en winkels beginnen. We zullen deze dorpen veilig en aangenaam maken zodat er bezoekers komen. We hebben metselaars nodig en timmerlieden, kleermakers, verkopers. Heer Gowain, heer Beaufonte en heer Milbourne hebben beloofd te blijven als mijn vazallen en we blijven alle mensen onze bescherming geven."

Wulfgar wachtte even toen er geroezemoes klonk. Toen vervolgde hij:

"Ik heb een schout nodig die eerlijk is voor Saksers en Normandiërs. Hij moet in mindere zaken uit mijn naam handelen en boeken bijhouden van alles wat er gebeurt. Geen ruil, verkoop, huwelijk, geboorte of bezit zal volledig zijn voor hij het ingeschreven heeft. Mijn huwelijk met vrouwe Aislinn zal de eerste aantekening zijn."

Weer zweeg Wulfgar, keek om zich heen en ging verder.

"Ik weet dat er één Sakser is die beide talen goed spreekt, een zeer geleerd man die heel bekwaam is met cijfers, en die eerlijk is. Aan Kerwick van Cregan vertrouw ik deze plichten toe en ik benoem hem tot schout van Darkenwald."

Er klonken kreten van verbazing, maar Aislinn kon alleen verbijsterd zwijgen. De verbaasde Kerwick werd onder gejuich naar voren geduwd. Toen hij voor ze stond, keek Kerwick van Aislinn, die nu straalde van blijdschap, naar Wulfgar die zijn blik ernstig beantwoordde.

"Kerwick, denk je dat je deze taak aankunt?"

De jonge Sakser hief trots zijn hoofd en antwoordde: "Ja, mijn heer."

"Zo zij het. Van nu af ben je geen slaaf, maar schout van Darkenwald. Je kunt uit mijn naam spreken in die zaken die ik aan je overlaat. Je zult mijn hand zijn zoals Sweyn mijn arm is, en ik vertrouw erop dat je rechtvaardig bent voor allen."

"Mijn heer," zei Kerwick nederig, "ik ben vereerd."

Wulfgar glimlachte en voegde er, alleen voor Kerwicks oren, aan toe:

"Laten we vrede sluiten, Kerwick, omwille van mijn vrouwe." Hij stak zijn hand uit en Kerwick nam hem met een instemmend knikje aan.

"Terwille van uw vrouwe en Engeland."

Ze schudden elkaars hand als broers, en Kerwick draaide zich om om de gelukwensen van Saksers en Normandiërs te ontvangen. Wulfgar ging weer zitten en toen hij Aislinns blik voelde, keek hij haar aan.

"Echtgenoot!" fluisterde ze verwonderd, met stralende ogen.

Wulfgar grinnikte zacht en bracht haar vingers aan zijn lippen. "Echtgenote!" mompelde hij als antwoord.

Ze boog naar hem toe, ging met haar vinger over zijn borst en glimlachte uitnodigend. "Mijn heer, vindt u niet dat het laat wordt?"

Hij greep haar hand en zijn lach werd breder. "Inderdaad, vrouwe, het wordt erg laat."

"Wat kunnen we daaraan doen?" vroeg ze zacht. Ze legde haar hand op zijn knie. Het leek maar een klein gebaar, maar het doorstroomde ze met een golvende opwinding die niet lang genegeerd kon worden. Wulfgars ogen schitterden ondeugend.

"Vrouwe, ik ken uw behoefte aan rust niet, maar ik zal gauw ons bed opzoeken."

Aislinn glimlachte. "Aaah, mijn heer, u leest mijn gedachten."

Hun ogen ontmoetten elkaar met een warme belofte, maar plotseling zwermden Wulfgars mannen om ze heen, trokken Wulfgar op en tilden hem hoog boven hun hoofd en gaven hem door aan de andere opgeheven handen. Aislinn keek lachend toe, maar ze hijgde verbaasd toen Kerwick haar optilde en ze doorgegeven werd aan Milbourne en van hem naar Sweyn en Gowain. Midden in de zaal zetten ze de pasgetrouwden neer en Aislinn viel lachend in Wulfgars armen. Wulfgar hield haar tegen zich aan, maar werd weer weggetrokken. Er werd een doek voor zijn ogen gebonden en Sweyn draaide hem rond, toen zeiden ze hem zijn bruid te zoeken als hij van plan was die nacht met haar door te brengen.

Wulfgar lachte. "O, meisje, waar ben je? Laat je vangen."

Aislinn stond tussen Hlynn en Miderd en een groep vrouwen die haar beduidden stil te zijn. Aislinn giechelde gesmoord en keek naar haar man die zijn handen uitstrekte naar de vrouwen en begon te zoeken.

Hij hoorde een rok ruisen en ving Hlynn. Het meisje giechelde en Wulfgar schudde zijn hoofd en ging verder. Ze duwden Miderd naar hem toe, maar hij voelde aan haar sterke armen dat ze zijn vrouw niet was. Hij liep tussen de vrouwen door en raakte er af en toe even een aan. Toen rook hij een lichte geur en draaide zich snel om. Hij greep een slanke pols. Zijn gevangene zweeg, maar toen hij haar naar zich toe trok, giechelden de toeschouwers onderdrukt. Hij voelde een wollen kledingstuk over haar schouders, heel anders dan Aislinns zachte fluwelen kleed, maar zijn hand gleed langzaam omlaag over een ronde borst.

"Uw vrouw kijkt," riep iemand.

Wulfgar was niet ontmoedigd. Zijn handen gleden om het slanke middel, hij trok het meisje in zijn armen en boog zijn hoofd naar de zachte lippen die op de zijne wachtten. Zijns grijns werd breder voor zijn mond hongerig op de hare drukte en hij de heftige reactie op zijn kus voelde.

"Mijn heer, u hebt het verkeerde meisje!" riep een ander.

Wulfgar trok de doek van zijn ogen zonder de kus te onderbreken en keek in violette ogen. Aislinn giechelde en toen ze elkaar losslieten, schudde ze de wollen mantel af. Haar hand gleed weer in die van Wulfgar toen heer Gowain hem een beker bier gaf.

"Wat is uw geheim, mijn heer?" grijnsde de jonge ridder. "U kende haar voor u haar aanraakte, toch werd u gehinderd door een blinddoek. De waarheid, alstublieft, zodat wij het ook kunnen."

Wulfgar glimlachte. "Ieder meisje heeft een eigen geur. Er zijn geuren te koop, maar daaronder zit de eigen zoete geur van een vrouw."

Heer Gowain brulde van het lachen. "U bent handig, mijn heer."

Wulfgar grijnsde. "Ja, maar je hebt me wanhopig gemaakt. Ik was niet van plan vannacht het stro van de Hun te warmen."

De ridder trok een wenkbrauw op tegen Aislinn. "Ja, mijn heer, ik begrijp u."

Licht kleurend bij het compliment, glipte Aislinn bij Wulfgar vandaan en ging naar de trap. Halverwege bleef ze staan en zocht Wulfgar weer met haar ogen. Hij keek naar haar over Gowains schouder en knikte afwezig bij diens vragen. Aislinn glimlachte en voelde dat zijn blik haar volgde tot ze de deur sloot.

Miderd en Hlynn wachtten op haar. Ze omhelsden haar en trokken haar toen naar het vuur. Daar hielpen ze haar uitkleden en wikkelden haar in een zachte zijden doek. Aislinn zat dromerig voor het vuur terwijl Miderd haar haar kamde. Hlynn ruimde de kamer op, vouwde de kleren in de koffer en legde de vachten op het bed recht.

Met laatste goede wensen gingen Miderd en Hlynn weg en Aislinn wachtte. Ze hoorde lachen beneden en had zin om door de kamer te dansen. Ze lachte om de verbazing toen de kleine priester binnengekomen was. Zo had Wulfgar haar tot het laatst laten raden. Haar hart zwol van trots toen ze dacht aan zijn plannen en zijn goedheid voor Kerwick.

Door een zacht geluid schrok ze op uit haar gelukkige gedachten, ze keek op en zag de deur langzaam opengaan. Maida kwam binnen en deed de deur zorgvuldig dicht.

"Die twee zijn weg," jammerde ze. "Ze maken iemand gek met hun simpele gebabbel."

"Moeder, praat niet zo over Hlynn en Miderd. Ze zijn vriendinnen en hebben me veel troost gegeven in moeilijke tijden."

Aislinn keek naar Maida's gerafelde kleren en fronste.

"Moeder, Wulfgar zal niet tevreden zijn over uw kleding. Wilt u dat men denkt dat hij u slecht behandelt? Dat is niet zo, want hij is vriendelijk, ondanks uw geschimp."

Maida vertrok haar gezicht en zei, alsof ze haar dochter niet gehoord had: "Getrouwd! Zwartste dag der dagen!" Ze stak haar handen op. "'t Was mijn wraak dat je hem een bastaard zou geven. Een bastaard voor een bastaard," hoonde ze en grinnikte toen.

"Wat zegt u?" Aislinn stond verbaasd op. "Dit is de gelukkigste dag van mijn leven. Ik dacht dat u ook blij was dat ik getrouwd ben."

"Nee!" riep de oude vrouw. "Je hebt me mijn wraak ontstolen. Ik dacht alleen aan mijn arme verslagen Erland."

"Maar dat heeft Wulfgar niet gedaan. Ragnor heeft hem gedood."

"Bah!" Maida wuifde met haar hand. "Alle Normandiërs zijn hetzelfde. Het maakt niet uit wie het deed. Ze zijn allemaal schuldig."

Maida bleef razen en tieren. Ze wrong haar handen en wilde zich niet laten kalmeren.

Machteloos riep Aislinn: "Maar Ragnor is weg en Wulfgar is een goed heer, en mijn man!"

Plotseling veranderde Maida. Haar lippen vertrokken in een hoonlach en haar ogen flitsten heen en weer. Ze hurkte en keek zwijgend en onbeweeglijk in het vuur.

"Moeder?" vroeg Aislinn na een poosje. "Bent u in orde?"

Ze zag Maida's lippen bewegen en boog zich naar haar toe. Ze verstond nauwelijks de zacht gefluisterde woorden.

"Ja, deze Normandiër is er – daar in mijn bed." De ogen van de vrouw glansden toen ze zich plotseling omkeerde alsof Aislinn haar verrast had. Ze grinnikte zachtjes.

Ze keek naar Aislinn zonder haar te herkennen, toen trok ze haar gerafelde kleren dicht om zich heen, keek de kamer door en haastte zich weg.

Er klonken voetstappen en lachende stemmen, toen vloog de deur open en Wulfgar werd naar binnen gegooid nadat hij plechtig tot de drempel was gedragen. Sweyn en Kerwick versperden de weg zodat de anderen niet naar binnen konden en Wulfgar sloot snel de deur. Hij keerde zich hijgend om en keek naar Aislinn. Haar lichaam was afgetekend onder de dunne zijde, maar hij bleef onzeker staan, want ze deed niets om hem aan te moedigen zich als echtgenoot te gedragen. Hij was nu geen heer en meester, maar een onhandige bruidegom. Hij wees mat naar de deur.

"Ze schenen te denken dat we de nacht samen moesten doorbrengen."

Ze antwoordde niet en hij trok zijn mantel uit, vouwde hem netjes op, deed zijn gordel af en legde beide op hun plaats. Aislinn volgde hem met haar blik, maar het vuur was achter haar en hij kon de tederheid in haar ogen niet zien. Hij ging op het bed zitten en stond weer op om zijn tuniek op te hangen. Hij probeerde haar gezicht te zien, maar in de schaduwen kon hij niets onderscheiden.

"Als je je niet goed voelt, Aislinn," mompelde hij teleurgesteld, "zal ik je vannacht niet dwingen."

Hij frommelde zinloos aan de sluiting van zijn hemd en voelde zich voor het eerst van zijn leven volslagen onzeker met een vrouw. Verminderde het huwelijk het plezier, vroeg hij zich triest af.

Tenslotte stond Aislinn op, kwam naar hem toe, nam de lussen uit zijn onhandige vingers en maakte ze los. Ze tilde het hemd op en legde haar handen op zijn borst.

"Heer Wulfgar," fluisterde ze, "je speelt de verdwaasde bruidegom zo goed, moet ik je voordoen wat je zo vaak gedaan hebt?"

Haar handen gleden omhoog en trokken het hemd over zijn hoofd, toen trok ze langzaam zijn hoofd omlaag tot hij haar lippen ontmoette. Ze lag tegen hem aan en streelde zijn rug en haar kussen deden hem zuchten. Wulfgars hoofd tolde in een massa emoties: verwarring, verrassing en niet het minst van allemaal, genot. Hij had gedacht dat ze niet voller zou kunnen reageren dan ze in het verleden gedaan had, maar nu wekte ze hem doelbewust op, kuste koortsachtig zijn keel, zijn mond, zijn borst en deed verleidelijke dingen met haar vingers die hem naar adem deden snakken. En hij was zo dwaas geweest te denken dat hij vrouwen kende.

Aislinn liet de zijden doek van haar schouders glijden en sloeg haar armen weer om hem heen. Wulfgar vergat zijn eerdere gedachten over het huwelijk toen hij haar in zijn armen naar hun bed droeg. Hij legde haar neer, trok haastig de rest van zijn kleren uit en gooide ze onverschillig opzij. Voor het eerst deed hij geen poging ze op te ruimen. Hij ging naast haar liggen en ze antwoordde volledig op zijn aanraking en streelde hem driest. Zijn begeerte overheerste alles en hij drukte haar neer in het bed. Zijn lippen trilden aan haar oor, liefkoosden haar hals en gleden omlaag naar waar hij het snelle kloppen van haar hart kon horen. Ze spande zich in extase, opende even haar ogen en plotseling stokte haar adem in haar keel.

Er stond een donkere schaduw boven ze en metaal glansde boven zijn rug. Aislinn gilde van angst en probeerde hem weg te duwen. Wulfgar keerde zich verrast half om en het mes schampte zijn schouder. Vloekend zwaaide hij een vuist en greep de keel van de ongelukkige aanvaller die een gesmoorde kreet gaf. Brullend droeg hij de indringer naar de haard. Daar verlichtte het vuur het gezicht van de aanvaller, en Aislinn gilde weer toen ze haar moeders van pijn vertrokken gezicht zag. Ze sprong van het bed, rende naar haar man en trok aan zijn arm.

"Nee! Nee! Dood haar niet, Wulfgar!"

Heftig trok ze weer aan zijn arm, maar ze kon hem niet losmaken. Maida's ogen puilden uit en haar gezicht leek zwart. Met een snik stak Aislinn haar hand uit om Wulfgars gezicht naar het hare te draaien.

"Ze is gek, Wulfgar. Laat haar gaan."

Haar woorden kalmeerden hem en hij liet Maida op de grond vallen.

Ze lag te kronkelen en hapte naar adem. Wulfgar raapte het mes op en bekeek het nauwkeurig. Een herinnering daagde en werd toen duidelijk. Dit was het wapen waarmee Kerwick hem had willen doden. Langzaam draaide hij zich naar Aislinn om en ze las zijn gedachten en hijgde.

"Nee! Nee, Wulfgar!" Haar stem werd schril. "Ik heb er niets mee te maken. Ze is mijn moeder, ja, maar ik zweer dat ik hier niets van wist."

Ze greep zijn hand met het mes en drukte de dolk tegen haar hart.

"Als je aan me twijfelt, Wulfgar, maak daar dan nu een eind aan. 't Is makkelijk een leven te beëindigen." Tranen liepen langs haar wangen toen ze naar hem opkeek. Ze fluisterde: "Zo makkelijk."

Maida kwam op adem en vluchtte, ongezien door het tweetal die probeerden de waarheid in elkaars ogen te lezen. De deur sloeg dicht maar ze bewogen niet.

Wulfgars onzekerheid ziende, dwong Aislinn zijn hand weer, maar hij weerstond haar. Ze leunde tegen de dolk tot hij in haar huid prikte en een druppel van haar bloed zich op de punt met het zijne mengde.

"Mijn heer," fluisterde ze, "vandaag heb ik mijn beloften gegeven en omdat God mijn getuige is, zijn ze heilig. Zoals ons bloed zich mengt op dit mes, zo zijn wij één. In mij groeit een kind en ik bid dat hij van jou is en dat we één zijn in hem, want hij zal een vader als jij nodig hebben."

Haar lippen trilden. Wulfgar voelde de ernst van haar woorden en kon haar niet langer afwijzen. Met een vloek smeet hij het mes naar de deur, waar het op de grond viel. Hij tilde Aislinn op en zwaaide haar rond tot ze hem smeekte op te houden. Opnieuw ongeduldig, liep hij naar het bed, maar ze raakte de wond op zijn schouder aan en schudde haar hoofd. Deskundig bracht ze zalf en verband aan terwijl hij op het bed zat. Toen ze klaar was, boog ze naar voren en kuste gretig zijn mond. Hij sloeg zijn armen om haar heen en probeerde haar onder zich te trekken, maar ze legde haar handen tegen zijn borst en duwde hem achterover in de kussens. Hij keek op in haar ogen en vroeg zich af wat ze wilde, toen glimlachte ze en ging op hem liggen. De wond hinderde hem niet – en later niet – en later niet.

21

Wulfgar werd vroeg wakker en bleef stil liggen om zijn vrouw niet te wekken die met haar hoofd op zijn schouder sliep. Hij was nog vol verbazing over haar overgave. Hij had dames aan het hof gekend die deden of ze hem een grote gunst verleenden. Hij had vrouwen van de straat gekend die hartstocht voorwendden en alleen gretig waren als het een extra muntstuk opleverde. Maar hier was iemand die hem – nee, meer dan halverwege tegemoet kwam, die op zijn toenadering inging met een begeerte die de zijne evenaarde en die hun hartstocht opbouwde tot een verblindende, verterende, overweldigende hoogte.

Ze lag nu warm tegen hem aan, haar been achteloos over het zijne, haar adem zijn borst strelend. Het was moeilijk te geloven dat deze zachte wolk de onbeschaamde deern was van de afgelopen nacht.

Een andere gebeurtenis van de afgelopen nacht kwam in zijn gedachten en hij fronste. Maida was iets waar hij geen weg mee wist, maar als Aislinn de waarheid gesproken had, kon hij het aan haar overlaten. Hij kon er zeker van zijn dat ze haar moeder onder handen zou nemen. En als ze loog – hij prentte zich in het hoofd dat hij voorzichtig moest zijn.

Aislinn bewoog en trok de vachten dichter om zich heen. Hij glimlachte. Hij dacht na over de gisteren gesproken woorden en hun uitwerking op haar. Hij had beloofd voor haar welzijn en veiligheid te zorgen en zij had beloofd hem te eren en gehoorzamen. Hij grinnikte bijna en besefte niet wat het betekenen zou de meester van deze vrouw te zijn.

Aislinn zuchtte en kroop tegen hem aan, opende haar ogen en keek naar de koude haard. Ze zag dat hij naar haar keek en ging over zijn borst liggen om een zachte kus op zijn lippen te drukken.

"We hebben het vuur uit laten gaan," zuchtte ze.

Wulfgar glimlachte met een schittering in zijn ogen. "Zullen we het opstoken?"

Aislinn lachte en sprong uit bed.

"Ik bedoel het vuur in de haard, mijn lief."

Wulfgar sprong uit het bed en ving haar toen ze om het voeteneind heen liep. Hij trok haar naar zich toe en ging op de vachten zitten.

"Ah, meisje, welke betovering heb je op me gelegd. Ik kan nauwelijks mijn werk doen als je in de buurt bent."

Aislinn legde met schitterende ogen haar handen in zijn nek. "Behaag ik u, mijn heer?"

"Oh-ho," zuchtte hij. "Ik begin te trillen als je me maar even aanraakt."

Ze knabbelde aan zijn oor. "Dat geef ik toe dat het mij ook zo gaat."

Hun lippen ontmoetten elkaar, en het was al laat toen ze gingen ontbijten. Miderd en Hlynn waren alleen. De zaal was zorgvuldig schoongemaakt en met nieuwe biezen en een vleugje vochtige kruiden bestrooid om de stank van een avond zwaar feestvieren te verdrijven. Een smakelijke soep met groenten, varkensvlees en eieren sudderde op de haard en toen ze gingen zitten, bracht Miderd kommen mee, terwijl Hlynn kroezen vulde met koele verse melk.

Ze begonnen zwijgend te eten. Het hele dorp was vreemd stil. Er was geen teken van de vrolijkheid van de vorige avond, tot even later Kerwick binnenkwam. Hij liep met bestudeerde zorg en zijn haar droop nog van het water van de beek. Aarzelend ging hij bij ze aan tafel zitten en gaf Aislinn een zwak glimlachje. De glimlach verdween toen hij de soep rook en in de dampende kommen keek. Hij legde zijn handen over zijn maag en verdween met een gesmoorde verontschuldiging weer in de richting van de beek.

Aislinn keek verbaasd toen Miderd om de in verlegenheid gebrachte jongeman lachte.

"De arme jongen dronk het grootste deel van een vaatje bier," grinnikte ze. "En ik geloof dat het hem slecht bekomen is."

Wulfgar knikte glimlachend. "Ik zal voortaan voorzichtiger zijn met mijn geschenken aan hem," mompelde hij. "Ik geloof dat hij ze zich te veel aantrekt."

Het rammelen van een deur boven onderbrak hem. Ze keken omhoog en zagen Bolsgar bovenaan de trap, een hand gesteund tegen de muur terwijl hij de andere door zijn verwarde haar haalde. Hij schraapte zijn keel, hees zijn broek op en begon voorzichtig af te dalen, zorgvuldig naar zijn voeten kijkend die een beetje afdwaalden van waar hij ze wilde neerzetten. Ze zagen zijn bloeddoorlopen ogen en de stoppels op zijn kin, die knarsten toen hij erover wreef. Hij gaf Aislinn ook een scheve glimlach ter begroeting. Hij kwam naar de tafel toe, tot hij de soep rook, toen wankelde hij naar een stoel bij de haard.

"Ik geloof niet dat ik nu zal eten," mompelde hij met zijn hand voor zijn mond en kneep zijn ogen stijf dicht. Hij huiverde en leunde met een bevende zucht achteruit.

Miderd bood hem meelevend een hoorn bier en hij dronk hem dankbaar leeg. Wulfgar sprak en Bolsgar deinsde achteruit voor het geluid.

"Heer, hebt u Sweyn gezien vanochtend? Ik wilde met hem praten over het kasteel."

Bolsgar schraapte zijn keel en antwoordde zwak: "Niet sinds we dat laatste vaatje bier gedeeld hebben."

"Ho!" lachte Miderd. "Die kreunt waarschijnlijk van pijn en probeert zijn hoofd te begraven in zijn strozak." Ze grinnikte en wees met een grote lepel naar Hlynn. "Het arme meisje kan maar beter uit zijn buurt blijven."

Aislinn keek verbaasd op, zich afvragend wat de vrouw bedoelde. Zo ver ze wist, had Sweyn zich nooit misdragen met de vrouwen van het dorp.

"Hlynn is nog steeds gekneusd door zijn omhelzing," vervolgde Miderd vrolijk. "Maar zijn wang zal nog wel dagen pijn doen."

Hlynn bloosde en ging verlegen aan haar werk.

"Ja," grinnikte Wulfgar. "Als Sweyn drinkt, wordt hij steeds jonger en denkt dan dat hij weer een jonge bok is, die achter elk vrij meisje aan loopt."

Aislinn giechelde gesmoord, toen weer iemand in de deur verscheen. Heer Gowain kwam binnen, zijn ogen beschuttend tegen de te heldere zon. De koele schaduw in de zaal ontlokte hem een zucht van verlichting, en hij liep bijna recht naar de tafel. Hij ging zo ver mogelijk bij de soep vandaan zitten. Hij knikte naar Aislinn, maar kon geen glimlach opbrengen, en probeerde niet naar de dampende kommen te kijken.

"Vergeef me, mijn heer," zei hij gespannen. "Heer Milbourne is ziek en is nog niet opgestaan."

Wulfgar bedwong zijn lachen.

"Geeft niet, heer Gowain," antwoordde hij. Hij nam een hap vlees en Gowain keek snel de andere kant uit. "'t Zal een rustdag zijn, omdat ik zie dat mijn trouwe mensen vanochtend voor weinig anders deugen. Neem een beker bier om je hoofd helder te maken." Hij boog naar voren en zei geveinsd bezorgd: "Je lijkt zelf ook een beetje uit je doen."

Gowain nam de beker van Hlynn aan, dronk hem leeg en ging weg.

Aislinn lachte hardop en Wulfgar deed van harte mee, terwijl Bolsgar in elkaar kromp bij de aanval op zijn oren, tot Gwyneths stem woedend zei:

"Nou, ik zie dat het laat genoeg is voor mijn heer en vrouwe om op te staan."

Bolsgar smeet zijn beker door de kamer en stond half op. "Grote goden!" brulde hij. "Het moet al middag zijn. Mijn schone dochter staat op om te ontbijten."

Gwyneth kwam de trap af en beantwoordde zijn hoon op een jammertoon. "Ik kon tot de vroege ochtend niet slapen. Er waren de hele nacht vreemde geluiden. Alsof er een kat gevangen zat in de doornstruiken." Ze trok spottend haar wenkbrauwen op. "Heer Wulfgar, heb jij het gehoord?"

Aislinn bloosde, maar Wulfgar lachte onvervaard.

"Nee, zuster, maar wat het ook was, ik geloof niet dat jij zou weten waar het op leek."

Gwyneth snoof en prikte in de soep. "Wat weet jij van edelen?" hoonde ze en stopte een stukje vlees in haar mond.

Miderd en Hlynn waren bezig met dringende werkjes, dus schonk Gwyneth zelf een beker melk in en ging voor haar vader staan. Haar stem klonk scherp.

"Zo, ik zie dat de schijn van jeugd al weer snel verdwenen is."

"Ik heb mijn rimpels gekregen van een heel leven. En jij de jouwe, dochter?"

Gwyneth draaide zich om en keek vals naar Miderd die hard kuchte.

"De weinige die ik heb," snibde ze, "heb ik door de wrede behandeling van mijn vader en mijn bastaard verwant."

Wulfgar stond op en trok Aislinn mee. "Wil je een eind met me gaan rijden, voor de dag onherstelbaar bedorven is?" vroeg hij.

Blij van Gwyneth verlost te zijn, mompelde Aislinn: "Heel graag, mijn heer."

Wulfgar leidde haar de zaal uit, terwijl Gwyneth een nieuwe aanval deed op Bolsgar. Toen ze langzaam het plein overstaken, lachte Aislinn zonder reden. Ze greep Wulfgars hand en danste om hem heen als een kind om een Meiboom. Hoofdschuddend ving hij haar in de bocht van zijn arm en leunde tegen de stalmuur.

"Wat ben je verleidelijk, meisje," mompelde hij hees, en toen hij haar armen om zijn hals voelde, moest hij haar kussen. Net als de vorige avond verbaasde hij zich over haar gewilligheid. Hij verbaasde zich over haar vurige reactie; over dit trillende wezen in zijn armen dat zijn zenuwen deed tintelen door haar aanraking.

Bij het geluid van hoeven lieten ze elkaar los en zagen de ezel van de broeder uit de stal komen met zijn meester in elkaar gedoken op zijn rug, zich aan de manen vastklampend alsof hij moeite had te blijven zitten. De monnik had zijn kap diep over zijn askleurige gezicht getrokken.

Aislinn giechelde en kroop weer tegen Wulfgar aan. Met een snelle beweging tilde hij haar op, maar liet haar bijna weer vallen toen ze zich heftig verzette.

"Beestachtige Normandiër, wil je me hier verkrachten?" vroeg ze met geveinsde woede en grinnikte toen om zijn verwarring.

Wulfgar grijnsde. "Dat was de beste manier die ik wist om je in beweging te krijgen. Als je van plan bent om de hele dag te dartelen, moet een sterke hand je beteugelen."

Ze schudde dreigend haar vuist onder zijn neus en toen hij haar neerzette, kuste ze hem en fluisterde: "Haal de paarden, mijn heer, Engeland wacht."

De Hun wilde zich strekken en rennen en zich een beetje uitsloven voor de grijze merrie, maar Wulfgar hield de teugels strak. De hengst sprong een paar keer en wilde steigeren, maar op een waarschuwend geluid van zijn meester, snoof hij walgend en ging in een makkelijke draf.

Aislinn lachte en haar hart was licht. De hoeven van hun paarden sloegen een klikkend ritme en Wulfgar begon een lied in het Frans. Het lied werd gewaagd en hij floot het laatste refrein terwijl hij wellustig naar Aislinn keek en met zijn ogen rolde. Aislinn giechelde, toen ze grommend een oud Saksisch deuntje, tot hij haar zei op te houden.

"Zulke woorden zijn niet gepast voor een dame," berispte hij streng, en glimlachte toen. "En ook niet voor Saksische hoeren."

"Zeg eens, heer," glimlachte ze lief, "ben je een oude vrouw geworden?"

Ze stuurde de merrie opzij voor zijn zwaaiende arm en gaf haar de sporen. Ze stak haar neus in de lucht en zei gemaakt:

"Normandische hond, blijf op een afstand. Ik ben een dame van mijn meesters hof en kan dit onophoudelijke aanhalen niet dulden."

Deze keer wendde ze de merrie scherp om de aanval van de Hun te ontwijken en toen ze Wulfgars vastberaden blik zag, stuurde ze de merrie over een lage heg en liet haar over het grasland rennen. Wulfgar ging achter haar aan.

"Aislinn, stop!" brulde hij. Toen dit niet hielp, gaf hij de Hun de sporen en brulde weer: "Stomme meid, je vermoordt jezelf."

Eindelijk greep hij haar teugels en bracht de trillende merrie tot staan. Hij sprong van de Hun en stak zijn handen op om zijn vrouw uit het zadel te tillen, boos om haar dwaasheid en de angst die ze hem bezorgd had.

Lachend sloeg Aislinn haar armen om zijn hals en toen hij haar neer wilde zetten, gleed ze tegen hem aan, blozend van opwinding. Het leek natuurlijker om haar te kussen dan iets te zeggen.

Een poosje later lagen ze in de warme zon op de top van een heuveltje. Aislinn plukte vroege voorjaarsbloemen en vlocht er een krans van. De Normandische ridder lag met zijn hoofd in haar schoot en trok met zijn vinger een lijn over haar borst. Aislinn giechelde en kuste zijn lippen.

"Mijn heer, ik geloof dat je nooit verzadigd bent."

"Ah, meisje, hoe kan dat als je me steeds verleidt?"

Ze veinsde meegevoel en zuchtte. "'t Is waar. Je wordt erg belaagd door vrouwen. Ik moet met Haylan praten…"

Wulfgar sprong op en trok haar mee. "Wat, Haylan?" vroeg hij met een grijns. "Ik verwijt het jou, jaloerse feeks, en niemand anders."

Ze zette weg, zette de krans op haar hoofd en boog voor hem. "Zeg je dat de wellustige Haylan je niet in verleiding bracht toen ze voor je danste en je haar boezem toonde? Je moet blind geweest zijn om het niet te zien."

Wulfgar kwam langzaam naar haar toe en ze ging achteruit. Ze stak een hand uit.

"Nou, mijn heer, ik heb u geen reden gegeven om me te slaan."

Hij schoot op haar af en ze gilde van plezier toen hij haar in zijn armen ving en haar rondzwaaide.

"O, Wulfgar," zei ze blij. "Eindelijk ben je van mij."

Hij trok een wenkbrauw op en glimlachte. "Ik geloof dat je dit van plan bent geweest vanaf onze eerste ontmoeting."

Ze wreef haar gezicht tegen hem aan en zuchtte. "O nee, Wulfgar, 't was onze eerste kus die me deed beslissen."

Ze beuzelden de hele dag, niet aan anderen denkend. De zon ging al onder toen ze hun paarden de stal binnen brachten. Voor ze de zaal in gingen, nam Wulfgar de krans van haar hoofd, drukte er een kus op en gooide hem naar binnen.

Sweyn zat aan tafel en leek er liever onder te kruipen dan hun blik te ontmoeten. Aislinn keek van hem naar Hlynn. De Viking volgde haar blik en verborg toen zijn gezicht in een kroes bier. Op een gefluisterde opmerking van Aislinn lachte Wulfgar en Sweyn kromp in elkaar en werd nog roder.

"Ik geloof dat je gelijk hebt, Aislinn," grijnsde Wulfgar. "Op zijn gevorderde leeftijd moet hij een liever meisje zoeken."

Nog steeds grinnikend leidde Wulfgar Aislinn naar hun tafel en ontmoette Gwyneths koude ogen toen hij zijn vrouw in haar stoel hielp.

"Zoals jij die Saksers verwent, Wulfgar, zou ik denken dat jij er ook
een bent," zei ze honend en wees naar Kerwick, die nu met de ridders
at. "Je zult het nog betreuren dat je hem je zaken toevertrouwt. Let
op mijn woorden."

Wulfgar lachte onverstoord. "Ik vertrouw hem niet, Gwyneth. Maar
hij weet wat hem te wachten staat als hij me in de steek laat."

Gwyneth lachte minachtend. "Straks geef je Sanhurst nog een belangrijke titel."

"Waarom niet?" Wulfgar haalde zijn schouders op. "Hij heeft zijn
werk goed geleerd."

Gwyneth keek hem met afkeer aan en at zwijgend verder toen Wulfgar
zich naar Aislinn wendde.

Haylan bediende, maar hield haar rode ogen en sombere gezicht afgewend. Ze aten in een goede stemming en vrolijke grappen vlogen
heen en weer. Na nog een paar slokken bier deed Sweyn ook mee en
hief zijn beker naar Wulfgar.

"Ho, heer, als ik een tam meisje wil liefkozen, en ik weet geen tammere
dan Hlynn, is 't omdat u me hebt getoond hoe dwaas het is een vastbeslo-
tener meisje te proberen." De Viking dronk zijn heer lachend toe. "Goed
huwelijk, Wulfgar. Lang leven."

Wulfgar grinnikte goedkeurend en dronk zijn kelk leeg. De avond
bleef prettig, maar werd rustiger toen Milbourne Bolsgar uitdaagde voor
een spel schaak. De mannen stonden op en Aislinn leunde tegen Wulfgar
aan en stak haar hand in de zijne.

"Ik wil graag naar mijn moeder, als je het goed vindt. Ik maak me
zorgen om haar gezondheid."

"Natuurlijk, Aislinn," antwoordde hij, en voegde er een beetje bezorgd
aan toe: "Wees voorzichtig."

Ze ging op haar tenen staan en kuste zijn wang. Zijn ogen volgden
haar toen ze haar mantel nam en naar buiten ging, toen keerde hij zich
om en voegde zich bij de mannen. Haylan beet op haar lip en keek
naar hem en toen Kerwick haar voorbij liep, grijnsde hij honend.

"Vrouwe van Darkenwald, hè? Ik geloof dat je je kansen verkeerd
beoordeeld hebt."

Haylan keek hem woedend aan, zei een zeer ondamesachtig woord
en ging Miderd helpen de tafel afruimen.

Aislinn liep in het donker naar Maida's hut zoals ze zo vaak gedaan
had, maar deze keer was het met een ander doel. Zonder te kloppen,
duwde ze de deur open. Maida zat somber op haar bed, maar toen ze
de late gast herkende, sprong ze overeind en begon tegen haar dochter
te tieren.

"Aislinn! Waarom heb je me verraden? Eindelijk hadden we een kans
op wraak..."

"Klets niet!" onderbrak Aislinn nijdig. "En luister goed naar me. Zelfs
uw verwarde geest moet het kunnen begrijpen, hoewel ik geloof dat veel

van uw waanzin maar gespeeld is."

Maida keek rond alsof ze naar een uitweg zocht, en wilde het ontkennen. Aislinn gooide woedend haar kap af.

"Luister naar me!" zei ze bevelend. "Hou uw mond en luister naar me." Ze vervolgde vriendelijker, maar duidelijk: "Zou het u lukken een Normandische ridder, en zeker Wulfgar want hij is Williams vriend, te doden om mijn vader te wreken, dan zouden de Normandiërs ons hard treffen. Wat denkt u dat de Normandische straf is voor iemand die ridders in hun slaap doodt? Als uw mes gisteravond geraakt had, dan hadden ze me naakt aan de deur van Darkenwald genageld. En u zou aan een touw gedanst hebben zodat heel Londen u kon zien. Daar hebt u niet aan gedacht, maar alleen aan uw wraak."

Maida schudde handenwringend haar hoofd en wilde iets zeggen, maar Aislinn greep haar schouders en schudde haar tot haar ogen groot werden van angst.

"Luister, want ik ga door tot mijn woorden doordringen tot wat u nog aan verstand over hebt. U moet nu direct ophouden de Normandiërs te kwellen. William is koning en heel Engeland is van hem. Voor alles wat u in de toekomst tegen de Normandiërs doet, moeten de Saksers u vervolgen." :

Aislinn liet los en Maida zonk op het bed, opkijkend in haar dochters boze gezicht. Aislinn boog zich dicht naar haar toe en zei ernstig:

"Als u daar niet aan wilt denken, geef dan uw volle aandacht hier aan. Wulfgar is mijn man, beloofd ten overstaan van een man Gods. Als u hem nog eens kwaad doet, doe ik u hetzelfde. Als u hem doodt, hebt u de man gedood die ik gekozen heb en dan zal ik mijn eigen moeder laten villen en aan de kasteelmuur hangen. Ik zal as op mijn hoofd strooien en alleen nog maar vodden dragen zodat iedereen mijn verdriet kent. Ik heb hem lief."

Aislinn sperde verbaasd haar ogen open bij haar eigen woorden, en herhaalde ze toen zachter.

"Ja! Ik heb hem lief. Ik weet dat hij mij op zijn manier liefheeft. Nog niet helemaal, maar dat komt." Ze boog zich weer naar haar moeder en haar stem werd weer hard. "U hebt een ongeboren kleinzoon. Ik laat hem geen halve wees maken. Als u uw verstand terugkrijgt, zal ik u met open armen ontvangen, maar bedreig Wulfgars veiligheid niet of ik zal u laten verbannen naar de verste hoek van de wereld. Hebt u me verstaan en weet u dat ik het meen?"

Ze keek boos en Maida liet haar hoofd hangen en knikte langzaam.

Aislinn werd zachter. "Goed."

Ze zweeg, wilde haar moeders last verlichten, maar wist dat haar harde waarschuwing meer vrucht zou dragen.

"Ik zal voor u blijven zorgen. Voor nu, vaarwel."

Met een diepe zucht verliet ze de hut en vroeg zich af wat Maida's gestoorde geest hiervan zou maken. Ze ging de zaal binnen en liep naar Wulfgar die naar het schaakspel stond te kijken. Hij glimlachte, legde zijn arm om haar heen en keek weer naar de wedstrijd.

De lente kwam en van de miljoenen bloesems was Aislinn de mooiste. Ze werd zo mooi dat het zelfs Wulfgar verbijsterde. Ze genoot van haar nieuwe positie als Wulfgars vrouw en burchtvrouwe en ging haar plichten niet uit de weg, noch aarzelde ze haar gezag te laten gelden als dat nodig was, vooral als Gwyneth onrechtvaardig tegen iemand was. Ze was zo verstandig dat zelfs de mannen van het dorp haar raad vroegen. Ze bemiddelde voortdurend tussen haar mensen en die woeste Normandische ridder wiens strenge uiterlijk ze gevreesd hadden. Maar als Wulfgars straf vereist was, trok ze zich terug en liet het gebeuren. Ze behandelde de zieken van Darkenwald en reed vaak met Wulfgar naar Cregan als ze daar nodig was. Men zag haar graag naast hem en de mensen, die haar vertrouwen en genegenheid voor haar Normandische man zagen, begonnen hun angst voor hem te verliezen. Ze beefden niet meer als ze hem aan zagen komen en een paar dapperen waagden zelfs een gesprek met hem en waren verbaasd te horen dat hij de noden van de boeren begreep. Ze beschouwden hem niet meer als de vijand en gingen hem zien als een redelijk heer.

Wulfgar besefte hoe goed het was dat hij Aislinn zijn vrouw gemaakt had, en niet alleen in de omgang met de boeren. Hij was verbaasd over het verschil dat een paar beloften maakten, want nu gaf ze zich zonder voorbehoud. Hij bleef steeds korter beneden na het avondeten en genoot even veel van hun rustige ogenblikken samen als van hun hartstocht. Als ze tegenover hem zat te naaien aan een kledingstuk voor hem of voor de baby, was het vreemd gezellig.

Het was eind maart, een tijd van ploegen, planten en snoeien; een tijd van bouwen. Kerwick had het erg druk met zijn nieuwe beroep en schreef in zijn boeken, zoals Wulfgar bevolen had, de geboorte van ieder geitje, lam en kind; de omstandigheden van iedereen in het dorp en de tijd die iedere man besteedde aan het kasteel, wat hij aftrok van zijn belastingen.

Wulfgar beval dat iedere man twee dagen voor hem moest werken en er werden jongens van de akkers gehaald om de pas aangekomen metselaars te helpen. Er werd een diepe gracht gegraven aan de voet van de hoge heuvel, waar een enkele ophaalbrug overheen zou komen, bewaakt door een stenen toren. De top van de heuvel werd vlak gemaakt en een stenen muur begon een kroon te vormen op dat veld. In het midden begon een grote slottoren op te rijzen.

In deze tijd kwam er bericht van William dat hij voor Pasen naar Normandië zou gaan. Wulfgar wist dat Edgar Atheling en vele Engelse edelen met hem reden als gijzelaars, maar dat verzweeg hij voor Aislinn, wetend dat ze er niet blij om zou zijn. William zou langs Darkenwald komen, en naar het kasteel komen kijken. De volgende paar dagen werd er druk schoongemaakt voor het bezoek van de koning. Bijna een week ging voorbij voor de uitkijk riep dat de standaard van de koning naderde, en Wulfgar reed hem tegemoet.

William kwam met een vijftigtal soldaten, en tot Wulfgars grote verbazing, was Ragnor bij hem. Wulfgar fronste, maar zweeg en voelde zich wat rustiger bij de gedachte dat Ragnor naar Normandië ging. William begroette Wulfgar vriendschappelijk en toen de stoet verder reed, wees Wulfgar naar zijn land en vertelde zijn plannen voor de verdediging, terwijl William instemmend knikte. Langs de weg hielden de boeren op met hun werk om naar de koning en zijn gevolg te gapen. Tenslotte bereikte de stoet de burcht van Darkenwald en William zei zijn mannen af te stijgen en te rusten, want hij zou een poosje hier blijven.

Toen William en Wulfgar de zaal binnen kwamen, maakten Gwyneth en Aislinn een diepe revérence en Bolsgar en Sweyn bogen. William bekeek Aislinn toen ze zich oprichtte en toen hij zag dat ze zwanger was, trok hij vragend een wenkbrauw op en keek Wulfgar zwijgend aan tot de jongere man zei:

"'t Wordt geen bastaard, sire. Ze is nu mijn vrouw."

William grinnikte en knikte. "Goed. Er zijn er te veel van ons op de wereld."

Gwyneth keek koud toe hoe de koning Aislinn vertrouwelijk begroette en plagend zei dat ze een beetje gegroeid was sinds hij haar voor het laatst gezien had. Gwyneth was razend jaloers maar bedwong haar scherpe tong in Williams aanwezigheid. Toen hij en Wulfgar de zaal verlaten hadden om naar het kasteel te rijden, vluchtte ze driftig naar haar kamer, niet wetend dat Ragnor buiten was.

Om de gastvrijheid van Darkenwald te tonen, zei Aislinn Ham, Miderd, Hlynn en Haylan haar te helpen de mannen bier te brengen dat in de put gekoeld was. De mannen aanvaardden de drank dankbaar, en toen ze in het Frans opmerkingen maakten over de schoonheid van dit Saksische meisje, glimlachte Aislinn, maar liet niet merken dat ze de taal nu vloeiend sprak. Ze bleef staan naast een groepje als edelen geklede mannen. Hier kreeg ze geen glimlachjes, maar sommigen lachten honend. Aislinn fronste en wilde weglopen, toen er een opsprong en zijn verontschuldiging maakte zonder een spoor van buitenlands accent.

"Weet u wie we zijn?" vroeg hij.

"Nee," antwoordde Aislinn schouderophalend. "Hoe kan dat, als ik u nog nooit gezien heb?"

"We zijn de Engelse gevangenen van de koning. Hij neemt ons mee naar Normandië."

Aislinn keek naar de anderen.

"Het spijt me," mompelde ze.

"Spijt," snoof een oudere man. Hij keek spottend naar haar buik. "U hebt niet lang gewacht met de vijand naar bed gaan, lijkt me."

Aislinn richtte zich waardig op. "U veroordeelt me zonder de omstandigheden te kennen. Maar 't kan me niet schelen. Ik vraag er niet om. Mijn man is Normandiër en ik ben hem trouw, maar mijn vader was Sakser en stierf door een Normandisch zwaard. Ik heb William aanvaard als mijn koning omdat ik geen nut zie in een hopeloze strijd die alleen maar meer nederlagen voor de Engelsen zou betekenen. Misschien is het omdat ik een vrouw ben dat ik het niets zie in verdere pogingen een Engelsman op de troon te zetten. Ik zeg, laten we onze tijd afwachten en William geven wat hem toekomt. Misschien brengt hij Engeland iets goeds. Ik denk dat jullie niet veel meer kunnen doen. Wilt u ons allemaal dood hebben voor u de waarheid beseft? Ik geloof dat William er goed aan doet jullie onder de duim te houden om de vrede voor Engeland te verzekeren."

Zonder verder nog iets te zeggen, liep ze langs haar vaders graf naar een Normandische ridder die met zijn rug naar haar toe alleen onder een boom zat. Aislinn herkende hem pas toen ze bij hem was, en ging verrast een stap achteruit. Bij haar kreet van verbazing, keerde Ragnor zich om en grijnsde.

"Ah, duifje, ik heb je gemist," mompelde hij, stond op en maakte een buiging. Hij bekeek haar en was duidelijk verbaasd. Hij glimlachte en berispte: "Je hebt het me niet verteld, Aislinn."

"Dat vond ik niet nodig," antwoordde ze uit de hoogte. "Het kind is van Wulfgar."

Zijn donkere ogen dansten. "O ja?"

Aislinn kon bijna zien hoe hij in gedachten de maanden telde en werd driftig. "Ik draag geen kind van u, Ragnor."

Hij lachte. "'t Zou een goede beloning zijn als het van mij was. Ja, ik had het zelf niet beter kunnen regelen. 't Is niet waarschijnlijk dat de bastaard mijn jong opeist, maar ja, hij zal misschien nooit weten wie de vader is." Hij keek in haar gloeiende ogen. "Hij zal niet met je trouwen, Aislinn," mompelde hij. "Hij heeft het nooit lang uitgehouden met een vrouw. Misschien taant zijn belangstelling al een beetje. Ik ben bereid je mee te nemen! Kom met me mee naar Normandië, Aislinn. Je zult er geen spijt van hebben."

"Dat zou ik wel," antwoordde ze. "Ik heb hier alles wat ik verlang."

"Ik kan je meer geven. Veel, veel meer. Kom met me mee. Vachel deelt mijn tent, maar hij zal graag een andere slaapplaats zoeken als ik dat vraag. Zeg dat je meegaat." Aangemoedigd door haar zwijgen, vervolgde hij vrolijk: "We moeten je verbergen voor de koning, maar ik kan je vermommen zodat hij niets merkt. Hij zal denken dat ik een jongen gevonden heb als lakei."

Ze lachte minachtend en speelde nog even verder. "Wulfgar zou u achterna komen."

Hij nam haar gezicht tussen zijn handen en streelde haar haar. "Nee, duifje, hij zal een ander zoeken. Waarom zou hij komen als je een bastaard draagt?"

Hij wilde haar lippen kussen, maar ze zei zacht:

"Omdat ik zijn vrouw ben."

Hij deed verbaasd een stap achteruit.

"Teef," zei hij met opeengeklemde tanden.

"Hebt u me niet lief, Ragnor?" spotte ze. "Ik arm meisje, veranderd van vriend in vijand." Toen hield ze op met lachen en hoonde: "U hebt mijn vader vermoord en mijn moeder van haar verstand beroofd! Denkt u dat ik dat ooit vergeef? De hemel sta me bij!"

Ragnor keek haar woedend aan. "Ik zal je hebben, teef, en op mijn gemak. Wulfgar of niet, je zult de mijne zijn. Dit huwelijk betekent niets voor me. Wulfgars leven nog minder. Wacht maar af, duifje."

Hij raapte zijn helm op en liep nijdig naar de burcht, daar gooide hij de deur wijd open en ging naar binnen. Bevend leunde Aislinn tegen de boom en huilde stil, om de angst die vaak aan haar knaagde dat haar kind zo donker zou zijn als Ragnor.

De zaal was leeg en Ragnor ging de trap op. Zonder te kloppen gooide hij de deur van Gwyneths kamer open, sloeg hem achter zich dicht en zag haar geschrokken blik toen ze met rode ogen rechtop ging zitten op het bed.

"Ragnor!"

Ze wilde naar hem toe rennen, maar hij gooide zijn maliënkolder af en liep naar het bed. Ze hijgde toen hij op haar viel en haar woest kuste, maar ze trok hem tegen zich aan, verrukt over zijn heftigheid. Het gaf niet dat hij haar pijn deed, ze vond het zelfs prettig. Ze was gelukkig dat hij haar zo begeerde, dat hij haar opzocht terwijl er zoveel kans was dat ze ontdekt werden. Het gevaar maakte de opwinding nog groter en ze kreunde haar liefde voor hem in zijn oor. Ragnor nam haar zonder dergelijke gevoelens. In zijn wellust en woede had hij geen medelijden met zijn prooi. Maar in gedachten vergeleek hij haar bottige lichaam met Aislinn.

Toen zijn begeerte bevredigd was, kon Ragnor weer wat genegenheid voor Gwyneth veinzen. Ze lag in zijn armen en streelde zijn borst en hij kuste zacht haar lippen.

"Neem me mee naar Normandië, Ragnor," fluisterde ze. "Alsjeblieft, lief, laat me niet hier."

"Dat kan niet," mompelde hij. "Ik reis met de koning en heb geen tent voor mezelf. Maar wees niet bang. We hebben tijd genoeg en ik kom bij je terug op een manier die je misschien beter bevalt. Wacht op me en pas op voor leugens over me. Luister naar niemand dan mij."

Weer kusten ze elkaar hartstochtelijk, maar nu zijn honger gestild was, wilde Ragnor weg en verontschuldigde zich toen hij opstond en zijn kleren pakte. Hij verliet haar kamer voorzichtiger dan hij binnen gekomen was, en toen hij niemand zag, haastte hij zich naar buiten.

Wulfgar hield de Hun in achter het machtige paard van de koning en steeg af, rondkijkend naar de mannen die luierden onder de bomen. Toen hij Ragnor zag liggen, ontspande hij een beetje, maar toch zocht hij Aislinn, die een beker vulde voor een jonge boogschutter. Daarna liep ze naar hem toe, en Ragnor keek met dichtgeknepen ogen naar het paar. Vachel was meegereden naar het kasteel en liep nu naar zijn neef.

"Ik geloof dat de duif de wolf getemd heeft," mompelde Ragnor tegen de jongere man. "Wulfgar is met haar getrouwd."

Vachel liet zich naast hem vallen. "Hij mag dan met het meisje getrouwd zijn, maar hij is niet minder Normandiër. Hij bouwt dat kasteel alsof hij verwacht heel Engeland te weerstaan achter die muren."

Ragnor hoonde: "De bastaard denkt zeker dat hij haar zal houden, maar mijn tijd komt."

"Onderschat hem niet, zoals bij het toernooi," waarschuwde Vachel. "Hij is verstandig en sterk."

Ragnor glimlachte. "Ik zal voorzichtig zijn."

22

De zomer kwam en het kind in Aislinns schoot en het kasteel groeiden. De mensen zagen beide: Aislinns stralende energie, en het kasteel dat ze zekerheid gaf over Wulfgars belofte hen te beschermen. Onder Wulfgars leiding kenden zelfs de lijfeigenen en boeren een voorspoed als nooit tevoren, en het duurde niet lang voor er een nieuwe dreiging daagde, een bende moordende dieven die deze rijkdom ontdekte. Wulfgar stuurde patrouilles uit die moesten waarschuwen voor vreemdelingen, maar dat bleek vruchteloos en steeds weer moesten gezinnen naar de burcht vluchten als hun huizen geplunderd waren.

Door toeval vond Wulfgar een snellere manier van waarschuwen. Aislinn had zich na het middageten teruggetrokken in de koele slaapkamer om bij te komen van de warmte van eind juni. Ze voelde zich vies van de drukkende hitte en ging zich opknappen. Ze spetterde koel water op haar gezicht om zich op te frissen. Ze pakte de zilveren spiegel die Beaufonte in Londen voor haar gekocht had en begon haar haar te kammen, maar toen ze Wulfgars stem hoorde, liep ze naar het raam en leunde naar buiten.

De drie ridders en Sweyn waren bij hem en alle vijf waren in gevechtsuitrusting voor als er weer alarm was. Ze waren kort voor de middag van Cregan teruggekomen en lagen nu in de schaduw van een boom voor ze weer een ronde gingen maken. Aislinn riep hem een paar keer, maar de stemmen van de mannen overstemden de hare. Tenslotte trok ze zich teleurgesteld terug, maar de zonnestralen vielen op de spiegel en het licht viel op de mannen beneden. Wulfgar ging onmiddellijk rechtop zitten en de bron van het licht zoekend, hield hij zijn hand boven zijn ogen en zag haar. Aislinn liet de spiegel zakken en wuifde tegen hem. Glimlachend wuifde hij terug en leunde weer tegen de boom, maar sprong op. Aislinn keek verbaasd toen hij naar de burcht rende en even later stond hij naast haar en nam haar de spiegel af. Hij liep naar het raam en experimenteerde ermee, en trok al gauw de aandacht van de groep beneden. Wulfgar draaide het ding in zijn handen om, toen kwam hij naar zijn vrouw toe, drukte een kus op haar mond en grinnikte om haar verbazing.

"Mevrouw, ik geloof dat je ons gered hebt. Geen patrouilles meer die mannen en paarden vermoeien." Hij hield de spiegel op alsof het een schat was. "Een paar jongens met zulke dingen op heuveltoppen en we hebben de dieven." Hij lachte en kuste haar weer voor hij de deur uit liep.

Bijna een week later kwamen op een kreet van de kasteeltoren de ridders in wapenrusting naar buiten en het dorp liep bijna leeg toen de mannen hun wapens grepen. Een spiegelsignaal van een van de wachters had de nadering van een groep rovers aangekondigd. Wulfgar reed uit met zijn kleine leger. Ze namen het pad naar het zuiden, naar Cregan, een uur stapvoets of een half uur in galop van Darkenwald. Ze zetten een val bij een onoverzichtelijke bocht, waar Wulfgar heuvelafwaarts kon aanvallen. Er werden mannen in de struiken verborgen om de rovers met stenen en pijlen te bekogelen en Wulfgars goed geoefende boogschutters en speerdragers moesten de terugweg van de rovers afsnijden. Wulfgar, Sweyn en de ridders bleven een eind bij de bocht vandaan staan. Al gauw klonk gelach en geschreeuw van de rovers, die niet vermoedden dat de weg bewaakt werd. De leiders verschenen, luid pratend en met de buit van hun laatste overval. Ze bleven plotseling staan toen ze de vier ridders en de grote Noorman zagen. Achter ze kwamen de anderen kijken wat er mis was. Wulfgar velde zijn lans en leunde naar voren in zijn zadel. De weg trilde onder de hoeven van de vijf strijdrossen. De dieven schreeuwden en probeerden te vluchten en er ontstond een waanzinnige chaos.

Een rover, dapperder dan de rest, groef het eind van zijn speer in de grond en wachtte de aanval af, maar Sweyns grote bijl hakte de arm van de man af voor hij kwaad kon doen. De dief gilde en greep de stomp met zijn andere hand en stierf met de korte Viking-speer in zijn borst. Wulfgars lans spietste een ander aan de grond. Toen trok hij zijn zwaard en liet een spoor van bloed achter. Sommigen hadden geprobeerd te vluchten en lagen nu door pijlen doorboord in het stof. Een stervende man vertelde dat hun kamp diep in het moeras was, en daar nam Wulfgar zijn mannen mee naar toe toen de lichamen ontdaan waren van buit en wapens en van het pad geduwd.

De bewoners van het kamp waren dieper het moeras in gevlucht, maar hadden hun bezittingen achtergelaten. Vier geketende, naakte slaven waren door de dieven mishandeld. Hun ribben staken uit van de honger. Toen ze bevrijd waren en eten gekregen hadden, knielden ze dankbaar. Een van de bevrijde slaven was een jong meisje dat niet snel genoeg voor de rovers gevlucht was. Een ander was een gewonde Normandische ridder, de andere twee waren lijfeigenen uit een dorp bij Londen.

Wulfgar en zijn mannen doorzochten de hutten en brachten het weinige van waarde dat ze konden vinden, naar buiten. Ze zetten de vier gevangenen op paarden en hielden toen een toorts bij de hele zaak, als waarschuwing voor andere dieven die hier misschien zouden komen.

Het meisje werd teruggebracht naar haar familie, de anderen bleven in de burcht om op krachten te komen, en op Darkenwald was weer vrede. Toch waren er die er niet op hun plaats leken. Gwyneth ergerde zich dat ze weinig meer dan een gast was en moest leven van de liefdadigheid van de heer en vrouwe. Zelfs Haylan bemoeide zich niet meer met haar. Nu Gwyneth haar niet meer begunstigde, moest de jonge weduwe voor zichzelf en haar zoon zorgen en had weinig tijd om met de andere vrouw samen te zweren. Gwyneth voelde zich erg eenzaam, maar ze ontdekte dat ze zonder Aislinn direct aan te vallen, wat wraak kon nemen door Maida te vertellen hoe wreed Wulfgar voor zijn vrouw was, en ze verzwakte bij iedere gelegenheid de al gestoorde geest van de vrouw. Het amuseerde zijn zuster als ze Maida haastig Wulfgar uit de weg zag gaan, en haar bleke ogen glansden als ze de arme vrouw steeds weer bang maakte om haar enig kind.

Maida lette zorgvuldig op haar dochter, zoekend naar bewijzen dat ze mishandeld werd. Dat Aislinn zo stralend gelukkig was, verwarde haar nog meer en ze werd steeds neerslachtiger.

De hete julidagen sudderden langzaam voorbij en Aislinn verloor het laatste spoor van sierlijkheid. Ze liep langzaam en voorzichtig, want snel bewegen kon ze niet meer. 's Nachts kroop ze dicht tegen Wulfgars rug en vaak werden ze plotseling wakker door de bewegingen van de baby. Ze kon nooit haar mans gezicht zien in het donker. Er was geen behoefte aan een vuur, daardoor wist ze niet in wat voor stemming hij was en ze was bang dat ze hem te veel stoorde, maar zijn kussen smoorden haar angsten en verontschuldigingen. Hij was lief tegen haar en hielp haar vaak met een steunende arm.

De laatste paar dagen was haar last gezakt en nu werd zelfs zitten moeilijk. Aan tafel schoof ze steeds op haar stoel om de pijn in haar rug te verzachten en ze knabbelde alleen maar aan haar eten terwijl ze met een half oor luisterde naar de gesprekken zonder er deel aan te nemen; als iemand tegen haar sprak, knikte of glimlachte ze alleen.

Nu hijgde ze en legde een hand tegen haar buik, verbaasd over de kracht waarmee het kind bewoog. Wulfgar greep haar arm en ze beantwoordde zijn bezorgde blik met een geruststellende glimlach.

"'t Is niets, mijn lief," mompelde ze. "Het kind beweegt." Ze lachte. "Hij is net zo sterk als zijn vader."

Ze was steeds meer Wulfgar als de vader van het kind gaan beschouwen, de gedachte dat Ragnor de vader was, kon ze niet verdragen, maar ze wist dat ze iets verkeerds gezegd had toen Gwyneth hoonde:

"Tenzij jij meer weet dan wij, Aislinn, lijkt het bloed van je spruit me twijfelachtig. Het zou eigenlijk wel helemaal Saksisch kunnen zijn."

Ze keek honend naar Kerwick, die haar verbaasd aankeek, maar rood werd toen hij haar begreep en in zijn haast om Wulfgar gerust te stellen, een armzalige ontkenning mompelde.

"Nee, mijn heer, dat is niet waar, ik bedoel..." Hij keek hulpeloos naar Aislinn en wendde zich weer naar Gwyneth, woedend nu. "U liegt! Het is een leugen!"

Wulfgar glimlachte hoewel zijn stem niet geamuseerd klonk toen hij zijn zuster antwoordde. "Met je gebruikelijke charme heb je weer iets leuks verzonnen, Gwyneth. Ik geloof dat Ragnor de schurk was in plaats van deze arme jongen."

Gwyneth grauwde woedend: "Denk eens goed na, Wulfgar. We hebben alleen het woord van je vrouw en van een paar dronken dwazen dat Ragnor haar ooit aangeraakt heeft. Eigenlijk betwijfel ik dat heer Ragnor zich zo zou kunnen gedragen als zij beweert."

Aislinn slaakte een kreet van verbazing, en Kerwick stond op.

"Maida heeft zelf haar dochter de trap op zien dragen. Wou u zeggen dat hij haar niets gedaan heeft?"

Wulfgars gezicht stond hard en toen Gwyneth snoof, fronste hij.

"Maida, ha!" hoonde Gwyneth. "Die zot is niet te vertrouwen."

Aislinn dwong zich kalm te blijven en zei zacht: "Te zijner tijd, Gwyneth, zal de waarheid uitkomen. Wat Kerwick betreft, of hij of ik was geketend tot lang na de tijd dat hij de vader zou kunnen zijn. Dus zijn er twee over en ik ontken de eerste, en ook de zachtheid die sommigen hem toeschrijven."

Gwyneth keek haar razend aan, maar Aislinn ging vriendelijk verder:

"En ik bid God dat de tijd zal bewijzen dat het Wulfgars kind is. Wat betreft dat die hoffelijke Ragnor zoiets niet zou doen, verzoek ik je eraan te denken, beste Gwyneth," ze leunde naar voren, "dat Ragnor het zelf heeft erkend."

Gwyneths woede werd niet minder door deze nederlaag. Zonder na te denken, greep ze een kom en hief hem op om hem naar Aislinn te gooien, maar Wulfgar stond luid brullend op en sloeg met beide handen op tafel.

"Pas op, Gwyneth," brulde hij. "Je steekt je voeten onder mijn tafel en ik wil niet dat je nog eens de vader van de baby in twijfel trekt. Hij is van mij omdat ik dat zo wil. Wees voorzichtig, als je hier wilt blijven wonen."

Gwyneths woede maakte plaats voor een bittere machteloosheid. Er kwamen tranen in haar ogen en ze snikte, maar ze zette de kom weer neer.

"Je zult de dag berouwen, Wulfgar, dat je die Saksische slet boven mij plaatste en me het beetje eer dat ik nog over had, ontnam."

Met nog een minachtende blik op Aislinn keerde ze zich om en ging de trap op. Toen ze de deur achter zich sloot, verdween haar beheersing en ze gooide zich op het bed om haar ellende uit te snikken. Haar gedachten tolden, maar kwamen steeds bij hetzelfde terug. Het was wreed dat haar broer, de bastaard Normandiër, haar van haar rechtens toekomende plaats stootte en een Saksische teef tot vrouw nam. Maar Ragnor – ze beefde bij de herinnering aan zijn aanraking. Ragnor had haar veel meer beloofd. Maar was hij eigenlijk de vader van Aislinns baby? Het was een vreselijke gedachte dat Aislinn de eerste vrucht zou dragen van die edelgeboren ridder en dat het kind de zwarte ogen van haar minnaar zou kunnen hebben. Ze beloofde in stilte dat als Ragnor terugkwam, zoals hij moest om haar hier weg te halen, ze zou zorgen dat Wulfgar het volle gewicht van zijn woede voelde.

Het maal was in gespannen zwijgen beëindigd en toen Haylan opruimde, kwam Aislinn moeizaam overeind, licht blozend bij de geamuseerde blik van de vrouw op haar gezwollen buik. Verlegen vroeg ze Wulfgar toestemming naar hun kamer te gaan.

"Ik geloof dat ik de laatste tijd gauw moe ben," mompelde ze.

Hij stond op en nam haar arm. "Ik zal je helpen, chérie."

Hij hielp haar langzaam naar hun kamer waar ze zich begon uit te kleden om naar bed te gaan. Toen ze haar onderkleed losmaakte, kwam hij achter haar staan en streelde haar haar. Met een zucht leunde ze tegen hem aan en hij kuste haar achter haar oor.

"Wat denk je?" fluisterde hij.

Aislinn haalde haar schouders op en trok zijn armen om zich heen. "O, gewoon dat je reden hebt vrouwen te haten."

Hij lachte en knabbelde aan haar oor. "Sommige vrouwen kan ik niet uitstaan, en er zijn anderen –" hij trok haar dichter tegen zich aan – "die ik niet kan missen."

Haar onderkleed stond open en haar volle borsten leken te vragen om gestreeld te worden. Zijn hand gleed in het kledingstuk en hij voelde een honger in zijn lendenen. Het kostte hem moeite haar met rust te laten en hij snakte naar de dag dat ze zijn verlangens kon bevredigen.

Bolsgar zat voor de haard en Sweyn kwam bij hem zitten. Kerwick en de anderen gingen naar buiten, onbehaaglijk over wat er gebeurd was. De Viking en zijn oude heer hadden geen woorden nodig. Sweyn kende de oudere man even goed als Wulfgar en kon zijn stemmingen raden. Gwyneths drift ergerde haar vader en hij had geen idee hoe hij haar moest aanpakken.

Boven ging een deur open en dicht. Bolsgar keek op en de Noorman lachte hardop toen ze woordeloos een gedachte wisselden. Wulfgar had zijn bed gespreid met de wellust van een vrijgezel en nu was datzelfde bed helemaal niet naar zijn zin. Ze bedwongen hun plezier en keken op toen Wulfgar met gefronst voorhoofd bovenaan de trap verscheen. Wulfgar nam een hoorn bier, leegde hem en nam er nog een. Hij ging naast Bolsgar zitten en ze keken lange tijd in het vuur, voor Wulfgar iets mompelde en Sweyn hem vragend aankeek.

"Zei je iets, Wulfgar?"

Wulfgar sloeg met de beker op de leuning van zijn stoel. "Ja, ik zei dat dit huwelijk een helse toestand is. Had ik maar zo'n dunne als Gwyneth getrouwd, dan zou ik geen verlangens hebben waar ik niet aan kon voldoen."

Bolsgar grijnsde. "Wat denk jij, Sweyn? Zal de bok een andere hinde zoeken?"

"Misschien, mijn heer," grinnikte de Noorman. "De jachtroep is altijd luider dan de stem van ware liefde."

"Ik ben geen bronstige bok," snauwde Wulfgar. "Ik heb mijn beloften gegeven uit eigen vrije wil. Toch zit ik in de val van het huwelijk en met een knap meisje is het nog erger. Mijn lendenen doen pijn als ik haar zie en ik vind geen opluchting. Ik zou een ander zoeken, maar mijn beloften staan dat niet toe en ik lig smachtend naast haar en vervloek mezelf."

Bolsgar werd ernstig en probeerde de jongeman op te beuren. "Heb geduld, Wulfgar," zei hij vriendelijk. "Zo is het leven en je zult de prijs het wachten wel waard vinden."

"U kletst over dingen die ik niet voel," spotte Wulfgar. "Haar schoonheid geeft me zorgen. Ik moet altijd mijn zwaard dragen om haar eer te beschermen. Iedere jongen met dons op zijn wangen raakt in verwarring door haar glimlach. Ja, zelfs Gowain grijnst als een dwaas bij haar minste gunst en ik vraag me nog steeds af welke tedere herinneringen Kerwick misschien heeft."

Het ergerde Bolsgar dat Wulfgar twijfelde aan Aislinns eer en dat haar verweet. "Nou, Wulfgar," bromde hij. "Je doet haar onrecht. Ze heeft geen Normandische ridder gevraagd haar te nemen op haar moeders bed, noch iemand gevraagd haar daar te ketenen." Hij glimlachte triest. "Ik heb haar horen zeggen dat je haar geketend hebt, hè?"

Wulfgar was verbaasd over de woede van de ander, en Sweyn was teleurgesteld dat hij de jongere man niet had kunnen leren verantwoordelijkheid makkelijker te aanvaarden.

"Brom niet zo," tierde Wulfgar. "Zij weet tenminste zeker wie de moeder is, terwijl ik nooit zeker zal zijn en best een jong zou kunnen opvoeden dat niet van mij is."

"Wees dan niet boos op vrouwe Aislinn," zei Bolsgar scherp.

"Ja," mopperde Sweyn. "De vrouwe had er niets in te zeggen en heeft het heel goed doorstaan. Als dit nog eens gebeurt, hou ik je tot mijn dood bij haar vandaan."

Wulfgar lachte honend. "Kijk naar jullie zelf," schimpte hij. "Jullie staan ook aan haar kant. Zelfs oude dwazen zijn niet veilig voor haar streken. Ze bekoort de…"

Bolsgars grote vuist greep Wulfgars tuniek en hij werd uit zijn stoel getild met een kracht die weinig andere mannen konden opbrengen. Hij zag de andere vuist naar achteren gaan, en toen stoppen. Langzaam verdween Bolsgars woede. Zijn arm verslapte en hij liet Wulfgar los.

"Ik heb je één keer in woede geslagen," zuchtte de oude man. "En dat doe ik nooit meer."

Wulfgar wilde lachen om Bolsgars opmerking, maar plotseling leek het of de zaal ontplofte. Langzaam gleed zijn lange lichaam op de biezen op de vloer. Sweyn wreef zijn knokkels, toen sloeg hij zijn ogen op en zag dat Bolsgar verbaasd naar hem keek.

"Ik heb zulke bedenkingen niet," legde Sweyn uit en knikte toen naar Wulfgar. "'t Zal hem goed doen."

Bolsgar greep Wulfgars enkels en Sweyn zijn schouders en samen droegen ze hem naar zijn kamer. Bolsgar klopte zacht en bij Aislinns slaperige antwoord, duwde hij de deur open. Toen ze binnenkwamen, ging ze verbaasd rechtop zitten en wreef haar ogen uit.

"Wat is er gebeurd?" stamelde ze.

"Hij heeft te veel gedronken," gromde Sweyn toen ze Wulfgar zonder omhaal op het bed kwakten.

Aislinn keek de Noorman vragend aan. "Wijn? Bier? Maar er is een volle wijnzak en een hele avond voor nodig om…"

"Niet als er een dwaze tong bij komt," onderbrak Bolsgar.

Ze boog zich over haar man en voelde de groeiende buil op zijn kin. Ze fronste verward.

"Wie heeft hem geslagen?" vroeg ze strijdlustig.

Sweyn wreef zijn knokkels weer en glimlachte. "Ik," zei hij zelfvoldaan.

Voor Aislinn meer kon vragen, boog Bolsgar naar voren en zei vriendelijk:

"Hij stelde zich aan als een kind en we konden hem niet laten ophouden."

De oude man wenkte de Viking en Aislinn bleef achter, verbijsterd naar Wulfgar starend. Tenslotte stond ze op en kleedde hem uit.

Er klonk een donderslag en Wulfgar schoot geschrokken overeind, half klaar voor de strijd, en keek wild om zich heen. Toen besefte hij dat het maar een zomeronweer was. Hij ging liggen en sloot zijn ogen en luisterde naar de zachtere geluiden die volgden, het gekletter van regen tegen de luiken en een plotselinge windvlaag die eraan rukte. De koele bries tegen zijn naakte lichaam was welkom na de drukkend hete voorgaande dagen.

Hij voelde een gewicht op het bed en opende zijn ogen weer en zag Aislinns bezorgde gezicht dicht boven het zijne. Haar haar was als een lijst om haar witte gezicht. Hij keek in diepe violette poelen en glimlachte pijnlijk. Hij stak zijn hand onder die glanzende lokken om haar neer te trekken en de frisheid van haar lippen te proeven.

Aislinn ging glimlachend zitten. "Ik was bezorgd om je gezondheid, maar ik merk dat je in orde bent."

Wulfgar rekte zich uit en knipperde met zijn ogen toen zijn vingers langs de buil streken. Hij fronste en ging zitten, een arm gesteund op een knie.

"Sweyn wordt zeker oud," mompelde hij en bij haar vragende blik legde hij uit: "Het laatste gezicht dat hij zo liefkoosde, was nogal gebroken."

Ze lachte zacht en haalde een blad met vlees, warm brood en verse honing. Haar zware lichaam tegen hem aan leunend, nam ze een stukje vlees en hield het tegen zijn lippen. Haar ogen waren warm en vochtig en hij kon haar niet weerstaan. Opnieuw kwam zijn mond op de hare, deze keer zacht als een bij op een bloemblad. Ze lag in de beschutting van zijn armen tegen zijn opgetrokken knie en voelde zich omgeven door zijn kracht. Maar er was een spanning in haar schoot die haar beroofde van haar rust en waardoor ze zich afvroeg of haar tijd naderde.

Wulfgar zag dat haar stemming veranderde. "Prikt Satan je met een onaangename herinnering, Aislinn?" vroeg hij zacht. Hij legde zijn hand op haar buik. "Het spijt me erg dat de baby, zelfs als hij van mij is, niet uit liefde gemaakt is maar doordat ik je bruut genomen heb. Ik wil dat je weet dat ik hem als mijn eigen zal beschouwen, wie hem ook gemaakt heeft. Hij zal mijn naam en mijn wapen dragen en nooit mijn huis uit gestuurd worden. Hij mag geen gebrek hebben aan moederliefde."

Ze glimlachte zacht tegen hem, eraan denkend hoe wreed hij zelf verworpen was. "Wees niet bang, Wulfgar. Hij is onschuldig aan zijn ontstaan en ik zal van hem houden. Ik zal hem in mijn armen houden en met al mijn zorg een man van hem maken." Ze zuchtte diep. "Ik voel alleen de twijfel van een vrouw wier tijd nadert. Zoveel onbekende dingen zullen zijn leven vormen. Maar, weet je, het is misschien een dochter en geen zoon!" Ze legde een arm op zijn schouder en speelde met zijn haar.

Wulfgar glimlachte. "Wat God wil, mijn lief. We zullen hier een dynastie beginnen, en als het een meisje is, hoop ik dat ze jouw heksenlokken heeft om alle mannen te verleiden zoals jij mij gedaan hebt." Hij kuste de binnenkant van haar arm. "Je hebt mijn leven veranderd. Toen ik geen beloften wilde uitspreken, liet jij ze me zingen met mijn mooiste stem om je niet te verliezen. Toen ik toegaf dat ik een vrek was, vroeg je nooit ergens om, maar ik zou mijn leven willen doorbrengen met je voeten te schoeien en van iedere minuut genieten." Hij grinnikte triest. "Ik stel geen grenzen meer waarbinnen ik mijn leven wil leiden, maar vertrouw dat jij mijn dwalende voeten zult leiden en mijn hulpeloze ziel eervol zult behandelen."

"Wulfgar," spotte ze. "Een grote Normandische ridder die knielt en zich door een domme Saksische slavin laat leiden? Je schertst en bespot me."

Ondanks haar woorden leunde ze tegen hem aan en kuste hem zacht, toen keek ze in zijn ogen alsof ze daar antwoorden wilde vinden.

"Voel ik iets als liefde voor je?" fluisterde ze. "Ik wil je armen om me heen en smacht naar je aanraking. Wat is dit voor waanzin waardoor ik alles voor je doe? Ik ben meer slavin dan echtgenote en toch zou ik het niet anders willen. Wat voor greep heb je op mijn wil dat zelfs toen ik me tegen je verzette, ik bad dat je me nooit alleen zou laten?"

Wulfgar hief zijn hoofd op en zijn grijze ogen leken bijna blauw. "Geeft niet, chérie. Zo lang jij en ik hetzelfde willen, laten we dan blij zijn met het plezier ervan." Hij fronste. "Laat me nu opstaan, voor je weer gedwongen wordt tegen je wil."

Aislinn giechelde gelukkig en ging achteruit. "Tegen mijn wil? Nee, nooit meer. Maar als je onderweg een baby tegenkomt, wees dan vriendelijk voor hem zodat hij er geen aanstoot aan neemt."

Wulfgar stond op en kleedde zich aan, en ging de kamer uit terwijl zij een vrolijk liedje zong. Hij glimlachte en verheugde zich op de dag dat ze zou zingen voor de baby, want ze had een prettige stem die hem rust gaf. Hij liep naar buiten het modderige plein op en zag dat de hemel al opklaarde.

Het was al middag toen Wulfgar terugkwam. Bolsgar en Sweyn zaten aan tafel en keken hem een beetje onzeker aan. Hij ging op zijn plaats zitten en voelde aan zijn kaak en bewoog hem alsof hij hem probeerde.

"Ik geloof dat een jong meisje me te hard gekust heeft gisteravond," zei hij droog. "Of misschien heeft een oude man of een kind me geslagen."

Bolsgar grinnikte. "Een kus, jawel. Je wilde niet opstaan om goedenacht te zeggen. Je viel zo plotseling in slaap dat de arme Sanhurst de hele ochtend bezig is geweest het gat in de vloer dicht te gooien."

Hij en Sweyn brulden van het lachen, maar Wulfgar zuchtte peinzend.

"Ik voel me zwaar belast met twee oud wordende ridders die denken aan hun lang vervlogen jeugd en boos worden om wat ik zeg. Niet alleen hun hersens worden week, ik vrees dat ze ook geen kracht meer in hun armen hebben."

. Wulfgar keek naar Sweyn die op zijn dij sloeg.

"Als je een elleboog met me zou spannen, zou ik op mijn leeftijd je arm nog kunnen breken," antwoordde de Viking. "Ik wilde alleen je mooie gezicht sparen, opgeschoten jongen."

Wulfgar lachte omdat hij de Noorman geprikkeld had. "Ik vrees meer je tong dan je kracht. Die klap was terecht, ik had geen reden mijn vrouw zo te verlagen." Hij werd ernstig en mompelde: "Ik wou dat in woede gesproken woorden teruggenomen konden worden, maar dat kan niet. Ik vraag jullie beiden vergeving en zou willen vergeten dat het gebeurd is."

Hij keek afwachtend naar ze. Bolsgar en Sweyn wisselden een blik, toen knikten ze, schoven hem een kroes bier toe, hieven de hunne en het drietal dronk een onuitgesproken toast.

Even later zag Wulfgar Aislinn voorzichtig de trap af komen. Hij ging haar snel helpen, en de anderen glimlachten en dachten aan Wulfgars vroegere tijd op Darkenwald, toen ze altijd ruzie leken te hebben.

Wulfgar bracht Aislinn naar een stoel en op zijn bezorgde vraag verzekerde ze hem dat alles in orde was. Maar even later werd de doffe druk in haar buik een golf van pijn waardoor ze naar adem snakte. Toen Wulfgar weer bezorgd naar haar keek, knikte ze en stak haar hand naar hem uit.

"Wil je me naar boven helpen? Ik vrees dat ik het alleen niet haal."

Hij stond op en tilde haar in zijn armen. Toen hij haar naar de trap droeg, riep hij een bevel dat iedereen in actie bracht.

"Stuur Miderd naar mijn kamer. De tijd van de vrouwe is gekomen."

De ridders en Kerwick krabbelden op en hun verwarring ziende, ging Bolsgar direct Miderd roepen. Wulfgar nam twee treden tegelijk, ongehinderd door de last die hij voorzichtig in zijn armen droeg. Hij schopte de deur open en droeg Aislinn naar het bed waar ze geboren was. Hij trok langzaam zijn armen weg en Aislinn vroeg zich af of de spanning in zijn gezicht voortkwam uit bezorgdheid over haar of over de vader van het kind. Ze nam troostend zijn hand en legde hem tegen haar wang en Wulfgar ging voorzichtig op het bed naast haar zitten. Hier hadden zijn opleiding en ervaring hen niet op voorbereid en hij voelde zich hulpeloos.

Weer kwam een pijnlijke scheut en Aislinn greep stevig zijn hand. Wulfgar kende de pijn van oorlog, hij had vele littekens om zijn uithoudingsvermogen te bewijzen. Maar hij had een bijna angstig ontzag voor de pijn die dit meisje leed.

"Rustig, vrouwe," zei Miderd bij de deur en kwam naar Aislinn toe. "Bewaar uw kracht voor later. U zult hem nodig hebben. Zo te zien zal het lang duren. Het kind zal zijn gang gaan, rust dus en spaar uzelf."

De vrouw glimlachte toen Aislinn rustiger ademde, maar Wulfgar keek plotseling verwilderd. Miderd sprak zacht tegen hem toen ze zag hoe bang hij was.

"Mijn heer, wilt u Hlynn laten roepen? Er is veel te doen en ik wil bij de vrouwe blijven." Ze keek naar de haard en toen ze zag dat die leeg was, riep ze hem na: "En laat Ham en Sanhurst hout en water brengen. De ketel moet gevuld worden."

Zo werd Wulfgar bij Aislinn vandaan gestuurd en hij kreeg geen kans meer bij haar te komen. Hij stond stil bij de deur naar de vrouwen te kijken. Er waren altijd koele vochtige doeken bij de hand om Aislinns gezicht af te vegen in de hitte van het vuur en de warme julidag. Hij keek en wachtte en kreeg af en toe een glimlach van Aislinn als ze rustte. Als de weeën kwamen, droop hij van het zweet en toen de uren verstreken, begon hij zich af te vragen of alles in orde was. Zijn vragen bleven onbeantwoord door Miderd en Hlynn die voorbereidingen maakten. Toen werd hij bang dat het kind een donkere huid en zwart haar zou hebben. Dat de lieflijke Aislinn het leven kon schenken aan een kind van Ragnor deed hem pijn. Toen kwam een nieuwe gedachte. Hij herinnerde zich dat hij vaak gehoord had van vrouwen die in het kraambed stierven. Het zou een overwinning voor Ragnor zijn als het kind van hem was en Aislinn voor eeuwig wegnam. En als zijn eigen kind haar het leven kostte? Was dat minder erg? Hij probeerde zich een leven zonder haar voor te stellen na die vele maanden van tevredenheid met haar. In doodsangst vluchtte hij.

De Hun schrok toen Wulfgar het zadel op zijn rug gooide. Het dier snoof en ging achteruit toen het bit in zijn mond geduwd werd en Wulfgar op zijn rug sprong. Hij reed lang en hard en liet de wind de verwarring uit zijn geest blazen. Tenslotte bleven man en paard staan onderaan de heuvel met het kasteel. Terwijl de Hun op adem kwam, keek Wulfgar naar het bouwwerk dat iedere dag hoger werd. Zelfs nu in de late avond werkten er nog mannen voor de duisternis ze overviel. Hij was verbaasd dat de mensen het zo graag klaar wilden hebben. Ze werkten zonder morren, en brachten vaak nadat hun andere werk klaar was, nog wat stenen aan. Maar het was voor hun verdediging zowel als de zijne en hij begreep ze wel na de slachting die Ragnor veroorzaakt had. Ze waren even vastbesloten als hij dat zoiets nooit weer zou gebeuren. Hij keek naar de slottoren waar hij en Aislinn zouden wonen. Die vorderde langzamer dan de muur, maar als hij klaar was, zou het een onneembaar fort zijn waar geen vijand kon binnenkomen. Behalve de dood...

Hij wendde zich af. Sombere gedachten kwamen op en hij kon niet blijven zitten peinzen. Hij keerde de Hun en reed langs de grenzen van zijn land.

Zijn land!

De woorden klonken in zijn hoofd. Als het andere deel van zijn leven mis zou lopen, had hij dat tenminste. Hij dacht aan de grijze oude ridder die Aislinn begraven had toen hij haar voor het eerst ontmoette. Misschien had de oude man dit ook gevoeld. Hier was zijn land. Hier zou hij sterven en liggen naast dat andere graf op de heuvel. Misschien zou er een groter heer komen en hem doden, maar hier zou hij blijven. Niet meer zwerven. Aislinn kon hem geven wat ze wilde, bastaard of zijn eigen zoon of dochter. Hij zou het. het zijne noemen of, als het ergste gebeurde, zich bij hen voegen onder de eik op de heuvel. Hij werd vreemd rustig en kon nu zijn lot onder ogen zien.

De Hun liep langzamer en zijn meester zag dat Darkenwald voor ze lag. Hij steeg af naast het graf van Erland, hurkte en keek naar het dorp beneden. Toen het donker werd, bleef hij nog, denkend aan de mensen.

"Allemaal," zuchtte hij, "zullen ze bij me komen met hun zorgen. Ik mag ze niet in de steek laten." Peinzend keek hij naar het graf. "Ik ken uw gedachten, oude man. Ik weet wat u voelde toen u uitging om Ragnor te ontmoeten. Ik zou hetzelfde gedaan hebben."

Hij plukte een wilde bloem en legde hem naast die die Aislinn de vorige dag neergelegd had.

"Rust zacht, oude man. Ik zal mijn best voor ze doen en Aislinn ook. Zo God wil, zult u de voeten van vele kleinzoons over deze aarde voelen gaan, en als ik hier boven kom rusten, zal ik uw hand nemen als die van een vriend."

Hij wachtte onder de boom, hij wilde niet naar beneden gaan en de vragende blikken ontmoeten. De sterren trokken voorbij terwijl hij naar de verlichte burcht keek. Mensen kwamen en gingen en zo wist hij dat het nog niet voorbij was. In de vroege uren van de nieuwe ochtend zat hij nog daar, toen schrok hij op van een gil.

Zijn nekharen gingen overeind staan en het koude zweet brak hem uit. Hij stond onbeweeglijk van angst. Had Aislinn gegild? O, God, hij had zo laat de tederheid van een vrouw leren kennen. Moest hij die nu verliezen? Lange ogenblikken sleepten voorbij, tot hij een baby hoorde schreeuwen.

Hij wachtte nog toen het bericht in het dorp doorgegeven werd. Hij zag Maida naar haar hut gaan. Anderen gingen weg en tenslotte werd de burcht donker. Eindelijk stond hij op en bracht het vermoeide paard naar de stal. Hij liep de lege zaal door en klom de trap op naar zijn kamer. Hij duwde langzaam de deur open en zag Miderd voor de haard zitten met de baby in haar armen. Hij tuurde door het donker naar het bed en kon Aislinns vorm onderscheiden. Ze lag stil, maar hij zag haar borsten zacht op en neer gaan. Ze slaapt, dacht hij en glimlachte dankbaar.

Zachtjes liep hij naar Miderd en ze nam de doek weg zodat hij het kind kon zien. Het was een gerimpelde jongen, meer als een oude man dan een baby, en zijn hoofd was bedekt met vlammend rood haar.

Geen hulp daar. Wulfgar glimlachte. Maar het was tenminste niet zwart.

Hij liep naar het bed en probeerde Aislinns gezicht te zien. Toen hij dichter naar haar toe boog, zag hij dat haar ogen open waren en oplettend naar hem keken. Hij ging naast haar zitten en nam haar hand in de zijne. Zo zat hij even en dacht dat hij haar ogen nog nooit zo warm en teder gezien had. Een glimlach lag om haar mond, hoewel haar gezicht moe en bleek was. Maar achter de vermoeidheid zag hij een kalme kracht die hem trots maakte. Ze was inderdaad een vrouw die naast een man kon staan en alles wat het leven kon brengen onder ogen zien.

Hij kuste haar teder en wilde haar om vergeving smeken. Hij ging achteruit om haar aan te kunnen kijken als hij sprak, maar ze zuchtte en sliep glimlachend in. Ze had op hem gewacht en nu ze hem gezien had, zorgde haar uitputting dat ze de nodige rust kreeg. Hij drukte nog een zachte kus op haar lippen en ging de kamer uit.

Wulfgar ging naar de stal en toen hij een bed maakte in het geurende hooi, snoof de Hun ontstemd. De Normandische krijgsman keek over zijn schouder naar het grote paard en beval hem stil te zijn.

"'t Is alleen maar voor vannacht," verzekerde hij hem en ging slapen.

23

De baby werd Bryce genoemd en Aislinn was gelukkig want hij was levendig en vrolijk. Een luide kreet als hij honger had en die ging snel over in verrukt gegorgel als hij aan haar borst lag. Wulfgars twijfel werd niet minder door het haar dat snel vervaagde tot een roodachtig goud of door de blauwe ogen van de baby. Maida was de eerste weken na de geboorte weggebleven, maar nu wist Aislinn dat als de baby beneden was, haar moeder ergens in de buurt zou zijn. Ze wilde de zaal niet binnen komen als ze niet door Wulfgar of Aislinn gevraagd werd, maar op warme dagen hurkte ze bij de deur en keek naar hem als hij op een vacht voor de haard lag. Dan leek Maida verzonken in oude herinneringen. Jaren geleden had haar eigen roodharige dochter gespeeld in deze zelfde zaal. Nu herinnerde ze zich de vrolijke dagen, de liefde en het geluk en Aislinn hoopte dat na verloop van tijd de slechte dingen die haar moeder gezien had, zouden vervagen en verdwijnen.

De dagen werden korter en in september kwamen de eerste koude nachten. De dorpelingen zagen hun akkers rijpen. Onder Wulfgars leiding waren de akkers goed verzorgd en er waren jongens neergezet met slingers om de vogels en dieren af te schrikken. De oogst beloofde rijker te worden dan ooit tevoren. Kerwick hield alles bij in zijn boeken en de jongeman met de grootboeken achterop zijn paard gebonden, werd een bekende verschijning. De mensen zochten hem zelfs op om hun rijkdom te meten voor ze het in hun provisiekamers of graanschuren borgen.

Ossen draaiden de molenstenen van Darkenwald. Mensen kwamen naar het dorp voor ruilhandel en kochten in Gavins smidse de gereedschappen om ze de winter door te helpen of de akkers klaar te maken voor het zaad van de volgende lente. Het einde van de vroege oogst naderde en de late oogsten rijpten nog in de zon. De graanschuren puilden al uit en de provisiekamers raakten vol met gedroogd en gerookt vlees en grote lussen worst. Wulfgar eiste van alles zijn deel en de grote kelders van de burcht begonnen zich te vullen. Meisjes plukten druiven en andere vruchten voor wijn en suikergoed. Honingraten werden gesmolten in aarden kruiken en de was werd afgeschept en tot kaarsen gemaakt. Als een kruik vol was, werd een dunne laag was achtergelaten om hem af te sluiten en de kruik werd diep in de koele kelder gezet. In de zaal was een voortdurend geroezemoes, en toen de kudden werden uitgezocht en alleen het beste vee bewaard voor het jongen van het volgend jaar, mengden de scherpe geuren van slachten en leerlooien zich bij de rest.

De rookschuur was altijd vol en zout werd over het moeras gereden voor pekel om vlees in te conserveren.

Haylans bekwaamheden in kruiden en zouten waren veel gevraagd en dus was ze blij dat haar zoon Miles vriendschap had gesloten met Sweyn. Sweyn leerde de jongen ganzen en ander gevogelte schieten; waar bokken en hinden door de bossen zwierven; hoe strikken te zetten voor vossen en wolven, hoe ze te villen en van de bloederige, stijve vacht een zachte, warme pels te maken. Ze waren altijd samen, en waar de Noorman ging, volgde de jongen.

Toen de bomen rood begonnen te worden, viel in zuid Engeland een vroege strenge vorst in. Deze dag had de jongen zijn vriend gemist, want de Viking was naar Cregan. Dus ging Miles in zijn eentje de vallen die ze gezet hadden legen en weer opzetten. Heer Gowain keek hem na tot hij in het moeras uit het gezicht verdwenen was. Haylan miste hem pas bij het middagmaal. Ze ging naar de stallen en hoorde daar dat Sweyn weg was. Ze ging naar de zaal en op haar vragen zei Gowain dat hij de jongen het moeras in had zien gaan. Kerwick ging met de Normandische ridder mee om zijn spoor te volgen. Ze vonden hem waar een zwaar houtblok was neergezet om een onvoorzichtige vos of wolf te grijpen en in de beek te trekken. De jongen lag tot zijn oksels in het water en zijn mond was blauw. Hij had verscheidene uren zo gelegen en zich vastgehouden aan een struik. Hij had geschreeuwd tot zijn keel rauw was. Toen ze hem uit het ijskoude water trokken, kraste hij hees:

"Het spijt me, Gowain. Ik gleed uit."

Ze pakten hem goed in en haastten zich naar zijn moeders huisje, maar zelfs gewikkeld in zware pelzen en voor een loeiend vuur hield hij niet op met rillen. Kerwick wilde Aislinn laten halen, maar Haylan zei nee.

"Ze is een heks," krijste ze. "Ze zal hem betoveren. Nee, ik zorg zelf voor hem."

In de loop van de dag werd het voorhoofd van de jongen heet en hij ademde ratelend en moeilijk. Nog steeds wilde Haylan de vrouwe niet zien.

Het was al donker toen Sweyn terugkwam, en toen hij het nieuws hoorde, vloog hij naar Haylans huisje, sprong uit het zadel, gooide de deur open en hurkte naast de jongen. Hij nam zijn hand en voelde hoe heet die was. Hij wachtte maar even voor hij zich naar Gowain wendde die hem gevolgd was.

"Haal Aislinn," beval hij.

"Nee, ik wil het niet hebben!" riep Haylan vertwijfeld, maar toch wraakzuchtig. "Ze is een heks!" Rustiger vervolgde ze: "Ze heeft jullie eigen Wulfgar betoverd om hem aan zich te binden. Ze is een heks. Ik wil haar hier niet hebben."

Sweyn keerde zich half om en zei zacht grommend: "Haylan, je verlaagt een heilige om je eigen verlies, maar dat vergeef ik je. Ik heb eerder zulke zieke jongens gezien en hij zal sterven zonder goede verzorging. Er is er een die hem kan helpen en ik wil haar hier hebben. Ik geef niet veel om jou, maar ik wil deze jongen redden en ik zal hem niet laten wegkwijnen omdat jij een ander veroordeelt. Als je probeert me tegen te houden, laat ik je op mijn bijl de burcht binnenrijden. Ga opzij."

Hij stond op en in zijn ogen kijkend, liet Haylan hem voorbij.

Aislinn speelde voor de haard in de slaapkamer met Bryce en Wulfgar keek naar de jongen die schrijlings op zijn moeders slanke middel zat. Haar haar lag op de vacht onder ze en Wulfgar verlangde hevig het aan te raken.

Bij een gebons op de deur werden Bryce's ogen groot en zijn lip begon te trillen. Zijn moeder drukte hem tegen zich aan, en op Wulfgars antwoord vloog de deur open en stormde Sweyn binnen.

"Vrouwe Aislinn, vergeving," bulderde hij. "De jongen Miles is in het water gevallen en heeft koorts. Hij ademt moeilijk en ik vrees voor zijn leven. Wilt u helpen?"

"Natuurlijk, Sweyn."

Ze draaide zich om en bleef verward staan met Bryce in haar armen. Ze wendde zich naar Wulfgar die was opgestaan en duwde haar zoon in zijn armen.

"Wulfgar, neem hem alsjeblieft. Ik kan hem niet meenemen. Als hij huilt, roep Miderd dan."

Haar stem klonk bevelender dan die van William. Ze sloeg haar mantel om haar schouders en was in een ogenblik met Sweyn verdwenen.

Wulfgar stond ze na te kijken, met de zoon die hij niet kon aanvaarden noch helemaal verwerpen. Hij keek neer op het kind dat zijn onderzoekende blik beantwoordde met een ernst en intensiteit die Wulfgar deed glimlachen. Hij probeerde hem op zijn borst te laten rijden zoals Aislinn gedaan had, maar zijn borst en harde, platte buik waren niet zo comfortabel en de jongen jammerde. Met een zucht ging Wulfgar zitten met de mollige jongen op zijn schoot. Daar leek de jongen tevreden. Hij trok aan zijn mouwen, en lag even later te spartelen op Wulfgars borst, zonder angst voor de woeste Normandische ridder trok hij vrolijk aan de linten aan de hals van het hemd.

Aislinn gooide de deur open en haar weg werd versperd door Haylan die met een tak mistletoe zwaaide of ze een heks wilde wegwuiven. Aislinn duwde haar opzij en haastte zich naar de jongen. Haylan had net haar evenwicht terug en wilde protesteren, toen Sweyn binnen kwam en haar weer opzij duwde. Deze keer bleef ze zitten waar ze viel en staarde dof naar Aislinn die heen en weer liep. Ze greep een ondiepe ketel en vulde hem half met kolen en zette hem toen naast het bed met een kleinere ketel vol water erin. Toen de damp opsteeg, nam ze wat kruiden uit haar zak, maakte ze fijn en gooide ze in de kom en goot uit een fles een dikke witte vloeistof in het water. Onmiddellijk werd de kamer gevuld met een zware, scherpe geur waar neus en ogen pijn van gingen doen. Ze roerde een mengsel van honing en een geel poeder met een beetje van de drank uit de stomende pot, toen tilde ze het hoofd van de jongen tegen haar arm, goot het in zijn mond en wreef zijn keel tot hij slikte. Ze legde hem zachtjes terug en veegde zijn koortsige voorhoofd af.

Zo verliep de nacht. Als Miles' voorhoofd heet werd, verkoelde Aislinn het met een vochtige doek. Als zijn adem moeilijk werd, wreef ze zijn borst en keel met het melkachtige spul. Af en toe nam ze een lepel en druppelde wat van de stomende drank, in zijn mond. Soms doezelde ze, maar bij iedere beweging of geluid werd ze wakker.

Tegen de ochtend begon Miles te rillen. Aislinn gooide alle vachten en dekens op hem en vroeg Sweyn het vuur op te stoken, tot ze allemaal glommen van het zweet. De jongen werd rood, maar rilde nog steeds zo erg dat hij nauwelijks kon ademen.

Haylan had zich niet bewogen en mompelde af en toe een gebed. Aislinn fluisterde om hulp van een grotere kracht dan de hare. Er verliep een uur. Het was nu helder licht.

Toen keek Aislinn op. Er was een spoor van vocht op Miles' bovenlip en een druppel zweet op zijn voorhoofd. Onder haar hand werd zijn borst vochtig en even later droop hij van het zweet. Het rillen hield op. Zijn adem ging nog hortend, maar werd rustiger. Zijn kleur nam af tot een normale tint en voor het eerst sinds Aislinn binnen gekomen was, sliep hij rustig.

Aislinn stond met een zucht op en wreef haar stramme rug. Ze verzamelde haar kruiden en dranken en ging naar Haylan, die haar met rood-omrande ogen en trillende lippen aankeek.

"Je hebt je Miles nu terug," mompelde Aislinn. "Ik ga terug naar mijn zoon, want het is lang na de tijd voor zijn voeding."

Aislinn liep naar de deur en beschutte vermoeid haar ogen en loensde in de stralende zon. Sweyn nam haar arm en bracht haar naar de burcht. Ze spraken niet, maar de grote, logge Noorman was haar vriend. Ze ging naar de slaapkamer en vond Wulfgar en Bryce slapend op het bed. De hand van de baby lag in Wulfgars haar en zijn kleine beentjes lagen over zijn arm. Aislinn stapte uit haar kleren en liet ze vallen. Toen leunde ze over Wulfgar heen en trok haar zoon tegen zich aan. Ze glimlachte tegen haar ontwakende man, maar voor hij kon spreken, sloot ze haar ogen en sliep in.

Bijna een week later kwam Haylan naar Aislinn toe in de zaal waar ze de baby zat te voeden. Het was een rustig ogenblik, de mannen waren buiten en de zaal was alleen voor de vrouwen.

"Vrouwe," begon Haylan bedeesd.

Aislinn keek op.

"Vrouwe," begon Haylan weer. Ze haalde diep adem en ging toen snel verder: "Ik heb u groot onrecht gedaan. Ik geloofde de boosaardige woorden van een ander wel zo ver dat ik dacht dat u een heks was, en ik probeerde uw heer van u af te nemen." Ze zweeg even, met tranen in haar ogen. "Mag ik uw vergeving vragen? Wilt u mijn dwaasheid begrijpen en mij vergeven? Ik ben u veel schuldig dat ik niet kan terug-betalen."

Aislinn stak een hand uit en trok de jonge weduwe in een stoel naast zich. "Nee, Haylan, er is niets te vergeven," troostte ze. "Je hebt me niets aangedaan en me niet geschaad." Ze haalde haar schouders op en lachte zacht. "Wees dus niet bang. Ik begrijp je moeilijkheden en weet dat je ze zelf niet veroorzaakt hebt. Laten we vrienden zijn en ver-geten wat geweest is."

De weduwe glimlachte instemmend en bewonderde de baby die gretig aan zijn moeders borst dronk. Ze had willen praten over haar eigen jongen toen die klein was, maar Wulfgar kwam binnen, buiten adem van een snelle rit. Haylan stond op en groette. Wulfgar liep naar zijn vrouw, keek twijfelend de weduwe na en vroeg toen aan Aislinn:

"Is alles goed met je, mijn lief?"

Aislinn zag zijn bezorgdheid. Ze lachte. "Natuurlijk, Wulfgar. Wat zou er mis zijn?"

Hij ging naast haar zitten, strekte zijn lange benen en legde ze op een bank. "Er zijn vaak harde woorden in deze zaal," zei hij peinzend. "Gwyneth schuwt iedere vriendelijkheid en probeert ons kwaad te maken. 't Is een mysterie voor me waarom ze ons gezelschap mijdt en eindeloos zit te mokken in haar kamer. Waarom doet ze zo, terwijl als ze wat aardiger was, wij ook vriendelijk zouden zijn?"

Aislinn keek hem liefdevol aan. "Je bent vandaag in een nadenkende stemming, mijn heer. Je denkt niet vaak na over de geest van een vrouw."

"De laatste tijd ontdek ik dat een meisje meer is dan rozige borsten." Hij grijnsde, keek haar hartstochtelijk aan, leunde dicht naar haar toe en legde zijn hand op haar dij. "Maar van de twee, geest en lichaam, geloof ik dat een man meer plezier beleeft aan het laatste."

Aislinn giechelde en hield haar adem in toen zijn mond warm tegen haar keel drukte en haar zenuwen deed tintelen.

"De baby..." fluisterde ze ademloos, maar zijn lippen vonden de hare en ze kon zich niet verzetten. Buiten klonk een stem en ze lieten elkaar los. Aislinn stond met gloeiende wangen op om haar slapende zoon in zijn wieg te leggen en Wulfgar ging voor de haard staan om zijn handen te warmen. Bolsgar kwam binnen met een zak kwartels voor het feestmaal van morgen. Hij groette hartelijk, en toen hij zijn vogels aan Haylan ging brengen, keek Wulfgar hem een beetje geërgerd na. Het leek of de laatste tijd altijd iets of iemand zijn of Aislinns aandacht opeiste. Hij had afgewacht na de geboorte van de baby, maar het leek wel of alles tegen hem was. Als de baby niet brulde om eten, kwam een lijfeigene om haar zorgen vragen of de heer om raad vragen. Dan, als het ogenblik eindelijk nabij leek en ze samen in hun kamer waren, zag hij hoe vermoeid haar schouders hingen en wist dat hij nog een beetje langer moest wachten.

Over zijn schouder keek hij hoe ze heen en weer liep en zijn ogen werden hongerig. Ze is slanker geworden dan eerst, dacht hij, maar ze heeft iets vols dat haar van een meisje een vrouw gemaakt heeft.

Zou dit zijn lot zijn? Haar altijd dicht bij zich hebben maar toch nooit meer de afzondering van vroeger kennen. Was dat het huwelijk? Vaker een baby tussen ze te vinden dan een ogeblik voor hun hartstochten? Hij zuchtte. De winter komt, dacht hij. Dan zijn de nachten lang. Hij zou meer vrije tijd hebben. Ze kon niet altijd met de baby spelen. Hij had haar eerst genomen in een snel, wellustig ogenblik. Dat wilde hij niet weer.

Aislinn zag Maida bij de deur verlegen naar binnen staan kijken. Ze merkte op dat haar moeder goed gewassen was, haar haar gekamd had en schone kleren droeg. Ze dacht blij dat Maida misschien van haar kleinkind hield en haar waanzinnige dromen over wraak zou opgeven. Ze wist geen beter geneesmiddel dan een kleine baby.

Aislinn wenkte haar moeder en met een snelle, zenuwachtige blik op Wulfgars rug, haastte de vrouw zich naar de wieg. Wulfgar lette niet op haar. Zijn blik volgde haar dochter door de zaal, die Haylan ging opzoeken om het feestmaal van morgen te bespreken.

Er zou een feestdag zijn om de goede oogst te vieren. De ridders en hun dames zouden op het middaguur te paard op zwijnejacht gaan om de dieren te doden of van de akkers te verjagen.

De ridders en Sweyn kwamen binnen en namen een hoorn bier om op morgen te drinken. Omdat hij niets anders te doen had, voegde Wulfgar zich bij hen en toen Bolsgar terugkwam, vond hij een vrolijke groep. Het werd avond en ochtend en nog steeds klonken hun stemmen in de zaal, terwijl Aislinn boven in haar bed woelde en zich ergerde dat Wulfgar wegbleef. Ze kon niet weten dat als hij probeerde weg te gaan, iemand hem terug trok en een ander zijn beker weer vulde.

Bryce die om zijn ontbijt vroeg, wekte Aislinn. Ze opende haar ogen en zag dat Wulfgar zich al aankleedde. Ze bleef even liggen, zijn lichaam bewonderend, maar de kreten van de baby werden dringend en er was niets aan te doen. Ze stond op, gleed in een los onderkleed en ging voor de haard zitten om de baby te voeden. Bryce werd stil en ze sloeg haar ogen op naar haar man en glimlachte een beetje spottend.

"Mijn heer, vind je drinken prettiger dan vroeger? Ik denk dat de haan kraaide voor je je bed zag."

Hij grijnsde. "Ja, chérie, hij kraaide tweemaal voor het kussen mijn moede hoofd voelde, maar ik vond 't niet prettig. Mijn ridders vertelden steeds verhalen van vroeger en ik kon alleen maar blijven en de pijn verdragen."

Haar zien verhitte Wulfgars bloed, maar er klonken luide geluiden van beneden en hij wist dat zijn mannen hem zouden komen halen als hij niet gauw verscheen. Zuchtend drukte hij een kus op Aislinns voorhoofd en verliet de kamer om zich bij de mensen beneden te voegen.

Beneden leek het een gekkenhuis. Overal werd geschreeuwd en gelachen. Bryce klemde zich angstig aan Aislinn vast. Ze spreidde een vacht in een hoek bij de haard waar hij het warm zou hebben en toch naar het geroezemoes kon kijken. Ze legde hem dicht bij Wulfgar en zijn ridders en de kooplieden, zodat ze op hem konden letten en hem beschermen tegen de honden die door de zaal zwierven. Er werden weddenschappen afgesloten op wie het eerst een zwijn zou raken. Gowain werd geplaagd met zijn knappe gezicht, vooral toen Hlynn giechelbuien kreeg als ze in zijn buurt kwam. Er werden ruwe grappen geroepen. Mannen lachten en vrouwen gilden als hun achterste in het voorbijgaan geliefkoosd werd. Aislinn zou dat ook ondergaan hebben, als ze de vrouw was geweest van iemand anders dan Wulfgar. Hoewel velen in de verleiding kwamen, bleven de mannen op een afstand, ze hadden geen zin zijn zwaard te voelen.

Bij de haard vloekten de mannen toen een grote hond jankte onder hun goedgemikte laarzen. Wulfgar riep:

"Wie let er op de honden? Ze zwerven door de zaal en zouden onze gasten in hun enkels kunnen bijten. Wie let er op de honden?"

Niemand antwoordde en toen riep hij luider:

"Kerwick? Waar is Kerwick, de schout? Kom hier, meneer."

Kerwick bloosde en liep naar Wulfgar toe. "Ja, mijn heer?"

Wulfgar greep zijn schouder en hief een beker. "Beste Kerwick, iedereen weet van je vriendschap met de honden en omdat je ze zo goed kent, moet je meester van de honden zijn. Denk je dat je daar geschikt voor bent?"

"Ja, mijn heer," antwoordde Kerwick snel. "Ik heb nog iets af te rekenen. Waar is de zweep?"

Iemand gaf hem een grote zweep en hij liet hem luid knallen.

"Ik geloof dat het die roodachtige was die zijn tanden in mijn dij zette." Hij wreef over de plek, aan de beten denkend. "Ik beloof, mijn heer, dat hij vandaag goed zal jagen of dit wapen voelen."

Wulfgar grinnikte. "Dat is dan geregeld, beste meester van de honden." Hij sloeg de jongere man hartelijk op zijn rug. "Haal ze onder onze voeten vandaan. Bind ze vast en zorg dat ze hongerig zijn voor de jacht. We willen geen honden met vette buiken die om de bomen kruipen."

De mannen lachten en dronken. Het was verbazend hoeveel bier er nodig was om de stemmen rijk en vol te houden.

Bryce jammerde en Aislinn duwde grote schouders opzij om naar hem toe te gaan. Wulfgar stapte opzij met een stijve, deftige buiging, zijn arm voor zich zwaaiend, maar toen ze bukte om de baby op te pakken, kwam zijn hand op haar achterste neer met een wellustige vertrouwelijkheid waardoor Aislinn zich veel sneller oprichtte dan ze gewild had.

"Mijn heer!" hijgde ze en draaide zich om met de baby tegen zich aan.

Wulfgar ging achteruit en stak in geveinsde angst zijn hand op, waarop de anderen nog harder lachten. Hoewel geërgerd over zijn liefkozing in het openbaar, kon ze haar lachen niet inhouden.

"Mijn heer!" berispte ze vriendelijk, met een bekoorlijke glimlach. "Haylan is aan de andere kant van de zaal. Heeft u misschien mijn spichtige lichaam aangezien voor haar vollere?"

Toen ze de naam van de weduwe noemde, werd Wulfgar iets minder vrolijk en trok een wenkbrauw op. Bij de schittering in haar ogen werd hij weer rustig.

Ze dronken weer, tot Bolsgars mond open viel. Ze keerden zich om en zagen Gwyneth nuffig de trap af komen, in vol ornaat voor de jacht. Ze voegde zich bij de groep bij de haard. Met een geringschattende blik op Aislinn die de baby vasthield, wendde ze zich tot Kerwick.

"Is het te veel als ik vraag of je vandaag een paard voor me zou willen klaarmaken?"

Hij knikte, verontschuldigde zich met een blik bij Wulfgar en liep weg. Bolsgar maakte een buiging voor zijn dochter.

"Is de vrouwe van plan vandaag met de boeren mee te gaan?" spotte hij.

"Inderdaad, lieve vader. Ik zou deze vrolijke jacht niet willen missen voor alle schatten van Engeland. Ik ben de laatste tijd te veel binnen geweest en wil graag wat edele ontspanning. 't Is hier voor het eerst."

En nadat ze hen allen zo berispt had om hun ruwheid, liep ze naar de tafel en keurde het eten.

De rest van de ochtend werd besteed aan voorbereidingen voor de jacht en het feestmaal. Voor het middaguur ging Aislinn met de baby naar haar kamer, waar ze hem voedde en hem te slapen legde. Hlynn bleef op hem passen. Toen ze weer beneden kwam, droeg ze een bruin met gele jurk met een wijde rok voor de jacht. Men at staande vlees en brood want er was weinig plaats om te zitten. Een groep zwervende minstreels kwam het plein op om het volk te vermaken met vrolijke muziek. De paarden werden voorgeleid en Gwyneth was ontevreden, want Kerwick had de kleine roodschimmel voor haar gekozen die Aislinn naar Londen gebracht had. Het was een stevig en goedgemanierd paard, maar het miste de gratie van Aislinns appelgrauwe.

De stoet reed weg. Kerwick had de tomen van de honden in zijn handen en het kostte hem veel moeite ze op de goede weg te houden. De honden voelden de opwinding van de jacht en blaften en grauwden tegen elkaar.

Iedereen, behalve Gwyneth, maakte grappen. Aislinn reed naast Wulfgar en bedekte haar oren voor zijn liederlijke liedjes. Gwyneth hield de teugels strak en het arme paard kopte en steigerde. De jagers verlieten het pad en reden over een heuveltje en daar voor ze op een open plek in de rand van het bos, was een kudde zwijnen met verscheidene grote beren. Kerwick sprong van zijn paard en maakte de honden los. Ze moesten de beren in het nauw drijven, die grote, ruige beesten, zwart en boosaardig met lange slagtanden. Als ze eenmaal stonden, zouden de honden ze vasthouden tot de ruiters kwamen. Er was moed voor nodig om een aanvallend zwijn onder ogen te zien. De speren waren kort, want de jacht ging vaak door dichte struiken, en op een armlengte van de punt zat een dwarslat om te voorkomen dat het zwijn, dat zo moeilijk te doden was, langs de speer aanviel.

Toen ze het bos in gingen, bleven Aislinn en Gwyneth ver achter. Aislinn hield de merrie in en wachtte op Gwyneth, die haar paard genadeloos met de zweep sloeg om haar te doen gehoorzamen. Toen de kleine merrie Aislinn naast zich voelde, werd ze rustig en Gwyneth hield haar hand stil, beseffend dat ze haar boosaardige stemming verried. Ze reden naast elkaar en Aislinn zette Gwyneths mishandeling van het paard uit haar hoofd en probeerde een gesprek te beginnen. De lucht was herfstig fris en het rook naar bladeren onder de vrolijk gekleurde bomen.

"'t Is een prachtige dag," zuchtte ze.

Gwyneth antwoordde kortaf: "Dat zou het zijn als ik een behoorlijk paard had."

Aislinn lachte. "Ik zou je het mijne aanbieden, maar ik ben op haar gesteld geraakt."

Gwyneth hoonde: "Jij slaagt er altijd in om je te verbeteren, vooral waar het mannen betreft. Ja, jij wint tweevoudig wat je verliest."

Aislinn glimlachte. "Nee, tien- of honderdvoudig mag je wel zeggen, want ik ben Ragnor ook kwijt."

Gwyneth, toch al erg geprikkeld, werd razend. "Saksische slet," grauwde ze. "Pas op wiens naam je verlaagt."

Ze hief de zweep om Aislinn te slaan, maar die stuurde opzij en de slag kwam terecht op de flank van haar merrie. Niet gewend aan zo'n ruwheid, schrok het dier en rende de dichte struiken in. Na een paar meter deed ze zich pijn aan een doornstruik en rukte de teugels uit Aislinns handen. Het paard gleed uit, viel half, steigerde toen en gooide haar berijdster af. Aislinn bleef verdoofd liggen en probeerde de mist uit haar hoofd te schudden. Een donker silhouet tegen de zon kwam boven haar staan en vaag herkende ze Gwyneth op haar paard. De vrouw lachte en gaf haar paard de sporen. Het duurde lang voor Aislinn overeind krabbelde en met haar ogen knipperde bij de pijn in haar dij. Ze wreef erover en besliste dat hij alleen maar gekneusd was. Ze zette zich schrap en trok zich los uit de struiken.

Haar merrie stond een eindje verder met de teugels over haar hoofd. Ze wilde naar het paard toegaan, maar het ging achteruit, bang door de pijn van de schrammen op haar borst. Aislinn neuriede en probeerde haar te kalmeren. Net toen het gelukt was, klonk er gekraak in de struiken achter haar. De merrie snoof en vluchtte of de duivel op haar hielen zat.

Aislinn draaide zich om en zag een grote beer naar zich toe komen, snuivend en krijsend toen hij de lucht kreeg van degenen voor wie hij gevlucht was. En hier rook hij angst en hulpeloosheid. Hij scheen haar pijn te voelen en richtte zijn kleine oogjes op haar. Aislinn ging achteruit en keek om zich heen naar een plek om aan het beest te ontkomen. Ze zag een eik met een tak die ze kon bereiken. Maar Aislinn kon zich niet hoog genoeg oprichten om de tak te grijpen. Ze probeerde te springen, maar viel tegen de stam en bleef liggen. Het beest bleef staan omdat hij geen beweging meer zag. Hij snoof en groef met zijn slagtanden in de grond. Plotseling zag hij de heldere kleur van haar mantel. Hij krijste woedend en begon naar voren te komen, met zijn slagtanden de takken opzij duwend.

Aislinns angst nam toe. Ze had geen wapen, niets om zich te verdedigen. Ze had vroeger mannen en honden gezien met lange wonden van die vreselijke slagtanden. Ze ging achteruit tegen de boom en toen de beer naar voren kwam, kon ze een gil niet onderdrukken. Haar stem scheen het zwijn nog woedender te maken. Ze drukte haar handen tegen haar lippen om de volgende tegen te houden.

Er bewoog iets in het bos acher haar en de beer draaide zijn kop om te zien wat hem bedreigde. Wulfgars stem klonk laag en zacht.

"Aislinn, als je je leven op prijs stelt, beweeg dan niet. Hou je stil."

Hij sprong van de Hun en nam zijn speer mee. Hij kroop naar voren, nauwlettend in de gaten gehouden door de beer die nu stil stond te wachten. Hij kwam tot naast Aislinn, een paar meter van haar vandaan. Ze maakte een beweging en de beer zwaaide zijn kop in haar richting.

"Stil, Aislinn," waarschuwde Wulfgar weer. "Beweeg je niet."

Hij kroop naar voren tot de speer twee lengtes van de beer af was.

Toen steunde hij het eind tegen de grond, zette er een knie op en hield de punt zorgvuldig gericht. De beer krijste van woede en hurkte op zijn achterpoten. Hij scheurde weer met zijn slagtanden in de aarde, wierp kluiten aarde op met zijn voorpoten, leunde toen achteruit en viel aan. Wulfgar brulde zijn strijdkreet en hield de punt van de speer tegen de snuit. Het beest krijste van pijn toen de lange ijzeren punt zijn borst doorboorde. Hij scheurde bijna de schacht uit Wulfgars handen, maar die hield vast en ze vochten, stampend over de open plek, tot het bloed van het grote varken weggestroomd was. Hij werd stil, gaf een laatste ruk en stierf. Op handen en voeten liet Wulfgar de speer vallen en bleef even zo zitten, hijgend van inspanning. Tenslotte draaide hij zijn hoofd naar Aislinn en ze probeerde op te staan, maar viel languit op de grond. Hij stond op en liep snel naar haar toe.

"Heeft hij je geraakt? Waar?" Hij boog bezorgd over haar heen.

"Nee, Wulfgar," stelde ze hem glimlachend gerust. "Maar ik ben van mijn paard gevallen. Het rende de struiken in en werd bang en ik viel. Ik heb mijn been gekneusd."

Hij tilde haar rok op en ging zacht met zijn vingers over de groeiende blauwe plek. Hij hief langzaam zijn ogen op naar de violette die hem zacht aankeken en haar adem ging snel. Ze legde haar hand achter zijn hoofd en trok het naar zich toe tot hun lippen elkaar ontmoetten. Hun armen gleden om elkaar heen en ze verloren zichzelf in hun heftige omhelzing.

Hij trok haar op, de blauwe plek vergeten, en droeg haar naar een struik waar hij zijn mantel uitspreidde en naast haar ging liggen.

Veel later, toen de zon al laag stond, klonken er stemmen in de verte en gekraak in het bos, toen kwamen Sweyn en Gowain de open plek op. Ze zagen Wulfgar en Aislinn onder de grote eikeboom liggen alsof de dag bedoeld was voor minnaars. Wulfgar richtte zich op een elleboog op.

"Waar gaan jullie heen? Sweyn? Gowain? Waarom rennen jullie zo door het bos?"

"Mijn heer, vergeving," slikte Gowain. "We dachten dat vrouwe Aislinn iets gebeurd was. We vonden haar merrie…"

Weer geluid van hoeven en Gwyneth verscheen. Ze keek, kneep haar lippen op elkaar en draaide om.

"Er is niets mis," glimlachte Aislinn. "Ik ben alleen maar van mijn paard gevallen. Wulfgar vond me en we – rustten een beetje."

24

De laatste oogsten werden binnengehaald. Oktobers vriesnachten hadden de stralende kleuren van de herfst veranderd in een donkerbruine mantel over het bos. Sinds de zwijnejacht kwelde Gwyneth Aislinn niet meer voortdurend en tot ieders verbazing was ze soms bijna charmant. Ze maakte er een gewoonte van beneden te komen eten en zat met haar tapijtwerk te luisteren naar de gesprekken om haar heen.

Kerwick en Haylan waren bekende figuren in het dorp, maar als ze elkaar tegenkwamen, klonken er harde woorden. Het scheen dat ze elkaar niet konden zien zonder een of andere bijtende opmerking te maken. Ze bekvechtten eindeloos over kleinigheden en hun strijd werd zo vermaard dat de kinderen aan kwamen rennen als hun boze stemmen klonken. Omdat ze zo goed kon koken kreeg Haylan de leiding over de keuken. In haar vrije tijd verzamelde ze wol en vlas en werkte hard om de fijnere knepen van weven en naaien te leren. Ze probeerde zelfs Frans te leren, en dat ging erg goed.

Aislinn was gelukkig dat Maida zich nu regelmatig baadde en schone jurken droeg. Als ze dacht dat er niemand in de buurt was, waagde ze zich uit haar huisje om met Bryce te spelen en ze maakte speelgoed voor hem van restjes stof of hout. Eens kwam ze zelfs naast Aislinn en zat rustig te kijken hoe ze de baby voedde. Ze wilde niet spreken, maar iedere dag werd ze meer de oude Maida van Darkenwald.

De jongen had Aislinns blanke huid en zijn haar was een licht roodachtig goud. De enige smet was dat Wulfgar op een afstand bleef van het kind en de jongen scheen te beschouwen als iemand die Aislinns gezelschap opeiste. Maar de baby tierde welig op zijn moeders liefde en Miderd, Hlynn en zelfs Bolsgar zorgden dat hij geen aandacht te kort kwam.

De nachten werden kouder, de opbrengst van het land puilde uit de graanschuren en het kasteel naderde zijn voltooiing. Alleen de grote slottoren was nog niet klaar, en hier vorderde het werk langzaam. Grote blokken graniet werden uit de steengroeve gedolven en zorgvuldig op maat gebracht. Dan werden ze aan zware kabels opgehesen door spannen paarden.

Laat op een ochtend in november kwam een boodschapper met nieuws waarover Wulfgar fronste. Opstandige heren in Vlaanderen hadden een verdrag gesloten met de afgezette Engelse heren van Dover en Kent. Ze hadden troepen aan land gezet tussen de witte rotsen en trokken op om de stad Dover in te nemen, maar het kasteel dat de koning op de rotsen had laten bouwen, had ze tot staan gebracht. William trok met een leger uit Normandië naar Vlaanderen om de opstand aan de bron te onderdrukken, maar Atheling Edgar was ontvlucht en had zich bij de Schotse koningen gevoegd om daar moeilijkheden te beginnen.

Het ergste nieuws was dat benden Vlaamse soldaten landinwaarts vluchtten en het land zouden kunnen komen verwoesten uit woede over hun nederlaag. William kon nu geen hulp sturen, maar beval Wulfgar klaar te staan om zich te verdedigen en zo mogelijk de terugtocht af te snijden.

Wulfgar overzag zijn hulpbronnen en zette onmiddellijk iedereen aan het werk. Het kasteel zou voorlopig dienen zoals het was, want nu waren er andere dingen om voor te zorgen. Het land moest kaal gemaakt worden, zodat een bende geen voedsel zou vinden. Kudden geiten, zwijnen, schapen en ossen moesten bij het fort gebracht worden. Graanschuren en opslaghuizen moesten leeggemaakt worden en alles in de grote schuren en kelders van het kasteel gebracht. Cregan was eerst aan de beurt, want het was verder weg en moeilijker te verdedigen, en dan Darkenwald als er tijd voor was. Terwijl Wulfgar met zijn mannen patrouilleerden, moesten de mannen van het dorp het garnizoen van het kasteel vormen. Beaufonte en Bolsgar moesten op de voorbereidingen toezien in Wulfgars aanwezigheid. Als heel Cregan in het kasteel was, zouden twee bruggen bij het dorp afgebroken worden om de weg te blokkeren.

Iedere kar, wagen, muilezel en paard werd gebruikt en al gauw ging er een eindeloze stroom heen en weer tussen Cregan en het kasteel. Waardevolle dingen werden in Kerwicks boeken geschreven en dan in een gewelf gesloten. De veraf gelegen boerderijen werden afgesloten en de mensen kwamen naar het kasteel. De vrouwen sneden in het moeras rechte wilge- en taxustakken en brachten ze naar de mannen die er bogen, pijlen en speren van maakten. Grote vaten zwarte, stinkende modder uit het moeras werden op de kantelen gezet. Die waren makkelijk in brand te steken en konden dan op de hoofden van de aanvallers gegoten worden. Gavins smidse klonk dag en nacht als hij en zijn zoons speer- en pijlpunten hamerden en ruwe maar effectieve zwaarden maakten.

Aislinn bracht dekens en linnengoed in de slottoren en zorgde dat de weefgetouwen van Darkenwald de hele dag werkten. De kelders en stallen van het kasteel namen al Cregans voorraad en leken nog bijna leeg, maar ze waren gebouwd om de opbrengst van verscheidene jaren te bevatten en wat er nu lag, zou de mensen van beide dorpen door de winter heen helpen.

Tenslotte kwamen de moeilijkheden. In de buurt van Cregan steeg een grote rookpluim op en Wulfgar reed met zijn mannen de vijand tegemoet. Niet ver van Darkenwald ontmoette hij een groep mensen die hun dorp niet hadden willen verlaten. Nu waren ze uit hun huizen verdreven door deze nieuwe vijand. Wulfgar hoorde dat een kleine bende ridders en boogschutters het dorp overvallen had en hoewel de dorpelingen geprobeerd hadden zich te verdedigen, waren ze op de vlucht gejaagd. De rovers hadden de huizen in brand gestoken en leken eerder het dorp te willen verwoesten dan buit te verzamelen. Ze hadden ieder gedood die op hun weg kwam.

Broeder Dunley vormde de achterhoede, met een kleine kar met zijn geliefde crucifix en andere relieken.

"Ze hebben mijn kerk in brand gestoken," hijgde hij. "Ze kenden zelfs geen genade voor de dingen van God. Ze zijn erger dan de Vikings. Die waren op buit uit, maar deze struikrovers willen alleen maar verwoesten."

Wulfgar keek in de richting van Cregan en zei: "Als uw kerk weg is en we het overleven, heer priester, dan kunt u de oude zaal van Darkenwald krijgen voor uw eredienst. Dat zal een passende plaats zijn om op de dag des Heren te wachten."

De monnik mompelde zijn nederige dank en boog zich weer over zijn kar en Wulfgar gaf Milbourne bevel met een paar mannen de mensen veilig naar Darkenwald te brengen.

Toen Wulfgar in Cregan kwam, smeulde het dorp nog. Er lagen een paar lichamen van degenen die geprobeerd hadden hun huis te verdedigen en niet snel genoeg gevlucht waren. Wulfgar keek om zich heen en dacht aan die andere dag dat hij een dorp bezaaid met doden gezien had. Wie dit dorp verwoest had zou ervoor boeten, al moest hij ze door heel Engeland achtervolgen.

Met een zwaar hart beduidde hij zijn mannen hem te volgen, terug naar Darkenwald. Hij ging de burcht binnen waar Aislinn en Bolsgar op hem wachtten. Zacht beantwoordde hij de onuitgesproken vraag in hun ogen.

"De rebellen waren vertrokken, maar ik denk niet dat we ze voor het laatst gezien hebben. Ze hebben in Cregan weinig gevonden en een van hen was met zijn paard gedood en beiden waren mager en uitgehongerd. De rovers zullen voedsel voor zichzelf en hun paarden moeten vinden."

Bolsgar knikte instemmend. "Ja, ze zullen blijven en hun paarden laten grazen op ons rijke land en voor zichzelf jagen tot ze verder kunnen trekken. We moeten oppassen dat ze onze kudden niet vinden."

Aislinn riep om eten terwijl Wulfgar en Bolsgar aan tafel gingen zitten om hun gesprek voort te zetten. Haylan bracht een groot bord vlees en brood en ging toen kannen schuimend bier halen. Met een koude tochtvlaag kwam Sweyn binnen en liep naar de tafel. Hij greep zwijgend een stuk schapevlees. Hij zuchtte en spoelde het weg met een beker bier. De tocht was nog niet gaan liggen toen de deur weer opengegooid werd en de drie ridders binnenkwamen. Ze vielen op het resterende eten aan. Wulfgar keek verbaasd naar de lege schaal.

"Als ik koning was, mijn hartjes, vrees ik dat ik toch zou verhongeren met jullie als gezelschap."

De mannen brulden van het lachen en Aislinn riep om meer eten. Op het geluid kwam Gwyneth naar beneden, hoewel ze al gegeten had. Ze zat rustig met haar tapijt werk zoals de laatste tijd haar gewoonte was en scheen te genieten van het gezelschap. Kerwick kwam ook, hij zag er wat verwilderd en verontrust uit. Hij klaagde over de rommel die deze zaak van zijn boeken gemaakt had en stak stijve, kromme vingers op.

"Kijk eens!" riep hij. "Ik heb kramp gekregen van de hele dag veranderingen en verbeteringen in het boek maken."

Toen wendde hij zich ernstiger tot Wulfgar.

"Ik heb met pijn de dood van acht van Cregan ingeschreven," zei hij bedroefd.

Het werd stil toen de ontzetting van het gebeurde tot allen doordrong.

"Ik kende ze allemaal," vervolgde hij. "Ze waren vrienden. Ik zou mijn boeken een poosje opzij willen leggen en u helpen de vandalen op te jagen."

"Rustig, Kerwick," zei Wulfgar. "We zullen zorgen dat ze hun straf krijgen. Jij kunt beter hier blijven en wat orde scheppen."

Hij wendde zich naar de anderen en vertelde zijn plannen.

"We zullen wachten uitzetten net als vroeger." Hij richtte zich tot Bolsgar. "Kies de mannen die de tekens kennen en laat ze zich goed verbergen in het bos en de heuvels. Ze moeten vannacht gaan zodat ze bij het eerste licht gereed zijn."

Hij keek de ridders aan.

"We zullen klaarstaan om uit te rijden als de rebellen weer komen. Als we gaan, geven we het kasteel tekens over onze richting en worden op de hoogte gehouden van waar de rovers zijn. Beaufonte, jij blijft hier en gaat verder met het voorbereiden van het kasteel voor een mogelijke aanval. Is vandaag alles goed gegaan?"

Beaufonte knikte maar gaf fronsend zijn verslag. "Het kasteel wordt bewapend en de mannen leren de muren te verdedigen. Maar ik wil u één zaak voorleggen." Hij zweeg even onzeker. "De mensen van Cregan zitten erg opgepropt in de buitenhof en velen hebben hutten gebouwd tegen de buitenmuur. Dat zou ons erg hinderen bij een aanval."

"Ja," stemde Wulfgar in. "Laat ze morgen verplaatsen naar de gracht. Als het sein komt, hebben ze genoeg tijd om binnen de muren te komen."

Hij keek vragend rond, maar er waren geen problemen meer.

Hij hief zijn beker. "Op morgen. Mogen we ze allen naar hun schepper sturen."

Allen dronken, behalve Gwyneth en omdat ze een beetje afzijdig zat, bood zelfs niemand haar een beker.

Onopgemerkt behalve door een, kwam Haylan binnen met wijn en een nieuwe schaal dampend vlees, brood en een grote kom hete saus. Kerwick greep een stuk vlees, proefde het en trok zijn neus op.

"Oef! Dit vlees is veel te zout."

Hij zei het luider dan nodig en iedereen keek naar hem toen hij nog een stuk nam en dat ook proefde. Hij gooide het met geveinsde walging weg.

"En dit is niet zout genoeg. 't Is een schande, Wulfgar. U zou tenminste iemand kunnen zoeken die weet hoe ze vlees moet zouten."

Hij lachte en draaide zich om om een stuk brood te pakken. Haylan leunde over de tafel en draaide de schaal zo dat de dampende saus onder zijn hand stond. Hij krijste van pijn toen hij zijn vingers erin stak en duwde ze in zijn mond.

"Is dat vlees zout genoeg naar je zin?" vroeg Haylan onschuldig. "Misschien moet er meer zout op."

Ze nam het kleine zoutvat en iedereen lachte. Zelfs Gwyneth glimlachte.

De volgende ochtend werd het huis gewekt door een jonge lijfeigene die hard op de deur bonsde. Wulfgar opende de deur en de boer hijgde zijn verhaal uit terwijl zijn heer zich haastig aankleedde.

Laat de vorige avond was een groep ridders bij zijn boerderij gekomen. Hij was op zijn hoede voor vreemdelingen en was het bos in gevlucht. Nadat ze zijn huis verbrand hadden en het graan waarvoor hij zo hard gewerkt had, verspreid hadden, waren ze maar een klein eindje teruggetrokken en hadden hun kamp gemaakt bij een beek.

Toen de jongen zijn verhaal gedaan had, kreeg hij een flink maal, terwijl Wulfgar en zijn mannen uitreden om de rovers op te zoeken. Ze naderden het kamp vanuit een beschutte kloof, maar vonden alleen resten van kampvuren. Dicht bij het kamp lagen de overblijfselen van een jonge os. De rebellen hadden alleen de beste stukken genomen. Wulfgar keek hoofdschuddend naar het karkas. Gowain kwam naar hem toe en verbaasde zich over Wulfgars bezorgdheid om het gedode dier.

"Wat hindert u, mijn heer?" vroeg hij. "Ze doodden een dier om zich te voeden. Dat is alles."

"Nee," antwoordde Wulfgar. "Ze hebben niets genomen om te roken of te zouten, maar net genoeg om hun maag te vullen. Ze moeten andere plannen hebben om proviand te vinden voor de reis en ik vrees dat wij deel uitmaken van die plannen."

Hij keek naar de kale heuveltoppen die ze omringden en zijn nekharen gingen rechtop staan. Gowain zag hem fronsen.

"Ja, Wulfgar." De jonge ridder keek om zich heen. "Ik voel ook dat er hier iets mis is. Deze mannen sluipen in de nacht als roofdieren, niet als soldaten."

Weer keerden ze zonder overwinning terug naar Darkenwald en hoorden dat toen hij naar het zuiden reed, een boerderij verbrand was in het noorden en een kleine kudde geiten gedood was. Er was geen vlees genomen. Ze waren achtergelaten voor de aaseters. Het leek of de bende gewoon zoveel mogelijk wilde verwoesten.

Wulfgar ergerde zich over zijn dwaasheid. Hij liep heen en weer en raasde dat hij zich op een dwaalspoor had laten brengen terwijl de vijand zijn bezittingen verwoestte. Aislinn vond dat hij zich ergere verwijten maakte dan een ander zou doen, maar ze hield haar mond. Op haar aandringen at hij een licht maal, waarna hij weer scheen te kalmeren. Hij legde de zware maliënkolder af, hield de leren tuniek aan en ging voor de haard alles zitten bespreken met Bolsgar en Sweyn.

"De dieven zijn in Cregan geweest en toen naar het zuiden gegaan en vandaag naar het noorden. Morgen gaan we bij het eerste licht naar het westen. Misschien kunnen we ze betrappen."

De anderen wisten geen beter plan. Ze zouden op de tekens vertrouwen om de bende te vinden en hopen dat ze ze konden vangen voor er nog meer schade aangericht was.

Gwyneth had ze die avond allemaal vermoeid met haar drift toen ze tekeer ging over hun falen de rebellen te vinden. Toen ze weer begon, bedwong Aislinn haar ergernis door naar Bryce te kijken die op een vacht bij de haard speelde.

"Ik zit hier angstig in elkaar gedoken in deze vermolmde burcht die nauwelijks een speer kan tegenhouden," zei Gwyneth, opkijkend naar het oude houtwerk dat het dak van de zaal vormde. "Wat heb je voor onze veiligheid gedaan, Wulfgar?"

Hij fronste en keek zonder te antwoorden in het vuur.

"Ja, je verslijt de hoeven van je paarden en ploegt de wegen om, maar heb je een enkele dief gevangen? Nee. Ze zwerven nog steeds vrij rond. Ja, morgen moet ik misschien een zwaard nemen om me te verdedigen, terwijl jij door het land rijdt."

Wulfgar keek haar aan alsof hij half wenste dat dat gebeurde.

Bolsgar gromde en zei zuur: "Laat het zwaard, dochter. Gebruik je tong maar. Die is veel scherper, hij zou onze ergste vijand kunnen neerleggen. Wie kan daar tegen op? Hij kan het sterkste schild doorboren en de houder in tweeën splijten."

Aislinn hoestte en probeerde niet te lachen, en kreeg een woedende blik van Gwyneth. Ze draaide aan haar spinrokken en trok een lange draad van de bal wol.

"Mijn goede vader maakt grappen terwijl dieven brandstichten en plunderen en wij ons moeten verbergen achter onze muren," grauwde Gwyneth. "Ik kan zelfs niet uit rijden gaan als afleiding."

Sweyn grinnikte. "Ik ben blij met kleinigheden. We hoeven tenminste niet te vrezen voor de paarden."

Bolsgar lachte mee. "Als we haar maar konden leren ze te keren. Ze rijdt altijd uit maar komt lopend terug."

Gwyneth legde haar naaldwerk neer en keek ze woedend aan.

"Lach maar, krassende raven," tierde ze. "Ik sta niet in de toren uit te kijken naar dwaze flitsen uit de heuvels, ik slobber ook niet met mijn eten of zwelg bier als een zwijn."

"Ja, wat doe je wel?" onderbrak Bolsgar en werd beloond met nog een vlaag van drift.

"Zoals iedere dame hoort te doen, hou ik me rustig." Ze keek scheef naar Aislinn. "Ik bemoei me alleen met mijn naaldwerk, zoals heer Wulfgar me bevolen heeft. Ik pas op dat ik de trots van anderen niet kwets."

Ze zweeg en achter haar klonk gejammer. Ze keerde zich om en zag dat Bryce haar naaldwerk naar zich toe getrokken had. Hij richtte veel schade aan terwijl hij zich los probeerde te maken uit de verwarde garens. Gwyneth gilde en graaide het bij hem vandaan.

"Blaag!" schreeuwde ze en sloeg hem op zijn arm, waar een rode plek achterbleef. Hij tuitte zijn lippen en haalde diep adem om te gaan huilen.

"Blaag!" spoog ze weer. "Ik zal je leren om..."

Met een plof kwam ze op de stoffige vloer terecht. Aislinns enkel had haar voeten onder haar vandaan gemaaid. Gwyneths ogen vlamden van woede, maar werden angstig toen ze Aislinn boven zich zag staan, voeten gespreid en violette ogen vonkend van woede. Ze hield het spinrokken als een speer gereed om toe te steken. Haar lippen gingen van elkaar en de woorden kwamen ademloos.

"Wat je mij aandoet, Gwyneth, kan ik verdragen. Ik ben een volwassen vrouw." Het spinrokken bewoog dreigend. "Maar Normandisch of Engels, licht, donker, rood of groen, de baby is *van mij* – en als je hem weer aanraakt, kun je maar beter een zwaard zoeken, want dan scheur ik je uit elkaar." Aislinn zweeg even en eiste toen: "Versta je me?"

Gwyneth knikte met open mond. Aislinn ging achteruit en tilde de van ontzag vervulde Bryce op, in zijn oor kirrend terwijl ze zijn arm streelde. Gwyneth stond op, greep haar naaldwerk en sloeg het stof van haar rok. Ze kon de grijnzende mannen niet meer onder ogen komen en ging naar haar kamer.

Later in hun kamer keek Wulfgar hoe Aislinn de baby voor de haard legde. Het verbaasde hem dat ze het ene ogeblik een razende feeks kon zijn als haar kroost bedreigd werd, en dan deze sierlijke nimf die langzaam haar werk in de kamer deed. Hij voelde de drang in zich groeien en toen ze dichtbij kwam, ving hij haar in zijn arm en gaf haar een vragende kus, maar een kreet van Bryce leidde ze af.

"Wacht tot het kind slaapt," fluisterde ze tegen zijn lippen. "Dan zullen we goed voor je bronstigheid zorgen."

"Bronstig?" Hij gromde teleurgesteld. "En wie is het meisje dat met haar heupen zwaait en me in het openbaar liefkoost tot ik bijna barst?"

Hij kuste haar nog eens, strekte zich toen uit in zijn stoel en hield haar van onder neergeslagen oogleden nauwlettend in het oog. Ze bukte zich diep om wolkaarten op te rapen en toonde hem haar borsten die bijna loskwamen uit haar onderkleed.

"Pas op, mijn lief," mompelde hij, "of ik maak misschien de baby toch aan het schrikken."

Ze richtte zich snel op en wist heel goed dat het geen loos dreigement was.

"Let een poosje op het kind," vroeg Aislinn lief. "Ik moet Miderd spreken en het eten voor morgen klaarzetten."

Ze sloeg een sjaal om haar schouders en liet hem met Bryce alleen. Wulfgar sloot even zijn ogen en liet de warmte van het vuur hem ontspannen. Hij opende zijn ogen weer toen er aan zijn enkel getrokken werd en hij zag dat Bryce naar hem toe gerold was en zich nu probeerde op te trekken aan zijn been. Het lukte hem en hij zat onvast naar Wulfgar op te kijken met die grote vragende ogen. Hij toonde geen angst voor die grote Normandische heer, maar glimlachte. Hij zwaaide blij met zijn mollige armpjes, grinnikte en viel opeens om. Zijn ogen waren plotseling verdrietig, zijn kin trilde en grote tranen liepen over zijn wangen. Altijd onhandig bij tranen, tilde Wulfgar de baby op zijn schoot.

De ogen werden direct droog, het kind grinnikte blij en plukte met verbaasde vingers aan de kraag van Wulfgars hemd. Hij strekte zich langs de harde borst en onderzocht de glimlachende mond boven hem. Wulfgar reikte omlaag langs zijn stoel en pakte een pop die hij in de handen van de jongen legde. Even later geeuwde de jongen en liet het speelgoed vallen. Hij verschoof tot hij makkelijk lag op zijn niet meegevende bed, zuchtte en viel in slaap.

Wulfgar zat lange tijd onbeweeglijk, bang de jongen te storen. Er groeide een vreemde warmte in hem toen hij besefte dat dit hulpeloze kleine wezen hem zonder meer vertrouwde. De kleine borst rees en daalde met de snelle adem van een slapend kind. Kon dit voortgekomen zijn uit zijn lendenen en de wellust die hij bevredigd had bij een jonge, mooie gevangene?

De jongen ligt vol liefde en vertrouwen op mijn borst, peinsde Wulfgar. Toch schuw ik zijn liefde. Waarom komt hij hier, hoewel ik niets tegen hem gezegd heb?

Wulfgar werd zich langzaam bewust dat hij gebonden was door meer dan beloften. Er waren andere banden die tedere haken sloegen in het hart van een man en nooit losgemaakt konden worden zonder diepe littekens achter te laten. Het vervullen van de huwelijksbeloften ketende hem steviger dan de woorden ervan.

Hij keek neer op het onschuldige, sluimerende gezicht en wist dat de vader niet belangrijk was. Van vandaag af was dit zijn kind.

De woeste Normandische ridder boog en kuste zacht het hoofdje dat op zijn borst rustte. Hij voelde iemand naast zich en keek op in Aislinns stralende ogen. Ze keek naar de man die haar kind vasthield en voelde een overweldigende liefde voor beiden.

De volgende dag reed Wulfgar met zijn mannen volgens plan naar het westen. Het duurde niet lang of een flits van een heuvel waarschuwde voor een aanval ten oosten van Darkenwald. Wulfgar vloekte, keerde en dwong zijn mannen tot snelheid, terwijl er een bericht gaf waar hij heen ging. Ze waren het kasteel voorbij toen een boogschutter naar de toren wees waar een wachter een signaal gaf. De bende had zich gesplitst en stichtte nu brand in het noorden en zuiden. Wulfgar werd woedend. Op zijn bevel seinde zijn man terug dat ze zich zouden verdelen en ze achterna gaan. Hij had zich nauwelijks afgescheiden van Gowain en Milbourne en reed naar het noorden, toen er bericht kwam dat de bende zich weer verzameld had en een akker in het westen in brand stak. Wulfgars gezicht werd donker. Hij en zijn mannen hadden daar pas een paar uur geleden gerust. Hoe konden de Vlamingen weten waar hij was? Hij gromde een bevel en er werd een boodschap gestuurd aan Milbourne en Gowain om hem bij Darkenwald te ontmoeten.

Wulfgar gooide opgewonden de deur open met een knal waar Bryce van schrok. Aislinn legde haar spinrokken opzij en tilde hem op om hem te sussen. Haar blik volgde Wulfgar die heen en weer liep en met zijn handschoenen tegen zijn dij sloeg.

"'t Lijkt wel of ze mijn bewegingen kennen voor ik ze maak," tierde hij. "Als ik ze mijn plannen vertelde, ontsnapten ze me niet beter."

Hij zweeg plotseling en staarde zijn vrouw aan.

"Hoe kunnen ze het weten, tenzij…" Hij schudde zijn hoofd. "Wie zou het ze vertellen?" Hij liep weg en keerde toen terug naar Aislinn. "Wie heeft het dorp verlaten?"

Ze haalde haar schouders op. "Ik heb niet goed opgelet, maar de mensen zijn steeds dicht bij het kasteel gebleven en de meesten waren te voet."

Wulfgar drong aan. "Kerwick misschien? Of Maida?"

Aislinn schudde heftig haar hoofd. "Nee. Kerwick was de hele dag met Beaufonte op het kasteel en Maida was hier met Bryce."

"'t Was maar een gedachte," zuchtte Wulfgar, maar Aislinn wist dat hij er zich nog zorgen over maakte.

Hij riep Sanhurst en beval hem Bolsgar en Sweyn te halen. Toen ze kwamen, klom hij met ze in de toren waar niemand ze kon afluisteren. Wulfgar keek uit over zijn land.

"Ik ben eigenaar van dit land en ik kan het niet beschermen tegen een paar zwervende soldaten. Zelfs de wachters zijn niet van nut."

Bolsgar keek hem aan en begreep zijn zorg. "Ze melden alleen maar groepen mannen," zei hij. "Als de Vlaamse rovers zich splitsen en er een of twee samen rijden en Normandische mantels dragen, worden ze niet opgemerkt en als ze weer bij elkaar komen, is het voor ons te laat om ze voor te komen."

"Ja," gaf Wulfgar toe. "Laat dan alle ruiters en hun richting melden. Er zullen een paar tekens voor nodig zijn, maar daar kunt u voor zorgen, Bolsgar."

"Wulfgar," zei Sweyn, "er zit me iets dwars. Jij meldt altijd onze plannen en we vinden geen vijanden. Dat wijst op een verrader in ons midden. Laten we niemand inlichten en rijden waarheen we willen."

"Je hebt gelijk, Sweyn, en het vreet aan me dat ik de Judas geen naam kan geven." Wulfgar sloeg met zijn vuist op de muur. "Of misschien kent iemand onze tekens. Hoewel, als dat zo was, zouden ze de wachters kunnen doden of terugdrijven. We doen morgen wat jij zegt. Vertel hier niemand iets over." Hij wendde zich naar Bolsgar. "Laat geen wachter een teken geven over waar we heen rijden, dan zullen we zien."

Bolsgar ging zijn taak uitvoeren en toen alles gedaan was, ontmoetten ze elkaar in de zaal. Na het eten nam Wulfgar Bryce uit zijn moeders armen en ging de trap op met Aislinn naast zich. Bolsgar en Sweyn wisselden een blik bij deze ongewone gebeurtenis en brachten zwijgend een toast uit.

Bryce gorgelde van plezier toen Wulfgar zachtjes met hem stoeide op een vacht voor de haard. Toen de baby moe werd en geeuwde, legde Aislinn hem in de wieg. Ze schonk een beker wijn in voor haar man en ging met gekruiste benen naast hem zitten. Zijn ogen werden warm, hij zette de beker weg en trok haar naar zich toe. Hij kuste teder haar lippen en ze zuchtte en streelde zijn wang.

"Je bent moe, mijn heer."

"Je hebt een jeugdelixir in mijn beker gedaan," fluisterde hij terwijl zijn lippen haar wang liefkoosden. "Ik voel me of de dag nog moet beginnen." Hij maakte de bandjes van haar onderkleed los.

Haar armen gleden om zijn hals en ze kwamen samen, en Bryce sliep door het geluid en de heftigheid van hun spel heen.

Wulfgar en zijn mannen reden de volgende ochtend kort na zonsopgang uit en wachtten op een beboste heuveltop op het eerste teken van de wachters dat de bende gezien was. Het eerste huisje was nauwelijks in brand gestoken toen ze aankwamen. De hooibergen waren verspreid en alles wees erop dat de rovers in haast vertrokken waren. Ze doofden de vlammen en redden het grootste deel van het gebouw.

Op een heuvel schitterde weerspiegeld zonlicht en Wulfgar riep zijn mannen. Deze keer was de hut niet aangestoken, maar er brandde een klein vuur om de toortsen aan te steken. De dieven verspreidden zich in het bos, maar in hun haast lieten ze een spoor achter. De Normandiërs achtervolgden ze. Een nieuw signaal wenkte en ze zwaaiden naar het zuiden, deze keer zagen ze de kleuren van Vlaanderen toen de bende rovers zich verzamelde en weer vluchtte. De prooi verspreidde zich weer en Wulfgars mannen zochten in groepjes de wildpaden af.

Weer flitste een baken en Wulfgar riep zijn mannen om naar het noorden te rijden. Ze beklommen een heuvel net toen de rovers zich hergroepeerden en de jacht werd hervat. De dieven vluchtten het moeras in en verspreidden zich weer. Wulfgars mannen volgden, joegen twee Vlamingen uit hun dekking, die gedood werden. Wulfgar bevestigde dat ze Vlamingen waren, maar ze droegen geen wapen dat hun leider noemde.

De anderen waren ontsnapt en terwijl Wulfgar wachtte op verder nieuws, lieten hij en zijn mannen de paarden rusten en aten een lichte maaltijd. De jacht sloot steeds dichter om de invallers tot het donker werd en de tekens niet meer zichtbaar waren. Ze gingen terug naar de burcht en Wulfgar voelde zich zeker. De plunderaars hadden geen rust of eten gevonden en zouden dat hard nodig hebben. Hij beloofde dat hij de rovers zou opjagen tot ze van zijn land vluchtten of zich overgaven. En voor dat andere had hij al een plan gemaakt, maar wie het was in zijn eigen burcht of dorp die hem tegenwerkte, wist hij niet, hoewel hij verscheidene mogelijkheden overwoog en verwierp.

Laat die avond nam hij Aislinn en Bolsgar mee voor een wandeling in de vorstige, maanlichte avond.

"Er is hier iemand die ons verraadt en we moeten hem vinden," zei hij. "Mijn plan is dat mijn mannen voor het eerste licht in tweetallen vertrekken en achter de heuvel wachten. Ik vertrek met Sweyn en Gowain alsof we de rovers gaan zoeken."

Aislinn keurde zijn plan af. "Maar Wulfgar, het is gevaarlijk als je met zo weinig rijdt. Er zijn er nog twintig of meer. 't Is dwaasheid."

"Nee, mijn lief, luister," zei hij. "Ik voeg me bij mijn mannen en we rijden langzaam naar het oosten voorbij Cregan waar we de rovers achterlieten. Ze moeten daar in de buurt kamperen. Jij en Bolsgar houden de burcht en het dorp in de gaten. Als er iemand weggaat, zullen jullie hem zien en sturen een ruiter naar me toe. Als we eenmaal weten dat ze gewaarschuwd zijn, zullen we ze verspreiden voor er schade aangericht is. Misschien doden we er een paar, en als de verrader gevonden is, zullen we beslist winnen."

Bolsgar stemde in en toen hij verzekerde dat Wulfgar niet in gevaar zou komen, knikte Aislinn tenslotte. Wulfgar legde een arm om haar schouders.

"Goed, meisje, we krijgen ze wel te pakken."

Wulfgar stond lang voor daglicht op en keek uit het raam naar de mannen die met tweeën en drieën vertrokken, heel stil en zorgvuldig in de schaduwen blijvend. Toen ze allemaal weg waren en het eerste licht de sterren van de oostelijke hemel verdreef, kleedde hij zich aan en ging met Aislinn ontbijten. Bolsgar en Sweyn kwamen ook aan tafel en even later Beaufonte. Gwyneth kwam slaperig in haar ogen wrijvend en geeuwend naar beneden alsof het lawaai van de mannen haar gewekt had. Toen Wulfgar er zeker van was dat iedereen hem kon horen, stond hij op.

"Kom, Sweyn. De dieven zullen ons niet aan tafel bedienen. Laten we Gowain halen en zien of we de rebellen kunnen vinden."

Sweyn stond op met een mond vol soep toen Wulfgar zijn maliënkolder aantrok en zijn helm opzette. De Noorman hief zijn zwaard en strijdbijl en probeerde met glanzende ogen de rand van de bijl.

"Ze lijkt me hongerig vandaag," lachte hij. "Misschien vindt ze een paar schedels om te splijten."

Gwyneth hoonde: "Laten we hopen dat het jullie beter gaat dan de afgelopen dagen. Ik zal de deuren van Darkenwald nog moeten grendelen tegen die paar rovers om mijn maagdelijkheid te redden."

Wulfgar keek haar met een spottende grijns aan. "Alsjeblieft, zuster, erger je niet. Dat lijkt me vergezocht en ik geloof niet dat je je ergens zorgen over hoeft te maken."

Gwyneth gaf hem een boze blik, waarop Sweyn lachte en gromde:

"Nee, Wulfgar, ze is niet bang. Ze kan nauwelijks afwachten tot ze komen."

Daarop verliet Sweyn de zaal met Wulfgar achter zich aan. Gowain voegde zich bij hen en toen ze naar het westen reden, keek iedereen ze na.

Bolsgar stond bij de wachter in de toren van de burcht en keek naar het dorp. Beaufonte reed in de buurt van het kasteel en Aislinn zat in de slaapkamer bij het raam met de luiken op een kier, waar ze het lagere deel van het dorp kon zien en het pad naar het moeras en het bos. Ze kon Maida's hut niet zien en maakte zich toch zorgen dat haar moeder een manier gevonden had om wraak op Wulfgar te nemen zonder dat haar dochter het wist. Aislinn speelde met haar naaiwerk, niet in staat haar gedachten erbij te houden. Ze was bang dat er iets mis kon gaan en Wulfgar in een hinderlaag kon lopen. Ze kon de gedachte hem te verliezen niet verdragen en werd steeds bezorgder.

Plotseling schrok ze op want ze zag een beweging in de dichte struiken aan de rand van het moeras. Ze keek goed en zag een vrouwefiguur voortkruipen in de schaduwen. Een kille angst kwam op toen ze weer aan Maida dacht en ze spande haar ogen in om een bekende beweging op te vangen die de identiteit van de vrouw zou onthullen. Een donkere mantel omhulde haar van top tot teen, wat het nog moeilijker maakte. Misschien was het iemand anders. Haylan, misschien? Had ze een heer van Vlaanderen voor zichzelf gevonden?

De figuur passeerde een open plek en ze zag dat het Maida niet was, want de figuur bewoog zich zo lenig en snel als de oude vrouw niet zou kunnen. Nu bleef ze staan en keek achterom. Aislinn smoorde een

kreet van verbazing. Zelfs op deze afstand en in de schaduwen herkende
ze Gwyneths magere gezicht.

Aislinn keek hoe de vrouw dieper het bos in ging en zich inspannend,
kon ze een als boer geklede man zien die haar daar ontmoette. Ze wisselden
een paar woorden voor de man weer verdween. Gwyneth wachtte een
poosje in de schaduwen voor ze naar de burcht terugsloop.

Toen ze zag dat Bryce nog sliep, haastte Aislinn zich om Bolsgar uit
de toren te roepen. Terwijl ze op hem wachtte, liep ze heen en weer en
vroeg zich af hoe ze hem voorzichtig kon vertellen van zijn dochter.

"Wat is er, meisje?" vroeg hij. "'t Is belangrijk dat ik naar de verrader
uitkijk en ik vertrouw de wachter niet helemaal."

Aislinn haalde diep adem. "Ik ken de verrader, beste Bolsgar. Ik
zag..." Toen gooide ze het eruit. "'t Was Gwyneth. Ik zag haar met
een man bij het moeras."

Hij staarde haar zwijgend aan, de pijn zichtbaar in zijn gezicht. Hij
zocht haar gezicht af naar een spoor van een leugen, maar zag alleen
haar eigen pijn en meegevoel met hem.

"Gwyneth," fluisterde hij. "Natuurlijk. Zij moest het wel zijn."

"Ze zal gauw hier zijn," waarschuwde Aislinn.

De vader knikte afwezig. Hij ging met afgezakte schouders voor het
vuur staan.

Gwyneth kwam zachtjes neuriënd binnen. Ze was bijna knap met een
blos op haar wangen en het vlassige haar los over haar kleine boezem.
Bolsgar draaide zich om en keek zijn dochter woedend aan.

"Wat mankeert u, vader?" tjilpte Gwyneth vrolijk. "Zit uw ontbijt
u dwars?"

"Nee, dochter," gromde hij. "Iets anders vreet aan mijn hart. Een
verraadster die haar eigen familie verraadt."

Gwyneths ogen werden groot en ze wendde zich naar Aislinn. "Wat
voor leugens heb je hem nu weer verteld, teef?" grauwde ze.

"Geen leugens!" brulde Bolsgar, toen vervolgde hij kalmer: "Ik ken
je het best van allemaal en nooit in je leven heb je zorg gehad voor
iets anders dan jezelf. Ja! Ik geloof het. Maar waarom?" Hij keerde
haar zijn rug toe, want hij vond het niet prettig naar haar te kijken.
"Waarom help je een zaak die alleen maar ons land kapot kan maken?
Wat voor vrienden kies je? Eerst die Moorse kinkel Ragnor en nu de
Vlamingen!" Bij het noemen van Ragnors naam zag Aislinn de kin van
de andere vrouw trots omhoog gaan. Opeens viel alles op zijn plaats
en Aislinn begreep de reden voor wat Gwyneth gedaan had. Ze sprong
met een kreet op.

"'t Is Ragnor! Hij leidt de rovers! Wie anders kent het land zo goed
en weet waar de huisjes liggen? 't Is Ragnor aan wie ze ons verraadt."
Bolsgar draaide zich met een diepe frons naar Gwyneth. "Bij God,"
bracht hij uit, "je hebt deze dag de zwartste van mijn leven gemaakt."

"Nog zwarter dan de dag dat u ontdekte dat uw kostbare zoon een
bastaard was?" hoonde ze, en haar stem klonk trots. "U, hij en die
Saksische slet ontnamen me mijn laatste beetje trots. Wat was ik hier
in de burcht waar ik vrouwe had moeten zijn? Mij werd het recht ontzegd

301

de leugens te weerleggen die anderen over me vertelden. Mijn eigen vader grinnikte als een dwaas toen ik beroofd werd van iedere..."

Bolsgars hand raakte haar vol op haar mond en door de kracht van de slag tuimelde Gwyneth achteruit.

"Noem me niet weer je vader," grauwde hij. "Ik heet het een leugen en ontken dat je familie bent."

Gwyneth steunde haar armen achter zich op de tafel en keek hem aan met haat in haar ogen. "Hebt u Wulfgar zo lief, zelfs al noemt men hem een bastaard?" Ze wreef haar gekneusde wang. "Rek dan de dag zo lang u kunt, want vanavond is hij dood."

Aislinn snakte naar adem. "Ze zetten een val voor hem. O, Bolsgar, ze zullen hem doden!"

Ze liep naar Gwyneth met haar hand op de kleine dolk in haar gordel.

"Waar, teef?" eiste ze. Ieder spoor van de zachte Aislinn was verdwenen. "Waar, of ik snijd in je hals tot de wind er een deuntje in fluit."

Gwyneths ogen flikkerden onzeker. "'t Is te laat om mijn bastaard verwant te helpen, dus zal ik het zeggen. Hij kan nu al in het bos bij Cregan liggen."

Ze sloeg haar ogen neer voor hun woedende blikken en gleed in een stoel. Aislinn ondervroeg haar verder terwijl Bolsgar ongelovig naar zijn dochter staarde. Toen Gwyneth niet meer wilde zeggen, wendde Aislinn zich naar hem.

"Ga naar hem toe, Bolsgar," smeekte ze. "Waarschuw hem. Er is nog tijd omdat hij langzaam rijdt en op bericht wacht."

Zonder nog een blik op zijn dochter greep Bolsgar zijn mantel en helm en haastte zich naar buiten.

Wulfgar was tot hij uit het gezicht was naar het westen gereden, had zich toen omgedraaid en zich bij zijn mannen gevoegd. Hij had geen haast en hij stuurde ruiters uit om naar een hinderlaag uit te kijken. Hij hield vaak stil om de heuvels en de weg achter zich af te zoeken.

Het eerste teken van een ruiter was een klein stofwolkje en ze hielden halt om te wachten. Wulfgar keek verbaasd toen hij Bolsgar zag. De oude man kwam glijdend naast hem tot staan.

"Ragnor leidt de vandalen," hijgde hij. "En Gwyneth heeft ons verraden. De Vlamingen hebben een val voor je gezet bij Cregan. Laten we rijden, dan zal ik het je onderweg vertellen."

Wulfgar gaf zijn paard de sporen en Bolsgar begon te vertellen. De jongere man fronste en toen Bolsgar uitgesproken was, reed hij zwijgend, peinzend over Gwyneths verraad. Een rookkolom steeg op achter het bos en benadrukte Bolsgars waarschuwing. Aan de rand van het bos bracht Wulfgar zijn mannen tot staan. Hij gaf snel zijn bevelen.

"Bolsgar! Sweyn! Blijf bij mij. Gowain! Milbourne! Rijd met de helft van de mannen diep door het bos in. Ga tot achter ze en als je mijn roep hoort, val dan aan met lans en zwaard. We zullen ze het open veld in drijven."

Het bos was griezelig stil. Het minste gerucht leek te weerkaatsen van de bomen. Gevallen bomen blokkeerden de weg en al het wild was gevlucht. Er sprongen geen hazen in dekking, er zongen geen vogels en er vluchtten geen herten. Er was alleen stilte en de mannen.

Wulfgars groep ging het pad af, diep de duisternis in. Toen draaiden ze en reden evenwijdig aan het pad tot de ruïnes van Cregan zichtbaar werden achter het bos. Ze keerden weer en reden steels verder tot ze het gemompel van de mannen voor zich konden horen. De eerste keer zouden alle mannen te paard aanvallen en als de vijand in het open veld was, zouden de boogschutters afstijgen en hun pijlen in de strijd werpen.

Ze wachtten gespannen. Wulfgar besliste dat de anderen tijd genoeg hadden gehad om hun plaats te bereiken en zijn strijdkreet klonk door het bos. Als één man dreven de mannen hun paarden in de aanval.

De strijd begon en in de verwarring van het bos leek het of er duizend mannen aanvielen. De Vlamingen zagen dat het hopeloos was hier stand te houden en vluchtten het open veld in.

De ene ridder die ze leidde, beval ze te blijven staan en van hun schilden een muur te vormen. Hij bracht er een paar binnen de cirkel om met hun bogen wat bescherming te geven. Hun paarden waren in het bos achtergelaten.

Wulfgar liet zijn boogschutters afstijgen aan de rand van het bos waar dekking was. Hij kwam met zijn ridders naar voren, Bolsgar en Gowain links, Sweyn en Milbourne rechts van hem. Hij hief de piek met zijn standaard en riep:

"Geef jullie over. Jullie zijn verloren."

De ridder schreeuwde terug: "Nee. We hebben gehoord van Williams straf voor rovers. Beter dat we hier sterven dan onder zijn bijl." De ridder schudde zijn schild en zwaard. "Begin met het doden, Normandier."

Wulfgar keek naar links en naar rechts. Hij velde zijn lans en een regen van pijlen viel op de vijand. Hij gaf de Hun de sporen en viel aan. Zijn lans reikte voorbij de korte speer van de man voor hem en gooide hem op de grond, de muur van schilden verbrekend. Ze braken door en vielen weer aan. De eenzame ridder probeerde de mannen weer te formeren, maar Wulfgar en zijn mannen waren sneller. Deze keer raakte hij de hoek van het vierkant. Hij duwde de vijand terug en maakte de weg vrij voor de anderen. Hij liet de lans vallen en hakte met zijn zwaard om zich heen. De helft van de Normandische boogschutters stortte zich met een zwaard in de strijd. De anderen bleven staan en schoten als er een opening was of een vijand probeerde te vluchten.

Het was stil behalve af en toe gekreun en alleen de ridder stond nog. Hij legde zijn armen op het gevest van zijn zwaard. Zwijgend steeg Wulfgar af en ging hem met zwaard en schild tegemoet. De ridder stierf eervol.

Sweyn en Bolsgar zochten onder de gevallenen naar Ragnor en Vachel, maar vergeefs. Drie Normandiërs waren gedood en zes gewond maar in staat om te rijden. De Vlamingen werden ontdaan van hun wapens en bij elkaar gelegd om begraven te worden. Wulfgar zocht onbehaaglijk de horizon af en vroeg zich af waar Ragnor en Vachel waren.

Aislinn liep met verwarde gedachten heen en weer. Wulfgar was in gevaar, door de dwaasheid van een vrouw. Ze draaide zich driftig naar Gwyneth, van plan haar uit te schelden, maar zag dat de vrouw strak naar de deur keek. Aislinn volgde haar blik maar zag niets. Ze fronste verbaasd en ging zitten naaien terwijl ze de ander in de gaten hield. Gwyneth zat stil, maar haar ogen dwaalden steeds naar de deur.

"We wisten dat er een verrader was, Gwyneth," zei Aislinn weloverwogen. "Wulfgar rijdt langzaam en wacht op bericht van ons. Waarschijnlijk is Ragnor degene die vandaag aan zijn eind komt."

Gwyneth antwoordde rustig: "Ragnor zal niet sterven."

"De mannen zijn vroeg uitgereden maar hebben achter de heuvel op Wulfgar gewacht." Aislinn naaide verder en keek oplettend naar Gwyneth. Er was geen reactie, ze herhaalde alleen:

"Ragnor zal niet sterven."

Aislinn stond abrupt op.

"Ragnor zal niet sterven," herhaalde ze, "omdat hij hier komt."

Toen ze Gwyneths triomfantelijke blik zag, wist Aislinn dat ze goed geraden had. Ze riep onmiddellijk naar de schildwacht in de toren dat hij Beaufonte moest halen en alle mannen die bij hem waren. De man vertrok en zij keek weer naar Gwyneth, haar hand op haar dolk. Er klonk hoefgekletter en Aislinn trok haar mes, klaar om te vechten als Ragnor binnen kwam. Tot haar opluchting kwam Beaufonte binnen met één man achter zich. De ridder keek de zaal rond en toen hij niets zag, keek hij haar vragend aan.

"Vrouwe?"

Ze keerden zich om toen Kerwick hijgend binnen kwam rennen met de wachter achter zich aan. Nu staarden de mannen allemaal naar haar.

"Ragnor is op weg hierheen terwijl zijn mannen proberen Wulfgar in een hinderlaag te lokken," vertelde ze. "We moeten de burcht tegen hem beveiligen."

Ze grendelden haastig de luiken, toen gooide Beaufonte de zware grendel voor de deur. Aislinn dacht aan de avond dat Ragnor gekomen was en hoorde bijna het kraken van een andere grendel die versplinterd werd onder een zware stormram. Gelukkig was haar moeder veilig in haar hut. Ze zou een herhaling van die afschuwelijke avond niet verdragen. Aislinn vroeg zich af wat er nog meer gedaan kon worden om ze te beveiligen en dacht toen aan het voor de hand liggende.

"Beaufonte, de wachter! Stuur Wulfgar een teken dat hij naar Darkenwald terugkomt en laten we bidden dat hij het ziet!"

De ridder riep omhoog in de toren en de uitkijk kwam naar beneden. Ze bespraken de boodschap toen er zwaar op de deur gebonsd werd en Ragnor eiste binnengelaten te worden. Voor iemand haar kon tegenhouden, sprong Gwyneth op en trok de grendel weg. De deur vloog open en twee vreemde mannen kwamen binnen, gevolgd door Ragnor, Vachel en nog twee man. Ze waren gekleed in Normandische kleren, maar Beaufonte trok zijn zwaard en ging tegenover ze staan. Een van de mannen achter Ragnor wierp een speer en de wachter stierf. Beaufontes man voegde zich bij hem en de twee vochten dapper, maar Vachel sloeg de man neer. Beaufonte stond alleen en hield de anderen bezig terwijl Kerwick Aislinn de trap op duwde. Vachel ging opzij en kwam achter Beaufonte. Hij zwaaide zijn zwaard met beide handen tegen de rug van de dappere ridder, hieuw door de maliën en diep in zijn nek. Beaufonte gaf een waarschuwende kreet, viel toen op zijn rug en staarde naar het plafond toen zijn ogen dof werden en zijn adem ophield.

Kerwick duwde Aislinn haar kamer in, sloot de deur en greep een oud schild en zwaard van de muur. Hij stond klaar om de vijand zo lang mogelijk tegen te houden. Twee van de rovers kwamen naar voren met Ragnor achter ze.

"Saksische hond, geef het op," zei Ragnor met een grijns. "Wat kun je winnen met het verdedigen van de vrouwe? Ze wordt in ieder geval genomen als je dood bent."

Kerwick hield stand. "Als mijn leven alles is wat ik voor haar kan geven, dan zij het zo. Kom, Ragnor, ik heb hiernaar verlangd sinds je mijn verloofde nam."

"Jij ook, Sakser?" spotte Ragnor. "Is iedereen verliefd op haar?"

Kerwick sloeg een speer opzij en stak zijn zwaard in de maag van een van de mannen. Die viel, maar Ragnors zwaard brak dat van Kerwick af bij het gevest. De volgende slag raakte het schild, maar de speer van de andere rover raakte Kerwicks been. Ragnor sloeg hem neer. Er stroomde bloed uit zijn hoofd en hij rolde onder hun voeten toen Ragnor hem voorbij rende om de deur open te gooien.

Aislinn draaide zich met een kreet om en Ragnor grijnsde.

"Ik zei dat ik je zou hebben, duifje," lachte hij. "Het is zover."

Aislinns ogen flitsten maar ze toonde haar angst niet. Een beweging in de wieg deed Ragnor stilstaan, toen liep hij er met opgeheven zwaard naar toe. Aislinn gooide zich tegen zijn arm, maar Ragnor duwde haar weg, waardoor ze viel. Ze kwam direct overeind, bloed druppelde uit haar mondhoek.

"Zou je je eigen zoon doden?" hoonde ze.

"Die kans bestaat, maar er is ook twijfel," antwoordde hij kalm. "Hij kan beter dood zijn dan van Wulfgar."

Hij keerde zich om en hief zijn zwaard weer.

"Nee!" krijste Aislinn.

Er was iets in haar stem dat hem tegenhield. Ze hield haar dolk tegen haar borst en hij zag het dreigement in haar ogen.

"Raak de baby aan en ik dood mezelf. Je kent Wulfgar en je weet dat er geen hoek in de hel is waar je je kunt verstoppen als ik dood ben."

Hij lachte wreed. "Die bastaard is geen zorg. Mijn mannen gooien al aarde op zijn graf."

"Pas op, mijn lief," kwam Gwyneths stem van de deur. Ze wilde hem niet lang met Aislinn alleen laten. "Wulfgar is gewaarschuwd. Ze hebben me betrapt en mijn vader is naar hem toe. Ze hebben zelf een val gezet."

Ragnor stak zijn zwaard in de schede en dacht even na. "Nou, dat ziet er slecht voor ons uit, mijn diertje," peinsde hij hardop. "Als ik het geluk van de bastaard ken, zal hij het overleven. Ik had gedacht de rest rustig te houden met zijn vrouw als gijzelaar tot we zijn land verwoest hadden, maar nu moeten we vluchten. Ik heb de paar mannen die ik had, gebruikt om zijn dood te kopen."

Hij keek naar Aislinn die Bryce in haar armen hield en wist dat hij ze nu niet makkelijk kon scheiden, en de tijd drong. Hij wendde zich naar Gwyneth.

"Haal eten uit de kelders. We gaan naar Edgar bij de Schotten en zweren hem trouw. Schiet op, diertje. De tijd dringt." Hij wendde zich naar Aislinn. "Breng de jongen! Hij zal een even goede gijzelaar zijn als jij, al denk ik dat Wulfgar hem alleen maar lastig vindt." Toen zei hij scherp: "Maar ik waarschuw je, mijn duifje, als je wilt dat de baby blijft leven, probeer dan niet ons op te houden of een spoor achter te laten."

Ze hoonde: "U zult zelf een spoor achterlaten, waarheen u ook gaat. Mijn baby zal niet lastig zijn. Maar ik kan hem hier laten." Ze probeerde achteloos te praten. "Wulfgar denkt dat de baby van u is en geeft niet om hem, maar hij zal hem goed laten verzorgen."

Ragnor keek haar met dichtgeknepen ogen aan. "De lieve Gwyneth zegt dat hij het kind het zijne noemt en de laatste tijd dol op hem is. Ik denk dat we hem ook meenemen."

"Die teef heeft u goed ingelicht," siste Aislinn.

"Spreek niet hard over haar, mijn lief. Ze heeft me trouw gediend," antwoordde Ragnor.

"Ja." Aislinn stikte van woede. "Maar niemand anders, en ik denk zelfs zichzelf niet."

"Ze wil de wereld aan haar voeten hebben," lachte hij. "En wie zou die tere bloesem iets kunnen weigeren?" De klank van zijn stem sprak zijn woorden tegen. "Genoeg getreuzeld. Neem mee wat je wilt, maar snel. Ik word dat geklets moe."

Aislinn gooide kleren voor Bryce in een bundel en greep haar met bont gevoerde mantel.

"Dat is alles," beval hij. "Hiermee haal je het wel."

Hij volgde haar de kamer uit, duwde haar voorbij Kerwick toen ze bij hem wilde knielen, en bracht haar naar buiten.

Gwyneth zat al op Aislinns appelgrauwe merrie. Ze droeg een mooie jurk die ze tenslotte gekocht had van het geld dat Wulfgar voor haar en haar vader achtergelaten had toen hij naar William ging. De kleine merrie werd voor Aislinn gebracht en Ragnor zette haar erop. Gwyneth keek argwanend naar ze.

"Denk er goed aan, duifje, ik dood de baby als je me reden geeft."

Aislinn slikte en knikte en hij sprong op zijn paard. Gwyneth hield ze op voor nog een onbenullig overwinninkje. Ze nam de wollen mantel van haar schouders en liet hem Aislinn ruilen voor haar met bont gevoerde. Ragnor wachtte geamuseerd. Gwyneth kwam naast hem en glimlachte.

"Zie ik er nu niet mooi uit, mijn lief?" vroeg ze bedeesd.

Ragnor lachte maar keek over Gwyneth heen naar Aislinn.

25

Wulfgar zocht weer de heuvels af en het was of hij stemmen hoorde in zijn achterhoofd. Hij hield zijn hoofd scheef en de stemmen werden duidelijk. Ragnor! Aislinn! Bryce! Darkenwald! Plotseling wist hij waar Ragnor was.

De Hun snoof verbaasd toen hij aan de teugels rukte en hij brulde tegen Bolsgar.

"Zorg dat deze mannen begraven worden. Ze hebben dapper gevochten. Milbourne, blijf met tien man hier om te graven. De rest die kan rijden komt mee."

Sweyn, Gowain en een man of vijftien stegen op, een paar gewond, maar allemaal gretig. Ze reden snel tot ze het plein op donderden en hun paarden inhielden. Wulfgar merkte op dat er geen kreet klonk van de toren om hun nadering te melden en dat Aislinn niet naar buiten kwam. Hij sprong uit het zadel en gooide zijn teugels naar Sweyn. Hij rende naar binnen en zag iets anders dan hij verwachtte.

Wulfgars bloed werd koud toen hij de schade overzag. De zaal was een ruïne en de wachter lag dood bij de deur naar de toren. Beaufonte lag in een plas bloed omhoog te staren. Kerwick lag op de trap, waar Haylan voorzichtig een wond aan de zijkant van zijn hoofd verzorgde. Hij had nog steeds het gevest van een oud zwaard in zijn hand. Bovenaan de trap lag een vreemdeling met het andere deel in zijn buik. Miderd wrong haar handen en Maida zat weggedoken in een hoek.

"'t Was Gwyneth!" krijste Haylan. "Die teef Gwyneth deed de deur voor ze open. En ze is met ze mee gegaan." Ze snikte van woede. "Ze hebben vrouwe Aislinn en Bryce meegenomen."

Wulfgar was kalm. Maar hij werd bleek en zijn ogen kregen de kleur van gepolijst staal.

Haylan babbelde snikkend verder. "Ze namen de baby mee en ik hoorde hem zeggen dat hij hem zou doden als hij lastig was."

Wulfgar zei zacht en bijna vriendelijk: "Wie, Haylan? Wie zei dat?"

Ze keek hem even verbaasd aan en antwoordde toen: "Die die met de koning kwam – Ragnor. Hij was met nog een ridder en vier man. Beaufonte doodde er een voor hij gedood werd en de ander kreeg Kerwicks zwaard. De rest haalde Aislinn en de jongen en vluchtte."

Haylan legde voorzichtig een schone doek op Kerwicks wond. Maida wiegde op haar hielen bij de wieg en kreunde zacht. Wulfgar ging naast Haylan staan en keek naar zijn gewonde schout.

"Kerwick?"

De jongeman opende zijn ogen en hij grijnsde zwak. "Ik heb het geprobeerd, mijn heer, maar er waren er te veel. Ik heb geprobeerd..."

"Rustig, Kerwick," mompelde Wulfgar en legde een hand op zijn schouder. "Je bent twee keer gemarteld ter wille van mijn vrouwe."

Sweyn stampte naar binnen met zijn bijl in zijn hand en een woedend gezicht. "Ze hebben de staljongen gedood. Een ongewapende jongen. Ze hebben zijn keel afgesneden."

Zijn ogen werden groot toen hij Beaufonte zag en hij mompelde een vloek. Wulfgar keek strak naar de gedode ridder, maar gaf grommend bevelen.

"Voer en roskam de Hun en jouw paard." En als bij nader inzien voegde hij eraan toe: "Geen wapenrusting, geen bepakking. We reizen licht."

De Viking knikte en draaide zich om en Wulfgar wendde zich naar Miderd.

"Ga naar de provisiekamer," beval hij. "Snijd lange repen gedroogd wildbraad. Breng twee kleine zakken meel en twee zakken water."

Hij rende de trap op naar zijn kamer. Toen hij even later terugkwam, droeg hij een zachte kap en een hemd van herteleer met daarover een ruwe wambuis van wolfsbont en een gordel met zijn zwaard en een scherpe dolk. Over zijn herteleren laarzen droeg hij beenstukken van wolfsbont, op de Viking-manier op hun plaats gehouden. Hij liep langs Haylan en Kerwick, die nu rechtop zat, bleef even staan en zei hard:

"Dit heb ik te lang uitgesteld en nu heeft het me geraakt. Pas op de burcht, Kerwick, tot ik terugkom. Bolsgar en mijn ridders zullen je helpen."

Miderd kwam met het gevraagde en hij haastte zich zonder verder nog een woord naar buiten. Bij de stal deelde hij de provisie met Sweyn en knikte goedkeurend toen hij zag dat de Noorman ongeveer net zo gekleed was als hij en voor ieder paard een flinke zak graan genomen had. Ze stegen op en waren in een ogeblik uit het gezicht verdwenen.

Bolsgar had het slagveld opgeruimd. Hij bracht een stuk of twintig met buit beladen paarden in de stallen en haastte zich toen naar de zaal waar Kerwick aan tafel zat. Haylan bond de laatste stroken verband om zijn hoofd, ging toen naast hem zitten en hield zijn hand vast.

De oude Sakser luisterde naar Kerwicks verhaal en zijn gezicht vertrok van woede en schaamte.

"Gwyneth ontstond uit mijn lendenen en ik moet zorgen dat dit gedaan wordt," mompelde hij. "Wulfgar zal misschien zijn zuster vergeven, maar ik niet. Ik ga ze achterna en als hij aarzelt, zal ik een eind maken aan haar verraadstersdagen."

Hij ging bedroefd naar zijn kamer en kwam even later terug. Hij nam alleen een zak zout, een sterke boog en zijn zwaard. In een ogenblik had ook hij Darkenwald verlaten.

Ragnor reed of Satan op zijn hielen zat en tierde over ieder oponthoud. Aislinn worstelde met Bryce. Hem stil in haar armen houden en ook de merrie leiden, bleek erg moeilijk. Ze klaagde bitter toen Ragnor haar paard met de zweep in een korte galop zette, maar wist dat hij haar, in zijn verbitterde stemming, het zwaard niet zou besparen.

Ze reden in een wijde boog om Londen heen, rustten maar een paar uur in de nacht, stonden bij het eerste licht op, werkten koude soep en vlees naar binnen en reden weer. Hoewel ze weinig rust kreeg, was Aislinn blij dat ze zo kort rustten. Ragnor keek steeds naar haar en ze wist dat ze niet veilig zou zijn geweest als hij tijd had gehad. Ze ontkwam 's nachts niet aan zijn blik, hoewel Gwyneth dicht tegen hem aan kroop, en als ze bij de dageraad de baby voedde, was hij steeds in de buurt.

Bryce sliep meestal in haar armen, maar als hij wakker werd, brulde hij over zijn gedwongen nietsdoen. Ragnor werd met het uur woester en zelfs Gwyneth, die kilometers lang gezwegen had, begon zijn scherpe tong te voelen. Aislinn was verbaasd over hem. Het zou hem misschien lukken de noordelijke heuvels te bereiken en zich met stelen in leven te houden, of zich bij Atheling Edgar te voegen, maar dan was Wulfgar er toch nog.

Toen ze aan hem dacht, kwamen er tranen in haar ogen. Ze kon alleen maar hopen dat hij hen zou kunnen redden of een losgeld betalen. Ja, ze kon alleen maar hopen dat Bolsgar hem op tijd bereikt had en dat hij nog leefde. Ze kon Ragnors pochen op de val die hij voor Wulfgar uitgezet had niet verdragen en was erg bang dat hij gevallen was.

De zon rees hoog en de weg werd stoffig. Bryce werd wakker en dronk, toen jammerde hij omdat zijn moeder hem niet wilde laten spelen.

Ragnor draaide zich om en grauwde: "Laat die bastaard ophouden met dat gejank!"

Aislinn neuriede zacht voor haar zoon, wiegde hem in haar armen en tenslotte deed hij weer een dutje. Ze hadden het lage land verlaten en reden de met hei bedekte heuvels in. Ze kwamen langs de ruïnes van een klein dorp, ingestorte, dakloze huisjes. Toen ze langzaam over het vroegere plein reden, kwam een verschrompelde oude vrouw uit de schaduwen. Ze had maar een oog, haar rechterarm was onbruikbaar en met de linker hield ze Ragnor een ruwe houten kom voor.

"Een koperstuk, heer?" zei ze met een vertrokken glimlach. "Een koperstuk voor een arme oude..."

Ragnor schopte naar haar en verbazend lenig ontweek ze hem. Aislinn hield in en het oude wijf herhaalde haar bede.

"Een koperstuk, een kleinigheid, vrouwe."

Uit medelijden gooide Aislinn haar een stuk droog brood toe, beseffend dat ze misschien haar eigen maal weggaf. Ragnor bespotte haar liefdadigheid en drong ze verder. Aan de rand van het plein bleef hij plotseling staan, trok zijn zwaard en keek Aislinn aan.

"Dat jong houdt ons op en ik heb geen twee gijzelaars nodig."

Aislinn trok Bryce tegen zich aan en zei met de vastberadenheid van een moeder: "U hebt uw woord gegeven, Ragnor. Om hem te doden, moet u eerst mij doden en dan hebt u geen gijzelaar als Wulfgar komt."

Haar hand kwam van onder de wollen mantel met haar kleine dolk er wanhopig in geklemd. De andere mannen trokken zich terug en Ragnor vervloekte zijn dwaasheid dat hij haar het wapen niet eerder afgenomen had. Vachel steunde zijn armen op zijn zadelknop en grijnsde.

"Wat zeg je, neef? Wil je de trotse feeks zichzelf laten doden?"

Gwyneth zag een kans. Ze liet haar paard tegen dat van Aislinn botsen en greep de dolk terwijl Aislinn steun zocht en haar zoon vasthield. Aislinn keek Wulfgars zuster woedend aan.

"Verraadster!" siste ze. "Altijd de verraadster. Arme Gwyneth."

Ragnor lachte en stak zijn zwaard in de schede. "Aaah, mijn duifje, geef je nooit toe? Ik dood wie ik wil en jij kunt er niets aan doen. Maar ik heb mijn woord gegeven en tenzij jij me ertoe dwingt, zal ik de jongen geen kwaad doen. Ik wou hem alleen maar bij het oude wijf achterlaten en haar wat eten en geld geven voor de moeite."

"Nee!" hijgde Aislinn. "Dat kunt u niet doen!"

"Er zijn geiten," zei hij. "De oude vrouw heeft genoeg melk. En als, zoals je zegt, Wulfgar, Sweyn of anderen ons volgen, zullen ze het kind vinden en hem naar huis brengen."

Aislinn putte hoop uit zijn laatste opmerking en bedacht dat ze alleen meer kans had om te ontsnappen. Tenslotte gaf ze met een snik haar zoon aan Gwyneth die met hem naar de oude vrouw ging. Bryce begon te brullen en zelfs op een afstand leek Gwyneth blij hem aan de oude vrouw te kunnen geven. Ze onderhandelden, toen telde ze munten uit, gaf een kleine zak wijn en wat eten. Ze kwam haastig terug en de oude vrouw keek ze verbaasd na.

Nu begon de reis pas goed. Ragnor dreef de groep voort zoals hij eerder niet kon. Al gauw begonnen de paarden te hijgen. Ze stopten op een beschaduwde plek, de zadels werden van de uitgeputte dieren genomen en op verse paarden gelegd die Ragnor uit Wulfgars stallen genomen had.

Toen de nieuwe paarden gezadeld en gedrenkt waren, hees Aislinn zich weer in het zadel en keek bedroefd haar appelgrauwe na die langzaam wegliep. Ragnor kwam naast haar en nam met een vreemde glimlach de teugels uit haar handen en legde ze over het hoofd van haar paard.

"Ik leid een poosje, mijn duifje, voor het geval je wilt teruggaan."

Hij liet Gwyneth en Vachel en de andere mannen een eindje vooruit gaan. Even later lachte hij en hield in tot ze naast elkaar reden.

"Ik geloof dat Gwyneth ons een dienst bewezen heeft," grinnikte hij. Op Aislinns verbaasde blik, zei hij: "Ze heeft het oude wijf overtuigd dat ze binnenkort iemand nodig zal hebben om voor haar te bedelen en dat een goed opgeleide jongen een waardevolle hulp zal zijn."

Aislinn slaakte een kreet van schrik, maar Ragnor vervolgde:

"En ze waarschuwde het oude wijf voor een slechte Normandische ridder die de jongen misschien zou komen zoeken."

Hij lachte, gaf zijn paard de sporen en trok dat van Aislinn mee. Ze klemde zich vast en toen ze de anderen inhaalden, schreeuwde hij over zijn schouder:

"Probeer niet te springen, Aislinn. Je zou iets kunnen breken, en zo niet, dan bind ik je over het zadel en dat zou je waardigheid ietwat kunnen kneuzen."

Aislinn keek met neergeslagen ogen naar de flitsende hoeven die haar steeds verder van Bryce verwijderden.

Die avond werkte ze een nauwelijks warm maal naar binnen voor het vuur gedoofd werd. Ze werd aan haar polsen aan een boom gebonden en uitgeput en hopeloos viel ze in slaap.

Wulfgar en Sweyn reden naast elkaar. Ze zwegen, stelden alleen korte vragen bij dorpen en boerderijen, en volgden zo het spoor. De Noorman had steeds zijn bijl bij de hand en de hand van de Normandische ridder rustte op het gevest van zijn zwaard.

Er was een dodelijke doelbewustheid in het tweetal. Als ze halt hielden, kregen de paarden een paar handenvol graan, dan dronken ze en graasden even terwijl de mannen op leerachtige stroken vlees kauwden en een snel dutje deden in de zon.

Lang na middernacht verbaasde een rusteloze boer zich over hoefgekletter langs zijn huisje. Wulfgar kende geen uitputting. Hij was geoefend in de strijd en zat ontspannen in het zadel, maar zijn gedachten snelden hem vooruit. Misschien waren Aislinn en de baby al dood. Hij deinsde terug voor het idee, hij probeerde zich zijn leven voor te stellen zonder Aislinns gelukkige lach en voelde alleen maar zwarte, gapende angst. Als een donderslag bij heldere hemel ontdekte hij dat hij Aislinn liefhad, meer dan zijn eigen leven. Hij aanvaardde het feit en genoot ervan.

Hij glimlachte in het donker en sprak tegen de Viking naast hem. Hoewel zijn stem zacht was, klonk er iets dodelijks in waardoor Sweyn probeerde zijn gezicht te zien.

"Ragnor is van mij! Wat er ook gebeurt, Ragnor is van mij."

Al gauw vonden ze een spoor, de koude resten van een vuur, plat gras waar een meisje kon hebben geslapen. De twee mannen reden zo snel dat andere reizigers bleven staan om ze na te kijken.

In de hooglanden van de noordkust, dicht bij Schotland, kwamen ze een heuvel over en zagen in de verte zes ruiters waarvan er een geleid werd. De grote paarden schenen de koorts van hun meesters te voelen en al waren ze moe, ze spanden hun spieren nog een beetje meer.

Drie van de groep vooruit bleven achter terwijl een ridder en twee vrouwen verder vluchtten. De afstand werd kleiner en de drie dachten dat het een voordeel was dat er maar twee volgden. Op een kreet van Vachel bleven ze staan en trokken hun zwaard.

Toen de jagers hun prooi zagen, klonk Wulfgars strijdkreet. Het grote zwaard ging omhoog en zong in de wind en de strijdbijl maakte een cirkel boven het hoofd van de Viking. Bij het geluid van de verre heuvel, hield Ragnor zijn paard in en vervloekte het lot want hij kende Wulfgars strijdkreet en, erger nog, hij kende Wulfgar.

De twee krijgslieden kwamen op hun drie tegenstanders af. Ze stonden in het zadel en leunden naar voren. Wulfgar klemde de flanken van de Hun tussen zijn knieën en op korte afstand trok hij aan de teugels, de Hun rees omhoog en verpletterde een ongelukkige ruiter onder zijn schild. Zijn zwaard ging door het schild van de ander en door de helft van de arm die het vasthield. Nog een slag en het was afgelopen.

De Hun draaide zich om, maar het was niet nodig. Vachel was gevallen en had zijn been gebroken. Hij knielde in het stof en keek naar Sweyn op.

"Voor Beaufonte!" brulde Sweyn en de bijl kwam neer. Vachel zonk langzaam in het stof en betaalde voor zijn trouw aan Ragnor.

Sweyn trok zijn bijl uit Vachels helm en riep dank aan Wodan, maar te vroeg. Zijn paard gleed langzaam op zijn knieën met Vachels zwaard tussen zijn ribben. Sweyn stapte weg en toen het paard kronkelde van pijn, weerspiegelde die pijn zich op het gezicht van de Noorman. Zijn bijl kwam neer en het trouwe paard stortte neer.

Wulfgar steeg af en maakte zijn zwaard schoon aan de mantel van een gevallene. Met zijn voet draaide hij Vachel op zijn rug. Wulfgar keek naar de kleiner wordende figuren voor hem uit.

"Ik moet verder," zei hij. Hij keek Sweyn aan. "Ga terug naar Darkenwald. Zo God wil, zie ik je daar met Aislinn en de baby."

Sweyn knikte en gaf een laatste waarschuwing. "Let op je rug."

Ze gaven elkaar een hand, toen sprong Wulfgar weer in het zadel en verdween in genadeloze vaart.

Ragnor had weinig tijd verspild. Toen Wulfgars strijdkreet eindigde, dreef hij de vrouwen verder zo snel de hijgende paarden over de steile heuvels konden. Aislinn reed achter hem, vreemd kalm. Ze wist nu zeker dat Wulfgar leefde en glimlachte. Toen hij over zijn schouder naar haar keek, voelde Ragnor zich onbehaaglijk door haar kalmte.

De middag verstreek en nog steeds reden ze verder, de paarden struikelden en hijgden met schuim op hun flanken, maar werden met de zweep voortgedreven. Ze reden over een rots boven een stil meer dat zilverig glinsterde in de langer wordende schaduwen. Ze kwamen aan een breuk in de steile muur en begonnen voorzichtig af te dalen. Aislinns handen in de manen van het paard werden verdoofd van de kou, maar ze durfde niet loslaten uit angst in het ravijn te vallen. Voor ze liep een smalle strook zand naar een eiland waar de resten stonden van een oude Pictische sterkte. Ragnor leidde ze naar de ruïne. Ze hielden halt op een groot plein, aan drie kanten begrensd door een stenen muur en aan de zeekant door de hogere muur van een tempel. Op het plein stond een blok steen met lussen aan de hoeken, waar misschien levende offers van heidense riten gebracht waren.

Ragnor tilde Aislinn uit het zadel en droeg haar naar de steen, Gwyneth moest alleen afstijgen en de paarden vastbinden. Ragnor bond Aislinns polsen aan een lus en toen ze rilde van de kou, trok hij zijn mantel uit en legde hem om haar heen. Hij bleef even naast haar staan en keek haar aan met een vreemd mengsel van wellust en eerbied, en hij vroeg zich af hoe het met deze vrouw geweest zou zijn als ze elkaar anders ontmoet hadden. Zijn gedachten voerden hem naar de nare avond dat hij haar voor het eerst gezien had. Hoe had hij toen kunnen weten dat zijn pogingen om haar te hebben naar de ondergang zouden leiden? Nu was Wulfgar, als hij aan Vachel en de twee anderen ontkomen was, op zijn spoor als een wolf die bloed geroken heeft.

Wulfgar dreef de Hun tot het uiterste en toen het dier hijgend bleef staan, wist hij dat hij niet verder kon. Hij steeg af, gaf het paard de rest van het graan en wreef hem goed met de lege zak. Hij keerde het paard in de richting van Sweyn, sloeg hem op zijn rug en stuurde hem weg. Wulfgar begon te lopen en onderweg kauwde hij op een mondvol gedroogd vlees en graan en nam een slok water om te kunnen slikken. Hij deed de gordel met het zwaard af en gooide hem over zijn schouder zodat het gevest makkelijk bereikbaar in zijn nek lag. Nu liep hij op een makkelijke draf met gebogen hoofd om het flauwe spoor van hoeven op de harde grond te volgen. Het was al schemerig toen hij op een rots kwam en een eiland zag waar een vuur gloeide. De vloed kwam op en de strook zand was smal. Toen hij beneden kwam, was de schemering dieper en bedekte een flinke voet water het zand. Ragnor had zich goed voorbereid, dacht hij. Nu kon hij hem niet geluidloos naderen.

Wulfgar trok zich terug in de schaduwen en wachtte tot de maan op-kwam. Hij klom een eindje de rots op zodat hij het plein kon zien en daar zag hij drie figuren bij het licht van het vuur: Gwyneth die heen en weer liep, Ragnor die het smalle strand in de gaten hield en Aislinn in elkaar gedoken in een mantel bij een groot blok steen. En de baby – waar was die?

Langzaam werd het lichter en een grote oranje maan rees op. Wulfgar wist dat het zover was en glimlachte. Hij gooide zijn hoofd achterover en brulde zijn strijdkreet, een lage, schallende kreet die weerkaatste van de rotsen.

In de ruïne beneden schrok Ragnor en keek omhoog. De huilende kreet die weerklonk over het meer, maakte hem bewegingloos alsof hij de dood erin hoorde. Aislinn tuurde in de duisternis achter het vuur. Ze kende Wulfgars strijdkreet, maar toch huiverde ze. Het deed haar denken aan een grote zwarte wolf die haar aangestaard had over een ander vuur.

Hijgend keek Gwyneth angstig naar Ragnor, spookachtig bleek in het vage licht, maar toen de laatste echo van Wulfgars strijdkreet weg-stierf, vertrok Ragnors gezicht in een grauw. Nijdig liep hij naar Aislinn en trok een kort mes uit zijn gordel. Aislinns adem stokte, toen keek ze hem woedend aan, verwachtend het scherpe mes in haar borst te voe-len, maar Ragnor sneed haar ene pols los. Ze keek hem aan en vroeg zich af wat er nu zou gebeuren. Hij glimlachte wreed, stak het mes weg en trok haar overeind. Hij drukte haar tegen zijn borst. Ze verzette zich niet maar hing slap in zijn armen. Hij streelde haar wang en nam haar kin in een ijzeren greep. Zonder te letten op Gwyneth die met open mond naar ze keek, kuste hij Aislinn hard. Ze probeerde hem weg te duwen, maar hij gaf haar geen kans.

"Hij zal je niet hebben, duifje, dat zweer ik," mompelde hij hees. "Hij zal je niet hebben."

Gwyneth kwam naar hem toe en dwong haar vermoeide gezicht tot een verleidelijke glimlach. "Ragnor, lief, waarom geef je haar je gunsten? Probeer je mijn broer kwaad te maken? Pas op, lieveling. Hij is al kwaad genoeg zonder dat je zijn teef liefkoost voor zijn ogen."

Ragnors lach weerkaatste tegen de rotsen. Hij stapte achter Aislinn en trok haar rug tegen zich aan, terwijl zijn ogen over het duister achter de strook zand gingen.

"Wulfgar, kijk naar je vrouw," riep hij. Hij trok de mantels van Aislinns schouders en liet ze vallen. Het vuur verlichtte haar slanke figuur in een fluwelen kleed. Langzaam liefkoosde hij Aislinns borsten, als om de man te kwellen die misschien toekeek in de schaduwen van de rots.

"Kijk, Wulfgar, bastaard van Darkenwald," schreeuwde Ragnor. "Ze is nu weer van mij. Kom haar halen als je kunt."

Weer antwoordde stilte en Aislinn hoorde alleen Ragnors zware ademhaling tegen haar oor. Snikkend van woede worstelde ze, maar vergeefs. Ragnor grinnikte gemeen en zijn handen bewogen weer, nu naar haar middel en omlaag over haar heupen.

"Ragnor!" Het protest kwam van Gwyneth die zijn bedoeling zag. "Wil je mij ook kwellen?"

"Zwijg!" viel hij uit. "Laat me met rust!"

Zijn hand gleed omlaag over Aislinns buik en ze sprong beledigd op.

"Moet ik haar voor je ogen nemen, bastaard?" brulde hij.

Er kwam geen antwoord van Wulfgar, alleen drukkende stilte. Even ging Ragnor door met zijn wellustige strelen, tot hij tenslotte besefte dat Wulfgar zich niet door woede tot een dwaasheid zou laten brengen.

"Ik zal dit later afmaken," hoonde hij in Aislinns oor. "Maar eerst komt de dood van je man."

Hij ging achter haar vandaan en bond haar pols aan de andere hoek van de steen, zodat ze nu met gespreide armen stond.

Kreunend probeerde Gwyneth zich aan Ragnor vast te klemmen, maar hij rukte zich los.

"Maak dat je weg komt, teef," spoog hij, zijn stem giftig en zijn ogen honend. "Ik heb de honing van de Hemel zelf geproefd. Denk je dat ik liever een bottige teef heb dan haar? Ga met je trillende flanken de straat op als je vindt dat ze tekort komen."

Gwyneth staarde hem wanhopig en ongelovig aan.

"Ragnor, geef toe. Straks komt Wulfgar en 't is een slecht voorteken met de kus van een onwillig meisje de strijd in te gaan. Laat me je een teken geven om mee het gevecht in te gaan."

Ze spreidde haar armen half, maar Ragnor beval woedend:

"Zwijg!"

Hij gooide meer hout op het vuur terwijl hij naar de heuvels tuurde. Gwyneth rende snikkend naar hem toe en probeerde haar armen om hem heen te slaan.

"Nee, mijn lief," huilde ze. "Je hebt me gewillig gevonden. Wil je nu dat gestolene? Neem mijn liefde met je mee."

Ragnor duwde haar met afkeer van zich af, maar ze kwam weer terug. Vloekend sloeg hij haar met de tak die hij in zijn hand had tegen haar hoofd. Gwyneth struikelde achteruit en haar hoofd sloeg met een misselijk makende plof tegen de muur. Ze viel op handen en knieën met haar hoofd tussen haar armen. Een donkere, glinsterende plek verspreidde zich in haar vlassige haar. Ze kreunde zacht en Ragnor gooide de stok, die haar in haar rug raakte.

"Maak dat je weg komt, magere," hoonde hij. "Ik kan je niet meer gebruiken."

Gwyneth sleepte zich naar het stenen portaal. Ragnor wierp haar een minachtende blik na, keerde zich toen om en zocht de kust tegenover het eiland af naar een teken van Wulfgar. Niets te zien of te horen. Ragnor liep heen en weer, bleef nu en dan staan om in de verte te kijken alsof hij Wulfgars nabijheid voelde. Met een vloek sprong hij op zijn paard en maakte een ronde om de ruïne om te zien of er soms ergens een spoor was. Hij hield zijn paard plotseling in aan de landzijde van het eiland bij een tegen de kust getrokken houtblok waarvandaan een nat spoor naar een hoop rotsblokken leidde.

Opnieuw heerste stilte. Hij werd alleen verbroken door het zenuwachtige stampen van de andere twee paarden. Aislinn probeerde met ingehouden adem een geluid van Wulfgars aanwezigheid op te vangen, toen hoonde achter haar haar mans stem:

"Ragnor, dief van Darkenwald. Kom en voel mijn zwaard! Zal je zwarte hart altijd oorlog voeren tegen vrouwen en kinderen? Kom te voorschijn en vecht als een man."

Aislinns bloed bonsde in haar oren.

"Wulfgar!" Ragnors kreet weerkaatste in de nacht. "Laat je zien en ik doe hetzelfde, bastaard. Laat me weten dat je niet achter mijn rug bent."

Ragnor slaakte een kreet van verbazing toen Wulfgar aan de landzijde van het plein als een geestverschijning uit de grond leek op te rijzen, ruig en dreigend in de zwarte nacht. Hij trok zijn zwaard en zwaaide het.

"Kom te voorschijn, dief!" Hij kwam naar voren. "Kom en ontmoet mijn zwaard, of moet ik de rotsen omkeren om je te zoeken?"

Ragnor kwam te voorschijn van achter het vuur. Aislinn gilde van angst want het leek of hij op haar af kwam. Ze vocht tegen haar banden tot haar polsen bloedden, maar slikte een nieuwe kreet in, bang dat ze Wulfgar zou afleiden.

Ragnor zwaaide een knots met lange, dodelijke spijkers aan een ketting. Wulfgar wachtte, dook toen naar rechts, voor het paard langs. De knots vloog over de plaats waar hij gestaan had. Wulfgar raakte met zijn schouder de grond en zwaaide zijn zwaard tegen de hielen van het paard. Het dier gilde van pijn en sloeg tegen de grond.

Ragnor sprong en keerde zich om met zijn knots in zijn hand. Het was geen wapen om te gebruiken tegen een bekwaam zwaardvechter en hij gooide het naar zijn vijand. Wulfgar ontweek het met gemak, maar het gaf Ragnor de kans zijn zwaard te trekken. Met van haat gloeiende ogen keek hij de ander aan en kreeg wat zelfvertrouwen toen hij zag dat Wulfgar geen wapenrusting droeg en alleen zijn zwaard had. Iedere aanraking van zijn zwaard zou hem verwonden. Een verminkte krijgsman was waardeloos en Ragnor had een kort visioen van de vermaarde Wulfgar bedelend op straat. Hij lachte en steunde zijn schild tegen zijn schouder. Ragnor zwaaide zijn zwaard, maar Wulfgar ging snel opzij en raakte de rand van het schild.

Ragnor kon niet meer dan de harde, met twee handen gegeven slagen op zijn schild opvangen. Hij begon het gewicht van wapenrusting en schild te voelen. Net als op het toernooiveld kon Ragnor geen opening vinden bij zijn tegenstander. Hij werd misselijk bij de gedachte dat dit geen toernooi was maar een strijd op leven en dood. Hij werd langzamer, badend in het zweet onder de maliën en het leer. Wulfgar nam zijn zwaard in beide handen. Nu stonden ze teen aan teen en nog steeds kwam Ragnors zwaard niet door. Ragnor zag dat Wulfgar ook leed onder de spanning. Zonder wapenrusting moest hij iedere slag pareren en ook nog proberen zijn vijand te treffen. Hij deed een stap achteruit en Ragnor sloeg naar het even zichtbare been. De slag was niet goed raak, maar ging toch door het beenstuk en de laars en er kwam bloed. Ragnor brulde van triomf en hief zijn zwaard hoog toen Wulfgar op een knie viel. Aislinn kromp in elkaar van angst, maar Wulfgar zag Ragnors bedoeling. Nog steeds geknield, legde hij de platte kant van zijn zwaard tegen zijn schouder om de hakkende slag af te weren, die de grond in ging en de arm van de ander verdoofde. Wulfgars vest en tuniek werden doorgesneden door zijn eigen zwaard en er kwam bloed uit zijn schouder, maar hij sloeg terug en Ragnor struikelde achteruit met een wond in zijn arm tot het bot. Ragnor gilde, greep zijn arm en sprong over het vuur heen. Hij grauwde teleurgesteld en werd bleek toen Wulfgar met zijn zwaard gereed naar hem toe kwam. Hij zag de dood in de ogen en vluchtte.

Hij rende naar het portaal in de muur en bleef daar staan. Hij hijgde ratelend en greep de deurpost vast. Aislinn keek vragend naar Wulfgar, die wachtte, gereed om verder te vechten. Hij liep snel naar haar toe en sneed haar los, het portaal in het oog houdend.

Ragnor leunde tegen de muur en keerde zich langzaam naar ze toe, zijn mond open van verbazing. Ze volgden zijn blik naar het met juwelen bezette gevest van Aislinns dolk dat links uit zijn borst stak. Het smalle lemmet was netjes tussen de schakels van zijn maliënkolder gegleden en diep doorgedrongen. Met zijn goede hand trok hij het eruit en een stroom bloed liep langs zijn borst. Hij keek ze ongelovig aan.

"Ze heeft me gedood, de teef."

Zijn knieën knikten, hij gleed voorover en bleef liggen. Een beweging achter hem trok hun aandacht en Gwyneth strompelde te voorschijn. Een lelijke blauwe plek zwol op haar slaap. Ze keek neer op Ragnor. Een dun spoortje bloed liep uit haar oor en uit haar neus. Haar ogen waren leeg.

"Hij zei dat hij me liefhad en nam alles wat ik kon geven, toen zette hij me opzij als een vuile..."

Ze snikte, deed een stap naar ze toe, maar struikelde en bleef zielig huilend liggen. Aislinn vloog naar haar toe en legde het vlassige hoofd in haar schoot.

"Oh, Aislinn, ik ben een dwaas geweest," zuchtte Gwyneth. "Ik luisterde alleen naar mijn eigen ijdelheid en verlangens. Vergeef me, want ik heb je wreed gekweld in mijn verlangen naar waardigheid en eer. Dat was niet voor mij weggelegd. Wat is het lot van een bastaard?"

Wulfgar kwam bij haar voeten staan en keek naar zijn zuster. Ze keek hem aan en glimlachte als om een wrange grap.

"Ik kon de gedachte niet verdragen in jouw plaats te zijn en slecht behandeld te worden door de wereld, hoewel jij ze goed leerde dat het nut heeft een bastaard te eren." Ze hoestte en er kwam rood speeksel op haar lippen. "Onze moeder sprak om je vader te kwetsen en begon een eindeloze leugen, Wulfgar." Ze sloot haar ogen en haalde diep adem. "Op haar sterfbed smeekte ze me het je te vertellen en alles recht te zetten, maar ik kon het niet. Ik was laf. Dus nu hoor je het tenslotte." Ze keek hem weer aan. "Je bent geen bastaard, Wulfgar, maar Bolsgars echte zoon." Ze glimlachte om zijn verbazing. "Ja, ik en onze gestorven broer hadden jouw titel moeten dragen. Falsworth en ik werden verwekt door haar minnaar toen Bolsgar weg was om voor de koning te vechten. Vergeef me, Wulfgar."

Ze hoestte weer.

"O Heer, vergeef mijn zonden. Vergeef mijn..." Met een lange zucht ontspande ze en stierf.

Wulfgar knielde en keek nadenkend naar Aislinn die voorzichtig het bloed en vuil van Gwyneths eindelijk rustige gezicht veegde. Hij zei zacht en hees:

"Ik hoop dat ze vrede gevonden heeft. Ik vergeef haar. Onze moeder beging de grootste zonde en in haar verwrongen wraak kwelde ze ons."

Aislinn zei scherp: "Ik vergeef haar alleen als we één ding kunnen rechtzetten. Ze gaf onze zoon aan een verwilderd oud wijf dat bedelde in een verwoest dorp."

Wulfgar stond op, zijn gezicht vertrokken van woede. Hij liep naar de paarden en greep een zadel van de grond, maar dacht plotseling aan de meeuwen die met de dageraad zouden komen. Hij kon de gedachte niet verdragen dat de beenderen van zijn zuster gebleekt op het zand zouden liggen. Hij legde het zadel terug, wendde zich naar Aislinn en zuchtte.

"Een nacht meer zal geen verschil maken."

Hij spreidde vachten op de grond, trok Aislinn neer en trok de mantels dicht om ze heen tegen de kou. Aislinn lag met haar hoofd op zijn schouder en vond troost in zijn sterke armen. Uitgeput vielen ze in slaap.

Bij de dageraad maakte Aislinn eten klaar en schraapte Wulfgar twee ondiepe graven in het harde zand. Hij begroef Ragnor met zijn zadel, schild en zwaard, en Gwyneth gewikkeld in de met bont gevoerde mantel en haar handen om de kleine dolk. Wulfgar legde stukken zware steen op de graven om ze te beschermen tegen wolven. Hij stond lang naar woorden te zoeken, maar vond er geen. Tenslotte keerde hij zich om en zadelde snel de paarden. Ze aten, stegen op en Wulfgar ging voor over de ondiepe strook.

Ze dreven hun paarden voort tot ze het verwoeste dorp bereikten. Ze vonden een ruwe hut van planken, maar de as was koud en de strozak leeg. Er was geen spoor van de oude vrouw. Ze reden verder, stopten bij ieder dorp en hoewel sommige mensen het oude wijf kenden, had niemand haar gezien.

De avond van de tweede dag stonden ze weer tussen de ruïnes van het gehucht. Aislinn kreunde van wanhoop en zonk langzaam op de grond, verslagen snikkend. Wulfgar trok haar overeind en sloot haar teder in zijn armen. Haar kreten werden gesmoord tegen zijn borst en hij streek zacht het haar van haar oor en kuste haar. Van alle beproevingen die Aislinn gekend had, was het deze die haar brak. Ze had geen energie meer, geen wil. Ze hing slap in zijn armen, haar verdriet uitsnikkend tegen zijn borst. Het duurde lang voor er geen tranen meer kwamen. Haar borst deed pijn van het huilen en haar keel was rauw. Wulfgar tilde haar in zijn armen, droeg haar naar een muur en zette haar neer. Hij maakte een klein vuur om de kou van de invallende nacht te verdrijven. De hemel in het westen was bloedrood gevlekt, maar vervaagde tot een diep blauw en toen hij opkeek, zag Wulfgar de sterren verschijnen. Het leek of hij ze kon aanraken. Hij keek naar Aislinn die dof in het vuur staarde. Hij nam haar handen in de zijne en zou haar van zijn eigen kracht hebben gegeven als hij kon. Ze wendde haar ogen naar hem toe en er was niets in dan lege pijn.

"Mijn zoon, Wulfgar," kreunde ze. "Ik wil mijn zoon."

Een droge snik schudde haar schouders en hij ging naast haar zitten en nam haar in zijn armen. Hij staarde in het vuur en zei zacht en teder:

"Ik weet weinig van liefde, Aislinn, maar veel van verlies. Ik heb nooit de tederheid van een moeder gekend. De liefde van een vader werd me afgenomen. Ik heb mijn liefde gespaard als een vrek, en nu brandt het allemaal in me."

Hij keek in de ogen die hem nu aankeken. De zijne waren openhartig als van een jongen. Hij streek een krul van haar wang.

"Eerste liefde," fluisterde hij. "Liefde van mijn hart, verraad me niet. Neem wat ik je wil geven en maak het een deel van je, omdat het alles van mij is. Draag mijn liefde in je zoals je het kind deed en breng hem dan voort met een blije kreet en we zullen hem voor eeuwig delen. Ik bied je mijn leven, mijn liefde, mijn arm, mijn zwaard, mijn oog, mijn hart. Neem ze allemaal. Als je me verwerpt, ben ik dood en zal huilend als een geestloos dier over de heide zwerven."

Aislinn glimlachte nu en hij kuste teder haar lippen.

"Er zullen andere zoons zijn, misschien een dochter, en niemand zal aan de vader twijfelen."

Aislinn sloeg haar armen om zijn hals en fluisterde met een snik: "Ik heb je lief, Wulfgar. Hou me vast. Hou me voor altijd vast."

Hij fluisterde in haar oor: "Ik heb je lief, Aislinn. Drink van mijn liefde. Laat hij je kracht zijn."

Ze leunde achteruit tegen zijn arm en streelde zijn wang.

"Laten we gaan," zei ze smekend. "Ik kan niet nog een nacht hier blijven. Laten we naar huis gaan, naar Darkenwald. Ik heb behoefte mijn eigen dingen om me heen te hebben."

"Ja," stemde hij toe, stond op en trapte het vuur uit.

Bij de paarden grijnsde Aislinn triest en wreef haar achterste. "Ik zal nooit meer zo van een rit genieten als vroeger," zei ze peinzend.

Wulfgar bleef staan en keek haar nadenkend aan. "Ik heb een bootje gezien toen ik dronk. Ja, dat zou veel beter zijn. Kom, het is niet ver."

Hij nam haar hand, leidde de paarden en bracht haar naar een wilgebosje. Hij scheidde de hangende takken en toonde haar een boot, een lang, smal vaartuigje uit een enkele stam. Hij boog sierlijk.

"Uw koninklijke sloep, vrouwe." Bij haar verbaasde frons legde hij uit: "Deze stroom komt uit in het moeras bij Darkenwald."

Opgelucht dat ze niet meer in het zadel hoefde, keek ze hem aan. Hij knikte, liet de paarden los en legde de zadels voorin de boot. Hij zette Aislinn in het midden waar ze tegen het zadel kon leunen en stopte haar mantel om haar heen. Hij duwde de boot in het water, stapte in en ging achterin zitten, nam de korte peddel en stuurde de snelle stroom in.

Aislinn sliep een poosje, werd even wakker en voelde de gelijkmatige stoten die de boot voortdreven. Ze keek omhoog naar wilgen die wuifden alsof ze hun verdriet uitsnikten. Ze keek naar sterren tussen de kale takken en de maan die bloedrood opkwam en toen goud werd. Ze viel weer in een rusteloze slaap. Zo verstreek de nacht. Voor haar een beetje slaap en een ogenblik ontwaken, en Wulfgar die de boot voortdreef over de bochtige stroom.

Wulfgar voelde zich leeg. De zoon die hij was begonnen lief te hebben, was verdwenen en hij zou misschien nooit meer dat verwarde haar zien of dat vrolijke gegorgel horen. Hij hief zijn armen en peddelde tot de pijn iets van de pijn uit zijn geest verdreef.

Bij het eerste grijze licht zag hij een bekende eik op een heuvel, een slaperig dorp met een grote burcht en op een verdere heuvel het bijna voltooide kasteel van Darkenwald. De boot knarste op het zand en Wulfgar stapte in het water om hem aan land te trekken. Hij nam Aislinn in zijn armen en droeg haar naar de oever. Hij ging voor op het smalle pad en hield haar hand vast. Hij kende het pad nu. Op een andere novemberochtend was hij op de rug van de Hun langs een onbekend pad gegaan dat hem bracht bij een mooi meisje dat baadde in een koude stroom.

Aislinn zuchtte en keek vermoeid en bedroefd naar het toenemende licht, met een lege pijn van binnen. Ze kwamen bij het huis en Wulfgar hield de deur voor haar open en ging achter haar naar binnen.

Ze keken even verward om zich heen, verbijsterd door het licht en het lawaai. Bolsgar en Sweyn spraken luid met Gowain en Milbourne en Kerwick zat bij de haard en werd verzorgd door Haylan. Zijn been en hoofd zaten in verband, maar zijn stemming leek goed. Als zijn ogen die van Haylan ontmoetten, werden ze zacht. En in een donkere hoek, met haar rug naar de anderen, zat Maida.

Het hele toneel was misplaatst voor een zaal die stil en in rouw had moeten zijn, vooral op dit vroege uur. Zowel Aislinn als Wulfgar waren onwillig de vrolijke stemming te verbreken met hun droeve nieuws, maar ze liepen dichter naar de haard, tot Bolsgar ze opmerkte en met een vrolijke groet opstond.

"Zo, zijn jullie daar eindelijk," grinnikte hij. "Goed! Goed! De wachters zagen jullie komen." Hij keek onderzoekend naar Aislinn. "Nou, dochter, ik zie dat die verliefde schurk je geen kwaad heeft gedaan." Hij trok vragend zijn wenkbrauwen op tegen Wulfgar. "Je hebt hem gedood, hoop ik? Ik ben op dit meisje gesteld geraakt en zou het erg slecht opnemen als die fat haar weer zou bedreigen."

Wulfgar schudde zijn hoofd en voor hij het kon uitleggen, sprong Sweyn op.

"Wat?" brulde de Viking. "Kan ik zo iets eenvoudigs niet aan jullie jongelingen overlaten?" Hij lachte rommelend en gaf Bolsgar een hartelijke klap op zijn rug die hem de adem benam. "Ik denk dat wij tweeën op jacht moeten om te zorgen dat het gebeurt. Misschien zult u deze keer geen excuus vinden om achter te blijven."

Wulfgar keek van de een naar de ander, niet in staat het recht te zetten, toen Sweyns opmerking een andere vraag in zijn hoofd deed opkomen.

"Ja," antwoordde Bolsgar vrolijk spottend. "En ik vertrouw niet dat jij erbij zou helpen, je schijnt er iets tegen te hebben me werk te besparen."

Sweyn toeterde: "Hé, oud Saksisch krijgsros. Kon u niet zien dat ik mijn handen al vol had met die bronstige hengst bij de kleine merries vandaan te houden die Ragnor losgelaten had? Toen ik u voorbij kwam op de weg, kon ik alleen maar met mijn hand wuiven."

De Noorman wendde zich naar Wulfgar en legde uit:

"Ik kampeerde die nacht en de Hun wekte me met zijn neus in mijn gezicht." Hij grinnikte en keek even naar Hlynn, en vervolgde: "Man, ik droomde dat een mooi jong meisje me kuste, toen snoof die stinkende hengst in mijn nek en ik dacht dat ik hem maar terug moest brengen met de andere paarden die ik onderweg vond." Sweyn lachte hard. "Het waren allemaal merries en die balkende muilezel van jou, Wulfgar, vermoordde me bijna, vooral toen ik die appelgrauwe van vrouwe Ailsinn tegenkwam." Hij wees naar Bolsgar. "Nu beweert die koppige Sakser dat ik hem in de steek gelaten heb toen hij vreselijk in nood zat."

"Een tam excuus," gromde Bolsgar. "Je kon wel zien dat ik het het moeilijkst had."

Wulfgar keek vragend naar zijn vader. "Wat was zo moeilijk?"

De oude man haalde zijn schouders op. "Een pakje dat jij achterliet."

Sweyn viel hem in de rede, zonder op Wulfgars verbazing te letten. "Maar wat is er gebeurd met die schoft, Ragnor? Is hij met Gwyneth naar het noorden ontkomen?"

Wulfgar schudde zijn hoofd weer. "Nee," mompelde hij. "Ze hebben elkaar van kant gemaakt."

Bolsgar schudde triest zijn hoofd en zei hees: "Aaah, Gwyneth, arm meisje. Misschien heeft ze nu rust." Hij veegde met zijn mouw over zijn gezicht.

Even was het stil in de kamer en Aislinn leunde vermoeid tegen Wulfgar aan, die haar dicht tegen zich aan trok. Ze voelde de warmte van thuis, maar er ontbrak toch iets aan. Er was een leegte in haar die niet paste bij de vrolijkheid. Haar ogen zwierven rond, zagen Haylan en Kerwick dicht bij elkaar, Miderd en Hlynn die het ontbijt klaarmaakten, en Maida nog steeds weggekropen in haar hoek.

Sweyn kuchte. "We hebben de goede Beaufonte begraven."

Gowain stond op en knikte. "Ja, maar wij drieën en de broeder hebben met veel moeite Sweyn weerhouden hem in een boot te leggen en er een toorts bij te houden."

"Ja," grinnikte Milbourne. "We hebben onze vriend te rusten gelegd, maar Sweyns manier van rouwen heeft ons allemaal op de vlucht gejaagd."

"Ja," stemde Bolsgar in. "En het heeft de kleine voorraad bier en wijn voor de winter behoorlijk verminderd."

"'t Was om een goede vriend te eren," mompelde Wulfgar. Hij keek naar Sweyn. "Rust vandaag, want morgen moeten we met Gowain en Milbourne weer op weg op zoek naar een oude vrouw met een verschrompelde arm."

"Waar heb je dat oude wijf voor nodig?" vroeg Bolsgar. "Ze zal je beroven."

Wulfgar keek hem verbaasd aan. "Kent u haar?" vroeg hij, en merkte dat Aislinns belangstelling gewekt was door zijn vaders woorden. Was het te veel te hopen dat Bolsgar ze bij het oude wijf kon brengen en misschien ook bij de baby?

"Ik had met haar te maken," antwoordde Bolsgar. "Ze verkocht me een pakje en dat kostte moeite, want ze was eraan gehecht en wilde niet makkelijk over de brug komen. Maar met een handvol zilver en het tonen van mijn zwaard, heb ik de koop kunnen sluiten."

Wulfgar keek hem argwanend aan. "Welk pakje bedoelt u?"

Bolsgar riep over zijn schouder: "Maida!"

"Ja!" antwoordde ze alsof het haar ergerde dat ze zo geroepen werd.

"Breng het pakje hier! We moeten deze twee leren hun spullen niet zo te laten slingeren. Ja, breng me mijn kleinzoon!"

Aislinns hoofd schoot omhoog en Wulfgar keek verbaasd naar zijn vader. Maida stond op en keek ze aan, met een bundeltje in haar armen. Bij het zien van het hoofdje met koperen krullen, gaf Aislinn een gelukkige kreet en rende naar haar moeder om de baby uit haar armen te graaien. Ze drukte hem dicht tegen zich aan en draaide in een kring rond terwijl iedereen glimlachend naar haar keek. Wulfgar lachte toen Bryce een gil van protest gaf.

"Mijn lief, pas op. Hij kan zoveel liefde niet verdragen."

"O Wulfgar! Wulfgar!" riep ze en kwam naar hem toe. Ze kon geen betere woorden vinden.

Wulfgar glimlachte teder naar haar en met een gevoel of een grote last van hem afgenomen was, nam hij de jongen uit zijn moeders armen en zwaaide hem in de lucht, tot verrukking van Bryce. Hij kraaide en grinnikte, maar Maida klokte als een kloek.

"De jongen zal het nog berouwen dat hij een vader als jij heeft. Wees voorzichtig met mijn kleinkind."

Wulfgar keek haar aan, twijfelend aan haar verstand, en hield Bryce voorzichtiger vast, maar hij zag in Maida's ogen een nieuwe vastheid en een glimp van schoonheid die hij nooit eerder gezien had. De littekens op haar gezicht waren vervaagd en een gezonde kleur had ze vervangen. Hij wist dat ze in haar jeugd even mooi was geweest als Aislinn.

"Hoe weet je zo zeker dat ik zijn vader ben?" vroeg hij.

"Natuurlijk is hij jouw zoon," onderbrak Bolsgar. "Net zo als jij mijn zoon bent."

Wulfgar trok vragend een wenkbrauw op. De oude man stak een vinger uit, trok Bryce's windsel omlaag en onthulde een rode plek op zijn bil. "Dat is een moedervlek van mij – als je mijn woord aanvaardt want ik zal hem niet vertonen. Toen ik de baby naar huis bracht, moest ik hem verschonen. Zodra ik de vlek zag, wist ik dat jij mijn zoon was en hij de jouwe."

Wulfgar leek verbijsterd. "Maar ik heb niet zo'n vlek."

Bolsgar haalde zijn schouders op. "Mijn vader ook niet, maar zijn vader had hem, en de kleinzoon van iedereen met zo'n vlek."

"Gwyneth zei dat ik uw echte zoon ben," mompelde Wulfgar. "En onze moeder vertelde Gwyneth op haar sterfbed dat zij en Falsworth een andere vader hadden."

Bolsgar zuchtte diep. "Als ik je moeder minder alleen gelaten had, was ze misschien tevreden geweest. Nu schijnt het dat ik jullie allemaal droevig in de steek gelaten heb."

Wulfgar greep zijn schouder en glimlachte. "Ik heb een vader gevonden, maar Williams vriendschap verloren. Toch is de ruil ongekend rijk."

In Wulfgars armen keek Bryce verbaasd om zich heen, kauwend op een kleine vuist, zijn ogen groot van nieuwsgierigheid. Maida neuriede en liefkoosde hem, toen keek ze van opzij naar zijn vader.

"Er is nooit enige twijfel geweest dat hij jouw zoon was, Wulfgar. Weet jij niet wanneer je met een maagd slaapt?"

"Wat?" vroeg Wulfgar. "Ben je weer gek geworden, vrouw? Ragnor…"

Maida grinnikte en wendde zich naar haar dochter. "Deze gebruikte goed wat Ragnor niet kon opheffen, hè, dochter? En die kraaiende Normandische haan eiste op wat hij nooit gehad had."

"Moeder," smeekte Aislinn.

Maida hield een pakje op dat aan haar gordel hing en zwaaide het. "Ken je dit?"

Aislinn keek verward naar het zakje en giechelde toen.

"Oh moeder, hoe durfde u dat?"

Wulfgar fronste verbaasd.

"Aislinn, wat heeft ze daar?" vroeg hij.

"Slaappoeder, mijn lief," glimlachte Aislinn en keek hem aanbiddend aan.

"Ja," stemde Maida in. "De nacht dat Ragnor met Aislinn wilde slapen, deed ik een drank in de wijn. Voor hem! Alleen voor hem! Maar hij dwong Aislinn ook te drinken. Ik was in de kamer. Hij probeerde haar te nemen. Hij scheurde haar kleren." Ze wees naar de trap. "Hij viel op haar – op het bed." Ze grinnikte. "Maar voor hij dat wat hij wilde, vielen ze in slaap en ze sliepen tot ik haar wekte en we vluchtten." Ze haalde haar schouders op. "Ik zou hem gedood hebben als ik niet bang was geweest dat zijn mannen mijn dochter zouden doden."

Wulfgar fronste nog. "Er zouden andere tekenen zijn geweest."

"Ik heb het bewijs weggenomen," lachte Maida met schitterende ogen. "Haar gescheurde onderkleed van jouw nacht met haar, met haar maagdevlekken erop."

"Moeder!" onderbrak Aislinn, plotseling kwaad. "Waarom liet u me al die maanden twijfelen?"

Maida keek haar trots aan. "Omdat hij een Normandiër was en jij naar hem toe gevlogen zou zijn om het hem te vertellen." Ze haalde weer haar schouders op. "Nu is hij maar half Normandiër en half Sakser."

Wulfgar gooide zijn hoofd achterover en lachte. Na een poosje kalmeerde hij een beetje en mompelde:

"Arme Ragnor, hij heeft het nooit geweten."

Aislinn kwam naar hem toe en toen Maida de baby van hem overnam, trok Wulfgar zijn vrouw naar zich toe. Hij keek door de zaal en voelde de warmte en geborgenheid die Aislinn altijd gekend had. Hij keek naar de ridders, Milbourne en Gowain, die naast hem gevochten hadden; Sweyn die hem grootgebracht had; Bolsgar, zijn hervonden vader; Maida; Miderd; Hlynn; Ham; zijn bediende Sanhurst; Haylan en Kerwick; allemaal vrienden. Hij glimlachte toen hij naar de laatste twee keek.

"Je hebt mijn toestemming de weduwe te trouwen, Kerwick. Het kasteel is over een paar dagen klaar en dan is er een feest. Dat zou een goede tijd zijn om te trouwen."

Kerwick keek naar Haylan en grijnsde. "Ja, heer, als ik dan kan lopen."

Haylan boog voor Wulfgar en Aislinn. "Hij zal lopen," verzekerde ze, haar donkere ogen stralend. "Of hij krijgt een nog diepere wond."

Lachend trok Wulfgar Aislinn mee naar buiten in de frisse ochtend. Ze huiverde in een koele bries en hij trok haar dicht tegen zich aan. Ze liepen samen over het plein in de richting van het kasteel. Onder een oude eik trok hij haar in zijn armen, achteruit leunend tegen de stam. Hij kuste haar wang en haar keel.

"Ik had nooit gedacht dat ik een vrouw zou liefhebben zoals ik jou liefheb," zuchtte hij. "Je houdt mijn wereld in de palm van je hand."

Aislinn lachte en wreef haar gezicht tegen zijn borst. "'t Werd tijd dat je het toegeeft."

Ze keerde zich om in zijn armen, leunde achteruit tegen hem aan en keek naar het kasteel dat oprees als een grote schildwacht om het land te bewaken.

"'t Zal een veilige plaats zijn voor onze zoons," mompelde Wulfgar.

"Ja, onze vele zoons," fluisterde ze, toen wees ze naar een windvaan op de hoogste toren van het kasteel. "Kijk!"

Gavin had een grote ijzeren wolf gemaakt die zwaaide in de ochtendbries alsof hij een prooi zocht. Wulfgar keek er een poosje naar.

"Laat dat beest de oorlog maar zoeken," zei hij zacht. "Ik heb in jou vrede gevonden. Ik zal niet meer zwerven. Ik ben Wulfgar van Darkenwald."

Hij draaide haar om in zijn armen en hun schaduwen werden een in het licht van de nieuwe zon.

Darkenwald had een plaats voor allen gevonden.